Les Portes
de Québec

Le prix du sang

DU MÊME AUTEUR

Un viol sans importance, roman, Sillery, Septentrion, 1998.

La Souris et le rat, roman, Gatineau, Vents d'Ouest, 2004.

Un pays pour un autre, roman, Sillery, Septentrion, 2005.

L'Été de 1939, avant l'orage, roman, Montréal, Hurtubise HMH, 2006.

La Rose et l'Irlande, roman, Montréal, Hurtubise HMH, 2007.

Les Portes de Québec, t. 1, *Faubourg Saint-Roch*, roman, Montréal, Hurtubise HMH, 2007.

Les Portes de Québec, t. 2, *La Belle époque*, roman, Montréal, Hurtubise HMH, 2008.

JEAN-PIERRE CHARLAND

Les Portes
de Québec
Le prix du sang

Tome 3

Catalogage avant publication de Bibliothèque et Archives nationales du Québec et Bibliothèque et Archives Canada

Charland, Jean-Pierre, 1954-

Les portes de Québec

Sommaire: t. 1. Faubourg Saint-Roch – t. 2. La belle époque – t. 3. Le prix du sang.

ISBN 978-2-89647-039-6 (v. 1)

ISBN 978-2-89647-087-7 (v. 2)

ISBN 978-2-89647-110-2 (v. 3)

I. Titre. II. Titre: Faubourg Saint-Roch. III. Titre: La belle époque. IV. Titre: Le prix du sang.

PS8555.H415P67 2007   C843'.54   C2007-941413-3
PS9555.H415P67 2007

Les Éditions Hurtubise HMH bénéficient du soutien financier des institutions suivantes pour leurs activités d'édition:

- Conseil des Arts du Canada
- Gouvernement du Canada par l'entremise du Programme d'aide au développement de l'industrie de l'édition (PADIÉ)
- Société de développement des entreprises culturelles du Québec (SODEC)
- Programme de crédit d'impôt pour l'édition de livres du gouvernement du Québec

Illustration de la couverture: Luc Normandin
Maquette de la couverture: Geai Bleu Graphique
Maquette intérieure et mise en page: Andréa Joseph [pagexpress@videotron.ca]

Éditions Hurtubise HMH ltée
1815, avenue De Lorimier
Montréal (Québec) H2K 3W6

Librairie du Québec/DNM
30, rue Gay-Lussac
75005 Paris FRANCE
www.librairieduquebec.fr

ISBN: 978-2-89647-110-2

Dépôt légal: 4e trimestre 2008
Bibliothèque et Archives nationales du Québec
Bibliothèque et Archives du Canada

Imprimé au Canada

www.hurtubisehmh.com

Liste des personnages principaux

Buteau, Émile : Frère de Marie, devenu curé de la paroisse Saint-Roch.

Buteau, Marie : Jeune fille née dans le quartier Saint-Roch, épouse d'Alfred Picard.

Caron, Élise : Meilleure amie d'Eugénie Picard. C'est la fille du médecin des deux familles Picard. Elle épouse Charles Hamelin en 1908.

Dubuc, Paul : Député libéral de Rivière-du-Loup, père de deux filles, Amélie et Françoise. Il se lie à Marie Picard, née Buteau, en 1916.

Dugas, Gertrude : Servante dans la maisonnée de Marie (Buteau) Picard.

Dupire, Fernand : Meilleur ami d'Édouard Picard, il épouse la sœur de celui-ci, Eugénie. Il succède à son père dans son étude de notaire et, à ce titre, s'occupe des affaires des Picard.

Girard, Jeanne : Domestique employée d'abord chez les Picard, elle accompagne Eugénie au domicile des Dupire lors du mariage de celle-ci avec Fernand.

LeBlanc, Clémentine : Jeune employée de la *Quebec Light, Water and Power*, dont Édouard s'entiche en 1914.

Létourneau, Fulgence : Administrateur des ateliers de confection de Thomas Picard. Son épouse se prénomme

Thérèse. En 1909, il adopte un garçon appelé Jacques, dont il ne connaît pas les véritables parents.

Melançon, Ovide : Contremaître du service des livraisons du magasin Picard en 1916.

Paquet, Évelyne : Fille d'un avocat en vue, elle épouse Édouard Picard pendant l'été 1917.

Picard, Alfred : Frère aîné de Thomas, propriétaire d'un magasin de vêtements féminins dans la rue de la Fabrique. Il disparaît dans le naufrage de l'*Empress of Ireland* en 1914.

Picard, Édouard : Fils d'Alice et de Thomas Picard.

Picard, Eugénie : Fille d'Alice et de Thomas Picard.

Picard, Mathieu : Fils de Marie Buteau et de Thomas Picard. Alfred Picard assume cette paternité.

Picard, Thalie : Fille de Marie Buteau et d'Alfred Picard.

Picard, Thomas : Propriétaire d'un magasin à rayons, marié en secondes noces à Élisabeth Trudel, père d'Eugénie et d'Édouard. Organisateur politique pour Sir Wilfrid Laurier. À ce titre, il se trouve mêlé intimement à l'existence du Parti libéral.

Trudel, Élisabeth : Recrutée à dix-huit ans afin de s'occuper des enfants, elle devient la seconde épouse de Thomas Picard.

Liste des personnages historiques

Bégin, Louis-Nazaire (1840-1925): Prêtre, il est nommé archevêque de Québec en 1898 et cardinal, à la tête du même diocèse, en 1914.

Bourassa, Henri (1858-1952): Homme politique, chef du mouvement nationaliste, fondateur du journal *Le Devoir* (1910), il s'oppose à la conscription pendant la Première Guerre mondiale.

Dussault, Eugène: Médecin, professeur à l'Université Laval, échevin à la ville de Québec, il propose, le 21 décembre 1917, que le conseil municipal se prononce pour la rupture de la fédération canadienne.

Fortin, abbé Maxime (1881-1957): Artisan de l'Action catholique de Québec, membre fondateur et premier aumônier de la Confédération des travailleurs catholiques du Canada, rédacteur au journal *L'Action catholique*.

Francœur, Joseph-Napoléon (1880-1965): Avocat, député du comté de Lotbinière à l'Assemblée législative de 1908 à 1936, il propose, le 21 décembre 1917, une motion relative au retrait du Québec de la fédération canadienne.

Landry, Joseph-Philippe (1870-1926): Avocat, nommé général en 1916, il commande le «cinquième district militaire», celui de Québec, au moment des émeutes de 1918.

Laurier, Wilfrid (1841-1919): Avocat de formation, journaliste et homme politique, il est député libéral du comté de

Québec-Est de 1877 jusqu'à sa mort. Pendant la Première Guerre mondiale, il s'efforce de concilier les obligations du Canada à l'égard de la métropole et les réticences des Canadiens français à s'engager dans le conflit.

Lavergne, Armand (1880-1935): Avocat, il participe à la création de la Ligue nationaliste en 1903 avec Henri Bourassa et Olivar Asselin. Député du comté de Montmagny à Ottawa (1904-1907), puis à Québec (1908-1916). Une rumeur persistante en fait le fils naturel de Wilfrid Laurier.

Lavigueur, Henri-Edgar (1867-1943): Marchand, maire de Québec (1916-1920; 1930-1934), il est aussi député aux Communes de 1917 à 1930.

Lessard, François-Louis (1860-1927): Militaire depuis 1880, il participe à la répression de l'insurrection des Métis du Nord-Ouest (1885) et à la guerre des Boers (1899). Commandant de la forteresse de Halifax, il est appelé à rétablir l'ordre à Québec lors des émeutes de 1918.

Chapitre 1

Partir vers l'Europe méritait la présence d'une nombreuse compagnie. L'événement, rarissime dans une vie, valait d'être souligné. Le billet en troisième classe, aller-retour, coûtait le salaire de plusieurs semaines d'un ouvrier. En deuxième classe, cela représentait deux bons mois. Quant à celui de première classe, seules des personnes dont la fortune se comparait à celle de Thomas Picard osaient poser la question !

Les navires du Canadien Pacifique s'amarraient au quai situé sous la masse imposante du *Château Frontenac*, le grand édifice qui, du haut de la falaise, dominait le paysage. Dans les rues environnantes, des fiacres, des calèches et de bruyantes automobiles transportaient des passagers à la fois nerveux et excités d'entreprendre une grande traversée, de même que leurs amis et leur famille, peinés par une séparation qui durerait nécessairement plusieurs semaines.

Alfred descendit de voiture avec une petite valise à la main et paya le cocher alors que son fils, Mathieu, se colletait avec une malle visiblement trop lourde pour lui.

— Laisse, déclara son père, les employés vont s'en occuper. Regarde, en voilà un qui vient justement avec son petit chariot.

— J'y serais arrivé.

— Je n'en doute pas un instant, convint Alfred en lui mettant une main sur l'épaule.

Marie se tenait un peu à l'écart, un mouchoir à la main pour essuyer une larme ou deux.

— Je vais te faire mes adieux ici, murmura-t-elle quand l'homme s'approcha en lui présentant son bras gauche pour l'escorter à l'intérieur.

— Curieux phénomène ! J'ai droit à des adieux à la pièce. D'abord Thalie qui s'enferme dans sa chambre en pleurant...

— Elle est à l'âge des larmes et des drames. Je parie qu'elle se trouve déjà en train de t'écrire une longue lettre pour te demander pardon de sa conduite.

— Si elle se dépêche de la poster, je pourrai peut-être la lire ce soir, après l'arrêt à Rimouski.

Les navires du Canadien Pacifique transportaient le courrier entre le Canada et le Royaume-Uni, ce qui leur valait l'honneur d'accoler «RMS» à leur nom, pour *Royal Mail Ship's*. Ils s'arrêtaient à Rimouski afin d'embarquer les derniers sacs de la poste.

— Je préfère te quitter ici plutôt que de renifler parmi des dizaines de personnes, reprit Marie. Sans compter qu'il sera là, ajouta-t-elle après une pause.

— ... Très probablement. Il doit encore me casser les oreilles au sujet de ses fournisseurs. Je suis supposé rencontrer quelques manufacturiers anglais.

— Travailles-tu pour la compétition ?

— Je possède un sixième de ce grand magasin. Si mon intervention améliore ses profits, des miettes tomberont dans notre poche.

Marie se hissa sur le bout des pieds pour embrasser son mari sur la bouche, posa ses deux mains sur les siennes pour les serrer, puis conclut :

— Alors tout est dit. Va prendre ce grand navire, profite de tes semaines en Europe et reviens avec toutes ces petites robes qui nous rendront si riches.

L'homme tenta de dire quelque chose, se troubla, serra sa femme dans ses grands bras au risque de faire tomber son chapeau ridiculement large avant de tourner les talons.

— Toi, m'accompagnes-tu à l'intérieur ? grommela-t-il d'une voix cassée à son fils.

— Il faut que j'apprenne. Un jour, ce sera mon tour de prendre ce navire… Maman, pourquoi ne m'attends-tu pas sur l'un de ces bancs ? Nous rentrerons ensemble tout à l'heure.

Marie fit un signe d'assentiment de la tête. Dans le petit édifice donnant accès à la passerelle, des dizaines de personnes se pressaient les unes contre les autres. Des employés en uniforme du Canadien Pacifique examinaient les billets, vérifiaient les noms sur la liste des passagers avant de leur donner une carte d'embarquement.

— Attends-moi près de la passerelle, je règle les formalités.

Quand le jeune collégien approcha de la plate-forme métallique, dont l'autre extrémité donnait dans le flanc de fer du navire, ce fut pour se retrouver au coude à coude avec Thomas Picard. Trois ans de gouvernement conservateur, depuis 1911, n'avaient pas trop porté préjudice aux affaires du commerçant.

— Mathieu, heureux de te voir… Je commençais à croire que ton père avait changé d'idée.

— Aucune chance que cela se produise : il en rêve depuis des années. Présentement, il procède à son enregistrement.

Le commerçant demeurait séduisant, même à quarante-huit ans. Son paletot gris et son melon assorti témoignaient de la qualité de la marchandise offerte dans son grand magasin.

— Ma foi, tu es un homme maintenant. Quel âge cela te fait-il ?

— Seize ans, cet été dix-sept, répondit le garçon en serrant la main tendue.

— Cela te dirait de venir travailler au magasin ? J'aurai toujours une place pour toi.

— Mais je suis étudiant…

L'homme lui adressa son meilleur sourire, puis précisa :

— Je le sais bien. Je songeais à la période des vacances estivales. Cela te donnerait une autre expérience des affaires, cette fois dans une vaste entreprise.

— Si jamais je mets les pieds dans le magasin Picard, ce sera pour occuper le siège du président de la société.

Thomas demeura interdit, puis chuchota d'une voix changée :

— Ce poste ira à mon fils.

— C'est bien ainsi que je le comprends : à l'un de vos fils. Pourquoi serait-ce à l'aîné ? Grand-père Théodule n'a-t-il pas choisi le cadet ? Si vous voulez m'excuser...

Mathieu tourna les talons pour revenir vers le comptoir du Canadien Pacifique juste à l'instant où Alfred en finissait avec la paperasse.

— Je vais aller rejoindre maman, déclara le garçon. De toute façon, tu devras parler affaires avec lui.

— Si tu préfères cela... Tu vas prendre soin de ta mère ?

— Évidemment. De ma petite sœur aussi. Il faut un homme pour mettre de l'ordre dans cette maison. Ces femmes profitent d'un peu trop de liberté.

Le père dévisagea brièvement son interlocuteur, chercha une trace d'ironie, en vain.

— Si je ne savais pas que tu te moques de moi, j'annulerais mon voyage, de peur de te trouver assassiné par l'une ou l'autre à mon retour, fit-il.

Thalie ne doutait pas que les femmes demeuraient depuis trop longtemps sous la domination abusive de mâles obtus. Celui qui tenterait de la mettre au pas se réservait de bien mauvaises surprises.

— Alors au revoir. Je reviendrai bientôt.

— Je sais, dans huit semaines. Ne fais pas comme Wilfrid Laurier en attrapant un titre de *sir* et un accent *british*.

— Si j'attrape quelque chose, j'espère que ce sera un peu du souffle de liberté de Paris.

Alfred resta là, immobile, emprunté, puis serra Mathieu contre lui avec une brusquerie émue.

Quelques minutes plus tard, le collégien marchait le long du quai, en direction du banc où l'attendait sa mère. À trente-quatre ans, Marie Picard, née Buteau, demeurait une jolie femme, mince au point de paraître fragile. Cette impression changeait dès qu'elle fixait ses grands yeux sombres dans ceux d'un interlocuteur.

— Nous y allons? déclara-t-il en mettant la main sur son épaule.

— C'est aussi bien. Iras-tu au Petit Séminaire?

— Les curés seront privés de ma présence aujourd'hui.

— Mais il reste une leçon!

Mathieu lui répondit par un sourire avant de lui offrir son bras pour traverser la rue et rejoindre la place du marché Champlain. La plupart des cultivateurs avaient déjà quitté les lieux; ceux qui s'attardaient encore se trouvaient sans doute dans une taverne des environs.

Après être passés près de l'église Notre-Dame-des-Victoires, ils regagnèrent la rue Champlain afin de prendre le funiculaire. Le curieux petit véhicule décrivait une trajectoire presque verticale au flanc de la falaise jusqu'au sommet du promontoire. Ils descendirent tout près de la statue érigée seize ans plus tôt à la gloire du fondateur de Québec, Champlain. Le bronze révélait une jolie teinte verdâtre, gâchée par l'héritage de générations successives de pigeons.

— Tu te souviens de tous les flonflons et des grands personnages de l'été 1908? demanda le garçon.

— Certainement. Nous avons alors réalisé la meilleure semaine de l'histoire du magasin.

— Plus personne ne parle de la solidarité impériale. Au contraire, avec les rumeurs de guerre en Europe, la grande inquiétude maintenant, c'est la participation canadienne au conflit.

À l'évocation de la conflagration que tout le monde paraissait considérer inévitable, une ombre passa sur le visage de Marie. Du ton de celle qui tenait à s'en convaincre, elle déclara:

— Les Européens ne seront jamais assez sots pour s'engager dans une pareille folie.

Mathieu ne répondit pas. Il alla s'accouder à la haute balustrade de fonte bordant la falaise. Au-delà des quelques toits de tôles, le navire se trouvait toujours contre le quai. Toutefois, une fumée grasse de charbon sortait de ses deux grandes cheminées et des hommes s'agitaient près des bittes d'amarrage.

— Ton père est sûrement monté à bord l'un des derniers.

— Maman, je sais que ce n'est pas mon père.

Marie fixa ses grands yeux bleu foncé sur le collégien et trouva les mêmes sur son visage, tourné vers elle.

— Tu dois m'en dire un peu plus, prononça-t-elle d'une voix brisée.

— Si je n'avais pas été capable de faire seul le calcul des jours écoulés entre ma naissance et votre mariage, des camarades d'école se seraient chargés de le faire pour moi. Mais ce ne fut pas nécessaire. Te souviens-tu des batailles m'opposant à ceux qui prétendaient qu'Alfred préférait les charmes masculins à ceux des femmes ? Et toi, tu refusais et tu refuses toujours de te trouver en présence de Thomas Picard. Je n'ai pas été long à tirer des conclusions.

Marie se tourna à nouveau vers le fleuve, songeuse. La passerelle d'embarquement se détachait maintenant du flanc du navire, les lourdes portes de fer se fermeraient bientôt.

— Thalie est la fille d'Alfred.

— Je n'en doute pas. Les écoliers stupides et méchants ne soupçonnaient pas ses goûts éclectiques.

— Ton véritable père, c'est celui qui t'a aimé avant même ta naissance et qui, encore aujourd'hui, se ferait tuer pour toi.

Mathieu lui adressa un sourire, avant de convenir, en reprenant son bras sous le sien :

— De cela non plus, je ne doute pas du tout. C'est pour cela que mon attitude à son égard n'a changé en rien depuis que j'ai deviné. Mais je préfère que tu saches que ce secret n'en est plus un pour moi. Les choses seront plus simples.

Un long silence s'installa entre eux. La fin du mois de mai se révélait très douce, les rives du Saint-Laurent se drapaient de vert tendre.

— Tu... ne m'en veux pas ? demanda-t-elle d'une voix hésitante.

— Pourquoi ? Cependant, je n'ai pas beaucoup de sympathie pour l'homme qui t'a fait cela. Tu avais à peu près l'âge que j'ai aujourd'hui...

Au pied de la falaise, l'*Empress of Ireland* se détacha lentement du quai alors qu'un coup de sifflet retentissait dans un nuage de vapeur blanche.

— Au revoir Alfred, prononça Mathieu en esquissant un geste de la main.

Le jour : 28 mai 1914 ; le moment : quatre heures vingt de l'après-midi. Le navire prenait la route de Liverpool avec mille quatre cent soixante-dix-sept personnes à bord.

~

Le lendemain matin, Mathieu Picard se leva un peu en retard. Quelques minutes lui suffirent pour revêtir son uniforme de collégien. Lorsqu'il passa près de la salle à manger, ce fut pour voir sa mère qui lui tournait le dos. Ses épaules semblaient secouées de spasmes muets.

— Maman, qu'est-ce... commença-t-il en pénétrant dans la pièce.

Ses yeux se posèrent alors sur le grand titre de la première page du *Soleil*. Il prit le journal pour lire l'en-tête de l'article.

L'E*MPRESS OF* I*RELAND SOMBRE.* P*RÈS DE MILLE MORTS.*
Le somptueux paquebot du C.P.R. a été frappé la nuit dernière,
en plein brouillard, par le charbonnier Storstad,
à trente milles de Pointe-aux-Pères et a coulé en moins
de dix minutes.

— Il y a plus de quatre cents survivants, plaida-t-il en posant ses deux mains sur les épaules de Marie.

Celle-ci leva ses yeux mouillés vers son fils pour dire :

— Son nom ne figure pas sur la liste donnée dans le journal.

— Une liste encore très incomplète. Comme pour le *Titanic*, les morts doivent être des pauvres entassés à fond de cale dans les couchettes de troisième classe.

— Il y avait cinq cents passagers de troisième classe à bord. Le nombre des victimes dépasse le millier.

Mathieu se pencha pour entourer les épaules de sa mère de son bras droit, la serra contre lui, puis lui dit doucement :

— Quand tu seras prête, nous irons aux bureaux du Canadien Pacifique. Je vais annoncer la nouvelle à Thalie. Elle est encore dans sa chambre ?

Déjà, il assumait le rôle de chef de la maisonnée. La femme fit un signe d'assentiment avant de bredouiller un « merci » inaudible.

~

À l'extrémité du corridor divisant le logement familial en deux, Mathieu demeura un long instant immobile. À sa droite se trouvaient la chambre de son père et la sienne, à sa gauche celles de sa mère et de sa sœur. Cet arrangement domestique trahissait la vraie nature des rapports au sein du couple formé par ses parents : une profonde affection, des enfants en commun et une intimité sexuelle ayant été à la fois tendre, peu fébrile, et surtout, fort éphémère. Juste assez longue, en fait, pour concevoir un petit bout de femme jolie comme sa mère et fantasque comme son père.

Le grand collégien, promu homme de la maison depuis quelques minutes, frappa doucement du bout du majeur sur la surface de la porte, pour entendre bientôt un « C'est samedi, pas d'école » ensommeillé.

— Je dois te parler… je peux entrer ?

Le garçon avait entrouvert afin de mieux se faire entendre, tout en se tenant en retrait, attentif à la pudeur de l'adolescente. Le ton de sa voix avait suffi à jeter le désarroi dans l'âme de sa jeune sœur. Elle glissa d'une voix soudainement fort préoccupée :

— Oui, tu peux.

Mathieu pénétra dans la pièce toute en longueur, traversa la première section, où l'élève à la fois rebelle et studieuse s'efforçait avec un succès rassurant de se maintenir première de sa classe. Au-delà, il atteignit la seconde, encombrée d'un lit étroit, d'une commode, d'une chaise et d'une grande ottomane placée juste sous la fenêtre donnant sur la rue.

Thalie Picard se tenait maintenant assise sur sa couche, filiforme dans sa chemise de nuit de lin écru, ses longs cheveux épais, bouclés et d'un noir profond lui retombant sur les épaules. Le vêtement laissait deviner la courbe de seins naissants. Quiconque l'apercevait maintenant imaginait sans mal la jeune femme qu'elle serait bientôt : menue et très forte tout à la fois, comme une lame d'acier trempé, incapable de faire quoi que ce soit sans passion... ou de ne pas se passionner pour chacune de ses entreprises.

L'adolescente fixait sur son frère ses grands yeux d'un bleu si sombre que, dans la pénombre de la chambre, ils paraissaient en obsidienne.

— C'est papa, articula-t-elle d'une voix blanche, comme une exhalaison.

Mathieu se doutait déjà que cette conversation serait plus troublante pour lui que pour elle. À la fin, il ne put faire mieux qu'esquisser un signe de tête.

— Il est mort, poursuivit Thalie.

Puis, elle enchaîna après une courte pause :

— La nuit dernière, juste après que je me sois endormie, il est entré dans cette pièce, d'un pas très léger, comme flottant sur le plancher, pour m'embrasser ici.

Du bout de son index droit, elle désignait l'endroit juste au-dessus de son sourcil.

— Mais c'est…

Mathieu n'osa pas ajouter « impossible ». Jamais, jusque-là, la fillette n'avait accepté de se soumettre à ce concept idiot.

— Ses lèvres étaient fraîches, comme mouillées, et une odeur de vase s'échappait de lui.

Deux grosses larmes quittèrent les commissures de ses yeux pour couler sur ses joues, mais aucun sanglot ne secouait ses épaules, aucun étranglement n'éraillait sa voix.

— Je ne voulais pas qu'il parte, continua-t-elle en fouillant d'une main sous son oreiller. Mais je suppose que chacun doit suivre son chemin. Les avertissements des autres ne servent à rien… En tout cas, je préfère ne pas écouter ceux que l'on m'adresse.

Mathieu se remémora les étranges crises de l'adolescente pour convaincre son père d'ajourner son voyage. Aux « pourquoi ? » de son père, souvent répétés, d'abord d'une voix douce, puis ensuite avec une pointe d'impatience croissante, elle fermait la bouche et répondait en secouant la tête, impuissante à mettre des mots sur ses appréhensions.

Avec un trouble inquiet, au moment où il lisait le livre *Les sorcières* de Michelet plus tôt dans l'année, Mathieu avait réalisé que sa petite sœur n'aurait pas traversé sans mal le XVIe ou le XVIIe siècle. Elle prétendait entendre des voix muettes pour tous les autres, identifier des silhouettes dans les coins obscurs… et parfois « sentir des choses ».

L'adolescente trouva enfin la lettre soigneusement cachetée dissimulée sous son oreiller. Comme si elle avait été convaincue à l'avance que les services de la poste royale canadienne se révéleraient inutiles pour l'acheminer à son destinataire, le pli s'ornait d'un seul mot, tracé en grandes lettres rondes : « PAPA ». Thalie tenait l'enveloppe du bout des doigts, comme un bijou à la fois précieux et fragile.

— Maintenant, je sais qu'il a lu tous mes mots…

Quand elle posa de nouveau ses grands yeux dans ceux de son frère, le garçon dut mobiliser toutes ses forces pour ne pas éclater en sanglots.

— Tu crois que je pourrai la mettre dans son cercueil, près de son cœur? questionna-t-elle d'une toute petite voix, comme dans une prière.

— Son navire a sombré. Parfois, les corps restent enfermés dans la coque…

— Hier, il sentait la vase…

Mathieu essaya de dire quelque chose, s'étrangla et, après une bataille perdue pour retrouver sa contenance, se précipita hors de la chambre. Le nouvel homme de la maison partageait maintenant les lieux avec des femmes à propos desquelles le mot «faibles» collait plutôt mal.

Perdre un membre de sa famille se révèle toujours difficile. Quand le cadavre demeure introuvable, cela le devient encore plus. Cent fois par jour, on se dit que la personne aimée a peut-être pu nager jusqu'à la rive. Après tout, l'*Empress of Ireland* avait sombré à peu de distance de la côte sud du Saint-Laurent. Après avoir germé dans un cœur, cet espoir se refusait à mourir, même si le passage des jours rendait l'hypothèse de moins en moins plausible.

— Mais il peut tout aussi bien avoir perdu la mémoire, insistait Marie.

Les enfants avaient regagné leur chambre, seule la domestique l'accompagnerait lors de cette nouvelle nuit sans sommeil. Les deux femmes se trouvaient accoudées à une petite table placée contre un mur de la cuisine.

— Voyons, soyez raisonnable, prononça Gertrude d'une voix rendue plus bourrue encore qu'à l'habitude par l'émotion.

— Peut-être erre-t-il dans les rangs de Pointe-aux-Pères, sans même se souvenir de son propre nom?

La domestique n'osait plus rien répondre, se souvenant avoir vu cette femme chercher dans les manuels de géographie des enfants les noms des villages situés près de Rimouski.

D'instinct, la jeune veuve retenait les noms les moins communs. Même privé de ses sens, son grand escogriffe de mari préférerait toujours errer dans un village au nom pittoresque plutôt que dans ceux affublés du ridicule patronyme d'une sainte ou d'un saint.

Les journaux eux-mêmes entretenaient des espoirs de ce genre en signalant des hommes ou des femmes hagards et dépenaillés rôdant sur les battures du bas du fleuve. Très vite toutefois, les endeuillés accourus sur les lieux avec une folle espérance en tête constataient que les campagnes demeuraient affligées de leur part de mendiants qui, en d'autres circonstances, demeuraient invisibles aux journalistes des villes.

La femme n'allait pas au bout de ses pensées les plus sombres. Parfois, elle imaginait un Alfred bien vivant, doté de toute sa mémoire, heureux de se faire passer pour mort afin de mettre fin au grand mensonge de son existence conjugale.

— Vous ne devriez pas dire des choses semblables, fit Gertrude en quittant sa chaise pour aller mettre de l'eau à bouillir. Pas même les imaginer. Déjà que la petite… continua-t-elle entre ses dents.

Le fol espoir de Marie troublait autant la domestique que l'acceptation silencieuse de Thalie. Assez curieusement, alors que la disparition de son père lui déchirait le cœur, l'adolescente présentait le visage d'une personne sachant apprivoiser la vérité. De sa voix douce, elle répétait: «Il est noyé, son corps se trouve sur la vase, dans les joncs.» La lenteur des équipes de recherche à le trouver ajoutait à la peine de la gamine.

Cette conviction étrange inquiétait sa mère. Néanmoins, outre cette idée fixe, rien ne laissait croire que l'adolescente ne jouissait pas de tous ses esprits. Aussi Marie s'était retenue de faire venir le docteur Caron.

Les journées passées à faire fonctionner le commerce se déroulaient assez bien. Seuls les vœux de sympathie des clientes et des voisines, pour la plupart sincères, la replongeaient dans sa morosité pendant un moment. La nuit venue toutefois, quand le travail quotidien ne permettait plus de canaliser le cours de ses pensées, ses inquiétudes revenaient, plus aiguës encore.

— Il faudra combien de temps pour régler les affaires ? questionna Gertrude en revenant prendre sa place.

Elle désignait de ce mot très vague tout ce qui concernait l'argent. Mieux valait se concentrer sur les difficultés pressantes, empêcher sa patronne d'évoquer des fantômes errant sur des berges brumeuses.

— …J'ai entendu dire une année, marmonna Marie après un silence.

Les femmes mariées ne jouissaient d'aucun droit juridique. En l'absence d'un cadavre, impossible de faire exécuter le testament de son époux. Quand les chèques préparés par Alfred auraient tous été utilisés, comment paierait-elle les fournisseurs ou les droits de scolarité des enfants ? De fille de son père, elle était devenue l'épouse d'un mari. Seul le statut de veuve lui redonnerait une existence légale. Impensable pour elle d'attendre douze longs mois.

~

Deux semaines après sa déclaration péremptoire à son oncle, voilà que Mathieu manquait déjà à sa parole. Le samedi 14 juin, un peu après midi, il descendait la rue de la Couronne pour s'engager dans Saint-Joseph. Afin de retarder un peu la désagréable démarche, le garçon contempla la grande église Saint-Roch. Depuis trente ans, on planifiait de la reconstruire. Au cours de l'année précédente, l'abbé Buteau était arrivé à convaincre les marguilliers de s'engager dans des travaux ambitieux. Les ouailles de cette paroisse populeuse et prospère verraient les travaux commencer en août prochain. Ils trouveraient tout naturel que l'on commence par ériger un presbytère majestueux pour loger leur pasteur, ses vicaires et les religieuses assurant le service domestique. La magnificence de l'endroit refléterait toute l'importance de l'éminent personnage régnant sans partage sur ce petit univers laborieux.

Avec un soupir las, le garçon poussa la porte du commerce. Le grand magasin Picard occupait quelques édifices contigus. Le plus imposant, avec sa façade de pierre grise, s'élevait sur cinq étages. Mathieu se dirigea sans hésiter vers l'ascenseur, jetant un regard indifférent aux étals croulant sous diverses marchandises. Les consommateurs trouvaient en ces lieux tous les objets de leur convoitise, des conserves aux ameublements complets, en passant par les vêtements destinés à tous les membres de la famille.

— Le bureau du directeur? s'enquit-il auprès du garçon d'une douzaine d'années affublé d'un uniforme d'opérette faisant office de liftier.

— Au troisième, répondit celui-ci en le toisant.

À ses yeux, la visite d'un adolescent vêtu d'un costume d'écolier ne pouvait signifier qu'une chose : ce type venait quémander une « position ». Toute nouvelle concurrence sur un marché de l'emploi difficile revêtait un caractère menaçant. Depuis l'année précédente, après une longue période de prospérité, le chômage touchait un nombre croissant de personnes.

Très vite, des clientes occupèrent tout l'espace encore disponible dans la petite cage aux murs de laiton. L'employé actionna un levier, annonça en français et dans un anglais très approximatif les marchandises offertes au second, répéta l'opération au troisième, ajoutant « les bureaux de l'administration » à sa nomenclature habituelle à l'intention de son unique passager masculin. Un instant plus tard, Mathieu traversait le rayon des vêtements pour femmes. Une ouverture percée dans le mur permettait de passer dans la bâtisse voisine, où le couple Théodule et Euphrosine Picard avait établi un premier commerce dépassant l'envergure d'un magasin général dans les années 1870.

Près des locaux administratifs, il se retrouva face à face avec un homme de taille moyenne, dans la jeune vingtaine, dont l'allure décontractée, un peu bohème, jurait dans ce temple du commerce. Affichant sa surprise, Édouard Picard tendit la main à son cousin en disant :

— Je t'offre mes plus sincères condoléances. J'aimais beaucoup oncle Alfred. Je me plais à penser que nos conversations m'ont rendu moins niais. Tout le monde le trouvait un peu fou, mais selon moi, il comptait parmi les rares personnes sages de cette ville.

Comme Mathieu n'avait aucun motif pour douter de la sincérité de ces paroles, il accepta la poignée de main en commentant :

— Merci. Cet éloge funèbre vaut certainement tous ceux que les bien-pensants songeraient à formuler, et on pourrait certainement en tirer matière à une belle épitaphe. Mais personne n'osera.

— Je n'en doute pas, il apprécierait que l'on accole les mots « fou » et « sage » en parlant de lui… Mais je t'abandonne, j'entends déjà la voix de mon petit rayon m'appeler à grands cris. Tu connais certainement la routine : il faut vendre.

Le visiteur acquiesça de la tête, demeura immobile quelques secondes pour regarder son cousin – non, se corrigea-t-il mentalement, son demi-frère – s'éloigner. Dans quelques années, ce serait lui l'héritier de la grande entreprise Picard. Le second fils ne risquait guère de participer au partage des dépouilles. Puis, un peu à contrecœur, il se dirigea vers le bureau du grand patron. Un jeune homme moustachu, secrétaire particulier, faisait office de cerbère. Comme chacun connaissait tout le monde à Québec, les présentations demeuraient inutiles. Sans hésiter, il se leva en disant :

— Monsieur Picard, vous êtes à l'heure. Monsieur vous attend.

Mathieu pénétra dans une grande pièce de travail. Une table chargée de documents en occupait la première moitié. Dans la seconde, un lourd bureau ministre permettait au propriétaire des lieux de prendre ses aises. Thomas Picard se leva tout de suite pour s'avancer de trois pas et serrer la main de son visiteur.

— Je suis désolé, commença-t-il.

Le collégien ne pouvait ignorer la main tendue, surtout qu'il se trouvait là pour obtenir des renseignements, et peut-être plus. Le marchand lui désigna la chaise placée devant le bureau et enchaîna à l'intention du secrétaire :

— À moins que le feu ne se déclare dans l'édifice, ne nous dérangez pas.

L'autre s'esquiva. Thomas regagna sa place tout en disant :

— Ton coup de fil m'a beaucoup étonné...

La veille, en revenant du Petit Séminaire, Mathieu avait demandé un rendez-vous en murmurant dans l'appareil, de peur d'être entendu.

— Maman ne sait pas que je suis ici.

— ...Je comprends.

— Je ne savais pas à qui m'adresser pour connaître un peu mieux la situation. Elle pense m'épargner en me maintenant dans l'ignorance...

— Cette attitude a exactement l'effet contraire, je suppose. Vouloir connaître ce qui t'attend me paraît normal ; tu as l'âge de comprendre.

Thomas regardait ce grand jeune homme à la mine renfrognée et sérieuse, à la fois un parfait portrait d'Alfred quant au physique, se dit-il, mais affichant une attitude si différente. Puis, le caractère ridicule de ce constat lui apparut. Mathieu s'avérait plutôt une version plus robuste de lui-même, au point que cette ressemblance ferait peut-être jaser les employés du magasin. Une seule différence notable sautait aux yeux : son visage s'éclairait du regard de sa mère.

Le temps d'un soupir, l'image de Marie troussée sur le bureau de chêne lui revint en mémoire. Un peu honteux, le rouge lui montant aux joues, il s'éclaircit la voix pour commencer.

— Selon maître Dupire, mon notaire, dans le cas d'une absence, il faut nommer un tuteur pour administrer les biens du disparu. Ce dernier pourra demander à un juge qu'Alfred soit déclaré mort après une période de sept ans...

— Sept ans ? C'est ridicule, nous serons à la rue bien avant !

Thomas leva la main pour imposer le silence avant de reprendre :

— Bien sûr que non. Le tuteur doit administrer les biens de manière à subvenir aux besoins de la famille. Mais la liquidation du patrimoine, si tu préfères la distribution de l'héritage, ne peut avoir lieu que si le disparu est déclaré mort. Tu sais, même après sept ans, si le quidam réapparaissait sur terre, il pourrait encore réclamer ses billes.

Mathieu n'entendait plus ce long exposé. Une idée insupportable s'emparait de son esprit : personne ne serait mieux qualifié que l'homme devant lui pour exercer le rôle de tuteur. Cela, jamais il ne pourrait le tolérer, et Marie encore moins.

Le marchand s'arrêta enfin, soupçonnant les pensées de son visiteur.

— Bon, les choses n'en viendront certainement pas là à propos d'Alfred. De nombreuses personnes l'ont vu monter à bord du paquebot et aucun passager n'est descendu lors du bref arrêt devant Rimouski. Il y a une forte présomption de la mort. Après un certain temps, un juge pourra émettre un avis de décès.

— Un certain temps ?

— Disons une année.

Finalement, l'estimation du gros notaire de la rue Scott se révélait identique aux hypothèses émises dans une petite cuisine, lors de nuits d'insomnie.

— Nous ne pourrons pas tenir tout ce temps, laissa échapper Mathieu dans un souffle.

— Mais je serai là... Ta mère sait comment faire marcher le commerce. Je suis certain que la solidité financière de la maison repose largement sur ses épaules.

L'homme se souvenait de la vendeuse à la fois timide et efficace, puis des quelques semaines durant lesquelles elle avait occupé le poste de secrétaire dans la petite pièce à côté. Surtout, des femmes, et même des hommes, avaient commenté sa compétence devant lui. Zoé Laurier, l'épouse de l'ancien premier ministre, comptait parmi ces personnes.

— L'argent continuera de rentrer, je pourrai régler les détails.

Thomas voulait dire payer les factures et passer des contrats au nom du disparu et des membres de sa famille.

— Nous entendons mener nos affaires nous-mêmes.

Le commerçant renonça à faire admettre des notions de droit au collégien. Mieux valait terminer la conversation avec ce qui, dans ce contexte dramatique, pouvait se qualifier de bonne nouvelle.

— Non seulement un juge acceptera d'émettre un certificat de décès parce qu'Alfred est bien monté sur ce navire, mais quelqu'un affirme l'avoir vu retourner vers les ponts inférieurs juste avant le grand plongeon.

Devant les yeux écarquillés du garçon, il précisa :

— Comme tu le sais, j'ai des relations.

C'était une façon pudique de présenter les choses : depuis vingt ans, aucune des magouilles du Parti libéral ne lui était inconnue, ni aucun des fonctionnaires nommés par celui-ci dans la plus pure tradition du patronage.

— Lors de l'enquête sur l'accident, les survivants ont été interrogés. J'ai obtenu de voir les transcriptions. Une dame venue d'Australie, en route vers le Royaume-Uni, a déclaré qu'un Canadien français bien bâti, élégant, plein de charme, l'a aidée à monter dans un canot de sauvetage pour se précipiter ensuite dans les coursives afin d'assister d'autres personnes. Une simple analyse de la liste des passagers indique que sur ce grand navire, bien peu parmi ceux-ci parlaient français. Cela devait être Alfred. Tout de suite après, racontait cette femme, l'*Empress* a sombré.

Mathieu ferma les yeux, lutta afin de réprimer ses sanglots. Une passagère se souvenait de son père adoptif, un homme à la jovialité un peu extravagante. Cela ne pouvait surprendre; le personnage se révélait remarquable. Que face au danger, ce curieux individu ait voulu se rendre utile paraissait tout aussi probable. Un bref instant, de toutes ses forces, il souhaita tenir plus de son oncle que du véritable auteur de ses jours. Ce dernier enchaîna pour parer à tout débordement d'émotions.

— La présomption du décès est donc très grande. Vous ne devriez pas attendre trop longtemps la bonne volonté d'un juge.

Mathieu hocha la tête après un long silence, puis il se leva.

— Je vous remercie de ces informations.

— Si vous voulez consulter maître Dupire…

— Mes parents faisaient déjà affaire avec un notaire. Si maman ne l'a pas encore rencontré, cela ne saurait tarder. Je voulais seulement en savoir un peu plus, comme je vous l'ai dit. Merci de m'avoir reçu.

Thomas se leva à son tour pour reconduire son visiteur jusqu'à la porte. Encore une fois, il lui tendit la main en déclarant:

— Ce n'est rien. Je suis heureux de me rendre utile.

Quelques minutes plus tard, Mathieu retrouvait le trottoir de la rue Saint-Joseph. D'abord, il songea à prendre le tramway. À la fin, l'ascension au pas de course de l'un des escaliers très raides conduisant à la Haute-Ville lui parut un meilleur moyen de maîtriser le flot des émotions étreignant sa gorge.

~

Le 24 juin, le commerce de vêtements pour femmes ALFRED ressemblait à un vilain bouton sur le visage de la rue de la Fabrique. Toutes les vitrines des commerces avoisinants affichaient une abondance de drapeaux Carillon-Sacré-Cœur – le fleurdelisé orné d'un cœur saignant en son centre –, quelques drapeaux tricolores français et parfois, de façon incongrue, des *Union Jack* britanniques. L'entreprise du disparu présentait des rubans de crêpe noir, en signe de deuil. Dans un coin de la grande fenêtre en façade, aux pieds d'un mannequin vêtu d'une adorable robe d'été pervenche, un portrait montrait Alfred Picard souriant, les yeux vifs et pénétrants. L'été précédent, le photographe Livernois avait pu capter toute l'ironie habitant le personnage.

Dans le commerce, Marie se promenait du rez-de-chaussée au premier étage, son ruban à mesurer autour du cou, attentive à bien recevoir les clientes. Les habituées murmuraient des mots gentils, accueillis avec un « merci » à peine audible et un sourire contraint. Thalie s'occupait avec un réel talent des parures, rubans, dentelles et gants fins. Avec les grandes vacances, les salles de classe lugubres cédaient la place à une vie besogneuse.

Mathieu devenait un peu trop âgé pour se trouver vraiment à son aise dans cet univers de froufrous et de dentelles. Les convenances exigeaient que ce grand adolescent ignore tout des vêtements du sexe faible, surtout des dessous. D'ailleurs, au Petit Séminaire, son directeur de conscience s'inquiétait à haute voix des dangers d'un environnement aussi douillettement féminin pour son âme. Aussi demeurait-il sagement derrière la caisse enregistreuse, prêt à s'en éloigner pudiquement quand une acheteuse venait payer un bout de tissu dont seul son époux profiterait dans l'intimité. Ce serait son poste de travail habituel jusqu'à la rentrée, en septembre.

Selon une tradition aussi ancienne que son existence, le commerce fermerait ses portes à midi afin de permettre aux deux vendeuses de profiter un peu des festivités de la Saint-Jean, organisées par des sociétés nationalistes sur les plaines d'Abraham ou au parc Victoria. Toutefois, cette année, le congé ne serait pas partagé avec la famille du patron.

Quelques minutes avant midi, Mathieu vit un homme passer la porte et chercher quelqu'un des yeux. Les clients venaient rarement en ces lieux et ils affichaient toujours un air un peu gêné devant l'abondance de jupons. Celui-là présentait plutôt une résolution maussade.

Le garçon quitta son poste pour venir vers lui, les yeux interrogateurs.

— Madame Picard, Alfred Picard? commença l'inconnu en enlevant son chapeau.

— C'est ma mère. Je vais la chercher.

Marie descendait justement l'escalier en compagnie des deux vendeuses. Le sang se retira de son visage et son pas devint mécanique au moment de s'approcher.

— Monsieur…?

— Daoust. Je travaille pour le Canadien Pacifique. J'ai une mauvaise nouvelle…

Mathieu s'approcha de sa mère afin de passer son bras autour de ses épaules alors que Thalie, venant du fond du magasin, se flanqua à sa gauche et prit son coude. L'homme continua :

— Je crois que nous avons retrouvé le corps de votre époux.

La femme encaissa le coup et ferma les yeux en aspirant une goulée d'air. Ce fut l'adolescente qui demanda d'une voix éteinte :

— Où se trouvait-il?

L'employé de la société de transport regarda Thalie, interrogea la mère du regard avant de continuer.

— Pas très loin à l'est du lieu du naufrage, dans une petite anse bien abritée. C'est pour cela qu'il a fallu si longtemps…

— Dans des joncs?

— Oui…

Tout en portant le bout des doigts de sa main gauche sur son cœur, l'adolescente ferma les yeux un instant. Son mouvement fit rouler des larmes sur ses joues. Par-dessus la tête de sa mère, le garçon laissa ses yeux se poser sur le petit visage de sa sœur, puis il s'éloigna de ses parentes pour rejoindre les vendeuses demeurées au pied de l'escalier. Elles pleureraient bientôt toutes les deux ; mieux valait faire l'économie d'une scène de ce genre. En quelques mots, il leur demanda de quitter le magasin tout de suite, verrouilla la porte derrière elles et plaça une affiche indiquant « fermé » dans la fenêtre avant de revenir vers les siens.

L'inconnu sortit une enveloppe de sa poche, récupéra quelques papiers à demi réduits en charpie par un long séjour dans l'eau et tendit l'un d'eux à Marie.

— Nous avons trouvé cela dans la poche de son veston. C'est vous, je pense.

Les doigts un peu tremblants tenaient une photographie presque effacée. La veuve saisit le bout de papier, le porta à ses lèvres en guise de réponse.

— Évidemment, pour avoir une certitude, le mieux serait de venir l'identifier. Toutefois, je dois vous prévenir, après tout ce temps...

Le naufrage était survenu près d'un mois plus tôt. Les vêtements, et non la dépouille elle-même, serviraient à l'identification.

— Où se trouve-t-il ? questionna Marie.

— À la morgue, dans la Basse-Ville.

— Je vais y aller, prononça Mathieu d'une voix qu'il souhaitait ferme.

Marie porta son regard sur son fils et ouvrit la bouche pour protester. Celui-ci continua très vite :

— Mieux vaut que j'y aille. Reste avec Thalie. Il ne servirait à rien d'imposer cela à nous tous.

Si sa mère et lui-même s'infligeaient ce pitoyable spectacle, la gamine insisterait pour être de la partie. Elle souffrirait de l'expérience. Quelque chose dans son ton et son maintien en témoignait : à compter de ce moment, Mathieu entendait jouer le rôle confié par Alfred quelques minutes avant de s'embarquer. Il échangea un regard avec sa sœur avant de se diriger vers la porte.

Marie posa la main sur l'avant-bras de l'employé du Canadien Pacifique pour demander doucement :

— Quand pourrons-nous récupérer son corps ?

— … Aussitôt que l'identification sera effectuée.

— À ton retour, poursuivit-elle à l'intention de son fils, nous irons à la cathédrale, puis chez Lépine. Il a hâte de se reposer.

Malgré tous les jours écoulés, elle n'arrivait pas encore à parler d'Alfred au passé. Le garçon acquiesça d'un signe de tête et se dirigea vers la porte, suivi du visiteur. Après avoir verrouillé dans leur dos, elle revint vers Thalie, dont le corps se trouvait maintenant secoué de sanglots silencieux, pour la serrer contre elle. De longues minutes plus tard, elles arrivèrent à monter jusqu'à l'appartement. Au premier regard, Gertrude comprit.

≈

Chacun des membres de la famille affichait une grande morosité. Pourtant, autour de la table, lors du petit déjeuner, tous avaient convenu de se présenter tout de même au travail. Les clientes elles-mêmes s'adaptaient au climat, s'exprimaient à voix basse, réprimaient les excès de gaieté ou de bonne humeur. L'atmosphère rappelait une veillée funèbre.

Un peu après dix heures, au tintement de la clochette, Marie leva la tête d'une série de factures à payer pour voir entrer un homme vêtu d'un habit ecclésiastique. Il parcourut la grande pièce d'un regard circulaire, rougit à la vue des atours féminins et fixa le plancher des yeux en s'approchant du comptoir.

— Je voudrais t'offrir mes condoléances…

La voix, bien que basse, gardait quelque chose des sermons prononcés en chaire pour fustiger le péché. La condamnation du mal lui venait plus naturellement que la tendresse ou la compassion.

— … Merci. Viens à l'arrière. Dans ce genre de commerce, ta présence fera fuir la clientèle.

Un peu plus tard, la commerçante refermait la porte de la petite salle de repos. Une table et quelques chaises prenaient toute la place. Elle en désigna une au visiteur et prit bien garde de s'asseoir à une bonne distance, soucieuse d'éviter toute proximité physique.

— Quand j'ai vu la nouvelle dans les journaux, au début du mois, j'ai pensé venir te voir.

— Mais tu ne l'as pas fait.

— Nos rapports, toutes ces dernières années…

— Nous n'en avons pas eus !

Vivant à quelques centaines de verges de distance, jamais l'un ou l'autre ne s'était donné la peine de se visiter depuis le jour du mariage de Marie, en 1897. Celle-ci continua après une pause :

— Tu étais alors la seule famille qui me restait… Pourtant, un étranger, mon patron en fait, m'est venu en aide.

— Il a assumé sa responsabilité. Cette seule bonne action lui vaudra sans doute le paradis, après un séjour au purgatoire.

— Toi et tes grandes certitudes ! Qu'en sais-tu ?

Émile Buteau demeura interdit. Ces mots pouvaient s'interpréter au moins de deux façons. Mettait-elle en doute le salut éternel ou la paternité d'Alfred Picard ?

— Il t'a épousée alors que tu étais enceinte…

— Et toi, soucieux de te faire bien voir de ton curé, tu n'as rien tenté pour m'aider. J'en ai retenu que les bons samaritains ne portaient pas de soutane ni ne passaient leur temps à condamner leurs semblables.

Les années aux côtés du mécréant expliquaient sans doute ces affreuses paroles. Le prêtre se résolut tout de même à réprimer sa tentation de ramener sa sœur dans le droit chemin. Il déclara plutôt :

— Le commerce semble prospère. Je suppose que tu seras à l'abri du besoin.

— Je le suppose aussi. Je le saurai vraiment après la lecture du testament, dans quelques jours. Si ce n'était pas le cas, n'aie crainte, je n'irai pas cogner à la porte du majestueux presbytère de la paroisse Saint-Roch. Je l'ai fait une fois sans succès, cette expérience me suffit.

Il encaissa la rebuffade et contempla un instant ses mains posées dans son giron, croisées, comme il convenait aux hommes de Dieu en présence d'une femme.

— Voyons, je suis ton frère…

— Pas vraiment, pas depuis ce jour-là. Plus jeune, j'ai pensé que cela tenait à ta soutane. Maintenant, je n'en suis plus certaine. Je pense que c'est plus profond, une sécheresse du cœur. Enfermé dans tes certitudes, tu n'as sans doute plus besoin de personne.

Le prêtre rougit un peu, baissa la tête, puis déclara en la relevant:

— Je suppose que la raison de ma visite ne t'intéresse pas. L'autre raison, je veux dire…

Évidemment, il s'attendait à ce qu'elle l'invite à la donner. Marie préféra laisser le silence s'appesantir dans la pièce. À la fin, l'ecclésiastique n'y tint plus.

— Je me demandais si tu accepterais que je célèbre le service funèbre. Les journaux ont évoqué samedi prochain… Le curé de la cathédrale voudra sûrement…

— C'est donc cela? Tu rêves d'officier dans la basilique Notre-Dame! Tu aspires sans doute à gravir la pente raide qui te sépare de l'archevêché. Être responsable de l'Action sociale catholique dans tout le diocèse ne te suffit pas. Un titre de monseigneur doit te faire rudement envie pour que tu te manifestes ainsi après toutes ces années!

L'homme se redressa sur sa chaise, serra les poings, abandonnant pour un instant la posture de l'ecclésiastique modeste et compatissant.

— Tu es injuste. Je suis ton frère…

— N'enseignes-tu pas que l'on juge un homme à ses œuvres? Tout à l'heure, dans le magasin, tu as vu mes deux enfants au travail, sans les reconnaître bien sûr. C'est la seule famille qui me reste aujourd'hui. Je ne sais pas si ton Dieu existe, mais je le remercie tout de même tous les jours pour ce cadeau.

Elle se leva, ouvrit la porte de la petite pièce et se plaça en retrait afin de le laisser passer.

— Comme nous en avons terminé, je vais reprendre mon travail.

Émile Buteau afficha sa surprise de se voir chasser ainsi et se leva en serrant les mâchoires, faisant saillir les muscles de ses joues.

— Ta présence est incompatible avec ce genre de commerce. Je vais te faire sortir par la porte arrière. Ainsi, aucun de tes paroissiens ne saura que tu fréquentes un magasin de dessous féminins.

En disant ces mots, elle ouvrit la porte donnant sur la ruelle, essentiellement utilisée pour les livraisons. Au moment où son frère s'esquivait sans un mot, elle sourit au souvenir d'Alfred. Combien de fois celui-ci avait-il utilisé ce chemin pour aller vers ses escapades nocturnes?

⌇

Sans être vraiment un notable, Alfred Picard était connu de tout Québec à titre de marchand jouissant d'une petite aisance bien sûr, mais aussi en tant que personnage coloré, jamais avare de remarques acides et parfois hilarantes, sur ses concitoyens. Qui plus est, son statut de victime d'un naufrage presque aussi meurtrier que celui du *Titanic*, survenu deux ans plus tôt, attirait un lot de curieux. En conséquence, tous les bancs de la basilique Notre-Dame de Québec se trouvaient occupés.

À droite de l'allée centrale, juste derrière le siège de fonction des marguilliers, Marie offrait aux regards une mince silhouette vêtue de noir sous un chapeau de paille aux larges rebords de la même couleur, le haut du visage à demi masqué par une voilette, les cheveux réunis en une lourde tresse enroulée contre la nuque. La couleur du deuil soulignait encore plus la pâleur de son teint, sa bouche fermée, ses lèvres exsangues, tendues sur ses dents. Flanquée de ses deux enfants, aussi vêtus de noir, elle incarnait désormais l'image de l'épouse éplorée. Celle de la marchande compétente aussi, capable de maintenir à flot le navire familial pour assurer la subsistance des siens.

À sa droite, les yeux fixés sur le cercueil, Thalie offrait aussi sa mince silhouette noire à la compassion des fidèles. De loin, on aurait pu penser à des jumelles, car la mère et la fille présentaient la même taille et la même minceur, si les vêtements n'avaient trahi l'âge de la seconde. Une adolescente pouvait effectivement porter une robe s'arrêtant aux genoux sans écorcher la morale, et son chapeau de paille noir prenait l'allure d'un canotier perché sur une chevelure abondante, un peu incliné sur les yeux. Pour la première fois, ce jour-là, des garçons de quinze et seize ans la remarqueraient. Certains prendraient la résolution de s'inventer le prétexte d'acheter un ruban afin de se présenter au commerce de vêtements pour femmes de la rue de la Fabrique, juste pour voir d'un peu plus près la fille de la marchande.

L'écolière affichait un air plutôt serein dans les circonstances. Mathieu l'avait assurée que l'entrepreneur de pompes funèbres Lépine avait glissé sa dernière lettre dans la poche intérieure du veston de son père, près de son cœur. Le garçon avait jugé inutile de préciser qu'après des semaines sur les battures, il fallait beaucoup d'imagination pour évoquer la présence d'organes dans la carcasse. Heureusement pour elle, l'adolescente, capable de voir ou de ressentir ce qui échappait à ses semblables, profitait aussi de la faculté d'ignorer certains aspects grotesques de la fin de l'existence.

Pour toujours, Alfred garderait dans son souvenir l'allure heureuse et fébrile du jour de son embarquement. Elle avait surveillé son départ de son habituel poste de vigie : la fenêtre de sa chambre. Au moment de monter dans la voiture, l'homme avait levé la tête vers elle. Leurs regards soudés l'un dans l'autre, les mots « Je t'aime » murmurés à distance, mais si clairement audibles pourtant… Cet adieu valait tous les autres. Thalie soupira et essuya une larme du bout de son index sous son œil droit.

À côté de ses deux parentes, Mathieu avait choisi de porter son « suisse », la redingote de toile noire des élèves du Petit Séminaire. Une large ceinture de la même couleur, nouée autour de sa taille, en faisait un vêtement de deuil fort convenable. À la droite du garçon, silhouette rachitique et un peu bancale, Gertrude montrait un visage chiffonné par la douleur. À cinquante-trois ans, le même âge que le défunt, elle acceptait avec peine la cruauté du ciel, qui fauchait des hommes foncièrement bons pour laisser vivre les salauds. Si des badauds voyaient sans doute en elle une domestique, d'autres imaginaient reconnaître une sœur du disparu puisqu'elle se tenait avec les membres de la famille. Et peut-être l'était-elle, après tout. Ces lignées partageaient des secrets si lourds…

Mathieu avait du mal à empêcher son esprit de vagabonder. La cérémonie venait trop tard pour représenter un véritable adieu à son père adoptif. Ses yeux passaient du célébrant au cercueil de chêne, puis s'égaraient parfois vers le banc situé de l'autre côté de l'allée centrale. Thomas Picard et toute sa famille s'y trouvaient. Le garçon ne cessait de s'émerveiller de la découverte providentielle du cadavre : cet homme n'exercerait pas une tutelle sur eux. Pendant quelques jours, cette éventualité, plus que la perte de son parent, lui avait glacé le cœur.

Au milieu de la cérémonie, le grand adolescent quitta son banc afin de se rendre dans le chœur pour prononcer l'éloge funèbre d'Alfred Picard. À quelques reprises, les mots « mon père » revenaient dans son court texte : chaque fois, son regard se porta de nouveau sur son père naturel et ses mâchoires se serraient au point de lui faire mal. Évidemment, le mot « fou » ne figurait guère dans son exposé, mais à deux reprises, celui de « sage » fit sourire Édouard de toutes ses dents.

Chapitre 2

Alors que la cérémonie s'éternisait, Eugénie Picard se pencha vers son père pour lui chuchoter à l'oreille :

— Je ne me sens pas très bien. Je vais sortir sur le parvis et vous attendre là.

Thomas regarda les traits un peu tendus, la figure pâle de la jeune femme. À côté de lui, Élisabeth inclina le buste afin de suivre l'échange.

— Je vais t'accompagner, souffla-t-elle.

— ... Non, non, ce n'est pas nécessaire.

L'homme acquiesça après une hésitation et regarda sa fille, toute vêtue de noir elle aussi, quitter le banc pour regagner l'arrière du temple d'un pas mesuré. Une fois à l'extérieur, elle se remplit les poumons près de l'une des portes latérales. Sur sa droite, l'entrée du Petit Séminaire lui permit de se mettre un peu à l'écart et de profiter de l'ombre d'un angle de l'édifice. Un homme apparut bien vite à ses côtés.

— Quand je vous ai vue sortir, je me suis un peu inquiété.

Sans surprise, elle reconnut Fernand Dupire. Allant sur ses vingt-six ans, celui-ci en paraissait facilement dix de plus. Un ventre mou débordait au-dessus de sa ceinture et sur ses tempes, ses cheveux trop fins reculaient de plus en plus. L'homme ressemblait tout à fait à ce qu'elle avait imaginé chez le garçon cramoisi et bredouillant quelques années plus tôt, dans la cuisine de la rue Scott.

— Comme vous le voyez, je me porte plutôt bien, une fois revenue à l'air libre. Les funérailles ne me valent rien de bon, surtout par cette chaleur. Ne dirait-on pas qu'ils font durer les choses avec l'espoir de voir quelqu'un passer l'arme à gauche pendant la cérémonie pour tenir compagnie au défunt ? Vous avez vu l'allure de cette vieille domestique ? Elle semblait sur le point de défaillir.

Les mots parurent si durs à l'oreille du notaire qu'il préféra faire abstraction de la plupart.

— Il est vrai que juin s'est révélé un peu étouffant. Puis tout ce monde…

— Un étranger pourrait même croire qu'il s'agit des obsèques d'un premier ministre alors que mon oncle tenait une petite boutique de vêtements pour femmes à deux pas d'ici.

Cette fois, une certaine tendresse dans le ton enlevait aux mots toute teinte de mépris. Eugénie se montrait plutôt sensible à la fragilité de l'existence. Cela ne tenait pas qu'au drame récent. Depuis environ cinq ans, se souvint le jeune homme – en réalité depuis son retour d'un long voyage en Europe et aux États-Unis –, Eugénie paraissait plus vulnérable et, en conséquence, plus humaine. Le mot « accessible » lui vint plutôt à l'esprit.

— Je le connaissais de vue seulement, mais on m'a dit qu'il était bien sympathique.

La rumeur publique prêtait aussi au défunt des mœurs fort condamnables. La présence d'une épouse et de deux enfants ne suffisait pas à lui fournir un alibi à toute épreuve. La charité chrétienne interdisait toutefois d'évoquer cela en ce jour.

— C'est vrai. Il soulignait de ses présents chacun de mes anniversaires et chacun de mes Noëls. Il m'appelait toujours « impératrice ».

La jeune femme esquissa un pâle sourire à ce souvenir. Son prénom justifiait bien sûr cette habitude. Toutefois, pour la plupart de ses interlocuteurs, l'utilisation de ce titre était une façon peu gentille de faire allusion à son caractère hautain. À ce chapitre aussi, les dernières années avaient adouci sa prétention. La mine un peu piteuse, la pâleur du visage, les plis amers qui marquaient déjà la commissure des yeux et de la bouche donnèrent à Fernand un courage nouveau, au point d'accepter encore le risque d'une rebuffade blessante. Un ton plus bas, il lança :

— Toutes ces années, je ne suis jamais revenu sur notre dernière conversation…

En réalité, cela avait été le seul véritable échange de leur existence. Près de sept ans plus tôt, le grand jeune homme emprunté et maladroit lui avait demandé de la visiter « pour le bon motif » et s'était fait refuser ce privilège. Depuis ce temps, même si les deux jeunes gens avaient échangé quelques phrases convenues à des centaines de reprises – au moins une fois par semaine –, chacun prenait bien garde de ne jamais évoquer ce jour gênant pour l'une, cruel pour l'autre.

— …Je vous remercie de votre discrétion.

Pour dissimuler son malaise, Eugénie laissa son regard errer sur les édifices de la rue Buade, le rouge aux joues. Cette réponse ne convenait guère à cet interlocuteur trop sérieux.

— Personnellement, je m'en veux d'avoir attendu si longtemps avant d'aborder à nouveau le sujet avec vous. Toutefois, ces quelques années m'ont permis de terminer mes études et d'asseoir ma carrière.

Depuis un an, Fernand distribuait des cartes profession-nelles indiquant son titre d'associé dans l'un des plus impor-tants cabinets de notaire de la Haute-Ville de Québec. Que le propriétaire de celui-ci soit aussi son père enlevait bien sûr beaucoup de valeur à un pareil accomplissement.

— Si je vous demandais à nouveau de me faire l'honneur de me recevoir à votre domicile, donneriez-vous la même réponse ? Nous avons tous les deux un peu vieilli, et changé.

Les derniers mots atteignirent Eugénie comme un coup de poignard au cœur, tellement que le sang se retira de son visage. Elle chercha de la main la grille ornementale permet-tant de fermer l'accès au Petit Séminaire. Non seulement tous les deux se trouvaient maintenant plus vieux, mais – la femme le réalisait bien – son salon demeurerait désormais à tout jamais désert. En réalité, depuis son retour des

États-Unis, au printemps 1909, personne n'y était venu. Sa figure défaite pendant des mois et sa vie de recluse laissaient croire à une atteinte «des nerfs». Les mieux informés se souvenaient de la longue maladie ayant conduit sa mère à un décès précoce. Eugénie Picard, jolie héritière d'une fortune conséquente, devint bien vite un très mauvais parti.

— Mais je ne vous aime pas!

La répartie devait abattre son interlocuteur, le faire fuir sans se retourner. Avec une blessure si profonde, jamais il n'oserait se manifester à nouveau. Fernand rétorqua plutôt avec conviction:

— Et moi, je vous aime pour deux. En quelque sorte, cela rétablit l'équilibre en notre faveur, ne croyez-vous pas?

La jeune femme aspira profondément et ferma les yeux un moment afin de ne plus voir ce gros niais. Très vite, son avenir lui passa dans l'esprit. Vieille fille, elle abandonnerait les robes aux couleurs vibrantes pour chercher les bruns et les gris. Le bleu foncé deviendrait un coup d'audace dans son univers monochrome. Combien la tenue d'un rouge vif, au décolleté profond, arborée lors du bal du gouverneur, lui semblait maintenant loin.

— On ne construit pas un couple de cette façon.

Avec les atours démodés viendraient les œuvres pieuses, la consultation inquiète de son confesseur au moindre émoi, les sociétés charitables.

— Mais que savez-vous des couples? demanda Fernand.

Bien sûr, que savait-elle de l'amour? Le spectacle quotidien de sa belle-mère et de son père, toujours aussi épris l'un de l'autre après dix-sept ans de mariage, lui paraissait aussi incompréhensible qu'au premier jour. Dans sa vie de vieille fille, le plus affreux serait de contempler encore ceux-là: leurs tête-à-tête dans la bibliothèque, lui un cognac à la main, elle un sherry, leur empressement à regagner leur chambre certains soirs, la main de l'homme sur sa hanche, les regards entendus.

Le spectacle du bonheur d'Élisabeth la rendrait folle, tôt ou tard. Eugénie le savait très bien. De plus, cette femme se montrait invariablement gentille à son égard, pleine de compassion pour ses malheurs passés. Détester quelqu'un était une chose, mais voir la personne haïe multiplier les attentions délicates s'avérait insupportable. Il lui fallait quitter cette maison.

— Vous avez raison, je ne connais rien aux rapports amoureux, admit-elle après un long silence embarrassé. Autrement...

Inutile de préciser sa pensée : son statut de laissée-pour-compte témoignait éloquemment de son incompétence.

— Alors, puis-je vous rendre visite à votre domicile ?

Fernand commençait à se sentir un peu ridicule. Bientôt, la basilique vomirait son millier de personnes dans les rues. Alors que les grandes portes du temple s'ouvraient et que les cloches commençaient à sonner de façon tonitruante, la jeune femme accepta finalement dans un souffle.

— Oui, vous le pouvez.

À cet instant précis, une étrange conviction se forma dans son âme : les obsèques d'Alfred seraient toujours un peu les siennes dans son souvenir. Si aucun homme ne se présentait d'ici là, dans un peu moins de quatre mois, le jour de ses vingt-cinq ans, elle coifferait Sainte-Catherine.

Son compagnon allait dire quelque chose quand une voix tonitruante, un peu trop joyeuse pour le lieu et l'occasion, retentit derrière lui :

— Fernand ! J'aurais dû deviner que tu viendrais au secours de ma sœurette aux prises avec ses vapeurs. Comment vas-tu ?

Édouard s'avançait, la main tendue, heureux. En secouant tout l'avant-bras de son ami avec sa poigne enthousiaste, il enchaîna :

— On ne se voit presque plus. Nos conversations politiques me manquent. Pour renouer avec nos bonnes habitudes, je serais même prêt à t'entendre vanter les mérites des conservateurs de Robert Borden.

— Je suppose que j'ai trop de contrats à rédiger…

— Et moi, trop de marchandises à vendre. Nous devenons des adultes ennuyeux.

Alors qu'il abandonnait la main de son vieux camarade de collège, Édouard se tourna vers sa sœur.

— Comme tu ne revenais pas à l'intérieur, papa m'a demandé de courir à ton secours. Te portes-tu bien ?

— Oui, je vais bien. Sans doute mes vapeurs, comme tu dis.

Pour donner le change, elle esquissa un demi-sourire. La pâleur de son teint amena le garçon à lui offrir son bras.

— Le cortège se formait déjà à l'intérieur quand je suis sorti. Dans quelques minutes, nous serons bousculés par la foule. Viens avec moi chercher la voiture.

Eugénie posa sa main droite sur l'avant-bras fraternel. Avant de quitter les lieux, celui-ci dit encore à Fernand :

— Je suis sérieux, viens faire un tour à la maison. Je m'ennuie de tes idées politiques rétrogrades et de tes paroles sages.

L'autre adopta une mine empruntée et porta ses yeux sur Eugénie, comme pour obtenir une nouvelle autorisation de sa part. Après une courte hésitation, celle-ci acquiesça :

— Édouard a raison, venez nous visiter. Toute la famille sera heureuse de vous revoir.

Le frère et la sœur lui adressèrent un dernier salut de la tête avant de se diriger vers la rue Desjardins. Le notaire les regarda traverser la petite place devant la basilique, partagé entre le bonheur et l'inquiétude. Si sa démarche se trouvait couronnée de succès, le ton de la jeune femme tenait de l'abdication lassée.

Finalement, les prêtres terminèrent le grand spectacle lugubre et consentirent à laisser s'égailler la foule sur le parvis de la basilique. La très grande majorité de ces spectateurs regagneraient immédiatement leur domicile. Seuls les proches se donneraient la peine de se rendre au cimetière Belmont, dans la campagne de Sainte-Foy.

Thomas Picard faisait partie de ceux-là. Sa femme Élisabeth, pendue à son bras, offrait aux regards sa silhouette longiligne qu'aucune grossesse n'était venue alourdir. À la voir, chacun comprenait que le grand magasin Picard permettait aux endeuillées de demeurer séduisantes. Le corsage de satin noir laissait deviner deux seins parfaits, haut perchés. La jupe, de la même teinte, s'évasait en une corolle plutôt étroite. Les lourds cheveux, d'un blond foncé, se trouvaient relevés sur la nuque en un assemblage compliqué pour révéler un cou fin, des oreilles petites et bien dessinées, la ligne pure de la mâchoire.

Depuis quelques instants, toute l'attention de cette femme se trouvait concentré sur un garçonnet âgé de cinq ans et quelques mois, aux yeux d'un bleu très pur et aux cheveux si blonds qu'ils semblaient blancs sous le soleil de cette fin de juin.

— Monsieur Picard, je vous offre mes condoléances, commença un personnage chétif à qui son costume donnait un air étriqué.

Fulgence Létourneau avait répété ces mêmes mots, avec la même affectation, à quelques reprises déjà : au moment du naufrage, puis lors de la parution de la liste des disparus, encore lors de la découverte du cadavre, et de nouveau deux jours plus tôt, quand une petite affichette avait signalé à tous les employés de l'entreprise que le magasin Picard et les ateliers de confection fermeraient leurs portes le 27 juin au matin afin de permettre à toutes et à tous d'assister aux funérailles du frère du patron.

— Je vous remercie, Fulgence.

— Vous vous souvenez certainement de ma femme, marmonna l'employé en s'effaçant à demi.

— Monsieur… mes condoléances, fit-elle en tendant la main.

— Merci, madame Létourneau.

Avec sa poignée de main ferme et énergique, cette femme blonde et grosse ne laissait planer aucun doute : elle, plutôt que son mari, régnait sans partage sur leur ménage.

— Je constate que ce jeune garçon grandit rapidement, commenta Thomas en examinant le bambin accroché à la jupe de sa mère, la tête contre la cuisse de celle-ci.

— Nous allons essayer de le faire entrer à l'école dès septembre prochain, même si les religieuses prétendent être intraitables sur l'âge d'admission.

Thomas comprit que l'épouse de son employé ne considérerait jamais un « non » comme une réponse valable. L'affaire se réglerait devant le conseil de la commission scolaire.

Dans les secondes suivantes, le couple curieusement assorti adressa ses condoléances à Élisabeth. Celle-ci ne put résister : d'un mouvement susceptible de faire apprécier à tous la souplesse de sa taille et le galbe de ses fesses, elle s'assit sur ses talons, pour mettre ses yeux à la hauteur de ceux de l'enfant, et demanda de sa voix la plus câline :

— Comment t'appelles-tu ?

— …Jacques, murmura le gamin, séduit par la belle dame.

— C'est un joli prénom, pour un joli petit homme. Tu as quel âge ?

L'enfant leva sa main droite pour montrer ses cinq doigts.

— Déjà cinq ans !

Thomas fit un demi-tour sur lui-même, comme si la scène le mettait mal à l'aise, puis répliqua :

— Élisabeth, les enfants vont nous attendre.

Elle leva les yeux vers lui et accepta la main tendue pour l'aider à se relever. D'un signe de la tête, les Létourneau leur adressèrent un dernier salut, puis se dirigèrent vers la rue de la Fabrique. Le tramway de la rue Saint-Jean leur permettrait de regagner la Basse-Ville, et de là, le nouveau quartier de Limoilou qui se développait lentement au-delà de la rivière Saint-Charles.

— Je trouve qu'il lui ressemble, commenta Élisabeth en fixant le garçonnet qui, pendue à la main maternelle, se retournait pour voir encore la jolie dame.

— Ne répète jamais cela, grogna son époux. Elle pourrait t'entendre...

— Mais voyons, nous sommes seuls...

— Au milieu de dizaines de personnes !

Des yeux, Thomas lui désigna tous les gens autour d'eux. Bien sûr, il avait raison. Dans ce petit monde où chacun se passionnait pour la vie de ses voisins, la moindre indiscrétion pouvait faire beaucoup de chemin. Un coup de klaxon tonitruant attira leur attention... et celle de tous les badauds.

— Quelle arrivée discrète, commenta le père.

Après des années de harcèlement de la part de son fils, le commerçant avait capitulé quelques semaines plus tôt : les chevaux dociles et fiables abandonnés sans vergogne, ses déplacements dépendaient maintenant d'une Buick de couleur noire. Toutefois, même si l'achat de ce joyau écorchait sérieusement son compte en banque, jamais Édouard ne lui en avait abandonné le volant.

Le véhicule automobile se trouvait stationné dans la rue Buade, juste en face de la Librairie Garneau. Lorsque le couple monta à l'arrière, Eugénie, assise à l'avant avec son frère, se retourna à demi pour demander :

— Je dois vraiment y aller ?

— ...Voyons, il s'agit de la moindre des choses, répondit l'homme en maîtrisant mal son impatience. C'est le seul parent qu'il te restait, ou presque. Alfred t'a toujours témoigné beaucoup d'affection.

La jeune femme afficha une moue boudeuse, mais rétorqua d'une voix soumise :

— Bien sûr, tu as raison. C'est juste que moi, les cimetières…

— Ce n'est pas tout à fait comme un bal, admit Édouard d'un ton railleur en lui adressant un regard en biais.

Des bals, elle n'en avait connu que quelques-uns, en 1907 et 1908. Elle adressa à son frère un regard assassin et réussit à réprimer le mot « imbécile » qui lui brûlait les lèvres. Pendant cet échange, Élisabeth examinait sa belle-fille, cherchant sur ses traits le souvenir de ceux du garçonnet rencontré un moment plus tôt. En réalité, malgré le bleu des yeux et la pâleur des cheveux, aucune ressemblance ne sautait aux yeux.

— Nous y allons ? demanda Édouard, impatient de conduire cet extraordinaire véhicule dans les rues de Québec une fois de plus.

— Comme nous faisons partie de la famille immédiate du défunt, nous suivrons le corbillard dans le respect des usages. Nous n'arriverons pas une demi-heure avant lui au cimetière, commenta Thomas.

— Mais c'est une voiture hippomobile, clama le garçon en pointant un doigt en direction du parvis de la basilique.

— C'est exactement pour cela que je trouvais prématuré d'acheter une voiture automobile, conclut l'homme d'une voix un peu chargée de regrets. Je ne vois pas l'intérêt de compter parmi le un pour cent d'originaux possédant l'une de ces machines nauséabondes. De toute façon, nous roulons toujours derrière des chevaux.

Cet échange se répétait un peu trop souvent au goût d'Élisabeth. Pour tromper son ennui, elle regarda le quatuor vêtu de noir, debout, à proximité des employés de chez Lépine. Ceux-ci s'efforçaient de faire entrer le cercueil dans le corbillard, une voiture de bois richement ornée de sculptures. Ses flancs, formés de grandes vitres, laissaient voir la bière reposant sur un lit de fleurs.

Quand le chef de l'équipe de croque-morts, un homme affublé d'une redingote noire lui battant les mollets et d'un haut-de-forme ridiculement allongé, donna le signal, la

46

famille d'Alfred Picard monta dans une lourde berline tirée par deux solides étalons. Le cortège emprunta la rue de la Fabrique, puis s'engagea vers l'est sur Saint-Jean.

~

Sous un soleil radieux, le long trajet jusqu'au cimetière Belmont revêtait des allures de partie de campagne. Bien sûr, cet état d'esprit s'imposait plus difficilement aux passagers de la grande berline suivant immédiatement le corbillard.

Rendus à destination, les employés de chez Lépine portèrent le cercueil jusqu'à l'appareil servant à le faire descendre au creux de la fosse. Celle-ci ressemblait à une blessure profonde à la surface du sol. Une toile d'un méchant vert recouvrait l'amas de terre qui, dans moins d'une heure, recouvrirait la dépouille. Très vite, les témoins de ce dernier acte formèrent un cercle irrégulier. Outre la veuve, ses enfants et la famille de Thomas Picard, une quinzaine de personnes se trouvaient sur les lieux. Quelques-unes étaient des relations commerciales, des fournisseurs pour la plupart. Les autres, des hommes, demeuraient de parfaits inconnus. Marie, la tête inclinée vers la bière, réprima un sourire narquois tout en pensant: «Vieux chenapan, se peut-il que certaines de tes conquêtes se trouvent ici?» Une jeune femme se tenait un peu à l'écart avec ses deux jeunes enfants plutôt enclins à babiller. Il s'agissait d'une cliente. Elle reconnut bientôt la fille du médecin de la famille, le docteur Caron.

Un prêtre prononça sans conviction un dernier éloge funèbre, récita des prières en latin, puis s'esquiva prestement. Les spectateurs les moins proches du défunt suivirent son exemple. Après un intervalle durant lequel les Picard demeurèrent figés, Élisabeth prit sur elle de s'approcher de Thalie pour poser ses deux mains sur ses épaules et prononcer d'une voix émue:

— Ton père était un homme très bon. Je me souviens de notre première rencontre comme si c'était hier. Sans lui, je crois que ce jour-là, je me serais enfuie de chez les Picard à toutes jambes.

L'évocation de la première rencontre entre la préceptrice de dix-huit ans et le vieux dragon femelle appelé Euphrosine la ramenait à une époque de grandes incertitudes, un peu semblable à celle où se trouvait son interlocutrice.

— Je te souhaite beaucoup de courage, continua-t-elle en déposant légèrement ses lèvres sur les joues de l'adolescente, essuyant des larmes au passage. Toutefois, Alfred te laisse riche de tout l'amour qu'il a eu pour toi. Cela t'aidera toute ta vie.

Thalie acquiesça, la gorge serrée. Sa tante passa devant Mathieu en tendant la main. Elle lui dit aussi quelques mots. Devant Marie, elle répéta le geste posé pour la fille, esquissa une caresse sur les épaules, descendit ses mains sur les avant-bras avant de dire d'une voix éteinte :

— Comme c'est triste.

— Le plus triste aurait été de ne jamais le trouver sur mon chemin.

Les deux femmes apprécièrent tous les sous-entendus contenus dans ces quelques mots. Élisabeth prononça dans un souffle :

— M'autorisez-vous à vous visiter encore ?

Depuis 1908, ces belles-sœurs partageaient un repas trois ou quatre fois dans l'année.

— J'en serais heureuse.

Les baisers sur les joues suivirent, puis elle passa à Gertrude, qui mérita une poignée de main et des vœux sincères. Édouard avait emboîté le pas à sa belle-mère, de même qu'Eugénie. Tous les deux se limitèrent aux mains serrées et aux formules convenues. Thomas vint ensuite. Le « mes condoléances » adressé à Thalie fut récompensé d'une brève inclinaison de la tête. Devant Mathieu, il déclara :

— Si je peux être utile à quelque chose…

— Comme vous me le disiez l'autre jour, notre affaire est solide. Nous ne manquerons de rien, répondit le garçon d'une voix un peu chancelante.

— Mais si jamais…

Marie écoutait ces paroles, les yeux fixés sur la bière. Les croque-morts commençaient à montrer des signes d'impatience. Il leur tardait d'expédier les dernières corvées afin de profiter un peu, eux aussi, de ce samedi. Quand le veston élégant de Thomas Picard obscurcit sa vue, elle ne leva pas la tête, résolue à ignorer sa présence.

— Madame… commença la voix.

«Ne lève surtout pas les yeux», se dit la veuve. Attendre sans bouger, sans émettre un son que cette brute s'efface. Cela demeurait sa seule chance de ne pas hurler de douleur. À la fin, Marie sentit la main de son fils prendre son bras droit, puis sa voix glisser doucement:

— Approchons-nous un peu, afin de lui dire un dernier adieu.

Le commerçant se déplaça enfin, la famille avança d'un pas, pour se trouver à deux pieds du trou de forme rectangulaire.

— Vous ne le descendez pas? demanda Thalie à l'un des employés.

— …D'habitude, nous attendons le départ des proches, répondit à l'intention de la veuve le chef de l'équipe dépêchée par Lépine. C'est plus facile ainsi.

— Nous savons tous où il va finir, intervint encore l'adolescente, la voix un peu chevrotante. Faites-le descendre.

L'homme, son haut-de-forme ridicule sous le bras, interrogea la mère du regard. Celle-ci regarda sa fille, puis déclara:

— Allez-y.

Un instant plus tard, les deux courroies commencèrent à se dérouler. Très lentement, le cercueil amorça sa descente. Une ondée de larmes marqua l'instant où il passa sous la surface du sol. Le défunt, leur sembla-t-il, commençait à ce moment son voyage dans l'au-delà. Chacun préférait l'imaginer errant dans les champs élyséens plutôt que dans un quelconque paradis chrétien.

Quand la boîte de chêne toucha la terre humide, Thalie se pencha un peu et lança la rose blanche qu'elle tenait à la main depuis le matin. La famille partagea ensuite une étreinte dont personne ne songea à exclure Gertrude. Puis, Marie adressa un signe de tête au chef de l'équipe pour lui signifier de commencer à jeter la terre, avant de tourner les talons avec les siens.

~

— Élise, quel plaisir de vous revoir... ou peut-être devrais-je vous appeler madame Hamelin ?

Édouard offrait sa main et montrait toutes ses dents dans un sourire charmant. « Quel heureux hasard, pensa-t-il, rencontrer deux amis de ma jeunesse la même journée. Les funérailles permettent de drôles de retrouvailles. » Il continua à voix haute :

— Je suppose qu'entre de vieilles connaissances comme nous, le prénom demeure de mise, sans écorcher les convenances.

Elle serra la main tendue, fit de même avec Eugénie, qui suivait son frère de près. Encore sous le choc de sa confrontation avec sa belle-sœur, Thomas préféra lui adresser un salut de la tête, puis poursuivre son chemin vers la voiture. Élisabeth fit de même, désireuse de se pendre à son bras le temps nécessaire pour lui faire passer ses idées moroses.

— Je suis surpris de vous trouver ici, commenta le jeune homme.

— Je le suis tout autant, répondit Élise en riant. Mon père a l'habitude d'assister lui-même aux funérailles de ses patients...

— Surtout quand personne ne peut lui imputer la responsabilité du décès, je suppose, ricana Édouard.

— Votre tact est demeuré le même, vous ne changez pas, rétorqua Élise en s'esclaffant sans retenue.

Les usages n'exigeaient pas d'elle le port du deuil, son lien avec le défunt étant trop ténu. Aussi sa robe de coton à la fois simple et élégante – un achat effectué chez ALFRED : elle la portait pour faire un clin d'œil au marchand – de même que son chapeau de paille posé sur ses boucles brunes la rendaient particulièrement séduisante. Bien sûr, deux grossesses avaient laissé ses hanches un peu plus larges, ses seins un peu plus lourds, mais aucun homme normalement constitué ne le lui en ferait le reproche.

— Avant de me faire interrompre, continua-t-elle, je tentais de dire que je représentais papa, retenu à l'hôpital par ses patients.

— Au cimetière plutôt qu'à l'église ?

— Pourquoi imposer une interminable cérémonie à des petites personnes qui ne méritent pas tant de cruauté ?

Des yeux, Élise désignait les enfants pendus à chacune de ses mains. Le garçon devait avoir trois ans, la fillette quatre. Le premier arborait l'un de ces habits de matelot qui, depuis quelques années, s'imposait comme l'uniforme habituel des bambins des pays occidentaux âgés de deux à douze ans. La robe toute en dentelle donnait des airs de princesse à la seconde. Édouard s'assit sur ses talons pour les saluer. Le gamin posa des yeux curieux sur lui tout en fouillant sa narine gauche d'un index inquisiteur.

— Fais attention, si tu pousses encore, tu pourrais te crever un œil, commenta l'homme.

— ... Édouard, protesta la mère en riant de nouveau.

Quand le garçon porta son doigt riche de toutes ses trouvailles à sa bouche, il ajouta :

— Connaisseur en plus. Est-ce que c'est bon ?

L'autre acquiesça lentement de la tête. L'homme se redressa, hilare, pour entendre une petite réprimande.

— Normalement, vous devriez lui dire de ne pas faire cela.

— Pourquoi priver un gourmet de son plaisir ?

La mère échappa un soupir amusé, puis se tourna vers son amie reléguée depuis un moment au rôle de spectatrice.

— Comment vas-tu, Eugénie? Je trouve dommage que nous ne nous voyions presque plus, mais avec eux...

Son regard engloba sa progéniture.

Pendant que son frère occupait toute la conversation, la blonde contemplait sa camarade de couvent en silence. Alors qu'elles quittaient toutes deux le pensionnat, pas un instant elle n'avait douté être plus belle et plus intelligente que la brunette. Comme cette prétention lui paraissait sotte, maintenant. Deux enfants réfugiés dans les plis de sa robe, un époux un peu timide, attentionné, profitant déjà d'une excellente réputation dans le milieu médical, un rire facile, tout cela témoignait de son bonheur. Aujourd'hui, les témoins de cette rencontre, s'il y en avait, ne douteraient pas un instant de la réussite de l'une et de l'échec de l'autre.

— Je suppose que je vais bien...

La réponse venait tardivement et le ton disait le contraire des mots prononcés.

— Édouard, allez donc vous esquinter un bras sur la manivelle de votre horrible machine pour que nous puissions parler un peu.

— Vous allez dire des choses contre moi, protesta-t-il.

— Toujours aussi prétentieux. Croyez-moi, une femme peut passer des années sans parler de vous ni même penser à vous sans que cela lui manque le moins du monde, déclara Élise en le regardant.

L'homme afficha la plus parfaite incrédulité devant cette affirmation, mais accepta de bonne grâce de les abandonner à leurs confidences. De toute façon, le démarreur se révélait vraiment un peu capricieux. Contrairement aux affirmations du vendeur, plusieurs tours de manivelle étaient nécessaires avant d'entendre le ronflement du moteur.

— Je reprends ma question, maintenant que les grandes oreilles insensibles s'éloignent: comment vas-tu?

— Oh! Je ne devrais me plaindre de rien. Mais alors que tu avances dans la vie, j'ai l'impression de reculer.

Eugénie contemplait les deux enfants.

— Je ne comprends pas...

— Fernand m'a à nouveau demandé de venir me visiter à la maison.

Devant le regard interrogateur de son amie, elle précisa :

— ... Le Fernand bedonnant, ennuyeux, bientôt chauve.

— Qu'as-tu répondu?

Le regard de la blonde se perdit brièvement dans les grands arbres, des pins et des peupliers, qui bordaient le cimetière. Au-delà, vers le nord, après une côte abrupte, s'étendaient les champs des cultivateurs.

— J'ai accepté. Vois-tu, je n'ai pas vraiment le choix des prétendants. Contrairement à toi, je n'ai pas pu me permettre de décider entre quelques candidats.

— Voyons, en réalité il y en a eu... deux.

Un court instant, le chiffre trois lui parut plus exact. Édouard... « Puis non, se dit-elle, ce grand adolescent aimait simplement jauger ses talents de séducteur auprès d'une amie de sa sœur. »

— Parmi ces deux-là, il y en avait un qui levait le nez sur moi. Le jeune pharmacien Brunet...

L'homme qui, lors des fêtes de fin d'année de 1907, ne lisait ni roman ni poésie pour consacrer son attention aux seules revues destinées aux pharmaciens se construisait bien vite une réputation d'homme d'affaires averti. Par ailleurs, au rythme des naissances dans son ménage, il devait être bien épris de sa femme.

— Alors, tu disais qu'un simple boutiquier...

— Quand je pense aujourd'hui à toutes les sottises que j'ai déjà dites, y compris à toi, je désire aller m'enterrer dans un trou aussi profond que celui d'oncle Alfred.

Élise se pencha alors sur ses enfants, adressa quelques mots à chacun pour les inciter à encore un peu de patience, puis poursuivit :

— Fernand est bedonnant et chauve, sans compter que ses parents sont de vraies grenouilles de bénitier. Mais pourquoi arrêter là la nomenclature ? Je le trouve sérieux, fiable, probablement généreux et compatissant. Personne ne devrait sous-estimer des qualités de ce genre. Puis, le cabinet de notaire de son père paraît aussi solide que la monarchie anglaise.

— Tu te rappelles, tu me disais à peu près la même chose en 1907 quand il m'a demandée, la première fois. Toute ton énumération ne me paraît pas plus excitante aujourd'hui qu'autrefois.

— Si tu veux de l'excitation, attends d'en avoir deux comme ceux-là. Mon petit gourmet, comme ton frère a dit, a découvert hier le goût des vers de terre.

Le garçonnet leva la tête pour regarder sa mère, un sourire satisfait sur les lèvres, comme habité par le souvenir d'une belle expérience gustative.

Eugénie préféra taire sa conviction : à ses yeux, les frasques de marmots ne présentaient pas plus de motif d'excitation que les notaires prospères.

— À cause de ces deux-là, je peux difficilement sortir l'après-midi. Pourquoi ne pas venir me visiter ? suggéra Élise.

— Tu dois avoir tellement à faire…

— Pas au point de fermer la porte au nez de mes amies.

Son ton contenait une pointe de reproche. Quelquefois, avant la naissance de ses enfants, la brunette avait enduré une réception plutôt fraîche de la part de son « âme sœur » du couvent. Bien sûr, cette dernière ne pouvait confier à quiconque les motifs de son profond désarroi. Son père le lui avait totalement interdit. Sa profonde morosité, de même que son désir de s'isoler, passaient pour de l'indifférence aux yeux des autres.

— Je te rendrai visite, c'est promis. Je dois y aller, Édouard s'impatiente sûrement déjà derrière le volant de son bolide.

Le moteur de la Buick tournait inlassablement.

— Et ces deux terreurs sont sages depuis si longtemps…
Ce moment de grâce ne durera pas, j'en ai peur. À bientôt?

— Promis.

Élise emprunta une allée ombragée pour regagner le chemin Sainte-Foy, un enfant pendu à chacune de ses mains.

— C'était qui, cette dame? demanda bientôt la fillette d'une voix haut perchée.

Eugénie n'entendit pas la réponse. Songeuse, elle se dirigea vers la voiture familiale.

~

Le cocher de chez Lépine laissait ses chevaux marcher au pas. Madame veuve Alfred Picard, encadrée de ses deux enfants, contemplait les champs bordant le chemin Sainte-Foy. Sous le soleil de la fin juin, le foin bruissait de millions d'insectes. Des criquets émergeaient de la surface ondulante pour décrire de longs arcs de cercle, puis disparaître à nouveau parmi les tiges.

— Papa aurait trouvé la cérémonie bien longue, commenta Mathieu pour rompre le silence.

Pour la première fois, il utilisait sans aucun malaise le passé pour parler de son père adoptif. Désormais, sa vie se partagerait en deux pans : pendant et après Alfred. Et le souvenir de ce jour viendrait avec celui de champs odorants sous un grand soleil.

— Puis, ce prêtre qui nasillait depuis le chœur! commenta Marie. Vous n'apprenez pas à parler franc au Petit Séminaire?

— Oui, mais les curés se trouvent dans une classe à part, en tant qu'interprètes de la parole de Dieu. Peut-être que le grand barbu, sur son nuage, nasille.

La veuve échappa un rire bref, mais craignit un instant de se mettre à pleurer à nouveau.

— Tu parles comme lui, maintenant.

Les larmes ne vinrent pas. Sa tristesse prenait une dimension sereine, presque douce.

— Tout de même, tous ces détestables curieux à la basilique, intervint Thalie à son tour. Ces gens n'ont même pas le tact de laisser les parents ou les amis vivre leur deuil en paix.

— Ce sont des vautours, prononça Gertrude de sa voix éraillée. Penses-y, un homme mort dans un grand naufrage : ses funérailles valaient un concert de la Garde Champlain, comme spectacle.

Le chemin Sainte-Foy devint la rue Saint-Jean. Quand la berline s'engagea dans de la Fabrique, chacun poussa un soupir, heureux de revenir à la maison. Édouard sauta le premier sur le trottoir et tendit les deux mains à Gertrude afin de l'aider à descendre. Thalie lui adressa un sourire pour le remercier de la même attention à son égard, mais regagna seule le sol avec la vivacité d'une chatte.

Marie accepta son aide en murmurant un «merci» très doux. Puis, elle s'arrêta devant la porte du commerce de vêtements, laissée grande ouverte après le passage de sa fille.

— Je me demande ce que je vais faire, maintenant.

Mathieu passa son bras autour de ses épaules avant de répondre :

— Mais maman, tu vas faire ce que tu fais depuis ma naissance : diriger le magasin.

Durant un bref instant, l'envie de protester lui vint à l'esprit, mais elle pénétra dans le commerce en silence. Au fond, son fils décrivait bien la situation des dernières années.

~

Le lundi matin suivant, le magasin ALFRED fut abandonné aux seules vendeuses le temps de passer au bureau du notaire Dubois, rue Saint-Jean. Sachant que cette femme devait désormais assurer la subsistance de sa famille, le professionnel la reçut aussi tôt que huit heures trente. Elle se retrouva dans une grande pièce au décor vieillot avec ses murs lambrissés de bois et son tapis fleuri si usé par endroit que la corde de la trame demeurait visible.

— Jeune homme, demanda le notaire, allez chercher une chaise dans la salle d'attente.

Mathieu s'exécuta alors que sa mère et sa sœur occupaient les sièges placés devant une immense table de travail. À son retour, le vieil homme tirait d'une chemise un document de format légal en disant:

— Madame, je ne vous apprends rien en disant que votre mari était un peu... original. Cela transparaît dans la forme de son testament, qui reprend ses propres mots. Mais ne vous inquiétez pas, pour le fond, tout est rigoureusement conforme aux usages.

— Original à quel point? questionna Marie alors que la commissure de ses lèvres trahissait son envie de rire.

— Écoutez comment cela commence.

L'homme prononça de sa voix posée:

Il fait froid, l'obscurité s'étend sur la ville depuis le milieu de l'après-midi. Quoi de mieux, pour clore une journée aussi désagréable, que de dicter mes dernières volontés à ce vieux Dubois.

Le notaire leva la tête du document pour préciser:

— Il est venu me voir en janvier, il y a un peu plus de cinq ans et demi. Je continue.

Évidemment, si vous entendez ceci, c'est que je suis mort. J'espère juste que ce ne sera pas trop tôt. Marie, je te laisse le magasin. Je veux dire la bâtisse dont l'hypothèque est payée depuis quelques jours, le logement et son contenu, la marchandise, et malheureusement les dettes, si on en a au moment de mon décès. Tu as gouverné le navire avec moi, tu continueras sans moi sans grande difficulté. J'espère juste que je n'ai pas posé trop souvent un bouquet de fleurs près de la caisse enregistreuse, au fil des ans.

Le notaire leva des yeux interrogateurs sur sa cliente qui, des larmes sur les joues, se limita à préciser :

— Une petite blague entre nous. Continuez, je vous prie.

Mathieu, mon sixième du grand magasin Picard te revient. Je l'ai reçu de mes parents, qui ont préféré laisser la part du lion de leur héritage à mon cadet. Ne gaspille pas ta vie à poursuivre cet objectif, mais, si un jour tu as l'opportunité de récupérer les cinq autres, ne rate pas ta chance. Elles te reviennent doublement. Tu comprendras très bien ce que je veux dire. Je sais que tu as deviné depuis des années.

Dans sa profession, percer de juteux secrets de famille faisait partie du quotidien. Toutefois, le tabellion comprit au premier coup d'œil que le grand jeune homme ne révélerait jamais rien.

Thalie, gracieuse parmi les grâces, la plus grande peine que j'aurai en mourant sera d'être privé de voir l'exceptionnelle personne que tu deviendras. Je te laisse tout le produit de mes assurances vie. Cela te permettra de faire tes choix librement. Souviens-toi juste que tes moyens demeureront modestes : pas de tour du monde dans un grand paquebot ou de voiture automobile. Notre petit navire commercial ne le permet pas encore. Mais qui sait, quand tu seras grande...

Très rarement, une larme venait à l'œil d'un notaire lors de la lecture d'un testament. Cette singulière occurrence l'amena à éclaircir sa voix et à changer de position sur son grand fauteuil avant de dire :

— Comme je l'expliquais, ces dernières volontés, malgré leur forme, correspondent aux usages habituels. Madame, à moins de vouloir vous disputer pour quelques dollars, vous recevrez exactement la moitié du patrimoine familial. En autant que je puisse en juger, votre commerce représente une jolie valeur. Vous pourriez le vendre, convertir le produit en une petite rente et vivre raisonnablement bien…

— Je ne ferai aucune dispute, et aussi longtemps que ma santé le permettra, je dirigerai le magasin ALFRED pour assurer ma subsistance et celle des miens.

Dubois acquiesça de la tête, récompensa d'un sourire admiratif cette femme qui continuait ainsi l'œuvre d'un époux défunt, puis il enchaîna :

— Monsieur Picard, vous recevrez, toujours à quelques dollars près, le quart du patrimoine. Vous toucherez l'usufruit des parts du magasin Picard deux fois l'an, comme votre père avant vous. Cependant, avant vos vingt et un ans, vous ne pourrez ni les vendre ni les céder à quiconque. Tout de même, ce revenu constituera une jolie bourse d'études. Votre père m'a confié que vous souhaitiez vous préparer à exercer le droit.

— Cela nous paraissait indiqué à tous les deux, pour un commerçant.

— Si vous pensez au notariat…

Peut-être ce grand garçon chercherait-il à acheter un cabinet déjà bien établi avec son petit capital ? Le vieil homme s'arrêta toutefois, conscient que l'héritier n'obtiendrait pas son diplôme avant 1920. Sa retraite viendrait bien avant cette date.

— Enfin, mademoiselle Picard, vous recevrez le dernier quart. Un peu plus, peut-être, car je comprends que le Canadien Pacifique avait des assurances afin de dédommager les familles des passagers, dans l'éventualité d'une catastrophe. Si j'interprète bien les volontés de votre père, cette somme vous reviendra aussi…

— Tout ce qui dépasse la part à laquelle j'ai droit sera répartie entre nous trois dans des proportions d'une demie et de deux quarts.

L'homme jeta un regard surpris sur la gamine. Elle se tenait bien droite dans ses vêtements de deuil, son chapeau de paille noir incliné sur l'œil droit, ses cheveux réunis en une lourde tresse. Que de prétention pour une personne du sexe,

59

surtout à son âge : discuter du partage d'argent. Le moment demeurait toutefois mal choisi pour lui asséner un cours de droit.

— Cet argent sera placé en fiducie jusqu'à votre majorité. Les intérêts vous seront versés deux fois l'an. Cela donnera, ma foi, un revenu bien imposant pour une jeune fille.

Elle toucherait environ la même somme que son frère, ce qui semblait bien trop au notaire. La curiosité l'emporta sur son devoir de discrétion professionnelle.

— Que ferez-vous de cette petite fortune ?

Convaincu d'entendre quelque chose comme « Acheter des robes et des bijoux », la réponse le laissa pantois.

— Exactement ce que mon père a écrit : choisir librement ce que sera ma vie.

Mathieu la regarda avec fierté. Son instinct le lui disait, l'adolescente savait déjà précisément ce que deviendrait son existence.

Le notaire Dubois remit le testament dans la chemise et précisa encore à l'intention de la veuve :

— Je m'occuperai, si vous le désirez, de préparer de nouveaux actes de propriété. Quand vous aurez les chèques des compagnies d'assurances, je pourrai préparer les documents relatifs à la fiducie.

— Excellente idée, répondit Marie. Vous préparerez aussi un nouveau testament pour moi. Rien de compliqué : tout ce que je possède ira en parts égales aux enfants.

— Ce sera fait dans quelques jours. Bien que cela paraisse tout à fait improbable pour une personne aussi jeune, il conviendrait de prévoir la nomination d'un tuteur pour les enfants, si votre propre décès survenait. Votre beau-frère, peut-être...

Un éclair noir passa dans les yeux de Marie, sa bouche se crispa en une mince fente.

— Jamais. La tutrice sera Gertrude Dugas. Et précisez dans le testament que les enfants devront la soutenir à même leurs revenus sa vie durant, si je meurs avant elle... Ils y auraient pensé tout seuls, ajouta-t-elle après une pause en les englobant du regard, mais écrivez-le tout de même. Vous devez avoir l'habitude, alors vous me proposerez un montant raisonnable.

— Vous voulez dire la domestique ?

— Je veux dire une amie fidèle.

Le professionnel salua ses clients avec des poignées de main, réitéra une dernière fois ses condoléances et les regarda quitter la pièce en dissimulant mal sa surprise. Jusque-là, Alfred Picard lui semblait original. Sa famille se révélait l'être encore plus.

∼

Pendant le court trajet jusqu'au magasin, Marie demeura songeuse. Le tabellion avait raison, il lui fallait prévoir l'imprévisible et prendre les bonnes décisions, tout comme Alfred, cinq ans plus tôt, au moment d'établir son testament. Avec la propriété du commerce venait cette responsabilité.

Mathieu, quant à lui, ruminait la recommandation de son père adoptif: récupérer les cinq sixièmes de l'affaire Picard. À moins d'épouser Eugénie, cela lui semblait irréalisable. L'idée l'amusa. Un mariage semblable demeurait totalement impossible: personne ne saurait jamais qu'elle était sa demi-sœur, mais les prélats condamneraient toujours une union entre cousins du premier degré. Lorsqu'il poussa la porte du commerce, une seule solution lui parut réaliste: devenir riche.

Quant à Thalie, débarrassée de son chapeau, elle vendit des rubans et des dentelles toute la journée avec son habituelle affabilité. Toutefois, en l'absence de clientes, un air songeur venait hanter son visage. Une fois le magasin fermé, un peu hésitante, elle demanda à Mathieu :

— Viens-tu avec moi au parc ?

— Nous allons manger dans une demi-heure, tout au plus, intervint Marie.

— Quelques minutes seulement. La journée a été longue, un peu d'air me fera du bien.

La mère donna son accord et verrouilla la porte derrière eux. La goulée d'air servait de prétexte, devina-t-elle. Sa fille désirait confier ses réflexions de la journée à son grand frère.

Le parc Montmorency se trouvait tout près, au-delà de la basilique et de l'archevêché. La jeune fille gagna son banc préféré, juste devant le muret de pierre destiné à empêcher les imprudents de dévaler la falaise. Quand son frère s'assit à sa droite, elle commença :

— Tu ne m'en veux pas ?

— Grands dieux, pourquoi t'en voudrais-je ?

— Papa me laisse la même chose qu'à toi…

— … Mais tu es autant son enfant que moi.

« Un jour, pensa Mathieu, je lui expliquerai qu'elle a droit à tout l'héritage d'Alfred, et moi, à rien de Thomas. » Les actions du magasin Picard étaient justement une façon symbolique de rétablir la filiation. Il continua après une pause.

— Tu le sais bien, jamais je ne te reprocherai quoi que ce soit, surtout pas cet héritage. Sauf lorsque tu manges tout le dessert, bien sûr…

— Je ne le ferai plus, alors, rétorqua-t-elle sur le même ton affectueux.

Cette entrée en matière laissait deviner une suite plus délicate. Mathieu le savait. Jamais sa sœur ne se serait inquiétée de recevoir autant qu'un garçon. Comme elle se murait dans son silence, il finit par remarquer :

— Le souper sera froid.

— Je sais déjà ce que je veux faire de ma vie.

Le jeune homme jeta un regard sur le profil régulier de l'adolescente : le nez fin et droit, la petite moue de la bouche, la ligne volontaire de la mâchoire.

— Irma Levasseur, souffla-t-elle.

— Pardon ?

Il comprenait toutefois très bien. Cette jeune femme de la région avait complété des études de médecine aux États-Unis avant d'obtenir, en 1903, le droit de pratiquer dans la province de Québec. En 1907, elle avait créé l'Hôpital pour enfants Sainte-Justine, à Montréal, avec la participation de bourgeoises désireuses de se sanctifier par de bonnes œuvres. Ce destin remarquable autorisait sans doute de nombreuses fillettes à rêver d'un autre avenir que celui de changer des couches ou même de vendre des rubans et des dentelles. Une poignée d'entre elles, moins que les doigts des deux mains chez les Canadiennes françaises, réaliseraient ce rêve.

— Je veux faire comme elle, médecin.

— Aucune université de la province n'accepte les femmes.

— Pas même McGill?

— Je ne pense pas.

Elle mordit sa lèvre inférieure, les yeux toujours perdus sur le fleuve, puis plaida:

— Depuis trois ans, des filles vont là-bas à la Faculté de droit.

À onze ans déjà, une information de ce genre lui avait paru assez importante pour la retenir. Sa confidence ne trahissait pas un coup de tête passager, mais plutôt une décision réfléchie et ferme.

— Pas encore en médecine. Toutefois, je vérifierai. Je peux me tromper.

— Alors, j'irai plus loin que Montréal.

— Cela coûtera cher.

— Tu as vu la mine du notaire, tout surpris que mon père me donne autant d'argent. Si tu en as assez pour faire ton droit, j'en aurai assez pour faire médecine.

Sans doute, songea Mathieu. La somme suffirait même à l'entretien de sa sœur pendant ses premières années de carrière, si les clients tardaient à se manifester.

— Ce sont aussi des études difficiles.

— Penses-tu vraiment que je suis première de classe pour faire plaisir aux pisseuses?

Certes non! De cela, le garçon en était certain. Il attendit un moment, le temps de la voir formuler la vraie question, celle qui hantait sa sœur depuis des heures.

— Tu m'aideras?

— À obtenir ce que tu désires? Bien sûr. Tu te rappelles, je suis le meilleur grand frère de la ville.

Thalie chercha sa main sur le banc, la serra dans la sienne.

— Je ferai mes études en anglais.

— Cela me paraît évident.

Dans un futur prévisible, jamais les universités de langue française, dirigées par des prélats, ne permettraient l'accès des femmes aux professions.

— En septembre, je veux aller au High School. Tu vas convaincre maman de me le permettre.

— Voyons, elle ne m'écoutera pas…

L'adolescente laissa échapper un rire bref, chargé d'ironie, puis rétorqua:

— Si, elle fera comme tu dis. Maintenant, tu es l'homme de la maison. Tu lui expliqueras que pour le magasin, je dois vraiment bien maîtriser cette langue. Les touristes deviennent de plus en plus nombreux, l'été…

Thalie connaissait la stratégie, les arguments à employer. Un moment, Mathieu se questionna sur la teneur de la lettre placée dans le cercueil enterré à Sainte-Foy. Sans doute s'agissait-il d'un petit exposé de tous ces projets, formulés pour son père alors qu'il entamait son long voyage.

— Nous allons souper, maintenant?

Elle garda sa main dans la sienne pendant tout le chemin du retour. La scène devait toucher les passants qui les reconnaissaient: le frère et la sœur, affublés d'habits de deuil, cherchant à se rassurer l'un l'autre. Lorsque Mathieu glissa la clé dans la serrure de la porte du commerce, elle demanda:

— Tu crois que papa avait deviné? Quand on lit les paroles du testament…

— Que tu voulais imiter Irma Levasseur? Je ne pense pas. Mais lui, maman et moi, et sans doute aussi Gertrude, nous

nous doutions bien que tu n'élèverais pas douze enfants pour repeupler la patrie ni ne deviendrais religieuse pour convertir les païens.

— Tu es au moins le meilleur grand frère de la rue. Mais pas de toute la ville, comme tu le répètes souvent… Prétentieux.

Dès que la porte s'ouvrit, elle s'engouffra dans le magasin et s'engagea dans l'escalier en courant. Ses talons ferrés résonnaient joyeusement contre le bois. Mathieu réalisa alors que, depuis plus d'un mois, ce bruit familier s'était tu. Combien il lui avait manqué !

Chapitre 3

Le domicile des Picard, dans la rue Scott, demeurait toujours aussi imposant. Une tourelle décorative flanquait la solide maison de brique. La façade s'ornait d'une longue galerie couverte où, les jours d'été, les membres de la famille venaient boire un thé glacé ou une limonade. Ces occasions permettaient de parler de choses et d'autres, de lire un peu ou alors de regarder les passants. Habitant juste un peu plus bas dans la même artère, Fernand Dupire connaissait bien cet endroit. Bien qu'il fût plus jeune de deux ans, Édouard avait été le meilleur – en vérité, le seul – ami de son adolescence. La rebuffade encaissée de la part de la grande sœur, tout comme la fin des études du fils du commerçant, les avaient éloignés peu à peu.

Un instant après avoir entendu le son du heurtoir de bronze contre la surface de la porte, une jeune bonne de vingt-deux ou vingt-trois ans vint ouvrir. Le visiteur reconnut Jeanne, l'adolescente recrutée des années plus tôt. Depuis, la petite maigrichonne était devenue une femme.

— Monsieur?

— Mademoiselle Eugénie doit m'attendre.

À ce moment, la fille de la maison apparut dans le vestibule, un peu pâle, la mine empruntée.

— Je vais m'occuper de monsieur Dupire. Par cette chaleur, je crois que le mieux serait d'apporter le thé à l'arrière. Ce sera plus confortable que le petit salon.

— Chaud ou froid?

«Ou, formulé autrement, comme les Anglais ou les Américains», songea la jeune femme. Elle regarda le visiteur et demanda, un sourire – son premier – sur les lèvres:

— Qu'en pensez-vous, Fernand?

— Bien que je ne comprenne pas pourquoi, il semble que mieux vaut boire chaud pour combattre la canicule… Eugénie.

L'emploi des prénoms, plutôt que des formels «Monsieur» et «Madame», marquait une étape importante dans le développement de leurs rapports.

— En conséquence, Jeanne, mieux vaut nous apporter une boisson brûlante… Suivez-moi.

Les derniers mots s'adressaient au visiteur, qui emboîta le pas à son hôtesse. L'entrée donnait sur un long corridor menant jusqu'à l'arrière de la maison. L'escalier conduisant à l'étage débouchait sur celui-ci. Édouard, une raquette à la main, descendait justement.

— Fernand!… J'ai malheureusement un petit rendez-vous sportif avec des collègues.

— Cela tombe plutôt bien, car justement, je ne venais pas te voir, prononça le notaire un peu rougissant, tout en acceptant la main tendue.

Le jeune homme le contempla un moment, puis porta les yeux sur sa sœur, dont les joues rosissaient très vite.

— …Je comprends. Alors je vous souhaite à tous les deux une bonne fin d'après-midi.

Il s'esquiva tout de suite. Eugénie mena son visiteur jusqu'à un minuscule boudoir sans meuble aucun. La pièce ne servait qu'à permettre l'accès à l'une des deux portes s'ouvrant sur la cour arrière. Fernand découvrit une belle surface de verdure soulignée de quelques lilas, de rosiers rustiques et d'un érable suffisamment majestueux pour jeter son ombre sur un large espace.

— C'est curieux, je ne me rappelais pas les lieux ainsi. Excepté cet arbre, tout paraît nouveau. Cela donne un bien joli jardin.

— L'aménagement date déjà de quelques années. Nous avions une écurie tout au fond, mais papa a toujours préféré laisser ses attelages dans la Basse-Ville, à cause de l'odeur. Tout a été abattu pour faire de la place à ces arbustes.

— Ce qui vous procure une charmante oasis.

Tout en parlant, le couple gagna une table de fonte. Les quatre chaises, du même matériau, s'accompagnaient heureusement de coussins moelleux. Le visiteur tira l'une d'elles afin de permettre à sa compagne de s'asseoir, puis prit place en face d'elle. Les branches de l'érable les protégeraient du soleil, encore très chaud en cette fin d'après-midi.

— Je vous remercie encore de me recevoir chez vous, prononça-t-il en rougissant.

— ... Vous savez que cela me fait plaisir...

L'hésitation, avant de prononcer ces mots, fut à peine assez courte pour ne pas leur enlever toute valeur. L'homme choisit de ne pas y prêter attention. Après une pause, la demoiselle demanda :

— Est-ce que les clients se bousculent à votre cabinet ?

— En cette saison, tout devient tranquille. Heureusement que nous avons... je veux dire mon père et moi, bien des contrats de mariage à rédiger. Quand il fait si beau, même les grands malades retardent un peu leur décès pour en profiter. Puis, les hommes d'affaires en vacances ne signent pas de contrat.

— Fermerez-vous, le temps de prendre un petit congé ?

— Non. Mes parents ne sont pas de la génération qui prend des vacances.

Pour sa part, Fernand trouvait préférable de ne pas s'éloigner de Québec : pour faire le siège d'une imprenable citadelle, mieux valait ne pas perdre l'objectif de vue.

Ils entendirent la porte donnant sur la cuisine s'ouvrir et se fermer. Jeanne descendit les quelques marches menant au sol, les bras alourdis par un grand plateau. L'homme se leva prestement pour se diriger vers elle.

— Je vais vous aider, proposa-t-il en tendant les mains.

— Ce n'est pas nécessaire, je peux y arriver seule, fit la domestique, un peu surprise par l'initiative de l'invité.

— Je n'en doute pas. Je désire tout de même vous aider.

Elle abandonna le plateau aux mains tendues, un sourire sur les lèvres pour le remercier. Un instant plus tard, Fernand posait le tout sur la table, puis reprenait sa place. Des années plus tôt, Édouard lui avait affirmé que cette petite bonne venue de Charlevoix présentait un meilleur parti que sa propre sœur. La silhouette enserrée dans un uniforme noir ne trahissait aucun défaut physique. Les traits du visage se révélaient harmonieux, la bouche, en particulier, attirait le regard comme un fruit mûr. Si la coiffe blanche s'avérait ridicule, des boucles noires, dessous, ne demandaient qu'à briller sous le soleil.

Jeanne s'empara de la lourde théière d'argent, versa le Earl Grey dans les tasses de porcelaine. Avant de s'en aller, elle approcha une assiette contenant quelques biscuits en s'enquérant :

— Peut-être préféreriez-vous quelques sandwichs ?

Eugénie interrogea son visiteur du regard, qui fit « non » de la tête.

— C'est parfait comme cela. Je vous remercie.

La domestique retourna vers la maison. Il regarda alors le mouvement de ses hanches. Son hôtesse demanda, une pointe d'impatience dans la voix :

— Je vous mets du sucre et du lait ?

Elle-même préférait faire disparaître toute l'amertume de la boisson.

— Non, je le bois noir.

Rougissant comme un adolescent prit en flagrant délit de concupiscence ancillaire, il porta la tasse à ses lèvres et se brûla la langue. La bonne suivait les directives de sa patronne à la lettre, car ce thé se révélait bien trop chaud pour demeurer bon.

— De votre côté, irez-vous en vacances vers le bas du fleuve ?

Les notables de la ville migraient tous les étés vers Charlevoix ou la région de Kamouraska, ou alors aussi loin que Métis-sur-Mer, afin de profiter de l'air marin.

— Non. Cette année, papa a prévu passer quelques jours à New York. Il partira dans une semaine avec ma belle-mère.

— Vous les accompagnerez sans doute?

Une ombre passa sur le visage de la jeune femme. Bien sûr, dès la naissance de ce projet, Thomas lui avait demandé de les accompagner, mais d'un ton qui trahissait son espoir d'un refus. Comme ses parents aspiraient visiblement à quelques jours en tête-à-tête, elle avait décliné l'invitation.

— Édouard devra assumer la responsabilité du commerce, j'assumerai celle de mon petit frère. Il a toujours besoin qu'on le surveille un peu.

Fausse, cette façon de présenter les choses lui paraissait moins compromettante que la vérité.

— Je serai heureux de vous tenir compagnie, pendant cette absence.

Tout de suite, Fernand trouva son propre empressement un peu suspect. Aussi enchaîna-t-il en rougissant:

— Évidemment, je ne voulais rien insinuer de déplacé.

— Évidemment. C'est bien ainsi que je l'ai compris. De toute façon, n'avez-vous pas, d'une certaine manière, passé vos années de collégien à surveiller aussi ce galopin? Vous pourrez m'aider.

Eugénie porta sa tasse à ses lèvres afin de dissimuler son sourire narquois. Avec ce gros notaire placide, elle aurait pu visiter tous les cuirassés de la marine impériale sans que sa vertu n'encoure de grands risques.

❧

— Tu sais à quel hôtel nous sommes. Si jamais un incendie rase tout le magasin, appelle ou envoie un télégramme. Je jugerai si cela vaut la peine de revenir avant la date prévue pour contempler des cendres.

Thomas se tenait bien droit sur le quai, juste devant la passerelle du traversier conduisant à Lévis. Comme le pont de Québec se trouvait toujours en construction, mieux valait prendre le train dans la petite ville de la rive sud afin de raccourcir la durée du trajet vers les États-Unis. Un canotier sur la tête et un costume de lin très fin sur le dos, le commerçant faisait très estival. Sa tenue heurtait les convenances : au décès d'un frère, les usages exigeaient un deuil de plusieurs mois. À tout le moins, un brassard noir aurait dû se trouver à son bras.

— Pour tout le reste, je ferai pour le mieux, rétorqua Édouard en riant. Dans l'éventualité de la destruction d'un seul étage, tu auras la surprise au retour.

Un nuage de vapeur sortait de la cheminée du traversier et des employés s'agitaient maintenant autour de la passerelle. Le garçon s'approcha de sa belle-mère pour lui plaquer deux bises sonores sur les joues.

— Profite bien de ces quelques jours. Je surveillerai les fréquentations d'Eugénie pendant ton absence. Elle n'aura jamais eu un chaperon aussi intraitable que moi.

— Ne fais rien pour la blesser… commença Élisabeth. Depuis ces événements…

Comme toujours, sa silhouette mettait magnifiquement en valeur les robes du magasin Picard – ou plutôt, sa taille fine et élégante les présentait au mieux – alors que son chapeau aux larges rebords dissimulait mal l'abondance de ses cheveux blonds.

— Je ne ferai jamais rien contre les intérêts de ces deux idiots. Leurs véritables intérêts.

Si ces paroles devaient rassurer les parents, l'effet attendu ne se manifesta guère. Thomas toucha son couvre-chef du bout des doigts en guise de dernier salut, puis tourna les talons. Son fils le regarda franchir la longue passerelle de son pas vif, le bras autour de la taille de sa femme, la main assez basse sur la hanche pour provoquer des froncements de sourcils.

«J'espère que j'aurai les mêmes élans à son âge», pensa Édouard en se dirigeant vers la voiture garée tout près. Les à-coups de la manivelle lui firent penser à Élise, à son air de bonheur tranquille affiché sous les grands arbres du cimetière. Quelques minutes plus tard, il abandonnait la Buick dans la rue de l'Église, à quelques pieds à peine de Saint-Joseph. Le magasin Picard ouvrait tout juste ses portes; les premiers clients se pressaient sur le trottoir. Il entra derrière eux et commença par faire le tour du rez-de-chaussée afin de s'assurer de la présence de chacun à son poste.

Pendant une semaine, le garçon de vingt-trois ans serait le seul maître à bord. Les employés paraissaient lui montrer un peu plus de déférence qu'à l'habitude. Même les chefs de rayon, comptant tous au moins le double de son âge, effaçaient de leur visage leur habituelle petite moue railleuse. Chacun d'entre eux vivait avec la conviction d'en savoir plus que lui sur le commerce de détail, une perception le plus souvent fausse, d'ailleurs. De toute façon, lui hériterait. Pas eux. Cela seul déterminait la nature de leur relation.

Pendant cette grande tournée des divers services du magasin, Édouard s'arrêta un peu plus longuement dans celui des meubles, le sien. Les chefs de ces «départements», comme disaient souvent les Canadiens français en reprenant l'expression anglaise, géraient leur fief comme une petite entreprise, tirant leur revenu d'une part des profits qu'ils généraient eux-mêmes.

— Tout va bien? demanda-t-il au vendeur le plus expérimenté, celui qui exercerait l'intérim tout au long de la semaine à venir.

— Tout le monde se trouve à son poste. Nous avons déjà vendu un ameublement de chambre à coucher à un jeune agriculteur désireux de se marier avant les moissons.

L'homme d'une quarantaine d'années eut un sourire égrillard en songeant à l'usage prochain de la marchandise vendue.

— Alors il ne faut pas s'arrêter en si bon chemin. Le gars veut sans doute meubler aussi une cuisine et un salon.

— Pour la cuisine, Légaré nous fait du tort.

Édouard grimaça à l'évocation du nom de ce concurrent presque voisin, puis regagna les locaux administratifs, au second étage. Son père tenait à lui faire jouer le rôle de chef de rayon, présentant la chose comme une excellente occasion d'apprendre. Avant de lui permettre de gérer l'ensemble de l'entreprise, il lui fallait jauger sa capacité de récolter un profit sur l'une des parties de celle-ci. L'exercice risquait toutefois de s'éterniser, car le propriétaire entendait, chaque fois que l'un de ses petits gérants prendrait sa retraite, en confier le fief à son fils pendant quelques années.

« Comme cela, le jour où je déciderai de me consacrer au jardinage, l'affaire ne présentera plus aucun secret pour toi », insistait le paternel. Si cette forme d'apprentissage sur le tas se révélait bénéfique, l'homme montrait tellement de vigueur qu'Édouard craignait de la voir durer bien longtemps. Très raisonnablement, son père pouvait espérer travailler encore pendant vingt ans. Lui succéder en 1934 ne souriait guère au jeune homme pressé.

Ces pensées le rendaient toujours un peu morose, fâché même. Rien de mieux, dans ces circonstances, que de passer sa mauvaise humeur sur un subalterne. Lorsqu'il entra dans les bureaux de l'administration, la cible idéale se trouva sous ses yeux. Le secrétaire s'escrimait sur son clavigraphe. Il le toisa avant de déclarer :

— Georges, vous savez, la moitié des emplois comme le vôtre dans la rue Saint-Joseph sont maintenant occupés par de jolies jeunes filles. Cela ne vous préoccupe pas ?

L'autre suspendit ses doigts au-dessus du clavier et leva les yeux sur le fils du patron tout en cherchant la réponse à donner à l'enfant gâté.

— Je crois que vous exagérez la proportion. Je l'estimerais plutôt au cinquième, tout au plus, habituellement dans de petites entreprises susceptibles de déposer leur bilan avant la fin de l'année.

— Mais tout de même…

— Devrais-je m'inquiéter ? Monsieur votre père paraît satisfait de mes services.

Un peu plus et l'employé ajoutait : « Et il prendra les décisions de ce genre pendant encore de longues années. » Édouard préféra abandonner le sujet pour demander plutôt :

— Rien d'urgent ne nécessite mon attention immédiate ?

— Non, pas vraiment. Chacun attend la date du retour de votre père pour se manifester, je suppose.

Le fils du patron accusa le coup et réussit à conserver un visage impassible tout en prenant bonne note que lorsque viendrait son tour, ce drôle quitterait son poste avec la plus mauvaise recommandation de l'histoire du commerce de détail.

Un moment plus tard, la porte du bureau de direction se referma avec un bruit sec. L'employé recommença à dactylographier son bon de commande, tout en grommelant entre ses dents : « Mon salaud, petit Casanova de merde, le jour où tu aborderas le sujet à nouveau, je t'expliquerai pourquoi ton père ne veut pas d'un jupon comme secrétaire. » Le passage de Marie Buteau dans cette pièce était demeuré dans la mémoire de certains employés, tout comme l'intervention providentielle d'Alfred Picard.

Tout de même, le secrétaire écrivit le mot « botte » à deux reprises avec un seul « t ». L'échange le laissait fort préoccupé.

~

Le secrétaire avait eu raison. Les fournisseurs préféraient attendre le retour du patron pour discuter des prix et des quantités à produire. Quant aux autres chefs de rayon, jamais ils ne révéleraient à un jeune blanc-bec devenu leur concurrent les secrets de leurs opérations. Après une demi-journée passée à se tourner les pouces, Édouard regagna à la fois les meubles et les agriculteurs désireux de convoler en justes noces.

Un peu après six heures, sa bonne humeur proverbiale sérieusement atteinte, le jeune homme passa les portes du commerce pour se diriger vers son automobile. S'apprêtant à tourner dans la rue de l'Église, il aperçut une jeune fille, le front collé à l'une des fenêtres latérales de sa voiture. Une jolie silhouette agissait toujours sur ses états d'âme. Aussi prononça-t-il avec son meilleur sourire :

— Attendez, je vais vous ouvrir, vous verrez mieux.

Elle sursauta au son de sa voix et porta la main sur sa poitrine.

— Pardon, monsieur. Je ne faisais rien de mal.

Elle laissait voir de jolies bouclettes sous son chapeau de paille. Ses yeux, d'un brun très pale, devaient jeter parfois des reflets dorés. Surtout, une rougeur bien discernable montait sur son cou et atteignait les lobes de ses oreilles.

— Je sais bien que vous ne faisiez rien de mal. Autrement, je ne vous offrirais pas de vous ouvrir. Si je vous croyais susceptible de tenter un mauvais coup, je partirais en courant pour alerter l'un des terribles policiers de la ville de Québec.

Sans attendre, l'homme ouvrit la portière avant du côté du trottoir. La curiosité l'emportant sur la timidité, la jeune femme se pencha un peu afin de scruter le tableau de bord en bois soigneusement ciré. En hésitant, elle tendit la main pour la poser sur le dossier de la banquette.

— C'est du cuir, précisa Édouard avec une fierté de propriétaire.

— Je le vois bien.

Bien que très intimidée, elle demeurait amusée par l'enthousiasme de son interlocuteur. «Un enfant entiché d'un nouveau jouet», pensa-t-elle.

— Je m'appelle Édouard Picard, ajouta-t-il en tendant la main.

L'inconnue hésita longuement avant d'accepter, puis commenta :

— Je sais qui vous êtes.

Après un instant, comme elle n'ajoutait rien, il insista :

— Vous ne me dites pas votre nom ?

— … Clémentine LeBlanc.

Un peu plus et elle répondait : « personne ». L'homme libéra la petite main gantée de dentelle, puis continua avec entrain :

— Je vous ai remarquée quelques fois sur les trottoirs. Vous devez travailler tout près.

— Vous êtes observateur.

— Seulement quand je vois de très jolies personnes.

Le rouge atteignit le sommet des oreilles de la jeune fille. Après un nouveau silence, elle précisa :

— Je travaille à la Quebec Light, Water and Power. Au service de la facturation.

« Exactement le genre de personne susceptible de remplacer le foutu secrétaire de mon père », songea son interlocuteur. En même temps, il comprenait combien pareille présence pouvait nuire à la concentration d'un chef d'entreprise. Pour une fois, Édouard se réjouit secrètement de n'avoir aucune responsabilité demandant la mobilisation de toutes ses pensées. Finalement, sa situation présentait des avantages : il pouvait se laisser distraire impunément. Puis, cette demoiselle travaillait à deux pâtés de maisons du magasin Picard. S'intéresser à elle ne l'amènerait pas à enfreindre l'ordre formel du paternel de ne jamais fricoter avec les employées.

— Vous aimeriez faire une petite promenade, Clémentine ?

L'usage du prénom, avec une inconnue, se révélait bien audacieux ; la promenade, tout à fait déplacée. Le front plissé, elle rétorqua :

— Cela ne se fait pas !

Ce genre de réprimande n'avait jamais intimidé son vis-à-vis.

— Voyons, c'est comme un salon : un fauteuil bien rembourré, une petite pièce à l'abri des intempéries. La seule différence avec une maison, ce sera le paysage défilant des deux côtés.

Une autre différence troublait bien plus profondément la jeune fille : l'absence d'un chaperon à portée des yeux ou, au moins, de voix. Accepter une offre pareille pouvait écorcher sa réputation de façon irrémédiable.

Comme si Édouard suivait le cours de ses pensées, il ajouta, en esquissant un clin d'œil :

— Vous savez, conduire cette machine se révèle bien compliqué : j'aurai les deux mains totalement occupées.

Dans sa condition présente, elle ne pouvait rougir un peu plus sans tourner au cramoisi. L'allusion à sa crainte la plus troublante provoqua un rire nerveux.

— Vous pouvez aussi vous asseoir à l'arrière. Vous jouerez à la grande bourgeoise, et moi, au chauffeur. Acceptez, cela ne me tente pas de rentrer à la maison tout de suite. Mes parents sont absents.

La confession, bien puérile, enleva beaucoup du caractère menaçant de l'homme. Clémentine regarda à nouveau à l'intérieur du véhicule par la portière toujours ouverte, puis vers la rue Saint-Joseph afin de s'assurer que personne ne s'intéressait à leur petit aparté.

— Si je veux souper ce soir, je dois rentrer tout de suite.

— Vous habitez chez vos parents ?

— … Dans une maison de chambres, par là.

Sa main désigna vaguement l'est. Elle comptait parmi le contingent des innombrables jeunes filles venues travailler à la ville. Juste à Québec, des centaines arrivaient tous les ans pour relever le défi de se faire une meilleure place au soleil. Les plus chanceuses, accueillies chez des tantes ou des oncles, profitaient d'un cadre familial où une surveillance étroite préservait leur réputation. Les autres faisaient de leur mieux l'apprentissage d'une liberté dont les bien-pensants leur tiendraient invariablement rigueur, tôt ou tard.

— Dans ce cas, je vous propose un petit arrangement : pour vous remercier de ne pas me laisser manger seul, je vous invite à partager mon repas dans un petit restaurant.

— Ma logeuse…

— Vous plaiderez avoir dû travailler un peu plus tard ce soir. Cela doit arriver souvent.

C'était une ruse fort imparfaite puisque des compagnes de travail habitant au même endroit éventeraient bien vite le gros mensonge. D'un autre côté, au coût de ces véhicules – au bas mot, celui-là représentait cinq ou six fois son salaire annuel –, elle risquait de devenir bien vieille avant que l'occasion d'y monter se présente à nouveau.

Ses yeux se fixèrent dans ceux du jeune homme et elle demanda d'une voix hésitante :

— Je peux avoir confiance en vous ?

— Si vous en doutez, refusez de monter et rentrez tout de suite à la maison.

La réponse la laissa sans voix. Les conversations entendues lors des mois précédents lui revinrent en mémoire. Les jeunes héritiers des quartiers Saint-Roch et Saint-Sauveur faisaient l'objet de longs commentaires, leurs attributs physiques, financiers et moraux sans cesse soupesés. Cela ne posait pas de difficulté, chacun ayant sous ses ordres un abondant personnel féminin. Le jeune Picard sortait de cette évaluation soignée avec plein d'étoiles à son bulletin de notes : certainement parmi les trois plus mignons du lot, promis à une belle fortune, disposé à conter fleurette à tous les jolis minois, on ne lui prêtait aucun geste, ni aucune parole d'ailleurs, vraiment déplacés. Toutes les ouvrières, les vendeuses ou les commis se seraient montrées enclines à certaines bassesses pour se donner la plus minuscule chance de convoler un jour avec un candidat aussi bien pourvu que celui-là.

Bien sûr, en ce moment, Clémentine LeBlanc ne songeait guère à des épousailles… Faux ! Comme toutes les jeunes filles de son âge habitant la ville de Québec, elle ne pensait qu'à cela, sans toujours en être consciente. Toutefois, mieux valait circonscrire son horizon d'espérances à une courte balade dans une grosse voiture construite à Détroit.

Quand Édouard ferma la portière avant du véhicule, la déception se peignit sur le charmant visage. La partie était gagnée. Le garçon ouvrit celle de l'arrière et prononça, en s'inclinant bien bas :

— Madame, votre voiture est avancée.

L'autre gloussa et lissa sa jupe de serge sur ses cuisses avant d'entrer dans l'automobile en se tenant de biais, attentive à donner à ses mouvements toute la modestie requise.

En faisant le tour de la Buick, le jeune homme s'attarda sur la manivelle récalcitrante afin de démarrer, puis regagna sa place derrière le volant.

— Où Madame souhaite-t-elle aller ?

— Je ne sais pas du tout, prononça-t-elle, la voix excitée.

— Je propose donc de prendre le boulevard Langelier afin de regagner la Haute-Ville. Un joli restaurant du quartier Saint-Jean nous permettra de manger un peu. Nous ferons ensuite un petit tour…

— Je ne dois pas rentrer trop tard…

À nouveau, une inquiétude pointait dans sa voix. Édouard se retourna à demi pour dire, avec son sourire le plus engageant :

— Si je vous ramène à huit heures précises devant votre porte, cela vous semble-t-il convenable ?

— Ce sera parfait.

— Dans ce cas, Madame, adossez-vous confortablement et profitez de mes talents de chauffeur.

Quand la voiture s'engagea dans la rue Saint-Joseph, Clémentine souhaita se faire toute petite, car on pouvait la voir depuis les trottoirs. Dans la rue Langelier, elle s'inquiéta plutôt de la vitesse du véhicule. Jamais le tramway ne lui avait donné des sensations si grisantes.

~

Une fois la nouvelle situation apprivoisée, Clémentine LeBlanc se montra enjouée, drôle même. Capable de jouer les prétentieux avec un réel brio si la situation l'exigeait, Édouard savait évoquer le cirque, les kermesses rurales et les spectacles gratuits offerts par la Garde Champlain. Surtout, il commentait volontiers la folie de l'heure : les films maintenant présentés quotidiennement dans trois ou quatre salles à Québec.

Pendant tout le repas, la conversation alla bon train entre eux. Le restaurant, sis rue Saint-Jean, à l'extérieur des murs de la ville, offrait une cuisine familiale. Des employés d'un statut modeste occupaient la plupart des tables. La jupe de serge, tout comme le corsage boutonné jusqu'au milieu du cou, sans aucune dentelle, sans aucun ruban, ne déparaient guère ces lieux.

À sept heures trente, l'homme regarda la montre à son poignet, puis confia d'une voix résignée :

— Si je veux respecter ma parole, nous devons nous mettre en route tout de suite.

La moindre émotion se manifestait sur le visage de la jeune femme. La déception redessina ses traits. Aussi il enchaîna après une pause :

— Mais vous pouvez toujours retarder un peu l'heure du retour.

— Juste un peu, alors.

Édouard acquiesça d'un hochement de tête et exprima sa satisfaction par un rire sourd.

— Vous avez une montre-bracelet, remarqua-t-elle.

Le même constat aurait pu se formuler en d'autres mots : « Vous êtes moderne et riche. »

— C'est plus pratique. Pas besoin de m'arrêter pour chercher dans mon gousset. Vous savez d'où cela vient, l'idée de la mettre là ?

Il leva son poignet pour la lui montrer à nouveau. Le « non » de la tête fit voler les boucles blondes de droite à gauche.

— Le bijoutier Louis Cartier en a eu l'idée, en 1904, pour rendre service à l'aviateur brésilien Santos-Dumont. Cet homme voulait être en mesure de regarder l'heure même aux commandes de son appareil. Voyez comme c'est facile.

Il mima un pilote aux commandes d'un avion, qui ressem-blait beaucoup à un homme au volant d'une automobile… pour grimacer de déception. La manche de son veston cachait le petit cadran muni d'un bracelet de cuir. Agacé, il la releva de son autre main alors que sa compagne éclatait d'un rire joyeux.

— Je suppose que les pilotes ne portent pas un habit de ville, convint-il en s'esclaffant aussi.

Elle montrait des dents parfaites. Ses sourires répétés lui mettaient des fossettes aux joues et des plis aux commissures des yeux. Édouard la trouva très jolie, émouvante même. Quelques minutes plus tard, il proposa :

— Nous pourrions faire un tour dans Grande Allée, passer près du *Château Frontenac*, puis descendre la côte de la Montagne. Vous serez chez vous dans vingt, tout au plus trente minutes.

Tous ces détails sur le trajet visaient à la rassurer, à construire sa confiance. Au moment de regagner le trottoir, l'homme lui offrit son bras. Elle accepta de bonne grâce. Quand il fit mine d'ouvrir la portière arrière de la berline noire, Clémentine objecta :

— Je peux monter devant.

La timidité marquait sa voix et ses gestes demeuraient contraints. Le soleil, maintenant très bas sur l'horizon, dorait ses yeux.

— Merci… Vous ne me trouvez plus menaçant, j'en suis très heureux.

Quelques secondes plus tard, Édouard démarra le moteur d'un tour de manivelle. En regagnant sa place derrière le volant, il lui fit une confidence coûteuse :

— Si vous me voyez un jour avec une attelle au poignet, vous saurez pourquoi.

— C'est difficile à ce point ?

— Le combat de l'homme contre la machine.

Elle reçut l'affirmation dans un grand éclat de rire, la tête rejetée en arrière. Le véhicule s'engagea dans la rue

Saint-Jean pour bifurquer bientôt vers le sud afin de rejoindre Grande Allée. Plus tôt dans la soirée, le jeune homme avait dit vrai : le volant, les pédales, le levier de vitesse, tout cela lui occupait les mains et les pieds. Puis, son expérience de chauffeur se révélait bien courte : les tramways, les voitures hippomobiles et les piétons indisciplinés requéraient toute son attention. Tout au plus porta-t-il quelquefois son regard vers la droite afin de voir le profil du charmant visage de même que la ligne des longues cuisses sous la jupe.

La jeune femme, de son côté, contemplait tantôt l'intérieur luxueux du véhicule, tantôt le spectacle de la rue. Alors qu'ils passaient devant l'Assemblée nationale, elle argua, se souvenant de ses conversations avec des amies sur les bons partis de la ville :

— Vous vivez près d'ici.

— Nous avons croisé ma rue il y a une minute à peine.

Le riche héritier vivant dans ce quartier cossu se montrait à la fois amusant, sans prétention et attentionné. Elle aussi se tournait parfois pour étudier son profil. Se pouvait-il... Chaque fois que la pensée effleurait son esprit, un vif mouvement de négation de la tête faisait voler ses bouclettes. Sa raison lui ordonnait de ne pas confondre les idylles des feuilletons publiés dans les journaux et la vie réelle.

Quand, un peu avant huit heures trente, il approcha de la rue Sainte-Marguerite, elle demanda, à nouveau très intimidée :

— Arrêtez-vous ici.

Devant son regard interrogateur, elle précisa :

— Je ne veux pas faire jaser. À la maison de chambres, tout le monde espionne tout le monde.

Une fois la voiture rangée contre le trottoir, l'homme se tourna à demi vers sa compagne pour dire :

— Ne soyez pas gênée à ce sujet : les gens aiment tout autant parler dans le dos des autres là où j'habite. C'est le sport habituel des habitants de cette ville.

Il marqua une pause avant de continuer sur un ton plus joyeux :

— J'ai beaucoup apprécié notre soirée. Me permettrez-vous de vous inviter à nouveau ?

La jeune femme se mordit la lèvre inférieure et hésita beaucoup avant de répondre :

— Si vous voulez.

— Je pourrai, dans ce cas, faire porter un mot à votre lieu de travail, ou alors à votre maison de chambres, si vous me donnez l'adresse.

— …Je préférerais que vous m'attendiez à peu de distance de l'édifice de la Quebec Light. Je termine tous les soirs à six heures. Bien sûr…

— Ne craignez rien, je ne ferai rien qui pourrait être susceptible d'alimenter les ragots… Attendez, je vais vous aider.

Depuis un instant, elle cherchait la poignée pour ouvrir la portière. Édouard descendit et lui permit de sortir. Quand elle fut sur le trottoir, il lui tendit la main en ajoutant :

— Je vous remercie pour ces deux petites heures. Elles ont passé trop vite.

Elle accepta de la serrer, demeura silencieuse, se contentant d'un sourire, avant de tourner les talons pour rentrer à la maison.

Un peu après le souper, Fernand se présenta au domicile de la rue Scott avec, à la main, quelques branches de lilas réunies dans du papier de soie. Venue ouvrir, Jeanne les reçut avec un air joyeux, comme si l'offrande était pour elle, en murmurant : «Je vous débarrasse.» Eugénie arriva bientôt dans le vestibule et fit remarquer après une hésitation :

— Quelle délicate attention. Merci. Vous les mettrez dans un pot. Elles seront parfaites sur la table de la salle à manger.

Les derniers mots, destinés à la domestique, provoquèrent la disparition de celle-ci vers la cuisine.

— Ma mère possède quelques arbres à floraison tardive, expliqua l'homme en rougissant. J'ai un peu pillé son jardin avant de venir.

— Je crois que ses fleurs sont sa passion.

— Elle disparaît dans les plates-bandes en mai pour réapparaître en septembre.

Eugénie se souvint combien, adolescente, la grosse madame Dupire suscitait toutes ses moqueries. Le nez dans le terreau, elle offrait aux passants le spectacle de son postérieur marmoréen pointé vers le ciel. Sa taille, tout comme l'ampleur de ses jupes, enlevait tout caractère érotique à la scène pour n'en laisser que le grotesque.

Le moment ne se prêtait guère à ce genre de réminiscence. La jeune femme portait des longs gants couvrant la moitié de ses avant-bras. Son chapeau de paille à larges rebords protégerait son teint pâle des affronts du soleil couchant. Sa robe d'indienne témoignait quant à elle des richesses du magasin PICARD. Personne ne critiquerait sa mise ou son maintien.

Fernand, dans un costume de lin, son canotier sur la tête, n'était pas en reste. Tous deux incarnaient, en cette soirée de juillet, des jeunes gens de la Haute-Ville se découvrant mutuellement des affinités sur le tard, après avoir été élevés dans des maisons distantes de cent cinquante pieds à peine.

— Je ne pense pas qu'une ombrelle soit nécessaire, commenta Eugénie en regardant par la porte laissée ouverte.

— Le soleil joue à cache-cache avec de gros nuages blancs. Vous n'avez rien à craindre.

Les jeunes femmes de la bonne société prenaient bien garde de ne pas présenter un hâle de paysanne.

— Nous y allons ? demanda-t-elle.

— J'aurais aimé saluer vos parents.

— Pour cela, vous devrez passer la semaine prochaine.

Le notaire se rappela alors les projets de vacances évoqués lors d'une visite antérieure. Il sortit et attendit que sa compagne ferme la porte pour descendre avec elle l'escalier conduisant à une courte allée couverte de gravier blanc. En posant les pieds sur le trottoir, il lui tendit son bras gauche et apprécia la main gantée posée près de son coude.

Tout le long du trajet vers la terrasse Dufferin, ils échangèrent des phrases convenues sur la douceur du temps, l'économie tournant au ralenti depuis l'année précédente ainsi que l'affluence de personnes désireuses, comme eux, de prendre l'air afin de faire passer leur repas.

S'ils avaient eu dix-huit ou dix-neuf ans, des badauds auraient froncé les sourcils en les voyant ensemble sans aucune supervision d'un chaperon. À leur âge, cela ne faisait plus de problème : la passion de la jeunesse devait céder le pas aux amours raisonnées. Sur la terrasse Dufferin, le couple profita d'un banc placé face à la lourde balustrade de fonte devant prévenir les chutes de la falaise. La contemplation du fleuve, plusieurs dizaines de pieds plus bas, ramenait toujours les mêmes souvenirs aux habitants de la ville de Québec.

— Quand je me tiens ici, je vois encore en esprit la flotte britannique de l'Atlantique Nord, commenta Fernand. Quel spectacle c'était !

— …Je n'en ai pas beaucoup profité, répondit la jeune femme après un regard préoccupé vers son compagnon. Avec le *pageant* tous les soirs…

— C'est vrai, vous faisiez partie de la distribution… Je vous trouvais si ravissante dans votre grande robe blanche, toute de dentelle.

— Si vous l'aviez vue à la fin de la dernière représentation ! Nous passions toutes les soirées à essayer d'éviter les accrocs, sans vraiment réussir. Ces sous-bois recelaient trop d'arbustes épineux.

Eugénie ne put réprimer une mimique chargée d'ironie. Combien les buissons s'étaient révélés accueillants alors que la flotte avait représenté une menace mortelle !

— Édouard ne cessait de m'entraîner à flanc de falaise afin de contempler ces foutus navires. Je ne comprends pas encore comment j'ai évité de me rompre le cou. D'un côté, il maugréait sans cesse contre l'impérialisme, de l'autre, la vue de ces coques d'acier le mettait en extase.

— Pourtant, ni les navires ni les équipages ne représentaient un bien grand intérêt, sauf pour les sots, souffla la jeune femme.

Ce fut au tour de son compagnon de jeter vers elle un regard en biais. La remarque pouvait passer pour un coup de griffe au frère cadet. Toutefois, dans ces cas-là, le ton revêtait une forte dose de sévérité et infiniment moins de mélancolie. Plutôt que de s'enquérir du véritable sens de la remarque, l'homme donna plutôt libre cours à ses propres inquiétudes.

— Je me demande combien de ces beaux officiers, sanglés dans leur uniforme de parade, arrogants et fiers, vivront encore dans un an.

— Pardon ?

Eugénie jeta un regard horrifié à son compagnon. Comment pouvait-il se poser une pareille question ?

— Je suis désolé, consentit le notaire. Je dois m'adonner à une trop forte dose de dépêches étrangères, pour en arriver à aborder un sujet pareil avec vous.

La femme faisant l'objet de ses assiduités devait à tout prix être préservée des cruautés de l'existence.

— Tout de même, comme vous avez commencé, vous devez maintenant livrer le fond de votre pensée.

— … Nous connaîtrons la guerre, bientôt. D'ici quelques semaines, tout au plus.

— Voyons, ce ne sont pas ces querelles entre petits pays, autour d'un regrettable assassinat survenu dans une ville minuscule, qui conduiront à la conflagration.

Eugénie se révélait habituellement bien peu intéressée par l'actualité politique. À ses yeux, toutes les pages des journaux, excepté la section féminine, pouvaient passer directement du vestibule de la maison à la cuisine pour recevoir des épluchures. Son aptitude à évoquer spontanément le prétexte de la guerre à venir montrait combien le sujet préoccupait tous les esprits.

— L'archiduc François-Ferdinand d'Autriche et sa femme Sophie furent tués à Sarajevo il y a un peu plus de deux semaines, bientôt trois, en fait. Cela suffit pour que l'Empire austro-hongrois déclare la guerre à la Serbie. Après cela, tout peut arriver.

Eugénie plissa le front, songeuse. Édouard pouvait bien s'ennuyer de ses conversations politiques avec ce gros garçon placide : tous les deux dévoraient les journaux. L'idée d'une guerre lui paraissait si étrange, ses conséquences tellement inconcevables. Toutefois, une hécatombe parmi les officiers de l'amirauté britannique présentait un certain attrait. Elle évoqua ses souvenirs.

— En 1870, entre la France et l'Allemagne, cela a duré tout juste quelques semaines. Cette fois encore, le conflit ne devrait pas faire beaucoup de dégâts.

La jeune femme connaissait un peu cette guerre, car elle avait coûté son trône à l'impératrice dont elle portait le prénom.

— Toutefois, quelques années auparavant, la guerre de Sécession américaine s'est étalée sur plusieurs années. Avec les développements scientifiques et industriels des dernières décennies, personne ne sait exactement à quoi s'attendre. Une fois le doigt pris dans cet engrenage, y laisserons-nous une main, un bras ou tout le corps ?

— … Nous ?

— Le Royaume-Uni, c'est nous aussi. Wilfrid Laurier nous a envoyés en Afrique du Sud, déjà.

En bonne fille de libéral, sa compagne aurait pu rétorquer que les conservateurs de Robert Borden risquaient bien plus que leurs prédécesseurs d'engager le Canada dans les folles entreprises de l'Empire. Un peu machinalement, elle détourna le regard en direction du *Château Frontenac*. L'*Union Jack* flottait bien à l'une de ses tours, comme à la poupe de tous les navires amarrés près du quai, sous ses yeux.

— Je n'arrive pas à croire que cela nous touchera directement, plaida-t-elle.

— ... Non, bien sûr que non, consentit Fernand après une pause.

Derrière eux, les premières notes d'une valse de Strauss percèrent le jour finissant. Le ciel prenait une teinte d'un bleu indigo, les ombres s'allongeaient sur les madriers de la terrasse. À quarante pieds du couple se dressait le kiosque où les badauds achetaient des rafraîchissements. Au-dessus de celui-ci, les membres d'un petit orchestre aux uniformes chamarrés commençaient leur spectacle. Pendant une heure, les accords familiers aux Viennois aideraient la digestion des bourgeois de Québec. La musique venue de la capitale de l'Empire austro-hongrois faisait valser l'Europe depuis quelques décennies. L'étincelle de Sarajevo embraserait à son tour le continent entier.

Le moment où le soleil culbutait derrière l'horizon rendit Fernand songeur. Avec cette guerre, le crépuscule s'étendrait sur toute une civilisation. La Belle Époque avait vécu.

Chapitre 4

— La catastrophe paraît inéluctable, grommela Thomas en regardant la première page du journal de la veille.

En plein été, la journée du samedi se révélait souvent affolante au magasin, au point où il devait partir tôt et revenir tard, sans avoir le temps de s'informer un peu de l'état du monde.

— Je ne peux pas y croire, dit Élisabeth. Ces pays n'ont rien à gagner et tout à perdre dans une guerre.

— Tu as vu le titre comme moi. «Le kaiser lance un ultimatum aux nations d'Europe.» Après cela, ou tout le monde se soumet et reconnaît Guillaume comme le maître du continent, ou la Triple-Entente le remet à sa place.

La famille se trouvait réunie pour le petit déjeuner du dimanche, le 2 août. Édouard avalait ses œufs avec la seconde page de *La Patrie* sous les yeux. Au cours du repas, son père et lui les échangeraient l'une après l'autre. Eugénie jouait avec sa nourriture du bout de sa fourchette, songeuse. Elle commenta :

— Fernand dit que la guerre est imminente. Il entrevoit un conflit à la fois long et meurtrier.

— Tiens, Robert Borden le déçoit à ce point, ironisa son frère en levant les yeux. Au lieu de chanter les louanges du Parti conservateur, il se passionne maintenant pour la politique internationale.

— Tout de même, continua la jeune fille en ignorant totalement la remarque, je ne comprends pas comment la déclaration de guerre de l'Autriche contre la Serbie peut amener l'Allemagne à menacer tous ses voisins.

Édouard poussa un soupir devant pareille ignorance, suscitant tout de suite une certaine inquiétude chez Élisabeth. La moitié de la vie de cette dernière se passait à tenter de pacifier les relations entre les deux jeunes personnes.

— Tous les grands pays d'Europe sont partie prenante d'alliances, consentit le père en guise d'explication. C'est comme un jeu de domino, une pièce tombe et emporte toutes les autres. La Russie s'est engagée à défendre la Serbie, attaquée par l'Autriche. Hier, l'Allemagne a menacé de s'en prendre à ce pays si le tsar bougeait en faveur de son alliée.

— L'Allemagne, l'Autriche-Hongrie et l'Italie forment la Triplice : si l'une de ces puissances se trouve en guerre, les autres le seront aussi, ajouta Édouard avec patience, tout en échangeant un regard complice avec sa belle-maman.

— De l'autre côté, la Triple-Entente regroupe le Royaume-Uni, la France et la Russie, compléta Thomas. Si l'Allemagne agresse la Russie, la France se liguera contre l'Allemagne.

— C'est pour cela que le président français a ordonné la mobilisation de ses troupes, commenta la jeune fille dans un soupir.

Afin d'éviter toute remarque ironique de son beau-fils, comme un « Enfin, elle comprend ! » prononcé d'un ton las, Élisabeth effleura sa main de la sienne.

Sa dernière promenade sur la terrasse Dufferin avait fait naître chez Eugénie un nouvel intérêt pour les informations internationales, suffisant pour l'amener à parcourir plusieurs périodiques après son retour à la maison.

— Des pays comme la Serbie ne font pas partie de l'une ou l'autre de ces alliances, remarqua-t-elle encore.

— Vrai, répondit Thomas. Toutefois, chaque grande puissance a des engagements particuliers. Les traités existants exigent que la Russie se porte à sa défense. Tu vois, c'est aussi la même chose avec la Grande-Bretagne. Dès la création de la Belgique, il y a environ quatre-vingts ans, notre métropole s'est engagée à défendre ce petit royaume contre les agressions de ses voisins.

— Et la Belgique se trouve entre l'Allemagne et la France, précisa Édouard.

Outre le ballet des relations diplomatiques, un autre facteur rendait la situation présente extrêmement dangereuse.

Dans tous les gouvernements européens se trouvaient des hommes vieillissants, désireux d'accroître la gloire de leur pays, et surtout la leur, en ensanglantant le continent. La décision leur pesait d'autant moins qu'eux-mêmes ne risquaient rien : dans des salons douillets, un bon alcool à la main, ils liraient bientôt des dépêches relatant la boucherie touchant des jeunes de vingt ans avec une indifférence admirable. Certains oseraient même qualifier cette indifférence de courage.

Vouée à épargner à sa famille les orages fraternels quotidiens, Élisabeth souhaitait croire en l'existence de la même force pacificatrice à l'échelle des continents.

— Certainement, des centaines d'hommes raisonnables tentent d'éviter l'horreur d'un conflit.

— Celui qui avait une chance de calmer les choses a été tué hier.

En disant ces mots, Édouard lui mettait sous le nez la page deux de *La Patrie*. Le plus gros titre disait : «Jaurès tombe sous les balles d'un patriote.»

— Le chef socialiste a été tué? intervint Thomas, de la surprise dans la voix.

— Par Raoul Villain, précisa le garçon en se penchant sur l'article. Son patronyme devait le prédestiner à ce crime.

— Dommage pour lui, mais est-ce une perte pour l'humanité?

Le commerçant craignait fort quelques mouvements sociaux dont les noms se terminaient par un «isme» menaçant, de communisme à socialisme, en passant par syndicalisme. Jean Jaurès lui avait paru dangereusement efficace dans la diffusion de son utopie.

— Il souhaitait organiser des grèves afin d'empêcher les gouvernements de déclarer la guerre, précisa Édouard à l'intention de sa belle-mère... et au bénéfice des autres membres de sa famille. Paralyser l'économie lui paraissait une arme efficace. Les ouvriers, tant en France qu'en Allemagne, risquaient de se joindre au mouvement de protestation. Après tout, en règle générale, ce sont les travailleurs qui se font tuer dans les conflits, alors que des gens comme papa engrangent des profits supplémentaires.

Le commerçant chercha une pointe d'ironie dans la voix de son fils et s'inquiéta de ne pas la trouver. L'engouement du garçon pour le mouvement nationaliste représentait parfois un embarras. S'il affichait le même pour le socialisme, cela deviendrait vite une nuisance.

— Jaurès a été tué par un patriote ? s'enquit-il en tendant le cou pour voir la page toujours dans les mains du jeune homme.

— Oui. Un individu si désireux de mourir en héros sur un champ de bataille qu'il a commencé par placer deux balles dans la nuque du seul homme susceptible d'empêcher la boucherie.

Élisabeth, un peu dégoûtée par le cours de la conversation, appuya sa serviette sur ses lèvres avant de ramener chacun au programme de la journée :

— Comme l'église Saint-Roch se trouve un peu loin...

Elle recula sa chaise. Édouard quitta sa place pour l'aider à se dégager de la table.

— Je compte sur vous trois, ce midi, précisa Thomas en se levant à son tour. Eugénie, tu viens aussi. Les employés doivent te voir le jour du pique-nique de la compagnie, de même qu'à la Saint-Jean et à la fête du Travail. Cela fait partie de tes obligations de fille du patron.

La jeune fille leva vers lui des yeux écarquillés, les sourcils levés, comme pour signifier : « Mais je n'ai rien dit. Pourquoi ne pas me laisser tranquille ? » Ses réticences, exprimées des années plus tôt, à participer à ces représentations mettant en scène la merveilleuse famille du roi du commerce de détail lui valaient encore ce genre de remontrance.

— C'est d'autant plus important que tu seras la seule à pouvoir communier, ajouta Édouard, narquois. Tu n'as rien avalé ce matin.

— De mon côté, avec la journée devant nous, pas question de rester à jeun, se justifia le père.

— Sans compter que tu dîneras bien tard, se moqua son fils en lui adressant un clin d'œil. Tu préféreras ne pas goûter à la nourriture offerte si généreusement à tes employés de peur d'avoir des brûlures d'estomac.

La réponse paternelle à ce petit coup de griffe pouvait se révéler virulente. Le garçon choisit de s'esquiver en précisant :

— Je vais démarrer la voiture.

La corvée pouvait s'allonger jusque tard dans l'après-midi. Prévoyante, Eugénie se dirigea vers la salle d'eau. Laissé seul, le couple échangea un regard un peu lassé, puis l'homme murmura :

— Tout de même, après le Carillon-Sacré-Cœur, il ne songe pas à se promener dans les rues un drapeau rouge à la main ?

— Il songe surtout aux longues années le séparant de la direction du magasin Picard, répliqua Élisabeth en plaçant une main sur la poitrine de son mari.

— Je ne vais pas mourir tout de suite pour lui faire de la place.

— J'espère bien que non. Après tout, je suis encore très jeune, moi. Trop jeune pour faire une veuve convenable.

Sur ces mots, pour éviter qu'une main envahissante ne vienne froisser sa robe à un endroit stratégique, elle se sauva en riant. Au moment de sortir de la salle à manger, elle se retourna, le temps de dire avec un clin d'œil :

— Et pas question de sieste cet après-midi. Tu auras tant à faire…

Son époux sourit en songeant à la longue soirée devant eux, mais ne put retenir ses mots :

— Foutu pique-nique.

～

Après une messe où l'abbé Émile Buteau chanta les louanges des généreux patrons catholiques procurant à des centaines de travailleurs les moyens d'assurer leur subsistance, les deux cents employés des entreprises Picard se retrouvèrent au parc Victoria afin de profiter du pique-nique annuel offert par le patron.

Au moment de consacrer l'endroit aux loisirs des classes laborieuses, le maire de Québec avait dû mener une guerre soutenue aux agriculteurs. Ceux-ci utilisaient la prairie de forme elliptique pour faire paître leurs vaches. La date de l'inauguration, tenue en grande pompe en 1897, l'année du jubilé de diamant de la gracieuse souveraine du Royaume-Uni et de ses colonies, justifiait le nom adopté. Depuis, une fois les bovins repoussés au nord de la rivière Saint-Charles, le parc Victoria offrait de grands arbres, des allées ombragées, un kiosque abritant un restaurant ainsi qu'une gloriette sous laquelle l'orchestre de la Garde Champlain distillait une musique de kermesse.

— Quand je suis venu ici pour la première fois, la rivière embaumait l'égout, se souvint Édouard à haute voix.

— On ne peut pas dire que la situation soit tellement meilleure, commenta Clémentine en riant.

Elle tenait le bout de ses doigts gantés sous son nez. Normalement, seuls les employés de Picard se trouvaient invités au pique-nique annuel. Autrement, avec les familles nombreuses des Canadiens français, le nombre des convives dépasserait le millier. Cette règle ne s'imposait toutefois pas au fils du patron. Puis personne ne vérifiait vraiment. De nombreux autres célibataires conviaient leur promise à un déjeuner sur l'herbe.

Tout naturellement, au retour de leur troisième balade en automobile, Édouard avait invité sa nouvelle « amie » à l'accompagner. Comme le curé de la paroisse hanterait les

96

lieux tout l'après-midi et que de bons pères de famille figu-raient parmi les personnes présentes, la jeune fille avait accepté. En réalité, un dîner en plein air se révélait bien peu compro-mettant, comparé à l'intimité d'une voiture automobile.

Le couple de jeunes gens se promenait bras dessus, bras dessous, sous les frondaisons. Clémentine portait une jolie robe de cotonnade toute simple, son chapeau de paille habituel et ses gants de dentelles. La modestie de sa mise laissait voir encore mieux sa silhouette mince et vive, tout comme les boucles blondes de ses cheveux portés assez courts. La nature lui avait donné ce qui manquaient à la plupart des élégantes de la Haute-Ville. Combien d'entre elles auraient troqué une robe de chez Holt Renfrew, Simons ou même ALFRED pour ses longues jambes, son ventre plat et ses seins menus et fermes?

Surtout, son charme jouait en sa faveur. Le rire facile de cette employée résonnait avec une régularité rassurante, vif et frais comme le bruit d'une clochette d'argent.

— Je vous assure, insista Édouard, l'odeur n'a plus rien de comparable. Plus aucun des égouts de la ville ne se déverse dans la rivière. À l'époque, c'était sept ou huit.

— Si vous le dites.

Des rires d'enfants leur parvinrent des buissons. Machina-lement, le jeune homme se dirigea dans cette direction. À l'abri des feuillages, une demi-douzaine de garçons s'étaient débarrassés de leurs vêtements pour s'ébatte dans l'eau brunâtre. Certains gardaient de mauvais sous-vêtements taillés dans des poches de farine ou de sucre par des mères soucieuses de la moindre économie. Les autres ne portaient rien, sans doute à cause de mamans plus parcimonieuses encore.

— Les gars, cria Édouard, dans cette eau sale, vous allez perdre votre machin!

— Pourquoi tu dis cela? questionna l'un d'eux en lui jetant un regard curieux. Cela t'est arrivé? Ne crains rien, si je trouve un petit ver de terre, je te l'amènerai pour le remplacer.

Sur ces mots, le gamin se retourna afin de se tortiller le cul devant lui. Un autre cria à l'intention de la jeune fille :

— Chérie, laisse tomber cet idiot et sors avec moi. Je ferais un bien meilleur cavalier que lui !

Le jeune homme comprit que son sens de la répartie s'émousserait bien vite contre le leur. Aussi retraita-t-il pour regagner l'allée ombragée.

— Je m'excuse, fit-il. Les gamins de la Basse-Ville ont la langue bien déliée. Puis, vous montrer son... Quelle vulgarité !

— Oh ! Mais vous étiez le seul destinataire de ses largesses... Je comprends qu'au Petit Séminaire vous ne parliez et n'agissiez pas comme cela.

L'ironie dans la voix de Clémentine le blessa un peu. À son contact, il mesurait une nouvelle fois que son seul mérite, dans la vie, serait d'être le fils de son père, élevé dans une atmosphère ouatée. Elle ajouta :

— Quant au spectacle, vous savez, il y a aussi des rivières et des garçons à Saint-Michel-de-Bellechasse.

Édouard s'immobilisa pour la regarder dans les yeux et prononcer à voix basse :

— Vous voulez dire que vous aussi... ?

— Cessez de dire des sottises.

Toutefois, le rouge sur ses joues convainquit son compagnon que les ébats dans l'eau vive ne lui étaient pas inconnus. Cette pensée lui procura une érection immédiate. Il recommença à marcher avec l'espoir que les yeux de Clémentine ne parcourraient pas son corps. « De toute façon, les femmes ne regardent jamais là », se dit-il pour se rassurer.

— Nous allons regagner la fête. Je regrette de vous demander de m'attendre un long moment, mais si je n'effectue pas un petit travail, le paternel va me déshériter.

L'idée d'un beau jour d'été et de l'eau froide d'une rivière sur deux corps nus lui paraissait tout à fait délicieuse.

Organiser un pique-nique voulait dire servir des repas. Thomas Picard avait recruté les services d'un restaurateur de foire champêtre pour préparer de grandes marmites de pot-au-feu. La vaisselle, fabriquée très simplement avec des tôles embossées, passait d'un employeur à l'autre pendant la belle saison.

Plutôt que de se planter debout pour serrer des mains, Élisabeth avait proposé quelques années plus tôt de servir la nourriture. En conséquence, son époux, sa belle-fille, Fulgence Létourneau et sa femme Thérèse portaient de longs tabliers afin d'épargner à leurs vêtements des taches de gras.

— Je me demande où se trouve ton garnement, murmura l'épouse du marchand avant de tendre une assiette à un vendeur du rayon des articles pour fumeurs.

Elle enchaîna à haute voix pour ce dernier:

— N'hésitez pas à revenir, si vous voulez. Bonne journée.

L'homme, maigre comme un tuberculeux, la remercia avec un sourire découvrant quelques chicots. L'invitation à venir à nouveau chercher des vivres allaient invariablement aux malingres et aux obèses. Dans son esprit, les autres ne méritaient qu'un service.

— Le voilà enfin! souffla le père entre deux convives.

— Cette jeune fille?

— Une employée de la Quebec Light… Il l'a vue quelques fois, depuis nos vacances.

Les conversations menées tout en remplissant et en tendant des assiettes se révélaient longues et un peu décousues. Deux employées plus tard, l'épouse murmura à son mari, alors que le jeune homme endossait enfin son tablier de toile:

— Elle paraît très jolie… adorable, en fait. Cela peut conduire quelque part?

Arrivée dans cette famille bourgeoise de façon inattendue, Élisabeth ne doutait pas que d'autres puissent effectuer la même trajectoire. Eugénie, quant à elle, souffrait de voir cette concurrence… surtout si l'oiselle plaisait à sa belle-mère.

Elle tendit une assiette en articulant un «bon appétit» sans conviction, puis prononça à l'intention de son frère :

— Tu joues au Pygmalion avec les pauvresses, maintenant ?

— Nous ne pouvons pas tous nous rabattre sur une personne autrefois jugée indigne d'affection afin d'assurer la sécurité de nos vieux jours.

— Assez vous deux ! gronda Thomas dans sa moustache. Édouard, tu devrais être là depuis une demi-heure. La moitié des repas a déjà été servie.

Le jeune homme se planta devant une immense marmite, un amoncellement d'assiettes de fer blanc à peu près propres à portée de la main. Fulgence Létourneau écoutait sans en avoir l'air. Il éprouvait un certain soulagement à voir les grands de ce monde partager avec lui des relations familiales parfois orageuses. Sa présence sur les lieux, lors du pique-nique annuel, allait de soi. La moitié du personnel des entreprises Picard travaillait dans les ateliers placés sous sa direction. Et si Élisabeth se trouvait là, Thérèse devait y être aussi.

En voyant arriver la conjointe de grand format de son employé, l'inquiétude s'était emparée de Thomas : mettre l'enfant en présence d'Eugénie lui paraissait de la dernière imprudence. Heureusement, il s'aperçut bien vite que Jacques ne les accompagnait pas et apprit qu'une parente s'occupait de lui pour la journée. Mentalement, il prit la résolution de ne plus jamais convier Eugénie à une activité où les Létourneau manifesteraient leur présence.

Une heure plus tard, les marmites presque vides, les malingres et les obèses rassasiés, Édouard prit sa voix la plus docile pour demander :

— Je peux y aller, maintenant ?

Durant quelques secondes, le commerçant pensa exiger sa présence à ses côtés pour faire le tour des petits groupes d'employés dispersés dans le grand parc. Certains demeuraient étendus dans l'herbe, les hommes tenant à la main des bouteilles de bière rafraîchies dans le cours de la rivière Saint-Charles, et les femmes une limonade achetée au kiosque. Les plus courageux semblaient résolus à s'affronter dans des parties de fer enlevantes, malgré la canicule.

La vue de la jeune blonde restée un peu à l'écart à s'ennuyer ferme, l'épaule appuyée contre un arbre, adoucit considérablement l'humeur paternelle.

— C'est bon, va la rejoindre.

Le jeune homme déguerpit sans demander son reste... pour voir sa belle-mère accrocher son bras au sien après trois pas à peine.

— Tu vas me la présenter.

— Voyons, maman...

Elle pinça son bras doucement et rétorqua :

— Tut, tut. Ne commence pas maintenant à me faire des cachotteries, après nos dix-huit ans de fréquentation quotidienne. Tu tiens à elle ?

— Elle est gentille.

— Ce n'est pas ce que je t'ai demandé.

— Je ne sais pas. Honnêtement. Mais elle est gentille.

— Aussi gentille que moi quand je suis arrivée chez ton père ?

Le jeune homme ralentit le pas et jeta un regard incertain vers Élisabeth. Celle-ci eut un sourire contraint et poursuivit à mi-voix, alors qu'ils approchaient de la jeune fille :

— Car elle se trouve un peu dans la même situation face à toi que moi face à Thomas, n'est-ce pas...

Puis, après une pause, elle ajouta dans un souffle :

— Gentille et très jolie...

Un instant plus tard, troublé, Édouard prononçait en rougissant :

— Maman, je te présente Clémentine LeBlanc... Clémentine, maman.

Elle tendit une main timide. Son cou offrait une teinte cramoisie. Elle articula alors d'une voix chevrotante :

— Madame.

— Bonjour, Clémentine, je suis heureuse de vous connaître.

Sa curiosité satisfaite et ses recommandations communiquées à mots couverts, Élisabeth ne savait comment enchaîner. Aussi conclut-elle en les englobant dans un seul regard :

— Je vous souhaite un bel après-midi.

— ... Madame.

Édouard offrit son bras à sa compagne. Le parc Victoria prenait la forme d'une énorme goutte de suif allongée, délimitée par les méandres boueux de la rivière Saint-Charles. En parallèle, la Pointe-aux-Lièvres affectait la même forme, inversée toutefois. Les ateliers Picard s'y trouvaient depuis leur fondation. Des bâtisses de brique remplaçaient cependant celles des débuts, faites de planches mal ajustées.

Tous les employés masculins des entreprises Picard avaient reçu deux billets afin d'assister à la partie de baseball dominicale des Rock City, l'équipe commanditée par les propriétaires de l'usine de cigarettes de la paroisse Saint-Roch. Le stade demeurait d'une envergure modeste, une construction en forme de « V ». Les estrades suivaient les lignes supérieures du losange. Après avoir conduit la jeune fille jusqu'à un siège situé dans la seconde rangée, juste derrière le receveur, Édouard déclara :

— Tout à l'heure, je regrette de ne pas vous avoir apporté de quoi manger, mais la viande devenue froide gisait dans de la graisse figée. Je vais aller nous chercher deux *hot dogs*.

— Ce n'est pas nécessaire...

— Je n'ai pas mangé non plus, et dans mon cas, c'est nécessaire.

Quand, un peu plus tard, Clémentine achevait de mastiquer la saucisse fourrée dans un pain, elle confia :

— Votre mère est très jeune... et très belle.

— En réalité, c'est ma belle-mère, la seconde épouse de mon père. Elle est presque aussi jolie que vous.

La jeune femme rougit jusqu'aux oreilles et s'intéressa vivement aux déplacements des joueurs des deux équipes sur le grand losange s'étalant sous ses yeux. Édouard lui tendit sa bouteille de bière.

— Vous en voulez un peu?

— …Cela ne se fait pas.

— Je vous assure, je n'en ai pas bu encore.

Elle craignait plus les rots intempestifs que les germes présents dans la bouche de son compagnon, mais ces saucisses enduites de moutarde se révélaient terriblement salées. Une gorgée plus tard, elle rendait la bouteille alors que son compagnon décidait d'évoquer ses souvenirs :

— J'ai vu de mes yeux les Bloomers Girls battre ces gars-là.

Devant le regard chargé d'incompréhension de sa voisine, il jugea utile de préciser :

— C'était une équipe de femmes!

— Vous savez, pour travailler à la Quebec Light, mieux vaut savoir quelques mots d'anglais. *Girls* figure parmi ceux que je connais. L'événement ne me paraît simplement pas mériter un pareil enthousiasme.

— …Le baseball est comme l'affrontement stylisé de deux armées.

Un rire en cascade retentit à ses côtés. Pour retrouver sa contenance, Clémentine lui reprit la bouteille des mains, s'efforçant de ne pas pouffer dans le goulot en buvant.

— Vous n'avez aucune idée de ce que vous allez voir?

— Des hommes avec de drôles de costumes qui poursuivent une balle.

— Pauvre petite. Je dois recommencer votre éducation à zéro.

❧

Une fois n'étant pas coutume, quand Fernand Dupire frappa contre l'huis du domicile de la rue Scott, Édouard vint ouvrir lui-même, après l'avoir fait longuement attendre.

— Sans vouloir te vexer, je m'attendais à un visage plus amène, ironisa le visiteur en lui tendant la main. La domesticité se révolte contre les Picard?

— Si j'ai bien compris, Eugénie a réquisitionné la bonne pour l'aider à revêtir sa plus belle toilette. Tu es la cause de ce branle-bas vestimentaire?

— Je l'ai invitée à souper, mais je n'ai formulé aucune exigence particulière quant à la tenue.

Le notaire s'était pourtant mis en frais, lui aussi. Son costume de lin d'un gris très pâle et son panama lui donnaient l'air d'un Anglais en vacances.

Édouard retint ses commentaires narquois, tout à l'excitation de ses dernières lectures.

— Passe un moment dans la bibliothèque. Nous serons en guerre demain.

La grande pièce lambrissée de noyer donnait sur la rue. Dédaignant le bureau placé près de la fenêtre en baie, les jeunes hommes gagnèrent les fauteuils recouverts de cuir répartis de part et d'autre de la cheminée. Édouard tendit la copie du matin de *La Patrie* à son ami. Un grand titre s'étalait sur toute la largeur de la première page: «Albion toujours fidèle».

— Je sais, les titres du *Soleil*, tout comme ceux de *L'Événement*, disaient la même chose.

— L'Allemagne menace de s'emparer de la Belgique si le gouvernement de ce pays ne laisse pas le libre passage à ses armées en route vers la France.

— Et le Royaume-Uni entend respecter ses ententes avec ce petit pays, de même que celles qui le lient à la Russie et à la France. Dans ce dernier cas, cela va de soit: voilà dix ans que l'on nous rebat les oreilles avec l'Entente cordiale. Je sais tout cela. L'ultimatum de l'empereur Guillaume se termine ce soir.

Fernand Dupire lisait les mêmes journaux que son ami, et il en tirait les mêmes conclusions. Selon toute probabilité, tous deux s'éveilleraient le lendemain dans un pays en guerre.

Simple colonie, le Canada se trouverait engagé sans avoir à donner son avis. La métropole déciderait pour lui.

— Ton gouvernement va nous engager là-dedans jusqu'au cou, précisa Édouard.

L'article possessif se trouvait d'autant plus justifié que le fils du commerçant, encore trop jeune, n'avait pas participé au suffrage de 1911, et Fernand, si. De nombreux jeunes Canadiens français membres du mouvement nationaliste favorisaient alors les candidats de l'équipe d'Henri Bourassa, avec l'espoir de lui donner la « balance du pouvoir ». Le résultat se révélait catastrophique : trop peu nombreux, les trois députés élus sous cette bannière ne suffisaient pas à exercer la moindre influence.

— Ta seule réussite a été de chasser Wilfrid Laurier du pouvoir, continua Édouard. Maintenant, nous nous retrouvons en guerre et les impérialistes maîtrisent Robert Borden comme une simple marionnette.

— Me faire la morale de cette façon te va bien. Pourtant, tu as été sur toutes les tribunes avec Armand Lavergne pour faire mousser les quelques candidatures nationalistes, avec, le plus souvent, pour seul résultat de faire passer un conservateur en divisant le vote. De nous deux, la personne la plus entichée de Bourassa et de ses deux caniches, Asselin et ton maître à penser, ce fut toi. Le bellâtre de Montmagny se montre-t-il toujours aussi dépité ? Dire que cet idiot a cru un moment devenir le lieutenant Canadien français de Borden, la réincarnation de George-Étienne Cartier ou, plus modestement, de Joseph-Adolphe Chapleau.

Armand Lavergne, député à l'Assemblée provinciale depuis 1908, s'était imaginé pendant quelques heures membre du cabinet fédéral et chef politique. Très vite cependant, l'homme avait réalisé que sa réputation de vulgaire agitateur, plus soucieux de l'effet produit, du bon mot, que de la sincérité ou de la profondeur des idées, empêcherait quiconque de lui faire confiance. Si Édouard demeurait toujours dans son sillage, cela tenait seulement à la couleur du personnage, pas à ses convictions.

— Il demeure que nous en sommes à un point critique : les impérialistes tiennent Borden par les couilles. Nous risquons de servir de chair à canon sur les champs de bataille européens, insista le jeune homme, d'un ton cependant plus tempéré. Avec un premier ministre de la trempe de Wilfrid Laurier, les admirateurs de l'Empire seraient mieux muselés.

— Ton père tenait exactement ce discours, en 1911. Pourquoi ne pas avoir joint tes forces aux siennes, alors ?

Que répondre à cela ? Thomas Picard montrait certainement une plus grande sagesse politique que son fils. Des pas dans le couloir évitèrent à celui-ci d'argumenter. La jeune femme de la maison apparut dans l'embrasure de la porte.

— Mademoiselle... Eugénie, se reprit Fernand en se levant précipitamment de son siège pour venir à sa rencontre.

Puis il demeura devant elle, l'allure empruntée. Se serrer la main ne convenait plus guère à la nature de leur relation, mais la bise sur la joue demeurait toutefois trop intime pour des personnes dont les fréquentations dataient de quelques semaines à peine. En réalité, pareille marque d'affection ferait sourciller si elle s'exprimait avant leurs fiançailles... si toutefois on en venait un jour à cette éventualité.

— Je m'excuse de vous avoir fait attendre, Fernand. Aucun homme ne peut soupçonner combien de petits boutons recèle la tenue d'une femme. Enfin, je veux dire, aucun célibataire.

— ... L'attente en valait la peine. Vous êtes ravissante.

Mérité, le compliment mit le rose aux joues de la jeune femme. Sa robe de satin d'un bleu pervenche soulignait admirablement la couleur de ses yeux. Elle descendait en un fuseau assez étroit jusqu'aux chevilles fines. La corolle laissait voir le bout pointu de ses bottines noires. Une veste du même tissu et de la même teinte que la robe donnait une certaine chasteté à sa silhouette, que l'on devinait délicieusement fine. Les cheveux blonds, frisés, se trouvaient ramassés sur sa nuque afin de dégager son cou et ses oreilles. Un grand chapeau de paille orné de quelques petites fleurs bleues ajoutait au charme de l'ensemble.

— Mais monsieur Dupire, vous n'êtes pas mal non plus.

L'homme rougit comme une adolescente recevant son premier compliment. En même temps, une partie de lui-même cherchait une pointe d'ironie, de dérision peut-être, dans la voix. Trop longtemps attendues, ces paroles le rendaient sceptique, méfiant même.

— Nous y allons? demanda-t-elle après une pause.

— ...Oui, bien sûr.

Le notaire se retourna vers son ami demeuré bien calé dans son fauteuil, un petit sourire narquois sur les lèvres depuis l'arrivée de sa sœur, afin de prononcer:

— Aujourd'hui, je suis prêt à te concéder que les intérêts de la province de Québec seraient sans doute mieux servis avec le vieux Wilfrid Laurier à la tête du pays. Mais cela, aucun de nous ne l'avait compris en 1911... et si je puis me permettre, toi moins que moi. Sur ce, bonsoir.

— ...Tu as peut-être raison. Je vous souhaite une bonne soirée.

Eugénie fit mine de sortir après avoir incliné la tête en guise de salut, puis elle s'arrêta pour s'enquérir:

— Tu comptes aller à la Basse-Ville ce soir?

— ...Je ne sais pas. Peut-être. Là ou ailleurs...

Cette fois, elle quitta les lieux, son chevalier servant sur les talons. Dans le vestibule, elle se retourna à demi pour demander à son compagnon:

— Aujourd'hui, vous croyez que mon ombrelle s'avère nécessaire?

— À cette heure, avec ce chapeau et ces gants, le beau soleil ne vous menacera pas vraiment.

— Je vous soupçonne d'aimer les peaux hâlées. Auriez-vous une inclination pour les beautés exotiques?

Fernand rougit violemment, ressentant sur-le-champ un vif sentiment de culpabilité pour son intérêt pour les films et les photographies montrant les peuples les plus étranges de l'Empire britannique. Sa passion ethnographique lui permettait de conclure que les tons de peau les plus foncés autorisaient des vêtements parfois bien succincts, et les plus pâles exigeaient de se boutonner jusqu'au milieu du cou.

Incapable de trouver une réponse adéquate à la remarque de sa compagne, il demanda plutôt:

— Vous ne préférez pas que j'appelle un taxi?

— Pour nous rendre au *Château Frontenac*? Voyons, c'est à quelques minutes à peine. Au retour peut-être, quoique marcher un peu après un bon repas soit sans doute tout indiqué.

Les couples de leur âge discutaient de leur digestion avec impudeur. De telles évocations auraient été déplacées chez les personnes de dix-huit ans. Quand ils se trouvèrent dans l'allée conduisant au trottoir, Fernand remit son panama, offrit son bras à sa compagne, accueillit la main gantée au pli de son coude d'une petite pression de ses doigts.

Ils gagnèrent la Grande Allée en silence. Lorsqu'ils passèrent devant l'Assemblée législative, le notaire ne put renoncer à satisfaire sa curiosité.

— Que vouliez-vous dire tout à l'heure? Édouard doit se rendre au magasin un mardi soir?

— Il ne vous a pas fait de confidences?

— Vous savez, je vous vois beaucoup plus souvent que je ne le rencontre, lui.

Eugénie afficha une petite moue dédaigneuse en songeant à ce revirement de situation, puis expliqua:

— Depuis quelque temps, mon frère paraît entiché d'une belle du faubourg Saint-Roch.

— …Vous croyez que c'est sérieux?

— Au cours des cinq dernières années, cet éternel gamin s'est montré intéressé par toutes les jeunes filles de la Haute-Ville… la plupart du temps pendant quelques jours à peine. Je suppose que pour satisfaire sa soif d'être admiré par le plus grand nombre possible, il doit explorer sans cesse de nouveaux territoires. Le croyez-vous capable d'être sérieux à propos de quoi que ce soit?

Un bref instant, Fernand envisagea de répondre par l'affirmative en pensant au mouvement nationaliste. Toutefois, dans ce domaine aussi, son ami paraissait surtout chercher à se faire remarquer.

— Tôt au tard, il devra bien se ranger, jugea-t-il. Espérons juste qu'il ne commettra pas d'ici là une sottise susceptible de compromettre son avenir.

— Mais croyez-vous qu'un homme puisse commettre une sottise portant vraiment à conséquence, dans ce domaine-là? Il n'a qu'à se sauver à toutes jambes.

En disant ces mots, Eugénie s'arrêta de marcher pour lever les yeux vers son compagnon. La couleur de sa robe semblait déteindre dans ses iris.

— C'est vrai, certains jeunes gens posent impunément des gestes condamnables, consentit-il en rougissant.

Lui-même n'oserait jamais se compromettre ni compromettre quelqu'un de cette façon. Au moins, le comprenait-elle? Dans l'affirmative, cela le rendait-il plus estimable à ses yeux? Il n'osa le lui demander.

— Les femmes, de leur côté, s'exposent à un jugement sévère à la plus légère imprudence.

Sur cette conclusion, elle se remit en route, songeuse. Pour rompre le silence devenu trop lourd, Fernand convint encore:

— Vous avez raison, j'en ai peur.

Doucement, il pressa de la main droite les doigts maintenant crispés dans le pli de son bras gauche.

～

Pendant tout le souper, les membres de la famille Picard demeurèrent étrangement silencieux, perdus dans leurs pensées. Même les facéties d'Édouard tombaient à plat. En conséquence, le garçon renonça bien vite à tenter d'égayer ses proches. Eugénie, de son côté, semblait recluse en elle-même. Son père la regarda jouer avec sa nourriture, les yeux abîmés dans la contemplation de la fenêtre en face d'elle. Si elle ne recommençait pas bientôt à s'alimenter un peu mieux, il lui faudrait inviter le docteur Caron à une visite à domicile.

À huit heures, le couple se trouvait dans la bibliothèque. Thomas se versa un double cognac et interrogea son épouse du regard.

— La même chose, en bien moins grande quantité, précisa-t-elle.

Durant des jours comme celui-là, le sherry ne suffisait pas à ramener un peu de sérénité dans son esprit. Un alcool plus fort l'anesthésierait peut-être.

À la seconde où l'homme se cala dans le fauteuil placé de l'autre côté de la cheminée, elle risqua:

— Maintenant, le sort en est jeté?

L'espoir s'exprimait par une vague interrogation dans son ton. L'homme prit *La Patrie* placée sur un guéridon, à portée de main, lui montra à nouveau les drapeaux du Royaume-Uni et de la France croisés sur la première page, puis commença à lire:

Londres. Le ministère des Affaires étrangères a publié le bulletin suivant: «À la suite du rejet sommaire par le gouvernement allemand de la requête faite par le gouvernement de Sa Majesté à l'effet de faire respecter la neutralité de la Belgique, l'ambassadeur de Sa Majesté à Berlin a reçu son passeport et le gouvernement de Sa Majesté a déclaré au gouvernement de l'Allemagne que l'état de guerre existait entre la Grande-Bretagne et l'Allemagne depuis onze heures p.m., le 4 août.

Un silence très lourd suivit cette lecture. Thomas gardait sa tête penchée vers la grande feuille de papier, comme s'il cherchait à mémoriser le texte de la dépêche.

— Mais cela concerne la Grande-Bretagne. De ce côté-ci de l'Atlantique...

— Voyons, tu sais bien que c'est faux.

— C'est si loin…

L'homme choisit de plier le journal en deux afin d'approcher de ses yeux le bas de la première colonne :

Message royal. Ottawa, 5 — Le message suivant de Sa Majesté le roi a été reçu par le gouverneur général :

« Je désire exprimer à mon peuple des Dominions, au-delà des mers, toute mon appréciation et toute la fierté que j'ai ressentie en reçu des sentiments qui m'ont été exprimés par leur gouvernement pendant ces derniers jours. Leur offre spontanée de nous aider dans la plus grande mesure m'ont rappelé les sacrifices généreux qu'ils ont déjà faits en faveur de la mère patrie.

J'aurai plus de courage pour porter la lourde responsabilité qui m'est imposée en sachant que dans ce temps d'épreuve mon Empire est uni, calme, résolu, confiant dans la Providence.

George R. L. »

Après un bref silence, Thomas reprit :

— Tu vois, le prince un peu sot dont tu as attiré le regard par ta beauté, en 1908, nous dit qu'il compte sur nous. Et en réalité, toutes ces belles festivités du tricentenaire ne visaient que ceci : rallier les troupes pour l'hécatombe prochaine.

Élisabeth acquiesça de la tête, avala une trop grande gorgée de cognac, toussota alors que des larmes lui montaient aux yeux.

— Les Canadiens participeront donc, admit-elle.

— Le premier ministre Borden a déjà évoqué l'envoi d'un contingent de vingt-cinq mille hommes cet automne.

— Tu crois qu'Édouard… ?

Ces quelques mots résumaient l'essentiel des craintes étreignant son cœur au cours des dernières semaines. Bien sûr, tous ces milliers de jeunes hommes en uniforme risquant la mort pour des motifs nébuleux l'attendrissaient. Mais la menace de voir un seul d'entre eux, son beau-fils, en uniforme kaki lui faisait oublier tous les autres.

— Voyons, le Royaume-Uni n'a aucune tradition de conscription, contrairement à la France. Seul les volontaires iront au combat, et d'après les journaux, ceux-ci sont déjà trop nombreux.

La métropole maintenait sa domination sur un vaste empire avec une armée et une marine à l'effectif étonnamment modeste, tous des professionnels ayant choisi le métier des armes. Rien de commun avec les millions de jeunes gens conscrits par les États de l'Europe continentale.

— Il est tellement fantasque, continua la jeune femme dans un murmure... Tu ne crains pas...

— Qu'il s'enrôle? Depuis des années que nous l'entendons chanter les louanges de Bourassa et fustiger les impérialistes...

Thomas marqua une pause. Un doute se dessina sur son visage, puis il conclut:

— Et puis, s'il n'a pas d'autre motif, nous pouvons sans doute compter sur cette beauté blonde de la Basse-Ville pour lui garder une once de raison.

Ce dernier argument ne satisfit pas tout à fait Élisabeth. Elle avala le reste de sa boisson d'un coup, toussa encore, puis chercha désespérément à penser à autre chose.

— Malgré le ralentissement économique des derniers mois, comment se déroule la saison?

Thomas apprécia l'effort de sa compagne et entreprit de lui expliquer qu'au fond, les choses allaient plutôt bien, y compris dans le rayon des meubles.

Chapitre 5

Le lendemain, 6 août, dans une grande maison de la rue Scott croulant sous le lierre, les dépêches venues du front européen suscitaient des réactions moins vives. Au fond, personne dans la maison du notaire Dupire n'arrivait même à concevoir que le gros rejeton placide, calme depuis la naissance, puisse se trouver un jour sur un champ de bataille. Ses plus grandes émotions viendraient certainement d'un testament mal ficelé. Comme le droit de succession ne présentait plus aucun mystère pour lui, pareille éventualité provoquerait tout au plus un sourire amusé.

— La Belgique semble offrir une résistance imprévue, commenta le père en jetant un regard oblique sur le journal placé près de son assiette.

Dans cette maisonnée de personnes aux ventres et aux fesses rebondies, les repas revêtaient un caractère sacré. Qu'un quotidien franchisse la porte de la salle à manger témoignait tout de même d'une sourde préoccupation.

— Nous n'avons pas sous les yeux la version allemande, commenta Fernand. Je suppose qu'à Berlin, le point de vue diffère grandement.

— Tu as sans doute raison. Désormais, les journaux nous offriront des informations encore moins fiables qu'à l'habitude. J'essaierai de me souvenir.

Soucieux de sa digestion, le gros homme préféra replier le quotidien pour le déposer sur la desserte. Son escalope méritait mieux qu'une attention partielle. Son fils porta néanmoins le coup de grâce aux belles dispositions de son appétit.

— Je compte lui demander de m'épouser.

Le vieux tabellion reposa sa fourchette sans l'avoir portée à sa bouche, regarda en direction de sa femme.

— Pardon?

— Eugénie. Je compte lui demander sa main. Nous nous voyons souvent, depuis quelques semaines.

Fernand vit sa mère poser son couvert en travers de son assiette, puis essuyer sa bouche avec sa serviette. Après un long silence, elle déclara:

— Cette décision est un peu précipitée, tu ne trouves pas?

— Voyons, je la connais depuis toujours. Je l'aime depuis presque aussi longtemps.

— Tout de même, dans une certaine mesure, ta mère a raison. Tu n'as fréquenté personne d'autre. Avant de poser un geste aussi important...

Le gros homme conservateur et ultracatholique évoquait la nécessité de papillonner un peu avant de choisir la compagne d'une vie. Pareille prétention jurait tellement avec sa personnalité que les mots moururent sur ses lèvres. Fernand ne put s'empêcher de sourire avant de rétorquer:

— En as-tu courtisé plusieurs avant de choisir maman?

— C'était une autre époque. De nos jours...

Encore une fois, l'explication sonnait trop faux pour qu'il se donne la peine de poursuivre.

— Vous savez que je l'aime depuis des années. Quand je lui ai parlé, ce jour-là, elle m'a repoussé.

Ses parents connaissaient l'épisode de 1907. Dans un soupir lassé, il reprit:

— Je la comprends un peu, je n'avais même pas commencé mes études universitaires. Maintenant, elle paraît mieux disposée. De mon côté, je suis plus âgé, bien en selle dans ma profession.

— ...Surtout que personne ne lui a montré d'intérêt depuis tout ce temps, souffla sa mère. Il peut y avoir une raison pour cela.

Dans d'autres circonstances, Fernand aurait saisi le sous-entendu. Seul son aveuglement, au moment d'aborder le sujet de la femme de ses rêves, l'amena à réaffirmer :

— Je ne forcerai pas les choses. Mais si nos rapports demeurent aussi bons, d'ici quelques semaines, je lui proposerai le mariage.

Le couple de vieux parents échangea un regard attristé. Aucun d'eux ne retrouverait son appétit. En face d'eux, leur fils, une fois l'aveu difficile formulé, paraissait disposé à affronter son souper d'une fourchette courageuse.

~

Le grand salon bourgeois des Dupire témoignait toujours des goûts de la fin du siècle dernier. Le papier peint montrait de lourdes fleurs rouges, les rideaux de velours cramoisi assombrissaient encore un peu plus la pièce. Quand, à dix heures, la mère se leva péniblement de son fauteuil après avoir posé sa broderie dans son panier, les deux hommes détournèrent les yeux de leur journal.

— Je vais me coucher, annonça-t-elle. Bonne nuit, Fernand.

Le garçon répondit par le même souhait alors que l'époux précisa :

— Je te rejoins dans quelques minutes. Auparavant, je veux discuter un peu d'un contrat.

L'homme ramena son regard sur son fils avant de continuer :

— Passe dans mon bureau, j'aimerais te parler.

Le garçon acquiesça, puis emboîta le pas à son père, soupçonnant celui-ci de vouloir discuter d'homme à homme de ses projets matrimoniaux. Aussi, alors qu'il entrait dans la pièce de travail donnant sur la façade de la maison, il fut surpris de le voir ouvrir un petit classeur discret contenant les documents relatifs à des transactions délicates. Jusque-là, Fernand n'avait jamais été autorisé à y jeter les yeux. Les grandes chemises de format légal recelaient des secrets de famille relatifs aux élites de la Haute-Ville.

— Si tu veux lire ce contrat. Prête une attention particulière aux dates.

Le jeune notaire s'abandonna dans la lecture d'un texte riche en circonvolutions stylistiques. Le contenu s'avérait pourtant assez simple : un inconnu chargeait Thomas Picard de trouver un foyer catholique à un bébé toujours à naître. Pour éviter toute indiscrétion, le marchand verserait lui-même la petite rente destinée à pourvoir aux besoins de l'enfant jusqu'à ses dix-huit ans. Au bas de la grande feuille, il reconnut la signature du voisin de la rue Scott et celle de Fulgence Létourneau.

— … C'est généreux de sa part, car si l'homme mystérieux à qui il rend service, vraisemblablement le grand-père, se dérobe à son engagement, il paiera de sa poche.

— Si tu parles sérieusement, je garderai encore quelques années la clé de ce classeur sur moi. Cela signifie que tu n'es pas prêt à partager certaines confidences.

Une pendule posée sur le manteau de la cheminée sonna la demie. La pièce de travail accueillait depuis quelques années deux lourds bureaux de chêne. Des rayonnages couraient le long des murs, alourdis par d'innombrables gros traités de droit et quelques classiques de littérature antique ou médiévale rédigés en latin. Si la salle à manger se révélait sévère, le mot « lugubre » convenait mieux à ce cabinet.

— Tu veux dire que Picard serait le grand-père ? balbutia le garçon.

— Dès le moment de sa visite en ces murs, j'ai douté de son récit. « Le mystérieux inconnu », cela ressemble à un roman français à deux sous. Un peu plus et il me disait que le prince George avait engrossé une oiselle avant de rentrer chez lui, en 1908.

— Ce qui, du temps du père de notre gracieux souverain, s'est certainement produit à chacune des visites royales au Canada, tenta Fernand pour détourner la conversation.

— Donne les dates à haute voix, exigea le père, inflexible.
Le garçon grimaça, puis obéit à l'injonction paternelle.
— Octobre 1908.
— Et le post-scriptum, au bas du document?
— Mai 1909, lorsque Létourneau recevait l'enfant et le
premier versement de la rente promise.
Le vieux notaire hocha la tête, puis précisa :
— J'ai sous les yeux les traces des versements subséquents
apportés par Picard avec régularité. Je transmets moi-même
la somme à Létourneau.
— Normal, il s'y est engagé.
Fernand relut lentement le contrat. À chaque mot, la vérité
perçait son esprit comme un acide sur le métal. Le vieil
homme décréta, afin de tuer tout de suite les tentatives
de négation :
— Début octobre : à ce moment, une jeune étourdie réalisait qu'un officier de la flotte anglaise, ou alors l'un de ces
Français si charmants, lui laissait un souvenir encombrant.
— De nombreuses familles ont dû faire face à une difficulté de ce genre. Toi-même, tu me l'as alors affirmé. L'histoire
de Picard se révèle bien plausible.
Le gros homme soupira et passa sa main droite sur son
crâne chauve. L'entêtement de son fils le forçait à mettre des
points sur les «i» après une longue carrière à évoquer à demi-
mot ce genre d'indélicatesse :
— Eugénie est partie en Europe fin octobre. Plus tard, sa
situation serait devenue évidente.
— Un voyage prévu de longue date, intervint Fernand.
Elle en parlait depuis deux ans…
— Puis, il y a eu cet exil dans l'État de New York avec sa
belle-mère, soi-disant pour apprendre l'anglais. Je parierais
sur Saratoga Springs, une ville agréable dotée de plusieurs
maternités discrètes.
— Voyons, ce genre de calomnie ne te ressemble pas!
Le garçon regarda vers la porte, tenté par la fuite. Toutefois,
se dérober ne changerait rien aux faits.

— Tu connais des jeunes filles qui ont besoin d'une belle-mère pour apprendre une nouvelle langue? Le mieux, dans ces cas-là, est de les mettre dans une pension. Mais pour attendre un premier enfant...

Fernand ferma les yeux. Les paroles sibyllines d'Eugénie, prononcées ces dernières semaines, lui revenaient en mémoire. Un hochement de la tête marqua sa reddition.

— Létourneau a reçu l'enfant en mai, un garçon. La jeune Picard est revenue en juin, le temps de se refaire une santé et de retrouver sa taille mince, je suppose.

Le fils rendit le contrat à son père, puis demeura longuement songeur. Le vieux notaire brisa finalement le silence d'une voix troublée:

— Tôt ou tard, tu aurais lu ce document. Avec ta déclaration de ce soir, je ne pouvais te laisser dans l'ignorance plus longtemps. Tu n'avais aucun soupçon, si j'en juge par ta réaction.

— Comment voulais-tu que je sache? Il lui était impossible d'aborder un pareil sujet...

— Tu devais le savoir. Elle n'est plus...

L'homme s'interrompit. Sauf en parlant de la mère de Jésus, le mot «vierge» ne franchirait pas ses lèvres. À ses yeux, aucun homme sensé et raisonnable – son fils lui semblait mériter les deux qualificatifs – ne pouvait souffrir d'être le second dans le lit de sa femme, à moins qu'il ne s'agisse d'une veuve. Et même dans ce cas, cette éventualité répugnait à beaucoup.

Fernand s'efforça de conserver son masque d'impassibilité. Tous deux demeurèrent silencieux jusqu'à ce que la pendule sonne les onze heures.

— Je vais monter, commença le père en se levant. Que comptes-tu faire?

— Réfléchir.

La réponse ne satisfit pas le vieil homme. Son départ de la pièce ne s'accompagna d'aucun souhait de bonne nuit. La chose lui paraissait impossible.

~

Le mois d'août se terminait en beauté, chaud et ensoleillé. Comme pour conjurer l'horreur dressée à l'horizon, la nature se rappelait aux humains, belle et douce. Pourtant, en s'engageant dans la rue de la Fabrique, Élisabeth remarqua l'affluence de jeunes gens un peu trop gais, allant par petits groupes, s'interpellant l'un l'autre d'une voix tonitruante en anglais. Tous portaient un uniforme kaki. Les dizaines de milliers de volontaires évoqués dans les journaux manifestaient leur présence dans les rues. Alors qu'elle poussait la porte du commerce ALFRED, elle entendit un sifflet, puis un:

— *Come with me!* gouailleur, accompagné d'un bras tendu.

— *Do you figure? I could be your mother.*

Le grand garçon un peu éméché rougit et tourna les talons afin de retrouver la sécurité de ses camarades avinés. La femme mentait un peu: pour avoir un fils de cet âge, elle aurait du se montrer bien précoce. À l'intérieur de la boutique de vêtements, elle se dirigea vers la caisse enregistreuse afin de serrer la main de Mathieu.

— Comment allez-vous?

Devant ce garçon déjà aussi grand que la plupart des hommes faits, le tutoiement ne convenait plus guère. Il comprit tout de suite le sens de la question.

— Le plus troublant, c'est que je m'attends toujours à le voir entrer pour lancer l'une de ses remarques acides sur la sottise de ses contemporains.

Elle joignit sa main gauche à la droite et retint celle du garçon.

— Avec cette guerre stupide, je devine qu'il aurait beaucoup à dire. Le début des classes vous apportera sans doute une heureuse diversion. Vous commencerez la première année de philosophie?

— Oui. Vous avez raison, tous ces prêtres sauront me faire oublier un peu cet aimable anticlérical.

— Oublier? Certainement pas.

Élisabeth libéra la main de Mathieu et se retourna un moment vers la vitrine. Les silhouettes kaki encombraient toujours le trottoir.

— Cette présence ne doit pas être propice pour les affaires. Ils se tiennent là où des jeunes femmes sont susceptibles de se présenter.

La perspective d'affronter le feu ennemi rendait ces jeunes gens très sensibles à tout ce qui incarnait la vie, et en particulier les jolis minois.

— Les clientes peu désireuses de se faire siffler préfèrent sans doute ajourner leurs achats. Celles qui apprécient ce genre d'attention ne comptent pas parmi les plus nanties.

— Elles sont jeunes et impressionnées par leur allure martiale.

Thomas rencontrait le même problème rue Saint-Joseph. Toute la ville apprenait à vivre avec la présence tonitruante de ces soldats.

— Heureusement, les jours de congé sont rares, conclut le garçon. Les officiers savent les occuper, la plupart du temps. Apprendre à marcher en rangs serrés ne s'acquiert pas si facilement.

Comme une cliente s'approchait avec une paire de gants à la main, la visiteuse s'effaça poliment. Thalie se tenait au fond du commerce, devant un immense meuble présentant une grande quantité de petits tiroirs. Sa robe noire s'ornait d'un large col de dentelle blanche, une petite concession faite au grand deuil. Ses cheveux charbon s'étalaient sur ses épaules, un ruban, noir aussi, les empêchant de retomber sur ses yeux.

— Tu es ravissante, absolument ravissante, commença Élisabeth.

Ses lèvres se posèrent sur les joues, l'une après l'autre, alors qu'elle prenait les deux mains dans les siennes. Plus pâle de teint, la jeune fille aurait rougi. Un sourire timide passa sur ses lèvres.

— Comment vas-tu?

— ... Bien, je pense.

Thalie ne se troublait guère de voir son père dans tous les coins du magasin, d'entendre parfois sa voix, plus souvent encore son rire sonore. Les fantômes se révélaient le plus souvent pour elle des présences rassurantes. Quant aux plus menaçants d'entre eux, elle arrivait sans trop de mal à les tenir en échec.

— Tu parais très bien, même.

Une voix parvint alors de l'escalier conduisant à l'étage du commerce.

— Serais-je en retard?

Sans lâcher les mains de sa nièce, la visiteuse se tourna à demi vers Marie.

— Je crois que je suis plutôt un peu en avance.

Elle fixa à nouveau ses yeux dans ceux de Thalie, pressa les doigts fins en lui adressant un dernier sourire, puis rejoignit la propriétaire du magasin, avec qui elle échangea une longue poignée de main. Après un moment, elle s'enquit:

— Nous y allons?

La marchande portait déjà son chapeau et finissait d'enfiler ses gants. Les deux femmes quittèrent le commerce, affrontèrent ensemble quelques sifflets et des regards égrillards. Traverser en diagonale la petite place afin de rejoindre la rue Buade ne prit qu'une minute, malgré les tramways, les chevaux et les nombreux véhicules moteurs. Rue Sainte-Anne, Marie retrouva avec plaisir le petit restaurant où, six ans plus tôt, James avait posé des yeux énamourés sur elle. Ce souvenir délicieux lui revenait souvent en mémoire ces derniers temps.

— Nous pourrions manger dehors, suggéra-t-elle.

Une dizaine de tables envahissaient le trottoir. Elles choisirent tout de même de s'asseoir près du mur du commerce. De nombreux hommes en uniforme erraient sur la place d'Armes: les deux jolies femmes, dont l'une en vêtement de deuil, peu désireuses d'être dérangées, préféraient s'éloigner un peu de la chaussée.

— Votre commerce semble se trouver entre des mains très compétentes, fit valoir Élisabeth en ouvrant le menu.

— Les enfants paraissent être devenus des adultes en quelques semaines. Parfois, cela m'inquiète même un peu…

— Je parlais de vos mains, Marie.

Son interlocutrice releva les yeux et rit franchement avant d'admettre :

— Vous avez raison. Après trois mois, je constate que les choses vont très bien.

Et encore, elle se montrait modeste. Alfred donnait libre cours à ses engouements, au point d'avoir parfois dans le magasin des robes n'intéressant que lui. La prudence inquiète de la veuve se révélait plutôt bonne pour les affaires.

— Toutefois, les enfants apportent vraiment une aide précieuse.

— Mathieu paraît très mature. Quoique plus jeune de six ans, je le crois déjà plus fiable qu'Édouard.

L'aveu troublait un peu la belle-mère aimante. Sa compagne murmura, d'une voix à peine audible :

— Le résultat des circonstances de sa naissance, peut-être… Il sait.

L'arrivée d'un serveur les força à abandonner le sujet, le temps de passer la commande. Quand il s'éloigna, Élisabeth répondit tout aussi discrètement :

— Thomas me l'a dit, le jour du départ de l'*Empress*… Cela présente-t-il une difficulté pour lui ?

— Pas que je sache. Vous le constatiez vous-même, ce garçon est mature, parfois un peu trop à mon goût. Depuis quelques mois, il paraît déterminé à jouer un rôle paternel auprès de sa sœur et elle n'y trouve rien à redire, bien au contraire.

— C'est plutôt charmant.

« Si des rapports de ce genre prévalaient entre Eugénie et Édouard, ma vie se trouverait tellement plus simple », songea la jolie blonde.

Marie détourna son attention un moment afin de saluer des commerçants actifs dans les rues de la Fabrique et Buade, assis à une table voisine. Les vêtements de deuil, sévères, ne diminuaient en rien sa beauté. Son nouveau statut de veuve lui valait un regain d'attention de la part des messieurs affligés de la perte d'une conjointe, mais aussi de celle d'hommes toujours nantis de la leur, mais rêvant d'un peu de variété.

Elle revint à son sujet de préoccupation :

— À certains égards, leur complicité devient un peu menaçante. Mathieu m'a présenté le plus beau plaidoyer pour me convaincre d'envoyer sa sœur au High School.

— Une école protestante ? La chose fera sourciller certains, mais comme elle vous aide au commerce, la présence des touristes…

— C'est exactement la raison invoquée par mon fils. Elle aurait pu aller au couvent catholique fréquenté par les Irlandais, tout simplement. Vous parlez de sourcillements. Les parents qui placent leurs enfants dans une école protestante risquent tout simplement l'excommunication !

Vivant, Alfred aurait mené une véritable croisade à ce sujet, pour se trouver vraiment chassé de l'Église. Dans certaines circonstances, les stratégies de son épouse pouvaient être plus efficaces.

— Alors ?

Le serveur arriva avec le premier service. Marie avala un peu de potage avant de reprendre.

— Elle ira au High School parce qu'elle y tient. Ce seul motif me suffit amplement. J'ai donc assiégé un vieux chanoine de l'archevêché, évoqué mon veuvage, ma responsabilité de m'occuper de mes enfants et mon désir de les voir participer à la prospérité du commerce afin d'assurer leur avenir. Mon insistance, mes larmes et la promesse qu'une fois par semaine elle rencontrerait un conseiller spirituel catholique ont attendri le vieux prêtre. Mais tout cela, c'étaient des mensonges. Thalie ne passera pas sa vie adulte à vendre des dentelles. C'est Alfred, avec un jupon.

— Ce qui la rend plus fascinante encore.

Les enfants occupèrent de longs pans de la conversation, mais bien vite, la situation internationale s'imposa. Les jeunes soldats oisifs sur la place d'Armes, allant ou revenant de la terrasse Dufferin, ne permettaient guère de l'oublier. Au moment de quitter le restaurant, Marie commença :

— Je suis heureuse de vous avoir rencontrée. Il ne me reste plus guère d'occasion de sortir du commerce... et en plus, j'habite à l'étage !

— J'aimerais bien recommencer. M'autorisez-vous à vous inviter de nouveau ?

— ...Oui. Je vous remercie aussi de ne pas me parler de lui.

Elle voulait dire : de Thomas. La scène du cimetière figurait parmi ses plus mauvais souvenirs.

— Je comprends très bien vos sentiments, je n'ai aucun droit d'essayer de les changer. Cela restera toujours une blessure pour vous, un sujet de honte pour lui, et même pour moi.

Le sourire de Marie se crispa un peu. Son interlocutrice continua :

— Cependant, rien ne se dresse entre nous... Du moins, je l'espère.

— Non, rien du tout.

Élisabeth posa une main sur l'épaule de la veuve, serra un peu les doigts et se pencha pour embrasser la joue. Aucun militaire n'eut le mauvais goût de formuler une remarque déplacée ou de siffler.

～

Alors que les salles situées dans la Haute-Ville présentaient volontiers des spectacles en anglais, depuis la fin du siècle dernier, le quartier Saint-Roch accueillait des troupes de théâtre françaises. Si des incendies ou des faillites entraînaient la disparition soudaine de certains établissements, d'autres naissaient bien vite pour les remplacer. Il s'en trouvait quatre dans la seule rue Saint-Joseph.

Toutefois, après 1910, la présentation de «vues animées» supplanta la présence de comédiens en chair et en os.

— Vous croyez que c'est recommandable? questionna Clémentine une nouvelle fois.

Les journaux catholiques, tout comme les prédicateurs et les confesseurs, donnaient volontiers une image sulfureuse du cinéma. La présence de personnes des deux sexes, entassées dans une salle obscure, autorisaient toutes les craintes. Parmi les innovations venues de l'Amérique corrompue, celle-là paraissait la plus susceptible d'ébranler la morale des Canadiens français. En conséquence, une jeune fille soucieuse de sa réputation s'y aventurait avec prudence.

— Voyez vous-même: Le Théâtre des familles. Si jamais l'aimable curé Buteau jugeait cela condamnable, il ne le tolérerait pas si près de son église. Pensez donc, abandonner l'institution à la base de la civilisation catholique sur ce continent à l'influence délétère des «petites vues»! Le prêtre de choc de la Basse-Ville l'empêcherait.

La jeune fille pinça les lèvres devant le petit discours ironique. Sans bien comprendre le sens de tous les mots prononcés, entendre son compagnon railler l'occupant de l'immense presbytère en réfection à l'autre bout de la rue Saint-Joseph la troublait beaucoup.

Sensible au malaise créé, le jeune homme ajouta bien vite, pour se racheter:

— Sérieusement, vous ne trouverez rien là qui soit déplacé, je vous l'assure.

L'établissement se dressait rue Saint-Joseph, au-delà de l'intersection Dorchester. Il s'agissait d'une grande bâtisse faite de planches, ornée toutefois d'une façade en brique. L'élément décoratif le plus spectaculaire consistait en une longue galerie couverte au second étage. Les jours de fête, des fanions sans nombre, pendus à la balustrade, battaient au vent. Depuis un mois, la mise en scène se révélait plus modeste. Le jeune homme s'arrêta sur le trottoir pour contempler l'alignement des *Union Jack*. Ces drapeaux de la métropole, de même que les affiches invitant les volontaires à s'enrôler, poussaient partout avec la vigueur du chiendent.

Continuant son chemin, il posa sa main sur les doigts gantés accrochés à son bras. La méfiance des débuts s'estompait, la jeune fille acceptait maintenant de se montrer avec lui dans les rues. Ses compagnes de travail lui jetaient des regards mi-envieux, mi-hostiles. Si à sa place, la plupart d'entre elles se seraient réjouies de la belle prise, elles affichaient une belle unanimité pour prédire une fin malheureuse, sinon honteuse, à cette idylle.

À l'entrée du Théâtre des familles, Édouard versa les vingt sous demandés pour deux fauteuils près de la scène. Très sombre, la salle pouvait accueillir quatre cents personnes assises, en plus de la centaine debout à l'arrière des rangées de sièges. Le confort demeurait tout relatif ; l'odeur, avec une foule aux habitudes d'hygiène inégales, parfois un peu offensante.

— Vous verrez, c'est tout à fait inédit comme spectacle, commenta Édouard en s'asseyant.

— Je suis déjà venue « aux vues », sous savez.

L'agacement pointait dans la voix. Son compagnon répondit avec enthousiasme :

— Je le sais bien. Nous sommes même allés ensemble au Crystal. Mais ce soir, vous aurez droit à un vrai *feature*, un film italien d'une durée de deux heures.

— Deux heures !

Elle écarquilla les yeux de surprise. D'habitude, les cinémas montraient un assemblage disparate de bobines, sans même se soucier, quand il s'agissait d'une série, de les présenter au complet ou même dans l'ordre. La jeune employée verrait ce jour-là le premier long-métrage connaissant un réel succès commercial en Amérique.

— Aussi long pour une seule histoire ? Cela ne se peut pas.

— Je vous assure. Les revues spécialisées disent que pour sa production, il a fallu deux ans et un budget de cent quatre-vingt mille dollars.

Même pour Édouard, la somme paraissait inimaginable. Clémentine se demanda s'il pouvait se trouver autant d'argent dans toute la ville de Québec. Ses trois cents dollars annuels semblaient si ridicules en comparaison.

— L'histoire a été tirée d'un roman publié il y a une vingtaine d'années.

Quelque chose dans les yeux de sa compagne l'amena à changer de sujet. Elle ne semblait pas vraiment réaliser que les comédiens « faisaient semblant » devant une caméra. Une semaine plus tôt, après s'être esclaffé à la vue d'un court film du Canadien Mack Sennett, elle avait demandé, en posant ses grands yeux sur lui : « Dans quelle ville les policiers sont-ils stupides à ce point ? »

— C'est un film italien, précisa tout de même le jeune homme.

— C'est pour cela que je n'ai pas compris le titre, *Quo...*

— *Quo Vadis ?* Cela signifie « Où vas-tu ? ». C'est en latin.

En plus, son compagnon connaissait la langue de l'Église...

Après quelques minutes d'attente, l'obscurité se fit totalement dans la salle tandis qu'un rayon d'argent traversait l'espace pour aller éclabousser la grande toile blanche. L'innovation s'avérait trop récente pour que la population de la ville soit déjà blasée. Un « Ah ! » admiratif souligna l'apparition des premières images mouvantes, très vite suivies d'un « Oh ! » horrifié. Déjà, les actualités filmées de Pathé montraient les farouches combats se déroulant en Europe.

— C'est trop horrible, s'écria Clémentine après avoir poussé un petit cri.

Sa frayeur avait quelque chose de bon. Sa main gauche chercha celle du jeune homme. Elle enfouit son visage contre son cou afin de ne plus rien voir. Édouard prit les petits doigts dans les siens et se déplaça un peu afin de lui faire de la place contre son flanc.

— Les sales Boches, on les aura ! brailla quelqu'un dans le fond de la salle.

— On n'a rien à craindre des Allemands, répondit un autre. Ce sont les Anglais qui ferment nos écoles en Ontario.

Le jeune homme reconnut l'un des arguments avancés par Henri Bourassa et Armand Lavergne. Adopté en 1912 dans la province voisine, le Règlement 17 rendait l'enseignement en français presque inaccessible. Peu enclins à aller combattre en Europe, les Canadiens français opposaient volontiers un « Nos écoles et nos droits » sonore aux efforts de recrutement militaire.

Quand les scènes de guerre disparurent de l'écran, Clémentine se redressa et tenta de récupérer sa main sans trop insister, mais Édouard la garda en otage entre les siennes sans exercer trop de contrainte. Elle abdiqua bien vite.

L'abandon d'une partie – bien petite et peu compromettante – de son anatomie se trouvait encouragé par le contenu du film lui-même. D'abord, comme il mettait en scène les premiers chrétiens confrontés aux persécutions de l'empereur romain Néron, le sujet devait rassurer le confesseur le plus sévère. Ensuite, l'histoire évoquait l'amour d'un patricien, Vinicius, envers la belle et pauvre chrétienne Eunice. En termes plus contemporains, un homme de la Haute-Ville un peu mécréant venait au secours d'une employée à la facturation de la Quebec Light bien catholique habitant le quartier Saint-Roch.

En conséquence, la jeune fille ne s'inquiéta pas trop. Quand il commença à tirer sur le bout des doigts de son gant gauche, pour le lui enlever lentement, elle voulut protester, mais n'osa pas. Pendant quelques minutes, il parcourut toutes les phalanges fines du bout de son index gauche, s'attarda entre elles.

Quand la pauvre Eunice risqua fort de servir de goûter à un lion féroce, Édouard saisit le petit poignet, tira jusqu'à pouvoir poser ses lèvres sur la paume tiède et continua de la caresser de baisers légers. Clémentine voulut fuir ; elle désira encore plus fort se lover contre son compagnon. À la fin, en guise de compromis, elle ne bougea tout simplement pas et abandonna toute sa menotte, des ongles à l'intérieur du poignet, au patricien de la Haute-Ville.

~

La fin de soirée s'avérait plaisamment fraîche, après une journée étonnamment chaude pour un début septembre. Deux heures sur les mauvais sièges du Théâtre des familles rendaient agréable la petite marche en direction de la maison de chambres de la rue Sainte-Marguerite. Clémentine, fort songeuse, tenait le bras de son compagnon du bout des doigts, tout en prenant bien garde d'appuyer son épaule contre lui. Aucune jolie fille ne dépassait l'âge de la puberté sans s'exposer à des jeux de mains. Dans ces cas-là, toutes savaient quelle attitude adopter : raidir tous les muscles, élever la voix et fustiger l'insolent. Toutefois, cela valait-il pour des caresses sur les doigts, la main et le poignet ?

Édouard n'agrippait pas, n'essayait pas de s'insinuer dans les « mauvais endroits ». Son toucher demeurait léger, ses lèvres douces, sa voix apaisante. L'effet se révélait troublant… au point que la fin du film, pourtant interminable, l'avait déçue.

— Êtes-vous toujours aussi soucieuse d'éviter de faire jaser vos voisines de la maison de chambres ?

La question s'avérait ridicule. En début de soirée, le jeune homme avait sonné à sa porte et parlé un peu avec la propriétaire. La ruse lui échappa, pourtant.

Le bras du jeune homme passa autour de sa taille fine, le temps de l'entraîner sous une porte cochère. Un instant plus tard, ses lèvres se posaient, légères, sur sa bouche surprise. Puis, le scénario précédent, mettant en vedette la main, se répéta cette fois avec son petit visage. La jeune fille se raidit d'abord, voulut protester, puis une curieuse langueur s'empara d'elle. Les sensations éprouvées au théâtre revenaient, plus fortes et une lourdeur pesait sur son bas-ventre.

Édouard laissa glisser ses lèvres sur la ligne de la mâchoire, s'arrêta sur la peau très douce sous l'oreille gauche. Le nez dans les boucles blondes, il apprécia l'odeur de rose et saisit le lobe entre ses lèvres pour tirer légèrement. Clémentine posa ses mains sur ses épaules. Elle s'affaissa un peu, gémit doucement. Les remarques des confesseurs sur la faiblesse de la chair prenaient tout leur sens.

— Non... non, il ne faut pas.

La langue titilla un peu le lobe, descendit le long de la jugulaire. Le contact suffit à la faire taire, le temps pour lui de glisser sa main contre le flanc et d'apprécier la chaleur de la chair sous la robe. Au moment où sa bouche retrouvait l'autre bouche, ses doigts s'emparèrent d'un sein menu, tiède et ferme, couronné d'une fraise raidie...

— Non, arrêtez.

Le mouvement de recul, le ton désespéré amenèrent Édouard à retirer sa main et à se redresser pour regarder le petit visage levé vers lui.

— Ce n'est pas bien, insista-t-elle.

En même temps, la crainte de le voir tourner les talons pour ne jamais revenir la tenaillait. Que fallait-il accorder pour retenir un homme de la Haute-Ville ? Où fallait-il s'arrêter pour ne pas passer pour une traînée ?

— Vous êtes tellement jolie, prononça-t-il en posant sa paume sur une de ses joues. Je ne peux m'en empêcher.

— Ce n'est pas bien...

— Vous êtes si désirable.

Les doigts légers caressaient sa joue, déplaçaient les bouclettes blondes dépassant sous la cloche du chapeau. Elle inclina la tête en levant l'épaule gauche, ferma les yeux.

— Vous penserez du mal de moi.

— Pourquoi dites-vous une chose pareille ?

— ...Les hommes n'aiment pas les filles...

Plus exactement, les hommes classaient l'autre moitié du monde en deux groupes : les femmes jetées après un usage intime dans une cour sombre et les mères de leurs enfants.

— Jamais je ne penserai du mal de vous, vous le savez.

Édouard se pencha sur elle, effleura ses lèvres, puis murmura :

— Je vais vous reconduire.

Quelques minutes plus tard, tous les deux se serraient la main devant la porte de la maison de chambres.

— Accepteriez-vous de m'accompagner sur la terrasse Dufferin demain... ou après-demain ? Quand cela vous conviendra le mieux. Nous pourrons entendre quelques valses.

Clémentine rougit violemment, certaine que sa petite poitrine n'échapperait désormais plus aux doigts inquisiteurs. Elle répondit pourtant :

— J'en serais heureuse. Demain, si vous voulez.

— Je te remercie.

Ce premier tutoiement marquait une nouvelle intimité entre eux.

～

Le Quebec High School for girls se dressait rue Saint-Augustin. Depuis les fenêtres en façade, la vue de l'édifice de l'Assemblée législative se révélait imprenable. La distance à parcourir, depuis le commerce ALFRED, exigeait que Thalie parte de la maison une dizaine de minutes plus tôt que l'année précédente. Le mercredi 3 septembre, elle parcourut le trajet de son pas décidé pour la première fois, petite et mince dans sa longue jupe noire et sa veste de la même couleur. Ses cheveux formaient une lourde tresse qui lui battait les épaules au moindre mouvement de la tête. Son chapeau genre canotier, noir aussi, s'inclinait sur son œil droit.

L'immeuble de brique comptait sept classes entre lesquelles, lors de cette rentrée 1914, se partageaient cent vingt-huit élèves, âgées entre douze et dix-huit ans. Parmi elles, quatre catholiques bravaient les interdits. Trois venaient de familles de souche irlandaise désireuses de leur assurer une meilleure formation qu'au couvent. Une seule venait d'une famille canadienne-française.

Malgré ses lacunes en anglais, plus évidentes à l'oral qu'à l'écrit, Thalie obtenait le privilège de commencer sa scolarité en neuvième année... avec au-dessus de la tête la menace d'être rétrogradée en huitième si, après un mois, sa performance décevait. Quitte à ne pas fermer l'œil une minute en septembre, l'adolescente demeurait résolue à ne jamais connaître cet outrage.

Le premier jour d'école, excepté les nouvelles admises en septième année, timides et un peu à l'écart, toutes les élèves retrouvaient des amies chères. Les accolades un peu affectées, les cris excités, les éclats de rire donnaient au trottoir et au hall d'entrée l'allure d'une ruche bourdonnante. Certaines se connaissaient depuis le jardin d'enfant ou leur premier jour à l'école élémentaire. Ces manifestations de joie exagérées accentuaient encore le malaise des étrangères.

À huit heures trente, des alignements de jeunes filles se formèrent dans la grande salle, sous les commandements brefs d'une dame dans la cinquantaine, grande et maigre, aux cheveux d'un gris acier réunis en chignon sur la nuque. La directrice assumait aussi la responsabilité de la classe des plus grandes, qui comptait seulement sept élèves.

La première surprise, pour une catholique perdue chez ces gens de « religion prétendument réformée », comme certains prêtres aimaient les désigner, était l'absence des accoutrements étranges des religieuses : robes informes noires, grises ou brunes ; coiffes, cornettes ou voiles sur la tête ; cordons ou énormes chapelets noués autour de la taille ; immense croix pendant au cou. Les sept institutrices portaient des robes susceptibles de venir de chez ALFRED. La plupart montraient une alliance à l'annulaire.

Une fois les membres de chacune des classes regroupées en deux lignes bien droites, la directrice présenta les maîtresses de chaque groupe. Mrs. Ann Thompson, une grande jeune femme allant sur ses trente ans, s'occuperait des élèves de neuvième. Ces brèves présentations terminées, les écolières regagnèrent leur classe dans un ordre parfait, les plus jeunes en premier.

Mrs. Thompson, les bras chargés de cahiers et de livres, gravit d'un pas souple les marches jusqu'au second, son petit troupeau derrière elle. Elle s'arrêta devant la porte ornée d'un « 2B » de métal et risqua de laisser choir sa charge en essayant d'atteindre la poignée. Thalie quitta le second rang pour donner libre cours à son instinct de marchande de rubans :

— *Let me help you, Mrs. Thompson*, prononça-t-elle en ouvrant la porte.

— *This is very kind of you, Miss...*

— Picard, Thalie Picard.

Elle esquissa une mauvaise révérence, suscita quelques ricanements de ses camarades et regagna sa place dans la petite file indienne. La première impression, la plus déterminante, serait positive. Lors du repas du soir, l'institutrice commenterait à son époux le comportement de la *charming French little girl* présente dans sa classe.

La seconde surprise, pour une personne étrangère aux mœurs de ceux qui abandonnaient la seule vraie foi pour suivre des protestataires, fut le moment de la prière. Les adolescentes, debout à côté du pupitre qui serait le leur toute l'année, se recueillirent en silence. Comme elles appartenaient à des dénominations religieuses différentes – anglicane, méthodiste ou presbytérienne, par exemple –, la maîtresse n'inspirait aucun mot à ses élèves, et l'enseignement religieux se limitait à des exposés sur l'Ancien et le Nouveau Testament et à des discussions sur des valeurs chrétiennes largement partagées.

Aucune de ces nouveautés ne heurtait la conscience de la nouvelle. Elle comprenait cependant très bien que jamais son conseiller spirituel, à la paroisse Notre-Dame-de-Québec, ne devrait même soupçonner cette première impression favorable.

Quelques minutes plus tard, lors de l'appel, après avoir prononcé son nom avec un accent français fort passable, Mrs. Thompson déclara :

— *In English, your name is pronounce Thalia. For the year to come, could we call you Thalia ?*

— *Yes, Mrs.*

Ce serait sa nouvelle identité pour les années à venir. Bientôt, l'élève assise au pupitre voisin du sien, une châtaine avec de petites taches de rousseur de part et d'autre du nez, lui adressa un sourire timide. Ce premier geste amical lui réchauffa le cœur. Ses craintes s'allégèrent à peu près complètement.

〜

— Ils sont comment, ces protestants ? questionna Gertrude en se laissant tomber un peu lourdement sur sa chaise.

Depuis l'enterrement de son patron, après un interminable échange d'arguments mal fondés, la domestique avait accepté de prendre ses repas à la table familiale. Au fond, elle en mourait d'envie, mais têtue, comme toujours, dire « oui » à la première invitation lui semblait trop simple.

— Comme nous, répondit Thalie en levant les yeux de son potage.

— Voyons, ils ne peuvent pas être comme nous. Ce sont des protestants, et des Anglais en plus.

— Je t'assure, ils sont comme nous.

— Si on oublie que ce sont des protestants et des Anglais, peut-être…

Marie contemplait sa fille avec des yeux inquisiteurs. Ses inquiétudes des dernières semaines se dissipaient bien vite. Cette nouvelle aventure se terminerait peut-être très bien. Au retour de l'école, Thalie s'était montrée enjouée, disposée à accomplir les petites corvées du magasin avant le repas du soir.

— Ils n'ont pas parlé de la Vierge, au moins ? interrogea encore la domestique, les sourcils froncés.

— Non. Pourquoi ?

— Tu sais, les protestants…

La maîtresse de maison eut une toux brève et échangea un regard avec Gertrude. Celle-ci, craignant un nouvel exil à la cuisine, se tint coite. Au moment où elle s'intéressait enfin à l'assiette posée devant elle, Marie demanda à son fils :

— Maintenant que nous savons que le High School ne présente pas de menace pour les jeunes filles catholiques, dis-nous ce que tu penses de l'année de philosophie.

— Saint Thomas d'Aquin n'aura bientôt plus de secret pour moi. Ce sera passionnant, comme les années précédentes.

Chacun comprit que le sage jeune homme affronterait l'ennui avec un courage indéfectible. Un interminable purgatoire appelé « cours classique » séparait les Canadiens français de l'université.

Deux heures plus tard, Mathieu frappait du bout de l'index contre la porte de la chambre de sa sœur, puis entrait après y avoir été invité. Thalie se trouvait assise sur l'ottomane placée près de la fenêtre, frêle dans sa longue robe de nuit, ses cheveux épars sur ses épaules.

Au moment de s'asseoir près d'elle, il demanda :

— Es-tu contente ?

— C'est un peu effrayant, bien sûr. Elles se connaissent toutes depuis des années. Je demeure un peu isolée, dans mon coin. Mais tout le monde est gentil.

— L'institutrice ?

— Mrs. Thompson ? Elle est jolie, vêtue comme tout le monde… Je veux dire pas dans un costume ridicule. Peux-tu le croire ? Elle est mariée…

Tout comme son grand frère, jamais elle n'avait vu un enseignant laïque en classe. À la ville, les congrégations exerçaient un véritable monopole sur ces emplois. Puis, outre les épouses des marchands ou les veuves comme sa mère, la présence d'un époux chassait habituellement les femmes mariées du marché du travail. En voir une, jolie en plus, enseigner avec une alliance au doigt lui paraissait merveilleux.

— Comme les protestants n'ont pas de congrégations enseignantes, je suppose que c'est normal.

— Au lieu de toujours entendre parler de Dieu et de la religion, on apprend la géographie, les mathématiques, la littérature...

— Arrête, tu vas me déprimer... Tu crois pouvoir réussir ?

L'adolescente croisa ses bras sur le bord de la fenêtre et laissa ses yeux sombres errer sur les édifices de la rue Buade, noyés dans la pénombre. La question méritait d'être soigneusement pesée.

— Ce sera difficile. Je ne connais aucun des auteurs dont il a été question aujourd'hui. Mais je suppose que si je travaille très fort...

— Je ne possède vraiment que les auteurs affublés d'une soutane. Toutefois, je tenterai de t'aider.

Thalie s'inclina de façon à ce que son épaule touche celle de son frère.

— Tu es gentil.

— Toi aussi.

Il posa ses lèvres dans les cheveux de sa sœur, puis mit fin à la conversation.

— Ne tarde pas à te coucher. Les journées seront longues, ces prochaines semaines.

Un moment plus tard, il fermait doucement la porte en sortant. La jeune fille sourit aux étoiles et ferma les yeux en songeant à son père. Une brise fraîche vint caresser son visage.

Chapitre 6

Depuis quelques semaines, Eugénie s'inquiétait de la nouvelle attitude de Fernand. L'homme demeurait toujours aussi prévenant, mais sa disposition à rougir pour un rien s'estompait. Après des années à la regarder de bas en haut, la nouveauté d'un point de vue de même niveau lui donnait plus d'assurance.

Comme personne n'avait mis la jeune femme au courant des tractations menées en 1908, il lui était impossible de se douter que la trace de sa faute reposait dans un petit classeur du cabinet Dupire. Ses interrogations sur le changement d'attitude de son compagnon ne la menaient nulle part.

— Pour changer, nous pourrions marcher vers l'ouest, suggéra-t-il au moment d'atteindre la Grande Allée. Les sentiers du parc des Champs-de-Bataille doivent être accueillants.

— Si vous voulez. Les aménagements récents rendent une certaine justice à la beauté des lieux.

L'argent amassé lors des grandes célébrations du tricentenaire avait permis d'exproprier certains spéculateurs et de tracer un entrelac de pistes ombragées. Toutefois, la manufacture de fusils Ross, tout comme la grande prison de Québec, défiguraient toujours les lieux, comme deux énormes verrues sur une face autrement fort belle.

— À moins d'accepter l'idée d'un célibat perpétuel, je devrai bientôt penser au mariage, annonça l'homme au détour d'un sentier.

Ces paroles inattendues frappèrent sa compagne comme un coup à l'estomac. Elle pressa sa main sur le pli du coude de Fernand. La façon un peu désolée de présenter ce constat ne rappelait guère l'amoureux toujours transi des dernières semaines.

— Je suppose que vous avez raison… quoique ni le droit canon ni le droit civil n'imposent un âge limite.

— Vers l'amont de la vie, vous avez raison. Dans l'autre sens, vous en conviendrez, une trop grande jeunesse présente parfois un obstacle insurmontable. J'ai abordé, très indirectement bien sûr, le sujet avec vous il y a bien longtemps déjà. À ce moment, j'en conviens aujourd'hui, il me manquait quelques années pour présenter un parti convenable.

Eugénie pâlit sous son chapeau en forme de grande cloche. La paille cédait maintenant la place au feutre, et le bleu pervenche à une teinte plus foncée. L'homme à ses côtés abordait le sujet de cette pénible période de son existence d'une voix assurée… et même un peu distante. Il s'arrêta, la força à le regarder. Elle devait dire quelque chose.

— Vous avez raison : vous commenciez tout juste vos études de droit.

Mieux valait évoquer cette réalité professionnelle plutôt que ses propres espérances, bien niaises à l'époque. Elle avait contemplé ce prétendant rougissant depuis la hauteur vertigineuse de ses illusions. Après des années de vaine attente, la jeune femme affrontait la cruelle réalité : personne ne s'était intéressé à elle.

L'ambiguïté des paroles de son compagnon la troublait, surtout. Rien, dans les mots prononcés, ne permettait de conclure à la présence du gros notaire parmi les prétendants.

— Souhaiteriez-vous vous asseoir sur ce banc ? proposa-t-il au détour d'une allée.

Après un hochement de tête, elle abandonna son bras pour s'installer. Un instant plus tard, l'homme posait ses fesses sur les planches de bois rendues grises par les intempéries, à quelques pouces de sa compagne. Pendant de longues minutes, il ressassa ses souvenirs, le regard perdu sur le fleuve des dizaines de verges plus bas. Au moment où la jeune fille prétentieuse, arrogante même, levait le nez sur lui, elle se révélait disposée à se laisser prendre et engrosser par un marin de passage.

Le piédestal sur lequel il la plaçait alors gisait maintenant en mille miettes sur le sol. Fernand ne la cherchait plus au firmament, parmi les anges éthérés. Son embonpoint et sa calvitie devenaient des défauts bien véniels. Le péché de la chair flétrissait bien profondément comparé à quelques ingratitudes anatomiques.

— De votre côté, demanda-t-il enfin, l'idée du mariage présente-t-elle un certain intérêt?

Même l'esprit le plus optimiste ne pouvait considérer cela comme une «grande demande». Eugénie marqua une pause avant de dire d'une voix blanche:

— Avec une personne convenable, respectable, je serais heureuse de faire le grand saut.

Son compagnon tourna la tête à demi pour regarder le profil féminin. Exsangue, sentant sur elle le regard inquisiteur, elle baissa les paupières et retint son souffle. La laissée-pour-compte venait de confesser ses bonnes dispositions. Les mots suivants scelleraient le sort de sa vie.

L'homme reporta à nouveau ses yeux sur le fleuve, et au-delà, vers la ligne verdoyante de la rive sud. Puis, il murmura:

— Les jours deviennent déjà plus courts. Si nous voulons marcher encore un peu avant de rentrer, autant quitter ce banc.

Debout devant elle, il lui offrit son bras, une expression de gêne figée sur le visage. La jeune femme accepta son aide pour se lever: tremblantes, ses jambes risquaient de se dérober sous elle.

～

Après cette étrange conversation, les rencontres entre les deux jeunes gens se poursuivirent avec la même régularité, même si le malaise entre eux s'avérait palpable. Tout semblait les destiner à une amitié, non, un compagnonnage plein de rancœurs sourdes, comme il pouvait en exister entre un vieux garçon et une vieille fille.

Puis, le 23 septembre, alors qu'Eugénie feuilletait une revue féminine dans le petit salon, Jeanne vint de la cuisine afin de la prévenir.

— Monsieur Dupire est au téléphone. Il souhaite vous parler.

— Nous n'avons aucun rendez-vous ce soir…

Surprise, la domestique leva les sourcils. Pareille réponse ne l'aidait en rien.

— Mon père se trouve-t-il dans la bibliothèque?

— Il est sorti tout à l'heure.

— Je prendrai donc l'appel dans cette pièce.

Le bureau paternel offrait certainement plus de discrétion que la cuisine, où les oreilles d'une bonne et d'une cuisinière demeuraient attentives. Un instant plus tard, elle portait l'écouteur de bakélite à son oreille et prononçait dans le cornet du même matériau:

— Bonsoir, Fernand. Je suis désolée de vous avoir fait attendre.

— Ce n'est rien. Puis-je venir vous voir tout de suite?

Un claquement sec se fit entendre sur la ligne. Jeanne venait de raccrocher l'appareil de la cuisine ou alors elle feignait l'avoir fait.

— …Bien sûr. Vous êtes toujours le bienvenu dans cette maison.

— À tout à l'heure.

Elle répondit par les mêmes mots, songeuse. À peine cinq minutes plus tard, le bruit du heurtoir de bronze contre la porte la tira de sa rêverie.

— Laissez, je vais ouvrir moi-même, indiqua-t-elle à la domestique venue de la cuisine.

— Vous voulez que je prépare quelque chose? Du thé?

— À cette heure-ci, notre visiteur préférera sans doute une boisson plus conséquente. Je m'en occupe.

Bientôt, Eugénie ouvrit la porte. Le jeune notaire offrait un visage un peu tourmenté, comme s'il était chargé d'une mission bien incertaine.

«Ou plutôt, un homme bien incertain de la mission dont il s'est chargé», songea la femme. Elle prononça à haute voix :

— Bonsoir, encore une fois. Le mieux est d'occuper le bureau de mon père. C'est l'endroit le plus discret de la maison. Vous jugerez sans doute cela préférable.

Dans la grande pièce lambrissée de noyer, elle lui désigna l'un des fauteuils près de la cheminée et s'approcha d'un petit meuble en demandant :

— Je peux vous offrir quelque chose à boire ?

— … Si vous m'accompagnez.

— Je prendrais volontiers un porto.

— Dans ce cas, un whisky… sans rien ajouter.

Eugénie lui tendit un verre avant de s'asseoir dans le second fauteuil. Alors que son compagnon avalait la moitié de sa boisson d'une lampée, elle lissa le tissu de sa robe sur ses cuisses. Fernand contempla un moment le visage très pâle, les cheveux d'un blond un peu fade noués sur la nuque.

— Acceptez-vous de m'épouser ?

Puis, il s'empressa d'ajouter :

— Je m'excuse de demander cela de but en blanc. Je suppose qu'il existe des usages en la matière, mais je ne les connais pas.

— Ma belle-mère pourrait vous le dire. Je suis aussi néophyte que vous. Personne ne m'a jamais posé la question.

Elle marqua une pause, avala la meilleure part de son verre de porto, puis prononça enfin d'une voix mal assurée :

— Oui, j'accepte… avec plaisir.

Dans un mois, jour pour jour, ce serait son vingt-cinquième anniversaire. Ou elle se mariait très vite ou elle compterait parmi les personnes célébrées lors de la prochaine Sainte-Catherine. La poitrine de Fernand se dégonfla lentement. Aucun prétendant, après avoir reçu une réponse positive à cette question, ne devait demeurer calé dans un fauteuil, à cinq pieds de l'heureuse élue.

Tous deux se levèrent en même temps et parcoururent chacun la moitié de la courte distance les séparant. Les mains de l'homme se posèrent sur la taille fine et ses lèvres sur la bouche un peu crispée. Le contact n'émut ni l'un ni l'autre. En allait-il de même chez tous les couples, en pareille circonstance? Le poids des émotions anesthésiait sans doute les sens.

Ils reprirent leur place. Eugénie posa ses mains dans son giron pour demander:

— Avez-vous songé à une date?

— Pas vraiment, mais nous avons tellement attendu... Qu'en pensez-vous?

— Vous me feriez un grand plaisir si la cérémonie se déroulait avant le 23 octobre. C'est un vendredi.

La surprise laissa Fernand bouche bée. Comment expliquer un empressement aussi soudain? Son regard se porta furtivement sur la taille de sa... promise. Se pouvait-il qu'encore une fois?... Non, pareil soupçon frisait le ridicule.

— Que penseront les gens d'une pareille hâte?

— Les gens nous voient ensemble un jour sur deux depuis trois mois. Tous savent que nous nous connaissons depuis l'enfance. Ils penseront sans doute que nous avons bien tardé... ce dont je suis la seule responsable, j'en conviens.

Pourquoi lui expliquer l'importance de devancer un peu ses vingt-cinq ans? Au contraire, cette coquetterie lui paraissait trop puérile pour l'étaler.

— Si je compte rapidement, commença son compagnon, le samedi 17 octobre serait le plus opportun. Cela donne un peu plus de trois semaines. L'Église devra accorder une dispense pour la publication des bans.

— Mais nous le savons tous, votre père bénéficie d'un accès facile au palais cardinalice. Cela ne lui posera certainement aucune difficulté.

— Un délai aussi court rend impossible la tenue d'une grande cérémonie.

— J'accepte avec joie de vous épouser, mais je vous demande encore une faveur : une célébration discrète, puis une réception se limitant à la famille immédiate, dans cette maison ou dans celle de vos parents.

Les mariages à la sauvette tenaient souvent aux privautés entre les fiancés. Dans ces cas, les commères scrutaient leur calendrier et comptaient les jours entre la cérémonie et la première naissance. Encore une fois, le jeune homme secoua la tête pour chasser le soupçon tenace.

— Vous savez, insista Eugénie, de mon côté, la famille se réduit vraiment à mes parents et à Édouard. Mon seul oncle, Alfred, a été enterré en juin. À part cela, j'ai des cousins et des cousines que je reconnaîtrais difficilement si je les croisais dans la rue.

— Il en va un peu de même chez moi. Je suis d'accord pour la réception. Toutefois, il sera impossible de contrôler les entrées à la basilique. La cérémonie de mariage elle-même est un événement public.

La jeune femme n'osa pas évoquer la sacristie, à une heure si matinale que personne ne serait encore levé. Cette solution, adoptée par Alfred des années plus tôt, ne convenait pas pour des notables de la Haute-Ville. Elle donna son accord d'un hochement de tête.

— Il demeure encore une question que je veux aborder avec vous, commença-t-il, un masque d'inquiétude sur le visage.

« Non, il ne peut pas savoir », songea spontanément sa compagne.

— Je ne vois aucune raison d'habiter ailleurs que chez mes parents. L'espace ne manquera certainement pas : les anciens propriétaires de cette grande maison ont élevé sept ou huit enfants.

Fuir la présence de la seconde épouse de son père justifiait-il la présence quotidienne de la mère de son époux ? Le vieux couple obèse paraissait très ennuyeux. Cela lui parut immédiatement plus facile à supporter comparé aux attentions condescendantes d'Élisabeth.

— Vous avez raison. En plus, vous travaillez dans cette maison tous les jours. Acheter un autre domicile s'avérerait tout à fait déraisonnable, dans ces circonstances. Toutefois, le décor me paraît un peu…

— Défraîchi? Lugubre même? Je partage votre opinion. Le style victorien a fait son temps. Nous pourrons remettre au goût du jour les pièces familiales, tout comme celles que nous partagerons.

Eugénie aspira profondément, ferma les yeux un bref instant, puis conclut:

— Dans ce cas, tout sera pour le mieux, n'est-ce pas?

Un bruit venu de la porte d'entrée empêcha Fernand de répondre.

— Voilà mon père qui est de retour. Souhaitez-vous lui parler dès ce soir?

— … Oui, bien sûr.

Le gros mensonge passa inaperçu. L'homme aurait aimé mettre ses parents au courant des derniers développements d'abord, jauger leur réaction et aborder ensuite son futur beau-père. D'un autre côté, si la cérémonie se tenait vraiment dans moins d'un mois, les choses devraient se mettre en branle.

La fille de la maison quitta son siège prestement et ouvrit la porte de la bibliothèque au moment où son père s'engageait dans l'escalier menant à l'étage.

— Papa, commença-t-elle pour attirer son attention.

Rendu près de la première marche, elle continua.

— Fernand souhaite te parler. Tout de suite.

Thomas Picard regarda le gros garçon intimidé debout près de la porte de la bibliothèque et comprit immédiatement. Les usages voulaient que le prétendant s'assure d'abord de l'accord de la femme de ses rêves au sujet de ses projets de mariage. Le père accordait ensuite la main de sa fille à ce dernier. Dans ce cas précis, à cause de son âge, Eugénie aurait pu braver un interdit de sa part. Cela n'arrivait toutefois que bien rarement.

— D'accord. Nous attendras-tu dans le petit salon?

Elle hocha de la tête et se dirigea vers la pièce située en face, de l'autre côté du corridor.

— Vous avez pris les devants, observa le commerçant en voyant les verres vides posés sur un guéridon. En désirez-vous un autre?

— Après, si vous le voulez bien.

— Dans ce cas, j'attendrai aussi. Reprenez votre place et dites-moi ce dont je me doute.

Fernand retrouva son fauteuil et attendit que son hôte se cale dans le sien avant de prononcer:

— Voulez-vous m'accorder la main de votre fille?

— Je devine qu'elle vous a déjà donné son accord.

— Tout à l'heure. Comme vous le savez, je suis l'associé de mon père dans le cabinet...

Thomas leva la main pour l'interrompre, puis déclara:

— Je ne doute pas du tout de votre capacité à lui assurer un niveau de vie convenable. Si elle a accepté, il ne me reste plus qu'à vous donner ma bénédiction à tous les deux. Mon seul regret est que la chose ne se soit pas faite beaucoup plus tôt. Eugénie a eu tort de vous repousser alors. Elle le réalise certainement aujourd'hui. Je vous ai toujours considéré comme un bon parti.

Le marchand marqua une pause afin de rompre avec son ton pompeux, puis reprit avec une mine narquoise:

— Au fond, votre seul défaut est de voter conservateur. Mais dans les circonstances présentes, cela peut même présenter un avantage.

Le futur marié répondit d'un sourire entendu. Rien ne lui permettait de douter de la sincérité de ces paroles: habituellement, les pères se montraient plus enclins que leur fille à le considérer comme un prétendant convenable. Thomas demanda après un nouveau silence:

— Avez-vous songé à une date?

— Le 17 octobre.

L'homme émit un petit sifflement, puis convint après une pause:

— Une échéance bien courte, mais les obstacles seront faciles à lever. Je nous verse chacun un verre, puis nous irons rejoindre la promise.

Un instant plus tard, Thomas posait son cognac sur un guéridon et embrassait sa fille en lui murmurant «félicitations» à l'oreille. En réalité, il se congratulait lui-même : la catastrophe de 1908 se terminait finalement plutôt bien.

— Je monte, afin de demander à Élisabeth de se joindre à nous.

La grimace d'Eugénie lui échappa. Quelques minutes plus tard, la jeune femme, raidie, toléra mal l'étreinte de sa belle-mère, recevant ses bons mots avec un «merci» à peine audible. Fernand accueillit quant à lui la bise sur chacune de ses joues en rosissant un peu.

— Je vous félicite. Le chemin fut long.

— Plutôt, oui.

— Je vous souhaite tout le bonheur que vous méritez.

Après quelques minutes de gaieté un peu affectée, les parents montèrent à l'étage afin de laisser les tourtereaux à leur bonheur…

~

La nouvelle silhouette du pont de Québec, toujours en reconstruction, se révélait beaucoup moins gracile comparée à celle de l'ouvrage effondré en 1907. Chacun voulait croire en une promesse de plus grande robustesse. Si Édouard avait convaincu Clémentine de pousser la promenade en voiture jusque-là, depuis quelques minutes, une architecture plus intime retenait toute son attention.

La banquette arrière procurait tout le confort possible. La jeune femme, la tête inclinée vers l'arrière, acceptait la bouche goulue sur la sienne. La langue du garçon contre ses lèvres entraîna d'abord un mouvement de recul et une acceptation passive de l'intrusion ensuite. Après quelques instants, elle acceptait d'entamer un agile petit ballet.

La blonde demoiselle alternait les tentatives de raidisse-ment et de résistance aux privautés, puis les instants de langueur, d'abandon au plaisir qui lui nouait le ventre. Dans l'un et l'autre cas, elle crispait ses doigts sur les épaules de son compagnon. Quand la bouche descendit sur son menton, atteignant la peau très douce du cou, une plainte énamourée lui échappa. Le gémissement agit comme un déclencheur sur Édouard. Sa main quitta le ventre chaud et souple pour remonter sur la poitrine. Il commença à détacher les petits boutons du corsage.

Clémentine saisit les doigts trop audacieux dans les siens, les immobilisa, le temps que la bouche du garçon revienne contre la sienne et la pénètre de la langue en un simulacre d'un contact plus intime encore. La main put bientôt reprendre le lent déboutonnage. Les doigts féminins esquis-sèrent sur elle une petite caresse. Le labeur reçut sa récom-pense : Édouard posa bientôt sa paume directement contre la peau du ventre, la laissa remonter sous le tissu lâche de la brassière, jusqu'à saisir un petit sein à l'arrondi parfait, couronné d'une fraise turgide.

— Non, c'est mal, réussit-elle à articuler malgré le bâillon du baiser.

Le nouveau sursaut de pudeur amena le garçon à aban-donner la bouche entrouverte pour susurrer de sa voix la plus caressante, suave même :

— Tu es si belle... Je ne peux résister. S'il te plaît, ne m'arrête pas.

À nouveau, les langues reprirent une petite danse agile. Les lèvres mouillées de salive, frottées les unes contre les autres, enlevèrent toute force aux mains de la jeune fille. Les pans du corsage largement entrouverts, la brassière de coton relevée révélaient dans la pénombre une poitrine tout à fait ravissante. Du bout des doigts, Édouard agaçait tour à tour les deux pointes dressées, allant jusqu'à les pincer, les tirer un peu, arrachant chaque fois des plaintes de plaisir.

Après de longues minutes de ce traitement, il se pencha, saisit un mamelon entre ses lèvres, alterna les petits coups de langue et les mouvements de succion.

— Ne fais pas cela !

En disant ces mots, Clémentine saisit la tête d'Édouard pour la presser contre ses seins. Le garçon interpréta le message contradictoire de la meilleure façon. Sa main droite se trouvait entre les reins de sa compagne et le cuir de la banquette. Il la fit descendre vers les fesses. La gauche se posa sur une cuisse longue et souple et remonta vers le haut en troussant un peu le tissu. L'audace du geste agit comme une détonation. La jeune fille se redressa, puis déclara d'une voix ferme :

— Non, pas ça !

Le ton impérieux ne permettait aucune insistance, sinon toute la complicité construite entre eux depuis l'été s'effacerait irrémédiablement. Le visage, la bouche et même les seins s'avéraient accessibles après plus de deux mois d'un travail de séduction habile. L'entrejambe demeurerait tabou encore un moment. Clémentine s'inspirait d'une stratégie élaborée à tâtons par toutes les jeunes femmes dans sa situation. À voix basse, les plus délurées des employées de la Basse-Ville convenaient que le « haut » servait à attiser le désir du chevalier servant. Le « bas », d'autant plus convoité qu'il demeurait inaccessible, devait faire suffisamment envie au prétendant pour l'amener à présenter la grande demande. Bien sûr, les plus prudes, ou les plus étroitement surveillées par des parents attentifs, n'accordaient même pas le bout de leurs lèvres avant les fiançailles. Elles aussi finissaient pourtant par trouver preneur.

Édouard savait reculer, pour éventuellement mieux sauter.

— Je suis désolé, mais ta beauté me fait perdre mes esprits.

Sa tête s'inclina à nouveau sur la poitrine. Sa compagne se détendit et laissa bientôt échapper de petits gémissements. Le garçon s'empara alors de sa main gauche, l'attira vers son propre entrejambe pour la poser sur son sexe raidi, bien perceptible sous le tissu du pantalon et du sous-vêtement. Clémentine aspira bruyamment.

— Sens comme tu me rends fou... Je t'aime tellement.

Le mot de quatre lettres se mêla à l'effet du mauvais toucher pour affoler l'esprit de la jeune femme. La succion reprit sur la pointe des seins, interrompue seulement par le murmure étouffé, comme une litanie :

— Tu es si jolie, si jolie.

Édouard maintenait toujours la paume de sa compagne contre son sexe tendu, posé contre sa cuisse, et esquissait un mouvement de va-et-vient. Clémentine faisait mine de se dégager de sa prise, sans toutefois trop insister. Après un moment de ce jeu, l'excitation lui fit abandonner toute résistance. Elle serra ses doigts sur le tube de chair, comme pour en reconnaître la forme, et continua le mouvement de sa propre initiative.

— Je t'en prie, continue.

Il agaça la pointe des seins de ses dents. En guise de réponse, la fine main se fit plus rapide, jusqu'à déclencher un frisson délicieux, une plainte appréciative. À grands jets, le sperme se répandit dans ses vêtements. Clémentine comprit combien sa caresse provoquait des émotions intenses. À la fois émue et effrayée, elle crispa ses doigts sur le bout du membre et sentit la moiteur du tissu.

Édouard releva la tête pour la regarder dans les yeux. Sa paume agaça encore la poitrine offerte.

— C'est si bon. Tu es certaine que tu ne veux pas que je te rende la pareille ? articula-t-il doucement.

— ... Non. C'est mal.

Un mouvement de négation de la tête accompagna le constat moral.

— Pourquoi mal ? Tu m'as donné du plaisir, j'aimerais t'en procurer aussi.

— ... Je dois rentrer.

Le jeune homme caressa la joue du bout des doigts, posa ses lèvres sur le petit nez, puis sur la bouche.

— Si tu es certaine...

Le ton contenait encore une invitation. Clémentine fit «non» de la tête. Toute insistance supplémentaire s'avérerait condamnée. Il prit sur lui de remettre la brassière en place en songeant: «C'est comme remballer ses étrennes un 25 décembre au matin.» Quand il commença à reboutonner le corsage, la jeune femme dit doucement:

— Laisse, je vais m'en occuper. Je dois vraiment rentrer, la nuit est tombée.

En effet, constata Édouard, l'obscurité dérobait maintenant totalement la silhouette du pont aux regards. Un moment plus tard, après avoir démarré, il s'installa derrière le volant. Sa compagne le rejoignit à l'avant après avoir soigneusement attaché tous ses boutons, replacé son chapeau sur ses bouclettes et enfilé ses gants. Nouvelle à ses narines, la vague odeur de sperme la troublait un peu. À un coin de rue de la maison de chambres, selon un rituel bien établi entre eux, Édouard gara le véhicule et descendit pour lui ouvrir la portière.

— Nous verrons-nous après-demain?

Après avoir tellement accordé, Clémentine craignait que le jeune homme la rejette comme une femme de «mauvaise vie». Le récit de conclusions de ce genre meublait tant de conversations murmurées avec ses compagnes. Du soulagement dans la voix, elle répondit:

— Oui, bien sûr.

Son compagnon prit cela comme une permission d'aller un peu plus loin, la prochaine fois. En regagnant la Haute-Ville, il tira sur le tissu englué de son pantalon.

— Espérons maintenant que maman et Eugénie sont déjà couchées.

Croiser son père dans cet état ne l'inquiétait guère.

Élisabeth, comme tous les soirs, donna une centaine de coups de brosse à ses lourds cheveux, contemplant son reflet dans la psyché. Quand son époux revint de la salle d'eau attenante, elle demanda :

— Crois-tu qu'elle lui a dit ?

— Lui dire quoi ?

— Tu le sais bien.

Thomas la regarda un instant sans comprendre, puis ses yeux s'écarquillèrent :

— Grands dieux ! Pourquoi ferait-elle une sottise pareille ?

— … On ne peut pas construire une union sur un mensonge. Enfin, pas sur un mensonge de cette envergure. S'il le découvre de lui-même, Fernand la détestera tout le reste de son existence.

L'homme quitta son peignoir et alla s'asseoir sur le bord du lit, préoccupé. Il plaida :

— Jamais il ne le saura.

— Dupire est ton notaire !

— Le secret professionnel…

Le sens éthique prévalait-il sur la relation entre un père et son fils ?

— Si ce projet de mariage avorte, toutes ses chances seront ruinées. Personne d'autre ne se présentera plus à notre porte. Au fil des ans, elle deviendra de plus en plus aigrie, intolérante…

— Son erreur lui coûtera peut-être son bonheur, convint l'épouse. Est-ce une raison de ruiner aussi celui de ce garçon ?

— Il ne voit qu'elle. Je parie que depuis 1908, il ne s'est intéressé à personne d'autre. Ce soir, ce gros garçon a atteint son objectif, tout comme moi. J'ai tellement espéré une conclusion de ce genre. Viens là !

De la main, l'homme caressait le couvre-lit près de lui. Pour une rare fois depuis son mariage, Élisabeth le rejoignit avec un sourire contraint sur les lèvres.

Si le docteur Caron pouvait habiter rue Claire-Fontaine, son gendre, Charles Hamelin, se contentait d'une petite maison, rue Dorion. Pour les jeunes professionnels confrontés à des ressources limitées, il demeurait possible de se loger à meilleur compte en se déplaçant à la frontière de la ville, vers l'ouest. Eugénie avait téléphoné à sa vieille amie de pensionnat tôt le matin. En début d'après-midi, elle frappait à la porte d'Élise.

— Je sais bien que tu y as fait allusion au début de l'été, déclara celle-ci après un échange de bises sur les joues, mais ton appel m'a surprise.

— Pourtant, tôt ou tard, je devais me faire une raison.

Si l'hôtesse s'étonnait de cette façon d'évoquer des projets matrimoniaux, elle n'en laissa rien paraître. Les deux femmes passèrent dans la cuisine. De la main, Élise vérifia la chaleur du poêle, puis saisit quelques morceaux de charbon avec une petite pelle pour les jeter dans le feu. Ensuite, elle posa une bouilloire sur l'un des ronds de fonte.

Son amie, assise à une petite table poussée contre le mur, la regardait avec des yeux écarquillés de surprise. Son étonnement s'avérait si visible que sa compagne, au moment de la rejoindre, prononça, moitié agacée, moitié amusée :

— Avant que tu poses la question, je me confesse : nous n'avons pas de bonne. Je fais moi-même les repas, le thé quand je reçois une visite, l'entretien léger de la maison. Une femme de peine vient une fois par semaine pour les tâches les plus lourdes.

— N'est-ce pas trop... difficile ?

— Difficile, m'occuper de ma maison et de mes enfants ? Pas du tout. Au contraire, cela me paraît plutôt naturel.

Au petit matin, Eugénie réclamait encore l'aide d'une domestique afin de boutonner le dos de sa robe. Préparer un repas lui paraissait au-delà de ses forces... passer un plumeau un outrage à la dignité de toute personne bien née. Plutôt que de plaindre la pauvresse et risquer de la blesser, elle préféra changer de sujet :

— Tes enfants sont bien sages.

— Mon Dieu ! Ils sont bien des choses, sauf sages. Si tu ne les entends pas, c'est que ma mère est venue les chercher en matinée, comme elle le fait une fois la semaine. Cela lui permet d'apprécier encore plus sa grande maison et sa ménopause, quand elle me les ramène après quelques heures.

La jeune mère disait cela d'une voix douce, avec attendrissement, comme si ses marmots lui manquaient déjà. De petits plis à la commissure de ses yeux trahissaient des fous rires fréquents.

— Tu parais déterminée à éviter le sujet de ce fameux mariage, fit-elle.

— Il y a peu à dire. Après plusieurs visites à la maison, un nombre au moins égal de promenades bras dessus, bras dessous, le gros notaire a fait la grande demande, j'ai dit « oui ».

Des yeux, elle explora la pièce, meublée plutôt modestement. Cet examen lui permit de conclure qu'elle faisait une assez bonne affaire, en comparaison. Élise suivait sans mal le cours de ses pensées. Le sifflement de la bouilloire lui permit de dissimuler l'effet du coup d'épingle au cœur. Elle retrouva sa contenance en versant l'eau dans une théière de porcelaine, qu'elle posa ensuite sur la table. Quand elle revint avec les tasses, elle remarqua, un peu de rancune dans la voix :

— Je ne perçois pas un grand enthousiasme chez toi.

— Après toute cette attente, je vais épouser l'homme à qui, il y a sept ans, je refusais la permission de me visiter.

— Difficile de trouver, de la part d'un homme, la preuve d'un attachement plus sincère.

— C'est une façon généreuse de voir les choses.

L'hôtesse versa le thé dans les tasses, ajouta du lait et du sucre dans celle de son amie.

— Deux personnes incapables de trouver mieux se retrouvent finalement ensemble afin de ne pas mourir seules, continua la visiteuse dans un souffle. Cela ferait une belle épigraphe.

Élise jeta un regard sur le visage dépité, pâle, de son amie. Tout d'un coup, sa petite cuisine, toute sa modeste maison en fait, prit des allures de palais.

— Dans une certaine mesure, n'est-ce pas notre lot à toutes? Nous attendons sagement qu'un garçon se manifeste. Tout au plus, nous pouvons présenter un visage réprobateur aux moins convenables, le temps qu'ils se lassent de nous visiter.

— Tu as fait cela avec le pharmacien Brunet.

— C'est vrai. Toutefois, même si j'avais gardé le même sourire, rien ne prouve qu'il aurait continué à me courtiser. Dans ce processus, nous avons la liberté de sourire ou de faire grise mine. Les hommes conservent seuls l'initiative de choisir : le prétendant d'abord, le père ensuite.

— Tu veux dire que toi aussi…

Eugénie voulait savoir si sa camarade de pensionnat se trouvait dans une aussi mauvaise posture que la sienne, comme si les malheurs des autres compenseraient les siens. Cette dernière n'eut pas la générosité de le lui laisser croire.

— Au moment des fiançailles, je me sentais bien incertaine encore. Ce sentiment s'est estompé au fil des semaines, par la suite, jusqu'au grand jour. Le lendemain de celui-ci, je savais avoir pris la meilleure décision de ma vie, et j'en suis toujours convaincue après quelques années avec lui, et deux enfants. Toutefois, en ce domaine, nous prenons toutes nos décisions à l'aveuglette. L'heureux résultat tient à la chance, pas à mon grand discernement en la matière.

L'allusion à peine voilée à la nuit de noces amena le rose aux joues des deux femmes. Le jour de son mariage, toute l'expérience d'Élise se limitait aux petites privautés d'Édouard. Son appréhension, toute naturelle, valait bien mieux qu'un secret insupportable. Elle le devinait, sa camarade portait un lourd bagage sur ses épaules. Aucune débutante de la Haute-

Ville ne revenait d'un long voyage en Europe déprimée, pour se terrer ensuite pendant des mois dans le domicile de ses parents.

— Alors, je te souhaite seulement de profiter de la même chance, conclut-elle.

Eugénie posa sur elle un regard soupçonneux, mais répondit après une pause :

— Je me le souhaite aussi.

Son ton trahissait le plus complet pessimisme. La conversation s'allongea encore pendant une petite heure, sans grand plaisir pour l'une ou l'autre. Au moment de s'en aller, la visiteuse prononça, mal à l'aise :

— La réception se déroulera dans la plus stricte intimité, avec la famille immédiate seulement. Tu comprends, à nos âges, Fernand et moi…

— Bien sûr, consentit Élise. Cela ne m'empêchera pas de t'offrir un présent.

Quand Eugénie s'engagea sur le trottoir de la rue Dorion, son amie la regarda s'éloigner, puis exprima le fond de sa pensée :

— Pauvre fille, tu sembles résolue à te vouer au malheur. En y mettant autant d'efforts, tu y arriveras sans doute.

Bientôt, les enfants reviendraient, désireux d'exprimer toute leur vitalité après quelques heures trop sages chez leur grand-mère. Autant profiter de ces minutes de détente avec un bon livre.

***

Comme prévu, les enfants s'étaient révélés particulièrement turbulents. Un peu après huit heures, les cheveux en bataille, Élise se laissa choir sur le canapé du salon. Le tissu de revêtement portait des traces de goûters à moitié répandus et les empreintes de petites chaussures crottées. Son époux vint bientôt la rejoindre. Elle se lova contre lui, appuya sa tête contre son épaule.

— Une rude journée ? questionna l'homme en posant ses lèvres sur les cheveux bruns. Pourtant, nos deux terreurs se trouvaient chez ta mère.

— Eugénie est venue passer un moment avec moi, pour m'annoncer la grande nouvelle.

— Ce fut aussi éprouvant ?

Charles Hamelin atteignait tout juste la trentaine. Ses cheveux châtains reculaient sur son front, sa moustache recouvrait toute sa lèvre supérieure. La douceur de ses yeux laissait deviner un médecin peut-être trop attentif à la misère humaine pour son propre confort.

— Elle a commencé par jeter des yeux effarés sur la pauvreté du mobilier, puis a failli perdre conscience en constatant que nous n'avions pas de bonne. Je me demande si elle pourrait préparer du thé elle-même.

— Tu sais que nous pourrions...

Élise leva la main pour poser ses doigts sur la bouche de son mari afin de le faire taire.

— Nous mettons de l'argent de côté pour la nouvelle maison, tu le sais. Je peux encore m'occuper de ma famille.

La brunette imaginait mal passer ses journées à visiter des voisines pour boire des infusions et médire de ses semblables. Cela pouvait attendre encore dix ans.

— Je n'ai pas dit cela pour te forcer la main. Elle ne semble pas encore comprendre que la vie ne ressemble pas à nos rêveries de couventine, ajouta-t-elle.

— Tout de même, elle passera de la grosse maison de papa à la grosse maison du notaire Dupire. Tu as été malchanceuse de tomber sur un fils de cultivateur devenu médecin par miracle, récoltant quelques dettes au passage.

De la main, l'homme caressait le flanc de sa compagne en remontant vers son sein. Elle déplaça son bras pour lui donner un meilleur accès. Le refrain du mari un peu gêné de ne pouvoir lui offrir le confort auquel son père l'avait habituée revenait avec une certaine régularité, à la façon d'une incantation, quand il désirait se faire rassurer. Au début, elle s'était donné la peine de le contredire. Maintenant, elle préférait les caresses.

— Dans tout Québec, elle est sans doute la seule à ne pas réaliser que Fernand est un homme bien… quoique un peu empoté. Elle voit son mariage comme le dernier acte d'une terrible tragédie.

La paume effectuait un mouvement circulaire sur un sein doux et rond, le pouce agaçait la pointe, visible à travers le tissu.

— Le destin lui a tout de même forcé la main, affirma-t-il.

— Je lui ai dit que toutes les femmes se trouvaient dans la même situation. La vie nous mène, je veux dire nous, les femmes, vers notre compagnon. Sans mon père, nous ne serions pas ensemble.

Des années plus tôt, le docteur Caron invitait un jeune collègue prometteur, fraîchement sorti de la Faculté, pour lui faire connaître sa fille. Un curieux atavisme avait fait le reste : la fille de médecin épousait le praticien un peu plus d'un an plus tard.

— Toutefois, cela ne veut pas dire que l'on tombe mal, poursuivit-elle.

— La preuve, regarde-nous.

Ses doigts s'attaquèrent aux boutons du corsage. Une petite tape mit fin au manège.

— Un soir sur deux, l'un de tes enfants se relève pour réclamer de l'eau…

Elle poursuivit après une pause :

— Je nous ai effectivement offerts en exemple.

— Elle a dû être édifiée : lui parler de l'homme incapable de payer une bonne.

Élise laissa échapper un soupir et posa une main sur la cuisse de son mari.

— Je nous ai plutôt présentés comme le parfait exemple de la félicité conjugale.

— Alors, elle a regardé notre vieux mobilier…

Cette fois, elle le pinça à travers le tissu du pantalon, suffisamment fort pour lui tirer un « outch » de protestation.

— Je lui ai affirmé avoir acquis la certitude d'avoir fait le bon choix pendant notre nuit de noces.

— Il ne s'est rien passé pendant notre nuit de noces.

— Au contraire, tout est survenu pendant ces quelques heures.

Les doigts jouaient sur la pointe du sein, insistants. Lorsque les nouveaux mariés s'étaient retrouvés l'un en face de l'autre dans leur chambre, vêtus tous deux d'une ridicule chemise de nuit, la jeune femme avait été intimidée au point d'en trembler. Charles avait alors déclaré d'une voix douce, en lui effleurant la joue du bout des doigts : « Nous avons toute la vie pour cela, si j'ai bien compris le sermon du prêtre. Donc, rien ne presse. Viens dormir. » Après une nuit dans ses bras, un sexe chaud et dur contre le creux de ses reins, Élise s'était sentie tout à fait rassurée pour les décennies à venir.

— Crois-tu que ton amie posera le même constat ?

— Il n'y a pas la moindre chance. Le pire, c'est que je me demande même si elle a déjà été mon amie. Elle me regarde comme si j'étais simplette parce que j'aime mon mari et mes enfants, et que je m'occupe d'eux.

La jeune femme quitta le canapé et tendit la main pour inviter son compagnon à la suivre.

— J'ai une bonne et une mauvaise nouvelle pour toi. Nous ne serons pas invités au mariage, mais nous allons tout de même offrir un présent.

L'homme eut un rictus. En regagnant leur chambre, le couple s'arrêta un instant dans celle des marmots pour une dernière bise.

Chapitre 7

Plus de vingt ans après son inauguration, le *Château Frontenac* demeurait sans conteste le plus bel hôtel de la ville. Outre les centaines de chambres, la salle à manger et la salle de bal, l'établissement recelait un bar bien pourvu où les estivants, les hommes d'affaires et la faune des politiciens se réunissaient pour des conversations murmurées.

Édouard entra par la porte donnant sur la terrasse Dufferin, puis gagna le débit de boissons lambrissé de bois sombre. La fumée des cigarettes, des pipes et des cigares accentuait l'impression de pénombre perpétuelle, en plus d'appesantir l'atmosphère. Seules de grandes fougères dans des pots de cuivre témoignaient que la vie demeurait possible dans un pareil environnement.

Alors que le jeune homme cherchait une table placée dans un coin discret, une voix prononça sur sa gauche:

— Picard, tu me cherches?

— Non, pas vraiment, déclara-t-il en s'approchant pour serrer la main d'Armand Lavergne. Je dois rencontrer un voisin, le fils Dupire.

Le député nationaliste du comté de Montmagny conservait son allure de jeune homme. Élancé, mince, le visage barré d'une moustache, on aurait pu croire à un professionnel fraîchement sorti de la faculté sans les fils blancs dans sa lourde tignasse.

— Ah oui, le notaire. Tu peux t'asseoir un moment?

Le jeune homme occupa le siège désigné, de l'autre côté d'une petite table ronde.

— Cela ne te dirait rien de joindre la milice ? Cela devient intéressant.

Le député à l'Assemblée législative comptait parmi les quelques milliers de Canadiens occupant leurs loisirs à jouer au soldat avec un uniforme d'opérette sur le dos. Dans son cas, comme dans celui de tous les notables, le jeu se limitait à vider des whiskies au Club de la garnison, un cigare gros comme une matraque de policier vissé dans la bouche.

— Milicien, alors que le pays se trouve en guerre ? Jamais, déclara Édouard en s'esclaffant.

— C'est le meilleur point de vue pour se tenir au courant des rumeurs. Des militaires de tout le pays envahissent notre petite ville.

— D'un autre côté, on ne les voit presque pas. Ils débarquent au quai ou à la gare, puis se dirigent tout droit vers le camp de Valcartier.

Depuis deux mois, le village, situé au nord de Québec, voyait sa population décupler. Des tentes s'alignaient sur plusieurs hectares. Avant la venue des grands froids, des centaines d'ouvriers tenteraient d'ériger des baraques sommaires. Huit semaines de guerre redonnaient du travail à tous les habitants de la région.

— Tu sais donc combien de courageux volontaires campent à l'orée de nos forêts ? questionna le jeune homme.

— Je parierais quarante mille.

— Près de la moitié de la population totale de Québec ?

— Pour l'instant. Dans tout au plus deux semaines, les trois quarts d'entre eux s'embarqueront vers l'Angleterre, puis, après un entraînement supplémentaire, ils se dirigeront vers les champs de bataille du nord-est de la France.

Un serveur vint interrompre Lavergne, qui commanda un autre verre. Édouard préféra attendre l'arrivée de son vieil ami.

— Cela ne devrait plus durer longtemps, maintenant, commenta ce dernier.

— Tu veux dire, la guerre ? demanda le politicien après un éclat de rire. Tu devrais vraiment rejoindre la milice afin d'oublier les sottises publiées dans les journaux. Les deux armées se trouvent face à face et aucune ne semble pouvoir emporter la décision. Les soldats ont commencé à creuser des trous dans le sol, comme des marmottes. Personne ne sait combien de temps ils s'y terreront.

— Si cela doit s'éterniser, raison de plus pour me tenir loin des uniformes.

Édouard remarqua un jeune homme un peu corpulent à l'entrée du bar et fit un signe de la main afin d'attirer son attention. Fernand Dupire s'approcha, serra la main de Lavergne alors que son compagnon se levait de son siège.

— Je m'excuse, nous avons à parler, précisa-t-il au politicien.

— Bien sûr. Si tu veux que je continue ton éducation militaire, passe ici quand tu voudras. C'est mon bureau.

— Tu habites encore ici, avec ta femme ?

— Pourquoi se priver ?

Au moment de s'asseoir à une table située à l'autre bout de la grande pièce, le jeune homme expliquait :

— Armand me disait que la guerre sera longue.

— C'est aussi mon avis, commenta le notaire.

Chacun demanda un whisky au serveur venu prendre leur commande. Les dernières dépêches des champs de bataille occupèrent la conversation jusqu'à ce que les verres apparaissent devant eux. Puis, Édouard évoqua la raison de ce rendez-vous.

— L'autre soir, j'ai raté l'annonce de la grande nouvelle... Je veux dire l'annonce du mariage. Je tenais à te féliciter.

— Avec une semaine de retard ? Un coup de fil ou même un mot aurait suffi.

L'amertume marquait la voix du gros notaire.

— Je préférais que ce soit de vive voix. Comme la vie au magasin est parfois agitée...

— Sans compter les rendez-vous galants avec les belles de la Basse-Ville...

Un silence s'installa entre eux, palpable. Fernand n'entendait pas faciliter la tâche à son interlocuteur. Par le passé, celui-ci s'était montré trop disposé à envahir sa vie privée pour qu'il l'encourage.

— Tu es certain... commença-t-il. L'idée de ce mariage me paraît si soudaine.

— Soudaine ? De mon point de vue, la nouvelle arrive avec six ans de retard.

À nouveau, Édouard demeura un moment sans voix, puis s'enquit :

— Tu es certain de ses sentiments à ton égard ?

— Oui, tout à fait.

Le notaire disait vrai : les sentiments d'Eugénie à son égard lui paraissaient limpides. Cela ne signifiait pas qu'ils le comblaient.

Le jeune Picard avait demandé cette rencontre afin d'aborder la question de la naissance illégitime. L'amitié lui paraissait imposer certains devoirs de franchise. Maintenant, devant Fernand, l'image d'Eugénie, de sa mine déprimée pendant de longs mois après son retour de l'État de New York, puis de sa morne résignation flottaient devant ses yeux. Pourquoi lui enlever cette unique chance de bonheur si de meilleurs sentiments à l'égard de ce prétendant improbable l'habitaient maintenant ?

— Dans ce cas, tout est pour le mieux. Je te réitère mes plus sincères félicitations et te souhaite la meilleure des chances.

Les derniers mots s'accompagnèrent d'une main tendue. Fernand la serra sans y mettre une grande conviction.

❧

— Eugénie se trouvera certainement intimidée parmi ces étrangers, argua Élisabeth.

— Cela arrive très souvent qu'une jeune fille épouse un étranger. Entre des parents, les prêtres affirment que le mariage donne des enfants idiots.

Thomas garda les yeux sur son journal tout en parlant. Le couple terminait son petit déjeuner en tête-à-tête. La future mariée faisait la grasse matinée, et personne ne songeait plus à la forcer à se présenter à table avec les autres membres de la famille. Édouard avait trouvé un pneu à plat sur la Buick au moment de la démarrer. « Cela n'arrive pas avec les chevaux », avait déclaré le père, un sourire en coin. Tout de même, la chose avait du bon : le commerçant terminait sa lecture en buvant une seconde tasse de thé alors que le garçon s'esquintait le dos pour mettre la roue de rechange sur le moyeu.

— Cesse de dire des sottises, gronda sa femme. Je parle sérieusement. Elle se retrouvera dans la maison de ses beaux-parents. Le sentiment d'être une intruse la tenaillera.

— Fernand fait très bien de ne pas acheter une autre demeure. Comme il est le seul enfant vivant du notaire, tout lui reviendra un jour.

— D'après mes lectures, dans la bonne société, une domestique avec qui elle est familière accompagne souvent la jeune mariée dans sa nouvelle famille.

— Nous ne vivons pas dans un roman anglais ni dans le petit manuel de civilité de la baronne de Staffe.

Élisabeth secoua la tête, faisant voler ses lourds cheveux blonds.

— Tout de même. Tu sais comme elle est vulnérable. Nous devons nous efforcer de lui faciliter les choses. Tu pourrais lui offrir de prendre Jeanne avec elle, et même payer les gages de celle-ci pendant un moment. Disons un an.

Thomas replia son journal pour consacrer toute son attention à sa femme.

— Toutes les deux se sont assez bien entendues au cours des dernières années, insista-t-elle.

Si les rapports entre Eugénie et la petite domestique étaient demeurés au beau fixe, cela tenait simplement au fait que la seconde devait impérativement gagner sa vie. La menace de se retrouver à la rue rendait impossible tout esprit de rébellion contre une patronne tatillonne.

— Ton idée se défend. Je ne souhaite certainement pas la voir revenir ici avec ses valises après quelques semaines sous prétexte que madame Dupire exagère un peu sur le sucre à la crème.

L'humour de Thomas sonnait faux. Sa fille ne comptait certainement pas parmi les personnes faciles à vivre. Le notaire et son épouse semblaient bien placides, mais demeuraient des étrangers.

— Toutefois, si Jeanne accepte, et tu ne pourras pas la forcer, tu devras te dénicher une autre employée et la former.

— Ce ne sera pas bien compliqué : tous les automnes, nous recevons deux ou trois lettres de curés de la campagne cherchant une place pour une petite protégée.

Toute personne possédant un *directory* pouvait envoyer des missives afin d'offrir ses services, ou ceux d'une autre, à des habitants de la Haute-Ville.

— Dans ce cas, fais pour le mieux. Je vais voir si mon chauffeur capricieux se tire bien d'affaire avec cette roue.

Restée seule dans la salle à manger, Élisabeth agita une petite clochette d'argent. Jeanne apparue bien vite près d'elle en disant :

— Madame ?

— Venez près de moi, je veux vous parler.

Les invitations à s'asseoir avec sa patronne étaient rarissimes – guère plus d'une fois par mois, sans doute moins – et annonciatrices d'une remontrance ou d'une petite mise au point.

— Vous savez certainement qu'Eugénie nous quittera dans un peu plus de deux semaines.

« Dans quinze jours, très exactement », songea la jeune femme. Elle attendit la suite en silence.

— Elle sera terriblement seule dans sa nouvelle famille. Que diriez-vous de l'accompagner ?

La domestique écarquilla les yeux, incertaine du sens à donner à ces paroles.

— Cela se fait souvent : au moment de son mariage, une jeune épouse passe dans sa belle-famille accompagnée d'une employée familière.

— Vous voulez dire que je travaillerais chez les Dupire ?

— Plus exactement pour Eugénie. Les Dupire ont déjà leur personnel. Bien sûr, vous êtes la première à qui j'en parle. Accepteriez-vous de passer chez ses beaux-parents ?

Jeanne demeura songeuse. Elle se faisait plutôt une fête de voir la fille aînée quitter la maison. Son travail s'en trouverait fort allégé. À la fin, Élisabeth crut bon d'insister :

— Bien sûr, il y aura une gratification pour vous. Si vous acceptez de rendre ce service, je me rendrai tout de suite chez eux pour arranger les choses. Je suis certaine que vous serez très bien traitée…

Le notaire et sa femme venaient assez souvent chez les Picard. Il ne s'agissait pas d'inconnus. Le personnel de la maison de ce couple ennuyeux et moral ne devait pas trouver à se plaindre. Puis, Eugénie lui inspirait une certaine pitié. Les avatars de l'existence des maîtres n'échappaient guère aux domestiques. Des années plus tôt, elle avait deviné la grossesse avant même la principale intéressée, trop gourde pour comprendre sa condition. L'absence de serviettes hygiéniques dans le panier du linge à laver avait fourni un indice révélateur.

— Si vous croyez que cela lui sera utile, je veux bien.

Élisabeth soupira d'aise, posa sa main sur la sienne, puis prononça, reconnaissante :

— Merci, Jeanne. Je vais tout de suite discuter de ce projet avec madame Dupire. Ne dites rien à ma fille, au cas où sa belle-mère y verrait un obstacle.

Un moment plus tard, toujours étonnée de ce nouveau développement, la domestique voyait sa patronne quitter la salle à manger en troussant sa jupe pour aller plus vite.

Un mariage célébré en octobre permettait de réduire les exigences du décorum. Le ciel gris et pluvieux, les arbres dénudés rendaient le port de la robe blanche et la présence de la foule des amis moins nécessaires. Eugénie étrennait une jupe indigo, une veste et un chapeau à large rebord assortis. Une voilette laissait ses yeux dans l'ombre. À ses côtés, Fernand se tenait bien droit, sanglé dans un costume noir, une pointe d'inquiétude qui pouvait passer pour de la solennité sur le visage.

De part et d'autre de l'allée centrale, dans les premiers bancs, se tenaient les familles des heureux promis. Les spectateurs, peu nombreux, s'éparpillaient dans la grande bâtisse. Outre des curieuses meublant le vide de leur vie en assistant à toutes les cérémonies religieuses, des relations d'affaires du vieux notaire et du commerçant au détail avaient jugé utile de souligner leur déférence par leur présence en ce jour heureux.

Au moment où les mariés échangeaient les anneaux, Édouard se pencha sur l'oreille gauche de sa belle-mère pour murmurer :

— Somme toute, les funérailles de l'oncle Alfred paraissaient plus gaies.

— Ne dis pas une chose si cruelle, rétorqua-t-elle, les yeux sévères.

Pourtant, Élisabeth partageait le même malaise. Les époux présentaient des visages impassibles, sauf quand leurs yeux se croisaient. Alors, les sourires contraints sur leurs lèvres révélaient beaucoup d'angoisse et bien peu de joie.

Quand les pères se furent penchés chacun leur tour pour signer les registres paroissiaux, le nouveau couple marcha du chœur jusqu'aux grandes portes s'ouvrant sur le parvis. Un photographe se tenait juste au bas des marches. Les deux familles réunies regroupaient tout juste sept personnes. L'homme dut rapprocher son appareil pour amoindrir l'effet de désertion avant de prendre quelques clichés.

— Nous faisons comme convenu? demanda Thomas au notaire Dupire.

— Pourquoi changer nos plans?

Édouard s'agitait déjà devant la Buick afin de faire démarrer le moteur. Fernand ouvrit la portière arrière et tendit le bras afin d'aider Eugénie à monter. Juste derrière le véhicule, deux voitures taxi attendaient les parents. Le commerçant ouvrit la portière du premier en s'inclinant. Le notaire aida sa femme à se glisser sur la banquette, une opération difficile à cause de sa corpulence. Thomas gagna la seconde voiture de louage, laissa sa femme s'asseoir puis la rejoignit.

— J'ai le pressentiment que nous commettons une erreur, fit doucement Élisabeth, inquiète d'être entendue par le chauffeur.

— Tous les deux sont d'accord, personne ne les force. Voilà la meilleure conclusion à une triste histoire.

— Nous aurions dû exiger que les cartes soient mises sur table. Ce garçon a été trompé.

Depuis trois semaines, elle présentait les mêmes arguments et son époux poussait les mêmes soupirs un peu excédés. Après tout, le jeune notaire finissait par obtenir celle qu'il voulait. Dans ce contexte, à quoi servait une confession générale? Chacun vivait avec sa part d'ombre, jeter dessus une lumière crue engendrerait des souffrances inutiles.

❧

La clientèle du commerce ALFRED se révélait bien peu nombreuse. Cela tenait à l'agitation régnant dans les rues de la ville. Mathieu se montrait tout de même un peu hésitant.

— Maman, es-tu certaine de pouvoir rester seule?

— Tu ne te souviens pas? Nous embauchons deux vendeuses.

— Mais le samedi, nous sommes là.

Marie s'approcha du garçon, caressa sa joue du bout des doigts.

— Tu passes du Petit Séminaire au commerce, du commerce au Petit Séminaire. Ta sœur ne se trouve pas mieux lotie, continua-t-elle en englobant l'adolescente dans son regard. Allez prendre un peu l'air, cela vous fera du bien, j'en suis certaine.

Le frère et la sœur quittèrent les lieux sans se retourner. Tout de suite, ils remarquèrent le petit rassemblement prêt à se disperser sur le parvis de la basilique.

— Le mariage de notre cousine n'attire pas les foules, constata Thalie.

« Tu veux dire ta cousine et ma demi-sœur », songea Mathieu. Un jour, il clarifierait la situation avec elle. À quel âge une jeune fille pouvait-elle comprendre certains avatars de l'existence humaine ?

— C'est une vieille fille qui épouse un ami d'enfance. Cela n'intéresse personne.

— Vieille fille ! Quelle expression idiote !

Ils longèrent la grande église pour rejoindre la côte de la Montagne. Dès la place Royale, les badauds s'entassaient au coude à coude. Se rendre sur les quais prit quelques minutes et de multiples « Excusez-nous, s'il vous plaît ». Rue Saint-Pierre, ils s'arrêtèrent un moment pour contempler un régiment marchant au pas, havresac au dos et fusil sur l'épaule. Il tournait à angle droit pour se diriger vers les quais.

— On dirait une machine, dit l'adolescente.

Les pieds se posant à l'unisson sur le pavé produisaient un bruit lancinant, régulier, mécanique. Les uniformes, tous semblables, effaçaient en quelque sorte les tailles, les gabarits et les traits individuels pour donner une impression d'unité. Des officiers criaient des ordres en anglais. Sur les trottoirs, certains hurlaient des encouragements, les plus enthousiastes clamant : « Tuez tous ces sales Boches ! » La plupart se contentaient toutefois de regarder en silence ou communiquaient leurs impressions à l'oreille de leur voisin.

La majorité de ces soldats venaient de la base de Valcartier, et les autres arrivaient de l'intérieur du pays dans des trains spéciaux. Ce jour-là, trente-deux mille Canadiens débutaient un long périple vers les champs de bataille de Belgique et de l'est de la France.

— Pourquoi prennent-ils ces traversiers? interrogea Thalie.

— Pour aller à Lévis.

— Tout de même, je sais cela!

Mathieu lui adressa un sourire avant de continuer.

— Tout le contingent se dirige vers Halifax dans des trains de l'Intercolonial. Ils embarqueront là-bas en direction du Royaume-Uni. Des navires de guerre britanniques les escorteront tout le long du trajet, pour assurer leur protection.

— Ils risquent de se faire attaquer?

— Bien sûr. Si les Allemands coulent un transporteur de troupes, imagine le nombre de soldats éliminés d'un coup.

Le frère et la sœur profitèrent du retard d'un escadron pour traverser la rue et s'approcher des quais. Les soldats rompaient les rangs en franchissant la passerelle du traversier leur étant désigné pour embarquer dans une certaine pagaille. Ces hommes paraissaient surexcités, comme des vacanciers au départ d'une destination lointaine, ou mieux, une équipe sportive en route pour un match important. La mort promise à certains d'entre eux ajoutait à cet état d'esprit.

Parce qu'ils s'avançaient un peu trop près des recrues, un membre de la police militaire se dirigea vers eux, peu amène.

— Fils, prononça-t-il en anglais, si cela t'intéresse autant, monte à bord avec les autres. On te trouvera certainement un uniforme et un fusil pendant le voyage.

Comme Mathieu était trop intimidé pour répondre, Thalie utilisa ses récents apprentissages linguistiques pour rétorquer:

— Mon frère est trop jeune, monsieur.

— Jeune, lui?

Le militaire présentait un visage sceptique. Le garçon s'avérait aussi grand que lui.

— Dix-sept ans.

Certains volontaires mentaient sur leur âge pour s'engager aussi jeunes qu'à quinze ans auprès de recruteurs disposés à fermer les yeux. L'homme grommela quelques jurons, puis conclut :

— Reviens nous voir l'an prochain. En attendant, reculez tous les deux.

Pour se faire plus convaincant, il appuya le bout de sa matraque contre la poitrine du garçon. Quelques instants plus tard, revenus près de la rue Saint-Pierre, ils entendirent à nouveau quelqu'un hurler :

— Tuez tous ces sales Allemands !

Thalie posa les yeux sur son frère avant d'affirmer :

— Je suppose qu'à Berlin, quelqu'un crie la même chose.

— Certainement. En conséquence, des gens qui n'ont rien les uns contre les autres vont se tirer dessus à la frontière belge.

Ce morceau de philosophie se perdit dans le bruit des bottines frappant les pavés. Un peu après midi, les deux jeunes gens reprirent le chemin de la Haute-Ville. Au moment de retrouver la rue de la Fabrique, l'adolescente demanda :

— C'est vrai que les Canadiens français ne s'enrôlent pas dans l'armée ?

— Les nôtres n'ont aucune raison d'aller se faire tuer pour défendre les intérêts de l'Angleterre... Mais où as-tu entendu cela ?

— Au High School. Les filles disent que nous ne faisons pas notre part pour notre pays.

— Elles s'imaginent donc que leur pays est le Royaume-Uni, car personne ne menace le Canada. Puis, si notre pays cessait de fermer les écoles françaises, nous serions plus disposés à nous enrôler.

Mathieu jeta un regard en biais vers sa sœur avant de préciser :

— Ce sont les arguments répétés tous les jours au Petit Séminaire. Nous avons plus à craindre l'intolérance des Anglais du Canada que celle des Allemands en Europe, selon mes professeurs et la plupart des étudiants. Tes nouvelles camarades te font-elles des misères à cause de cela ?

L'adolescente demeura un moment songeuse, puis répondit :

— Pas vraiment des misères. Mais toutes prétendent que les Canadiens français ne font pas leur devoir.

Devant elle, la condamnation ne se révélait pas trop brutale. Dans son dos, les élèves du High School n'hésitaient toutefois pas à parler de lâcheté.

— Au Petit Séminaire, les rares étudiants désireux de s'enrôler sont tournés en dérision.

Lentement, le pays se divisait sur la question de la participation à la guerre.

⌣

À ce moment, les Picard et les Dupire se trouvaient depuis vingt minutes dans le salon du père de la mariée. Selon la tradition, le coût de la cérémonie et de la réception relevait de lui. Revêtue de son meilleur uniforme noir, sa coiffe empesée de frais, Jeanne se promenait dans la pièce avec un plateau afin d'offrir un verre de champagne aux convives. Eugénie fut la première à prendre le sien.

— Toutes mes félicitations, Mademoi... je veux dire Madame, balbutia la domestique.

— Merci...

Elle ne sut comment enchaîner avec les mots de circonstance. Pourtant, depuis les sept dernières années, la jeune bonne faisait de son mieux pour satisfaire ses besoins, et même ses caprices. Bien plus, elle verrait sa propre existence bouleversée afin de continuer à le faire.

La domestique se tourna vers le jeune marié et répéta pour lui la formule de politesse.

— Merci. Vous ne serez pas trop déçue de quitter cette maison ? Vous y avez été heureuse, je crois.

171

Jeanne se mordit la lèvre inférieure et réprima la première réponse venant à son esprit. Le bonheur se combinait mal avec la nécessité de servir les autres. À la fin, la diplomatie lui sembla préférable.

— Je suis certaine que je serai très bien traitée chez vos parents.

— Vous continuerez d'être essentiellement au service de mon épouse.

— Je comprends. Madame... Je veux dire madame Picard m'a expliqué qu'il s'agissait d'une tradition, en quelque sorte. Je m'en voudrais d'aller à l'encontre des usages.

La jeune bonne esquissa une mauvaise révérence et continua à faire le tour des invités. Rapidement lassés de la station debout, les parents Dupire trouvèrent un chesterfield où poser leurs fesses rebondies. Comme chacun demeurait un peu emprunté, Thomas frappa bientôt son alliance sur son verre de champagne. Le petit tintement suffit pour attirer l'attention de l'assemblée silencieuse.

— Mes chers amis, et maintenant parents, puisque nos enfants viennent de créer un nouveau lien entre nous, un lien vivant, levons nos verres aux mariés. Souhaitons ensemble que bientôt des enfants viennent sceller cette union.

Eugénie réussit à réprimer une grimace de dépit. Quand les verres furent vides, Élisabeth invita les convives à passer dans la salle à manger. Les repas de noce généraient habituellement leur lot de récits à double sens, de fous rires et de rougeurs chez les jeunes époux. Celui-là faisait exception. Pour rompre un silence trop lourd, Édouard orienta la conversation sur le grand événement : dans le port d'Halifax, des dizaines de milliers de soldats s'embarqueraient vers l'Europe au cours de la prochaine nuit.

~

En fin d'après-midi, Édouard se transforma une nouvelle fois en chauffeur de maître afin de conduire les nouveaux mariés à la gare. Soucieux de jouer son rôle jusqu'au bout, il insista pour porter lui-même les deux valises sur le quai. Devant la porte d'un wagon de première classe, Fernand déclara :

— Nous pouvons nous débrouiller, maintenant.

— Je peux les placer dans le compartiment...

Le jeune homme hésita, posa finalement les bagages par terre et tendit la main pour prononcer d'une voix émue :

— Je te souhaite bonne chance. Sincèrement.

Le nouveau marié accepta de la serrer et répondit :

— Je te remercie, Édouard.

Puis, le frère et la sœur échangèrent un regard interminable. À la fin, mal à l'aise, Fernand s'empara des deux valises en disant :

— Bon, je comprends. Je vous laisse à votre tête-à-tête fraternel.

Un moment plus tard, il disparut dans le grand wagon. Le silence se prolongea un peu, puis Édouard murmura :

— J'espère que tu seras heureuse.

— Je ne suis pas certaine d'avoir une bien grande aptitude pour le bonheur.

— ...Cela s'apprend peut-être.

Elle détourna les yeux un moment et porta le bout de ses doigts gantés sous ses yeux pour effacer ses larmes. Son frère l'attira maladroitement contre lui et souffla dans son oreille :

— J'ai peur que cette nouvelle trouvaille pour quitter la maison te fasse aussi mal que la première.

— Cela ne pouvait plus durer, tu le sais aussi bien que moi. Malgré ce que tu m'as confié alors... elle me paraît toujours responsable.

Au moins, Eugénie ne portait plus d'accusation de meurtre. Tout au plus, dans son esprit tourmenté, elle s'imaginait que l'idylle entre son père et la préceptrice avait hâté le délabrement de la santé de sa mère.

— Mais tu ne l'aimes pas, continua Édouard en se reculant afin de voir ses yeux.

— Il m'aime pour deux.

Le jeune homme trouva inutile de donner son opinion sur ce genre de mathématique. Les mains posées de part et d'autre du petit visage, il donna une première bise sur la joue gauche.

— Tâche d'être au moins un peu heureuse, petite impératrice.

Puis, ses lèvres se posèrent légèrement sur la joue droite.

~

Dans la bonne société, le voyage de noces s'imposait dans les usages. Les mieux nantis s'embarquaient vers l'Europe. Fernand Dupire pouvait s'autoriser une dépense aussi somptuaire… quoique cela lui paraissait une façon bien imprudente de gaspiller de l'argent. Toutefois, la guerre rendait impossible un projet de ce genre. Quelques jours à New York, espérait-il, favoriserait tout autant un passage harmonieux de la vie de célibataire à celle d'homme marié.

Plutôt que de passer sa nuit de noces dans le cadre étroit d'une cabine de wagon-lit, la corpulence de l'homme rendant l'exercice difficile, le couple se retrouva au *Château Windsor*, à Montréal, en milieu de soirée. Quand, au comptoir, le commis trouva la réservation au nom de *Mr. and Mrs. Dupire* – sa prononciation permettait à peine de reconnaître le patronyme – Eugénie eut une crampe à l'estomac.

Dans la chambre, les valises à peine posées sur un banc prévu à cet effet, le jeune mariée commença par proposer :

— Descendons à la salle à manger. Il est un peu tard pour souper, mais on pourra nous servir quelque chose de léger.

— Après cette journée, je n'ai pas très faim.

Elle se retint de lui proposer d'y aller seul. L'épousée ne pouvait se dérober à son premier repas en tête-à-tête avec l'élu de son cœur, de cela elle était certaine.

— Mais si tu veux faire monter un repas à la chambre, j'accepterais un potage.

La gêne affichée depuis le matin ne s'estompait pas. Leur premier baiser, très chaste, remontait à un peu moins d'un mois. Les suivants n'avaient donné lieu à aucun débordement de passion. Puis, tout d'un coup, la simple bénédiction d'un curé les autorisait à se retrouver sans transition dans une chambre à coucher. Au moment de décrocher le téléphone afin de rejoindre le service aux chambres, Fernand regarda son épouse s'asseoir sur le bord du grand lit et enlever ses gants. L'intimité de ce geste le troubla profondément : il passa sa commande tout en essayant de dissimuler son érection.

Plus tard dans la soirée, une fois le plateau de victuailles vide placé près de la porte, dans le corridor, tous deux restèrent un long moment debout au milieu de la pièce, face à face.

— Vous...

Fernand se corrigea tout de suite.

— Tu y vas la première ?

Il parlait de l'utilisation de la salle d'eau. Elle acquiesça, fouilla dans sa valise un moment, puis disparut. L'homme se débarrassa de ses chaussures, s'inquiéta de l'odeur, posa sa veste sur un cintre, sa cravate sur le dossier d'une chaise. Ensuite, assis sur le lit, il s'efforça sans succès de ne rien entendre des bruits dans le réduit voisin.

Eugénie réapparut une demi-heure plus tard, rougissante dans une chemise de nuit blanche lui allant aux chevilles, ses cheveux blonds épars sur ses épaules, ses pieds nus sur la moquette. Elle alla accrocher sa robe dans la penderie et se trouva en contre-jour : la lampe dessina un court moment sa silhouette.

— Vous... tu es vraiment belle.

La jeune femme se tourna vers lui, hésita un moment.

— Merci.

Fernand ne sut comment enchaîner. Aussi se réfugia-t-il à son tour dans la salle d'eau. Quand il la rejoignit un peu plus tard dans le lit, profondément intimidé, son épouse ne se laissa guère attendrir par son extrême gaucherie. Son corps massif se lova contre celui, tellement frêle, de sa compagne.

Ses lèvres se perdirent sur la joue gauche, cherchèrent l'autre bouche dans l'obscurité alors qu'une de ses grosses mains remontait du ventre jusqu'au sein droit. Eugénie raidit tout son corps et garda ses bras à plat sur le matelas.

Quand l'autre bouche toucha la sienne, quand les larges doigts se crispèrent un peu sur son mamelon, toute sa force suffit à peine à supprimer le cri naissant dans sa gorge.

— Je ne sais pas... finit par avouer l'homme d'une voix haletante.

Sans un mot, et avec une certaine rage, elle s'activa, releva sa robe de nuit jusqu'à sa taille et écarta les cuisses. Décontenancé, Fernand demeura immobile un long moment. La lumière de la lune entrait par la fenêtre, éclairait un visage figé, des lèvres et des paupières closes. Les «joies légitimes du mariage» dont parlaient les conseillers spirituels et confesseurs du Petit Séminaire lui parurent soudainement sous un jour lugubre. Si Eugénie paraissait résignée à accomplir son devoir, ce ne serait pas avec plaisir.

Dans une ville comme Québec, personne ne pouvait ignorer les détails de l'accouplement. Tous les adolescents jetaient des regards troubles aux chiens s'agitant l'un sur l'autre dans les cours. Parfois, les journaux relataient l'histoire de chevaux attelés à des fiacres ou de voitures de livraison devenus incontrôlables. Ils laissaient des blessés, parfois des morts sur le pavé. Même si le motif de cette agitation soudaine demeurait secret, chacun comprenait entre les lignes qu'une jument en rut devait se trouver dans les parages. Ce savoir se révélait toutefois étrangement inutile au moment propice, devant une personne que, jusque-là, on avait toujours vue vêtue des orteils au cou, le plus souvent avec, en plus, des gants et un chapeau.

L'étonnement passé, Fernand troussa sa chemise de nuit à son tour, déplaça sa masse au-dessus de sa compagne et frotta son bas-ventre contre le sien en ahanant, s'étonnant du contact des poils. Après de nombreux coups de butoir portés contre son abdomen et le haut de ses cuisses, un peu écrasée par la lourdeur de son compagnon, Eugénie se décida à écourter l'expérience. D'une main impatiente, elle saisit le sexe turgide et essaya de le diriger vers sa vulve. Au premier frottement contre ses lèvres toujours sèches, un liquide gluant se déversa dans son entrejambe et lui colla les doigts.

Dans un râle, l'homme s'immobilisa, passant de l'excitation au plus grand malaise, chercha les mots appropriés à la situation et ne les trouva pas. Après un moment, il se souleva sur ses bras tendus, puis se déplaça avec précaution afin de soulager sa compagne de son poids. À la fin, il murmura, d'une voix à peine audible :

— Désolé.

Eugénie ne répondit pas. D'un geste brusque, elle essuya sa main sur le tissu de sa chemise de nuit et ramassa une poignée du tissu de coton pour le passer à la jonction de ses cuisses.

Un peu plus tard, dos à dos, les yeux grands ouverts, chacun réfléchissait aux félicités conjugales.

～

Le taxi passa devant le domicile des Picard. Eugénie contempla la résidence de ses parents avec une certaine nostalgie. Seul le souvenir de sa belle-mère, toujours attentionnée à son égard, la réconcilia un peu avec sa nouvelle existence. Le véhicule s'arrêta finalement un peu plus bas dans la rue, devant une vaste demeure en forme de cube.

Le chauffeur posa les valises sur le trottoir. Fernand paya le prix de la course, puis se chargea de les transporter dans la maison, son épouse à ses côtés. La porte s'ouvrit devant le couple et madame Dupire s'exclama, les mains réunies devant sa lourde poitrine comme dans une prière :

— Mes enfants, je suis si heureuse de vous voir !

Elle posa deux bises sonores sur les joues de son fils, puis elle saisit les mains de sa bru pour continuer, de l'émotion dans la voix :

— Ma petite fille, bienvenue dans notre maison. Maintenant, elle est un peu à toi aussi.

La grosse dame oubliait toutes ses réserves à l'égard de cette union improbable. La perspective de voir cette blonde maigrichonne la faire un jour grand-mère permettait de faire abstraction du côté glauque de son passé.

— Je vous remercie, Madame, balbutia Eugénie.

— Pas Madame... belle-maman.

À son tour, elle se retrouva pressée contre les seins volumineux et reçut des baisers.

— Bien sûr, belle-maman.

Un instant plus tard, le notaire Dupire lui souhaita aussi la bienvenue, tout en gardant une certaine réserve. Derrière le maître et la maîtresse de maison se tenaient les domestiques. La nouvelle épouse accepta les salutations d'une bonne âgée et revêche ainsi que celle d'une cuisinière, obèse comme il se devait dans le cadre de ses fonctions. Puis, Jeanne se retrouva devant elle.

— Bonjour, Madame. Avez-vous fait un bon voyage?

— Oui, très bon. Vous vous plaisez, ici?

Devant ses nouveaux patrons, comment répondre autrement qu'avec un hochement affirmatif de la tête? Belle-maman, désireuse de se faire porteuse des bonnes nouvelles, les interrompit:

— Montez, montez, je vais vous montrer vos appartements.

Elle s'engagea dans les escaliers en se dandinant, s'aidant d'une main sur la rampe. À l'étage, essoufflée par l'effort, elle expliqua:

— Nous avons pu tout rafraîchir. J'espère que vous aimerez.

Elle ouvrit une porte de bois sombre. Le couple pénétra dans une chambre assez grande. Un mobilier tout neuf et un papier peint fleuri rompaient avec le décor maussade du reste de la maison. La belle-famille entendait rendre la transition plus facile à la nouvelle venue.

— Tout à côté, nous avons aménagé un petit salon. Comme cela, vous jouirez d'une certaine intimité.

Une porte donnait en effet sur une pièce meublée d'un canapé et d'un fauteuil, neufs eux aussi. Une étagère permettrait de ranger les bibelots et les livres préférés de la mariée. Ils revinrent bientôt dans le couloir.

— Un plombier a commencé l'installation d'une salle de bain complète dans la pièce du fond, continua la grosse dame, mais les travaux ne sont pas terminés. Vous partagerez la nôtre pendant quelques jours. Cela ne vous dérange pas, j'espère ?

— Bien sûr que non, Mada... je veux dire belle-maman. Je vous remercie de tous ces aménagements.

— Fernand nous a expliqué que vous voudriez un peu d'intimité, et un cadre plus gai.

En disant ces mots, madame Dupire couvait son enfant des yeux. Son ton témoignait qu'elle considérait toutes ces dépenses comme des caprices joyeusement acceptés, puisqu'ils ne se quitteraient pas. Contrairement à toutes ses voisines, sa présence protectrice s'exercerait encore après le mariage de son fils unique. Elle rompit un silence gêné pour conclure :

— Comme vous le voyez, vous occuperez le côté gauche de l'étage et mon mari et moi, le côté droit... Bon, je vais vous laisser.

Péniblement, elle s'engagea à nouveau dans l'escalier. Fernand, silencieux jusque-là, demanda, un peu inquiet :

— J'espère que tout cela est vraiment à ta convenance. Selon Édouard, les meubles et le papier peint sont de la dernière mode.

Ainsi, le chef de rayon de chez Picard s'était métamorphosé en conseiller en décoration. Les Dupire avaient probablement bénéficié du prix de gros, en plus de ses judicieux conseils.

— Tout est absolument parfait.

Le manque d'enthousiasme dans son ton contredisait un peu son affirmation. Cela pouvait tenir à la fatigue du voyage.

— Nous allons défaire les bagages...

— Laisse, je vais m'en occuper avec Jeanne. Le travail s'est sans doute accumulé sur ton bureau, ton père souhaite certainement s'entretenir avec toi.

Fernand marqua une hésitation, puis descendit l'escalier avec un sourire contraint. Un instant plus tard, la jeune épouse posait l'une des valises sur le lit, l'ouvrait et tendait l'un après l'autre les vêtements à la domestique. Celle-ci les pendait dans la garde-robe ou les rangeait dans la commode. Après un moment, elle répéta la question posée précédemment :

— Vous avez fait un bon voyage ?

Le fait d'être entre elles autorisait plus de franchise.

— Je ne suis pas très entichée des grandes villes. New York est immense, sale et bruyante.

La question, posée à une jeune mariée, pouvait entraîner des confidences d'un autre ordre. Eugénie n'entendait certes pas se livrer à une domestique... ou à quiconque, d'ailleurs. Pour rompre le silence devenu trop lourd, elle aussi demanda bientôt :

— Et toi, tu apprécies vraiment ta nouvelle demeure ?

— Autant que l'ancienne, je suppose.

Cette réponse pouvait s'interpréter de diverses manières. En réalité, Jeanne constatait que la vieille domestique des Dupire entendait défendre son statut bec et ongles. La nouvelle venue hériterait donc d'une bien petite tâche. Excepté les pièces dévolues au jeune couple et sa chambre sous les combles, la grande maison demeurerait un territoire interdit.

Une fois les vêtements encore propres rangés et les autres placés dans le panier à lessive, Eugénie se retira dans son petit salon. Du fauteuil, elle contempla longuement la rue Scott. Quand Fernand vint la chercher pour le souper, il la trouva endormie.

Le repas se déroula lentement, entre des personnes qui prenaient très au sérieux chacune des bouchées avalées. Les deux hommes échangeaient des paroles sibyllines sur les derniers contrats rédigés alors que la belle-mère s'informait auprès de sa bru des grandeurs et des misères de New York sans s'intéresser le moins du monde aux réponses.

— Vous vous joindrez à nous ce soir? demanda-t-elle au moment de quitter la table.

— Bien sûr, maman, la rassura le gros garçon.

Le petit salon à l'étage permettrait à la nouvelle venue de se terrer toute la journée, mais ses soirées appartiendraient aux Dupire. Pendant une heure, la conversation s'enlisa dans les commérages sur les voisins. Puis, une idée vint à la vieille dame:

— Ma chère enfant, vous avez certainement appris à jouer du piano, chez les ursulines.

— Je n'ai jamais été très bonne.

— Vous êtes certainement meilleure que moi. À cause de mon arthrite, je n'ai pas touché à ce clavier depuis des années.

Des yeux, elle regardait le piano droit placé contre le mur. Mieux valait délier ses doigts et faire les frais du divertissement, comprit Eugénie. Après tout, cela la dispenserait de participer à des conversations déjà répétitives.

Vers dix heures, dans la chambre conjugale, le manège maintenant vieux d'une semaine se répéta de nouveau. À présent, Fernand arrivait à pénétrer un peu le vagin avant de se répandre à grands jets. Son poids coupait toujours la respiration de son épouse et son souffle sur son visage l'amenait à tourner la tête vers le mur. À tout le moins, cela ne durait pas plus de deux minutes.

❧

Les nouveaux époux obéissaient à une routine en voie de se cristalliser. Au terme d'une soirée ennuyeuse dans le grand salon familial, après un passage dans la salle d'eau attenante, Eugénie revenait dans la chambre vêtue de sa robe de nuit blanche, s'étendait sous les couvertures avant de se trousser et d'écarter les cuisses. Dans le meilleur des cas, les jours de bonne humeur, elle commentait les événements récents : la hausse du prix du pain ou le froid devenu plus vif. Lors de moments plus moroses, l'offre de son entrejambe requérait le silence. Toutes les lumières devaient toujours demeurer fermées et le drap, tiré sur son corps.

Honteux, coupable même de la robustesse de son désir, Fernand s'agitait un court moment en ahanant, tentait sans trop de succès de ne pas écraser sa conjointe sous son poids, puis regagnait sa place après un orgasme discret.

Au cours des dernières semaines, le rituel se complétait d'une double tromperie. Eugénie se tournait sur le côté droit, dos à son époux, pour simuler la venue rapide du sommeil. Après quelques minutes, l'homme feignait de la croire endormie. Avec précaution, afin de ne pas la « réveiller », il se relevait, endossait un peignoir, puis regagnait le rez-de-chaussée. Le vieil escalier craquait bien un peu sous son poids. Si ses parents entendaient, tous deux faisaient mine de rien.

Familier avec chaque recoin de la vieille maison, Fernand arrivait à ouvrir le cabinet où son père rangeait les alcools, prenait une bouteille de whisky et se versait une rasade dans un verre retrouvé à tâtons. Ce soir-là, debout devant une fenêtre du salon, il contempla la neige follette transportée par les grands vents glacés de décembre. Bientôt, la Haute-Ville retrouverait sa gangue froide et blanche.

Un pas léger le fit se retourner. Ses yeux, habitués à la pénombre, distinguèrent une ombre noire.

— …J'ai soif, expliqua Jeanne face à l'interrogation muette.

Logés sous les combles, les domestiques devaient tout de même utiliser la salle d'eau du rez-de-chaussée et s'abreuver au robinet de la cuisine.

— Voulez-vous que je vous verse quelque chose ?

L'offre trahissait la profonde solitude de l'homme. Ce genre de proposition, adressée à la bonne de sa femme de surcroît, laissa celle-ci bouche bée.

— … Non, merci. Je veux juste de l'eau…

Vouloir autre chose la rendrait passible d'un renvoi immédiat.

— Si vous souhaitez vous arrêter un moment, avant de remonter… j'en serais heureux.

L'obscurité lui déroba l'hésitation sur le visage féminin, puis le bref hochement de la tête. L'ombre s'estompa, le bruit de l'eau dans l'évier se fit bientôt entendre. Fernand quitta son poste d'observation près de la fenêtre pour regagner son fauteuil habituel. Quand la silhouette se matérialisa dans l'embrasure de la porte, il murmura :

— Assoyez-vous sur le canapé.

Après un long moment, elle obtempéra. Jeanne portait son seul uniforme noir. Sans le tablier et la coiffe blanche lourdement amidonnés, elle prenait une humanité nouvelle : la personne supplantait la fonction aux yeux de son interlocuteur.

— Je n'arrivais pas à dormir, se crut obligé d'expliquer le fils de la maison.

— Cela vous arrive souvent, je crois.

Elle vit le corps massif se tourner dans sa direction et devina le regard interrogateur.

— Je vous entends, parfois. Le matin, je ramasse votre verre pour aller le laver dans la cuisine.

Le ton devenait conspirateur, comme si les parents du grand garçon devaient ignorer sa consommation d'alcool en solitaire.

— J'ai aussi du mal à dormir, confessa-t-elle. Cela doit tenir au trop grand silence dans cette maison.

L'affirmation se révélait à la fois vraie et fausse. La nuit, le domicile des Picard se révélait tout aussi silencieux. Chez les Dupire, l'absence de tout bruit était simplement plus oppressante. Cela tenait peut-être au décor austère, aux conversations ennuyeuses ou à la rareté des éclats de rire. Les paroles sourdes du jour donnaient aux silences du crépuscule une curieuse densité.

Fernand comprit parfaitement et prononça, une certaine compassion dans la voix :

— Vous n'êtes pas heureuse, ici.

Un peu plus, et il ajoutait : « Moi non plus. »

— C'est mon travail, je n'ai guère le choix. Puis, honnêtement, sous ce toit, j'ai peu à faire.

Cela n'allégeait pas son ennui. Au moins, elle ne songeait pas à le nier. L'obscurité et ce gros homme en peignoir donnaient une curieuse intimité à la conversation.

— Vous n'avez jamais occupé un autre genre d'emploi ?

— Je ne sais rien faire d'autre. Vous vous souvenez certainement, je suis arrivée chez les Picard toute jeune, maigre et timide comme une souris. Mes gages, payés directement à mon père, devaient permettre à mes frères et sœurs de survivre à l'hiver. La situation n'a pas changé.

Dans l'obscurité, l'homme sourit. Elle ne ressemblait guère à la gamine efflanquée de 1907. Elle présentait les formes d'une jolie femme. Le contact quotidien d'Élisabeth, et même d'Eugénie, lui avait donné un vocabulaire adéquat tout en débarrassant sa voix de l'accent de Charlevoix.

— Pensez-vous à nous quitter aussi, afin de travailler dans une usine de munitions ?

À peu de distance de la rue Scott, sur les plaines d'Abraham, la manufacture de fusils Ross fonctionnait à plein régime. Il en était de même de l'Arsenal, à l'intérieur des murs de la ville. Des centaines de jeunes filles trouvaient dans ces endroits un emploi raisonnablement payé.

— Ma mère disait justement ce soir au souper, continua l'homme, que de nombreuses domestiques ont quitté les domiciles de nos voisins. Elles préféreraient ce genre de travail.

Le motif de ce choix tenait moins au meilleur salaire qu'à la liberté dont bénéficiaient les ouvrières des manufactures : après dix ou onze heures par jour d'un travail harassant, au moins, elles ne devaient pas accourir en soirée au moindre tintement d'une clochette d'argent.

— Pour avoir les contremaîtres après moi? Je ne crois pas que j'y gagnerais.

Cela aussi faisait partie du lot quotidien des ouvrières. Sur ce front, les hommes de la famille Dupire ne paraissaient pas présenter une bien grande menace. Fernand se troubla un peu à l'allusion, au point de poser son verre vide sur une table basse et de dire en se levant:

— Comme vous connaissez maintenant mes insomnies chroniques, vous pourrez toujours venir partager les vôtres avec moi, si vous en avez le goût. Bonne nuit, Jeanne.

— …Bonne nuit, monsieur, murmura-t-elle, troublée par l'invitation.

Un peu plus tard, le notaire retrouva son épouse, cette fois réellement endormie. Étendue sur le dos tout près d'elle, soucieux toutefois de ne pas lui toucher, et un peu anesthésié par l'alcool, il attendit patiemment la venue du sommeil.

Chapitre 8

Pendant toute l'année 1915, la population de Québec s'alimenta aux journaux pour obtenir des nouvelles du grand conflit ensanglantant l'Europe. Les Canadiens anglais montraient toujours un enthousiasme indéfectible, leurs garçons s'enrôlaient maintenant par centaines de milliers pour voler au secours de la mère patrie. Les Canadiens français demeuraient très peu nombreux à le faire.

— Les chiffres qui commencent à circuler à ce propos indiquent que nous sommes cinq fois moins nombreux à nous enrôler, expliquait Mathieu.

Thalie et lui se tenaient au milieu de la grande salle de l'Auditorium de Québec. En ce 15 janvier 1916, plus de mille deux cents personnes s'y entassaient. Les ors des murs et les plafonds richement décorés fournissaient un cadre bien trop joyeux à cette foule inquiète, tendue.

— C'est pour cela que partout au pays, on nous accuse de lâcheté, commenta l'adolescente.

Du haut de sa petite taille et de ses presque seize ans, la jeune fille affichait toute sa vivacité. Sous un chapeau de feutre aux larges rebords, la lourde tresse de ses cheveux soulignait les mouvements de sa tête.

— Cela peut devenir réellement dangereux. Les mouvements impérialistes réclament que le gouvernement impose la conscription. Avec tous les motifs de dispute existant déjà avec nos concitoyens, cela risque vraiment de mettre le pays à feu et à sang.

Les grands yeux bleus de l'adolescente se posèrent sur lui, inquiets. Cette tension, elle la sentait avec une certaine acuité au Quebec High School. Un mouvement venu de la scène attira son attention. Le grand rideau de velours rouge s'ouvrait lentement.

— Tu crois que le chiffre donné par le premier ministre Borden est réaliste? questionna-t-elle en baissant la voix.

Devant l'étirement du conflit et l'épuisement des militaires déjà sur le terrain, le politicien évoquait son désir de faire passer le contingent canadien en Europe à cinq cent mille hommes.

— S'il y arrive, le coût politique sera énorme. Fais le calcul avec moi. Le pays compte environ huit millions d'habitants. La moitié est de sexe masculin, et de ce nombre, la moitié encore a atteint l'âge adulte. On parle donc de deux millions d'individus, au mieux de deux millions et demi. Il songe à une armée comprenant entre le quart et le cinquième des hommes. C'est très considérable.

Maintenant grand ouvert, le rideau de scène révélait un décor étonnant. Deux grands panneaux de bois, haut de huit pieds peut-être, reproduisaient une affiche de recrutement déjà familière, car les journaux et de très nombreux édifices publics l'arboraient depuis plusieurs semaines. Elle affirmait en lettres capitales « TOUS LES VRAIS POIL-AUX-PATTES S'ENRÔLENT AU 163e C.F. ». Pour l'auteur de cette prose, les jambes poilues offraient la preuve incontestable de la virilité martiale! Venaient ensuite le nom du commandant en chef, Henri DesRosiers, un militaire rappelé du front pour rallier des volontaires, et celui du commandant en second, Olivar Asselin.

— Tout de même, fit Thalie, c'est curieux. Utiliser ce journaliste nationaliste afin de gagner des volontaires de langue française pour une guerre étrangère…

— Les mauvaises langues affirment que le bonhomme s'est lourdement endetté dans des opérations financières maladroites, et que sa femme lui fait grise mine, car il n'est pas en mesure de lui offrir un niveau de vie décent. L'armée serait un moyen de fuir les créanciers et la mauvaise humeur de sa douce moitié.

— Où vas-tu chercher des histoires pareilles?

Au moment où Mathieu donnait son explication à voix basse, un petit homme noir de cheveux, arborant un uniforme qui semblait trop grand pour lui, entra sur la scène. Ses longues bottes de cuir et son ceinturon, porté étrangement haut, presque sur la poitrine, lui conférait tout de même un air martial. L'adolescente réprima un petit fou rire, puis glissa:

— Je craignais qu'il se présente affublé d'un costume aussi ridicule que celui de son affiche.

La représentation des poil-aux-pattes, ces parangons de virilité, se révélait en effet risible: un barbu dans un uniforme bleu et rouge, un très large nœud papillon confectionné dans un tissu à carreaux au cou, la main droite dans la poche, la gauche tenant une cigarette. L'ensemble pouvait évoquer une multitude de choses, y compris la drôlerie d'un clown du cirque Barnum, mais pas la résolution du combattant. Même le petit effort de poésie patriotique de l'affiche ne corrigeait pas le premier effet ressenti:

Le tambour bat, le clairon sonne;
Qui reste en arrière?... Personne!
C'est un peuple qui se défend.
En avant!

Olivar Asselin s'accrocha des deux mains au lutrin posé entre les grandes affiches, parcourut des yeux la foule massée devant lui, pour la plupart des hommes en âge de se battre, puis commença:

— L'Empire germanique occupe une partie de la France et toute la Belgique. Paris se trouve presque à portée des canons allemands. La culture française, tout ce qui fait ce que nous sommes, risque de ployer sous la botte prussienne. L'esprit primesautier, l'amour de la liberté risquent de s'éteindre, étouffés par le militarisme des envahisseurs.

— Tu portes un uniforme britannique et tu parles de la France, hurla quelqu'un dans la salle.

— Le Royaume-Uni, fidèle à la parole donnée, combat depuis près d'un an et demi en terre française pour la liberté de notre mère patrie. Des centaines de milliers de jeunes gens venus de Grande-Bretagne affrontent les balles allemandes pour défendre le pays de nos ancêtres. De très nombreux Canadiens anglais se trouvent à leurs côtés. Avez-vous moins de courage que ceux-là, quand vient le moment de vous porter au secours de vos frères de sang ?

L'orateur attendit un long moment. Sa question demeura sans réponse. Puisque la France demeurait la plus menacée, l'argument anti-impérialiste paraissait déplacé. Dans les balcons de l'Auditorium, un autre Picard suivait l'exposé avec une grande fascination. Édouard se trouvait assis en compagnie d'Armand Lavergne, attentif à chaque mot prononcé. Bientôt, une autre voix lança depuis le parterre de la salle :

— C'est la France républicaine et anticléricale que Dieu punit de cette façon. Elle reviendra dans le droit chemin et retrouvera sa grandeur.

Un courant de satisfaction parcourut la foule. La France qui, dix ans plus tôt, chassait les religieuses, les religieux et les prêtres de ses écoles, en sortait les crucifix, devenait bien étrangère à ces catholiques soumis à leurs confesseurs.

— Vous préférez la France qui parlera bientôt allemand et apprendra à battre le pavé au rythme de ses nouveaux maîtres ? hurla le journaliste en rupture de pupitre.

Lavergne se pencha vers son compagnon et confirma :

— Le bougre a bien appris sa leçon. Il risque de gagner de nouvelles recrues pour l'armée britannique sans jamais prononcer le nom du roi. Ou celui de notre grande métropole.

— Il ne convaincra personne, répondit Édouard dans un souffle.

Le conférencier évoquait maintenant les centaines de jeunes gens nouvellement enrôlés sous le commandement d'officiers de langue française récemment rentrés du front.

— Pourtant, il me semble rudement efficace.

— Dans cette salle, le nombre de personnes désireuses d'aller se faire tirer dessus pour le Royaume-Uni ou la France se compte sur les doigts d'une seule main. Baptiste ne connaît aucun de ces pays, pas plus qu'il ne connaît le *Reich* allemand ou l'Empire austro-hongrois. Son champ, sa manufacture ou son atelier représentent la frontière de son univers. En plus, à cause de la demande grandissante, il se retrouve avec un peu plus de sous dans ses poches qu'auparavant, et il désire en profiter.

L'usage du vieux prénom Baptiste, si souvent porté par ses compatriotes au siècle précédent, permettait de désigner la masse des gens peu instruits dont le quotidien se trouvait circonscrit par un horizon étroit. Ces gens-là se souciaient peu des conflits touchant l'Europe.

Olivar Asselin aborda ensuite le devoir de se porter au secours de la mère patrie, présente dans tous les cœurs. Plus personne ne se risquait à l'interrompre encore, de peur de mériter une accusation de lâcheté à peine voilée. Le petit homme était doté d'une langue terriblement acérée, qui rappelait la plume trempée dans l'acide du temps du périodique *Le Nationaliste*. Tout au plus, pour manifester leur opposition muette, quelques personnes quittaient leur siège.

Presque une heure plus tard, l'orateur irascible mit fin à sa péroraison. De rares applaudissements polis soulignèrent son départ de la scène. Lentement, dans un bruissement de conversations murmurées, l'assistance se répandit dans les allées et progressa vers les portes. De part et d'autre du hall de l'Auditorium, deux tables avaient été dressées. Des hommes en uniforme offraient aux spectateurs de signer sur-le-champ leur demande d'enrôlement. Leur présence se trouvait facilitée, car à Québec, l'armée logeait son service de recrutement dans les locaux commerciaux de l'édifice. Mathieu s'approcha pour prendre une feuille d'information, tout en déclinant toutefois la plume qu'on lui tendait.

Thalie l'attendit un moment, intriguée, puis demanda encore :

— Tu ne m'as pas vraiment dit comment il se fait qu'un journaliste se trouve chargé de former un régiment pour servir en Europe.

— Le gouvernement utilise des personnes susceptibles d'influer sur la population. Souvent, on donne le grade de colonel à un entrepreneur ou à un politicien en vogue. Pour la gloire de l'Empire, ou la sienne propre, notre quidam multiplie les efforts afin de recruter quelques centaines de personnes. Les plus zélés recevront peut-être une médaille, ou même un titre de *sir* dans le cas des plus proches du pouvoir.

— Olivar Asselin n'aura sans doute pas droit à cet honneur.

— S'il réussit à mettre fin à l'indifférence des Canadiens français pour ce conflit, on lui élèvera sans doute une statue.

Au moment de mettre le pied sur le trottoir de la rue Saint-Jean, Mathieu entendit derrière lui :

— Cousin, as-tu l'intention de te porter volontaire ?

Il se tourna pour prendre la main tendue. Édouard serra aussi celle de Thalie tout en ajoutant :

— Cousine, tu deviens tout à fait ravissante.

— Dans ton genre, tu n'es pas si mal… Un genre qui ne convient toutefois pas à toutes.

L'adolescente avait atteint un âge où le tutoiement tonitruant, et surtout les commentaires intempestifs sur sa beauté, l'agaçaient fort. Son interlocuteur resta un moment interdit, cherchant en vain une réponse. À la fin, il jugea préférable de ramener son attention sur le garçon pour continuer :

— Comme vire capot, on ne trouverait pas mieux qu'Asselin. Après des années à fustiger les impérialistes, le voilà tout disposé à prêcher leur cause.

— Cet après-midi, je n'ai rien entendu sur l'Empire. Je ne pense pas qu'il ait même prononcé ce mot une seule fois.

— Mais cet effort de recrutement…

— Visait à libérer la France de l'occupant allemand. Le Royaume-Uni se consacre à la même tâche. Cela ne signifie certes pas que la Triple-Entente soit vouée à établir la suprématie de la fière Albion. Au moment de s'embarquer sur l'*Empress*, mon père a évoqué son espoir d'attraper un peu du vent de liberté soufflant sur Paris. Asselin m'a semblé sur la même longueur d'onde que lui. Aujourd'hui quinquagénaire, Alfred porterait un uniforme et risquerait sa vie pour ce beau pays dont il a tellement rêvé.

Un instant, l'héritier Picard ressentit la désagréable impression de se trouver devant un fantôme d'Alfred plutôt moqueur. Après une hésitation, il consentit :

— Peut-être peut-on voir les choses de cette façon… Je m'excuse, je dois rejoindre mon ami.

Armand Lavergne battait la semelle à quelques verges. Édouard conclut hâtivement :

— Alors, bonne soirée.

Les mains dans les poches afin de combattre le froid de janvier, l'homme se contenta d'une inclinaison de la tête en guise de salut. Le frère et la sœur firent de même. Après avoir fait quelques pas, Mathieu offrit son bras à sa sœur.

— Alors, ravissante jeune « cousine », nous rentrons ?

L'ironie marquait lourdement le qualificatif. Thalie commença par relever le col de son manteau de drap pour se protéger un peu mieux de la brise, puis gronda :

— Tu parles d'un idiot. M'apostropher ainsi ! Nous devrions bien presser le pas, ravissant grand frère, sinon maman sera toute seule pour fermer le commerce.

Toutefois, si peu de temps après les fêtes, l'affluence devait être bien faible. Leur absence ne porterait sûrement pas à conséquence.

～

— Tous les sièges de l'Auditorium étaient occupés, commentait encore Édouard le lendemain midi, au moment du dîner dominical.

— Cet homme fait toujours salle comble, répondit Fernand en levant les yeux de son assiette. Tu te souviens, nous l'avons vu au Monument-National de Montréal, en 1908, lors de l'élection d'Henri Bourassa dans le comté de Saint-Jacques.

Un dimanche sur deux, le jeune notaire Dupire venait dîner chez les parents de sa femme. Le rituel se trouverait bientôt interrompu, car le ventre proéminent d'Eugénie laissait deviner un accouchement très prochain. La jeune femme avait été bien malchanceuse, huit ans plus tôt, pour concevoir un enfant après deux rencontres intimes avec son bel officier anglais. Malgré son effort quasi quotidien, son époux avait mis plusieurs mois à obtenir le même résultat.

— Ce n'est pas la même chose. Bourassa attirait alors les foules, pas lui!

— Mais l'activité d'hier te donne bien la preuve qu'Asselin, par le passé tout comme aujourd'hui, s'avère un orateur recherché.

Eugénie posa une main sur le bas de son dos et grimaça de douleur mêlée de lassitude. Avec une ennuyeuse régularité, la politique, et plus précisément la menace de conscription, occupait la plupart des conversations entre les deux jeunes hommes.

— Même si les gens ont été nombreux à venir l'entendre, à peu près personne ne joindra l'armée, se rassura Édouard à haute voix.

— Si tu as raison, nous irons tout droit vers une catastrophe, prononça Thomas.

— Que voulez-vous dire, monsieur Picard?

Fernand n'en viendrait jamais à appeler cet homme «beau-papa» ou, plus intime encore, «papa». Ses rapports avec sa belle-mère se révélaient plus facilement familiers.

— Si les Canadiens français ne constituent pas une proportion raisonnable des recrues, expliqua le commerçant, Borden ne pourra éviter la conscription.

— Mais le premier ministre ne demande qu'à nous l'imposer... prononça son fils d'un ton péremptoire.

Thomas échangea un regard avec son gendre, puis réprima un soupir. Bien que conservateur, le notaire placide se révélait assez souvent en accord avec lui.

— Voyons, cesse d'écouter cet imbécile de Lavergne, commenta l'invité. Le gouvernement ne gagnerait rien en exacerbant les tensions. Là-dessus, Borden et Laurier sont certainement du même avis. Toutefois, inutile de se livrer à une longue analyse pour conclure que nous ne nous enrôlons pas.

Dans la bouche du gros homme, le mot « nous » demeurait une figure de style. Personne ne songerait jamais à lui mettre un uniforme sur le dos. Édouard résuma la situation confortable de son ami en une phrase :

— Bien sûr, cela te va bien de le dire : marié, bientôt père de famille, on ne te demandera pas de payer le prix du sang.

— Il n'en tient qu'à toi de m'imiter. À ton âge, des noces paraîtraient d'ailleurs toutes naturelles. Ne fréquentes-tu pas une jeune fille de la Basse-Ville depuis plus d'une année ? Au bas mot, c'est dix fois plus longtemps que la plus longue de tes fréquentations antérieures.

Le notaire reprit sa fourchette abandonnée un court moment pour s'intéresser à nouveau à la pièce de viande devant lui. Les allusions à sa relation avec Clémentine LeBlanc agaçaient le fils de la maison, surtout si Élisabeth, comme maintenant, posait des yeux interrogateurs sur lui. Dans ces moments, ses joues rougissaient légèrement. Heureusement, désireuse de se mêler enfin à la conversation, celle-ci choisit un sujet moins compromettant.

— Le « prix » ou l'« impôt du sang » : je trouve ces expressions horribles. Comme s'ils tenaient à ce que toutes les provinces fournissent leur part de cadavres.

— Mais c'est exactement ce qu'ils veulent, fit Thomas. Les Ontariens qui reçoivent un télégramme du gouvernement leur annonçant la mort d'un enfant souhaitent ne pas être les seuls à assumer ce coût.

— Que le mien meure ne ressuscitera pas leur fils...

La voix de la femme trahissait la sourde inquiétude qui la tenaillait depuis 1914.

— Belle-maman, intervint Fernand, si le contingent canadien se trouvait plus nombreux, la durée du séjour de chaque soldat sur la ligne de feu serait plus courte. Puis, en réunissant une armée plus puissante, les Alliés obtiendraient une victoire rapide. Le but ultime, c'est de mettre fin au massacre.

Ce genre de comptabilité convenait bien à ceux qui savaient pouvoir échapper au service militaire. Il échappait cependant au commun des mortels, exposés à se trouver sous le feu de l'ennemi. Édouard fit part en quelques mots de son propre tourment:

— Un effectif de cinq cent mille militaires, comme l'évoque Borden, signifie que tous les hommes célibataires âgés de vingt à trente ans se retrouveront au combat, et une fraction des hommes mariés également.

Thomas et Élisabeth échangèrent un long regard. Eux aussi se livraient à cette horrible opération mathématique, pour arriver au même résultat. Afin de donner à la vie tous ses droits, la maîtresse de maison porta son regard sur Eugénie pour demander:

— Tu ne vois plus le docteur Caron, je crois.

— Il partage son cabinet avec son gendre. La dernière fois que je m'y suis présentée, le docteur Hamelin m'a reçue, afin de soulager un peu son beau-père. Il semble bien que désormais, j'aurai affaire à lui.

En réalité, Caron confiait ses patients les plus jeunes à son parent. Tout en allégeant sa propre tâche, il enrichissait la pratique de ce dernier pour les décennies à venir.

— J'entends beaucoup de bonnes choses sur lui, prononça Élisabeth d'un ton encourageant.

— Moi aussi, consentit la parturiente.

Après une pause, elle ajouta:

— Il paraît très compétent. Je présume que l'accouchement se déroulera très bien.

Au fond, un seul motif la dérangeait un peu : outre les mots échangés sur le parvis de la basilique, à la fin de la messe, elle n'avait eu depuis 1914 aucune véritable conversation avec Élise. Voir le sourire en coin de son époux, au moment où il lui examinait l'entrejambe, la mettait mal à l'aise.

~

Malgré les froncements de sourcils, Édouard arrivait sans trop de mal à se libérer tôt des dîners familiaux. Un peu après trois heures, il frappa à la porte d'un petit appartement situé rue Saint-Anselme, au coin de la rue de la Reine. Très vite, la porte s'ouvrit pour révéler une Clémentine LeBlanc plus exquise que jamais, malgré l'impatience sur son visage.

— Enfin ! Je commençais à désespérer de te voir, prononça-t-elle en levant le visage pour recevoir une bise.

— Tu sais comment sont ces rencontres, se défendit-il.

— Justement, je ne sais pas.

Un lourd reproche marquait la voix de la jeune femme. Excepté la courte conversation avec Élisabeth Picard tenue une éternité plus tôt, lors d'un pique-nique de l'entreprise qui s'était tenu avant même la déclaration de la guerre, jamais son amant n'avait permis le moindre contact avec sa famille. Le plus difficile avait été les dernières fêtes de fin d'année, seule à Saint-Michel-de-Bellechasse. Une multitude de cousins et de cousines s'étaient inquiétés de la voir toujours sans cavalier. À son âge, la plupart de ses amies parlaient mariage, ou alors se trouvaient déjà enceintes.

Le souci de son amant de mener deux vies parallèles, celle du résident de la Haute-Ville, héritier probable d'une jolie fortune, et celle d'un homme moderne profitant d'une liaison à peine clandestine à la Basse-Ville, la mettait souvent hors d'elle. Pourtant, sauf pour des remarques comme celle-là, elle n'exprimait guère sa frustration, de peur de perdre la portion congrue de son existence qu'il partageait avec elle.

Édouard pénétra dans le petit salon confortablement meublé. Lassé d'utiliser l'automobile paternelle comme une chambre pour abriter ses amours illicites, d'autant plus que le froid de la mauvaise saison rendait celle-ci terriblement inconfortable, il avait loué une « suite de pièces » dans un immeuble neuf situé tout près de l'École technique. L'appartement comptait une cuisine lilliputienne, un séjour à peine plus grand et une chambre. Luxe ultime, il y avait aussi une salle d'eau à usage exclusif. Dans la plupart des maisons de ce genre, cet équipement se trouvait à une extrémité d'un couloir et servait à de nombreux locataires.

En face d'un petit canapé fleuri, sur une table basse, quelques magazines ouverts témoignaient de l'unique divertissement de Clémentine. Elle suivit le regard de son compagnon et expliqua :

— Je lisais une triste histoire. Celle d'un garçon d'une dizaine d'années fusillé par les Boches en Belgique. Il avait osé les viser avec un fusil de bois, en jouant.

— Je t'ai déjà expliqué que ces histoires-là tiennent de la propagande, simplement pour nous inciter à nous enrôler.

— Tu étais en Belgique ? Tu sais ce qui se passe là-bas mieux que les journalistes ?

Les jours où son amoureux se présentait en retard à leur rendez-vous, elle se risquait plus volontiers à de petits coups de griffe de ce genre. Édouard choisit de ne pas entendre la raillerie. Passant son bras autour de la taille de Clémentine, il expliqua de sa voix mielleuse :

— En Allemagne, je suppose que la même histoire circule. Dans leur version, les bourreaux sont des Britanniques ou des Français. Tu sais bien que l'an dernier, le gouvernement fédéral a adopté une loi pour censurer les journaux. Ceux-ci peuvent répandre les histoires les plus atroces sur les ennemis, mais ils doivent soigneusement éviter de rapporter les événements qui feraient mal paraître les soldats alliés.

Cette loi visait tout particulièrement les articles du *Devoir*, souvent critiques non seulement à l'égard de la participation canadienne au conflit, mais aussi des opérations militaires proprement dites.

Clémentine saisit la main dérivant de sa taille vers ses fesses, puis elle précisa :

— Nous avions prévu aller jouer aux quilles.

Elle se dégagea de l'étreinte pour se diriger vers une petite penderie afin de prendre son manteau.

— Tu ne crains plus de faire jaser ?

Ce sujet torturait la jeune femme. Les visites fréquentes de son amant, malgré ses efforts de discrétion, ne pouvaient passer totalement inaperçues. En allant au cinéma ou à la salle de quilles, elle tentait de donner l'allure de fréquentations normales à une relation devenue beaucoup trop intime dès les premières privautés accordées à l'automne 1914.

— La véritable question serait plutôt : « Aurais-tu honte de te montrer avec moi ? »

Cette question aussi revenait avec une lancinante régularité. Chaque fois, Édouard arborait sa bonne humeur de commerçant, mais évitait soigneusement de répondre vraiment. À la place, il déclara en tendant le bras :

— Moi, honteux ? Attends un peu que je me pavane avec la plus jolie jeune fille de Québec.

Et bien sûr, il faisait le beau dans les rues de la Basse-Ville, dans Saint-Roch, Saint-Sauveur et Jacques-Cartier. Déjà, dans le quartier du Palais ou dans Saint-Jean-Baptiste, il devenait moins faraud. Jamais, toutefois, il ne s'approchait de la Grande Allée ou des rues adjacentes avec la jolie commis à la facturation de la Quebec Light, Water and Power.

Clémentine boutonna son manteau et décrocha son chapeau de la patère près de la porte. En posant le pied sur le trottoir de la rue Saint-Anselme, elle consentit à poser la main sur le pli du coude de son compagnon. Le froid vif lui piqua les joues. Heureusement, les locaux du Cercle Frontenac se trouvaient à peu de distance, rue Saint-Joseph. Il s'agissait d'une organisation de loisirs où, contre une contribution mensuelle somme toute modeste, des travailleurs des deux sexes accédaient à des passe-temps «honnêtes». Un peu comme la Garde Champlain, plusieurs associations nationalistes de ce genre, affublées du patronyme d'un héros de la Nouvelle-France, se trouvaient placées sous la surveillance étroite du clergé paroissial.

Quelques dizaines de jeunes gens se tenaient dans le grand édifice à la façade de brique, répartis entre des pièces vouées aux réunions, une salle de spectacle et la salle de quilles. Quatre allées permettaient, selon que l'on joue un contre un ou deux contre deux, à huit ou seize personnes, de s'exercer en même temps. Au moment où Édouard inscrivait son nom sur un tableau noir afin d'établir sa priorité quand une partie se terminerait, une voix retentit dans son dos:

— Patron, je tiens à vous donner une raclée!

L'homme se retourna pour voir Ovide Melançon, devenu depuis un an le contremaître du service des livraisons du magasin PICARD. Bellâtre dans ses jeunes années, l'employé cultivait maintenant un ventre proéminent au-dessus de sa ceinture, à grand renfort de bières Black Horse.

— Ici, je ne suis le patron de personne. Et je te trouve très prétentieux...

L'autre inscrivit à son tour son nom sur le tableau. Édouard serra la main de l'épouse de l'employé, une dame dangereusement enceinte, et présenta Clémentine au couple comme une «amie». Alors que les deux femmes s'engageaient dans une discussion sur la naissance prévue pour le mois de mars, Melançon murmura avec un clin d'œil appuyé:

— Comme cela, la rumeur disait vrai: le patron fréquente la plus jolie fille du quartier. Cela rapporte toujours de se tenir à la sortie de la Quebec Light. Je ne sais pas comment font ces Anglais, mais ils dénichent souvent les plus belles, quand il s'agit de trouver des secrétaires.

Pour mettre fin à un échanger un peu trop familier, mieux valait passer à l'attaque.

— Mon père ne doit pas être si maladroit à ce sujet, puisque tu as marié l'une de ses vendeuses, pour lui faire un petit dès le premier jour... Pareil empressement témoigne de ses charmes.

En d'autres mots, si son interlocuteur entendait évoquer des sujets désagréables, Édouard venait de lui indiquer qu'il savait très bien compter le nombre de jours écoulés entre un mariage et une naissance... et claironner à haute voix le résultat de l'opération. L'autre se troubla un peu, puis s'intéressa vivement à l'entrée d'un nouveau venu dans la salle.

— Je vais dire un mot à l'abbé Fortin.

L'abbé Maxime Fortin devait s'approcher de ses trente ans, mais son visage poupin lui donnait l'air d'un adolescent. Sa figure ronde, ses cheveux coupés très courts, son éternel sourire faisaient penser à un séminariste heureux. De petites lunettes à monture d'acier posées au milieu de son nez accentuaient encore cette impression.

Après un bref échange, Ovide Melançon revint accompagné de l'ecclésiastique et enchaîna:

— Patron, je vous présente l'abbé Maxime Fortin.

Édouard serra la main tendue. Le jeune prêtre saisit le coude de son nouvel interlocuteur pour le conduire à l'écart.

— Êtes-vous un nouveau vicaire de la paroisse Saint-Roch?

— Pas vraiment. L'évêché m'a chargé des questions sociales. Comme l'abbé Buteau est passionné de ce sujet...

— Et que son presbytère tout neuf peut loger tous les croisés du Christ...

La raillerie n'échappa pas au jeune prêtre. Les signes visibles de la prospérité de l'Église triomphante suscitaient parfois ce genre de réaction.

— Cela sans compter la nouvelle église paroissiale aux allures de cathédrale! continua le commerçant. Les travaux seront-ils terminés bientôt?

— Au cours de l'année prochaine. Vous vous inquiétez de nos progrès?

— Disons que ce grand chantier, sous les fenêtres du magasin, ne facilite pas les déplacements des clients. Notre chiffre d'affaires en souffre un peu.

— Pourtant, vous multipliez les efforts pour que l'entrée par la rue Des Fossés devienne très accueillante. Je vous soupçonne d'exagérer un peu vos pertes.

L'attitude désarmante du jeune prêtre pouvait adoucir les âmes les plus dures. Il continua après une pause :

— Je suis très heureux de vous rencontrer dans un endroit pareil. Cela témoigne de vos bonnes relations avec les travailleurs de l'entreprise. Vous avez déjà entendu parler du syndicalisme catholique ?

Édouard sentit le piège. Après un moment d'hésitation, il répondit :

— ... Comme tout le monde. Il existe, je crois, une organisation de ce genre à Chicoutimi. Même les unions des ouvriers des manufactures de chaussures de notre ville sont dirigées par des aumôniers...

— Pas dirigées. Conseillées, bien sûr, mais les chefs sont des ouvriers.

D'un regard, l'homme signifia que la nuance, quand on évoquait le clergé catholique de la province, lui paraissait inutile.

— Sauf pour mon édification personnelle, ce qui constitue certainement un objectif louable, pour quelle raison me dites-vous tout cela ? demanda Édouard.

— Votre père emploie au bas mot trois cents personnes... Les hommes parmi elles gagneraient à former un syndicat catholique.

— Au mot « syndicat », mon père devient violet de rage. Au mot « union », il risque l'infarctus.

Édouard disait cela avec un grand sourire, comme s'il imaginait la scène plaisante.

— Mais les unions catholiques, respectueuses de l'enseignement de l'Église, notamment en ce qui concerne le droit de propriété, représenteraient le meilleur rempart de ses intérêts.

— Je me demande si le charmant vieux commerçant saurait faire toutes ces nuances.

— Mais vous, vous le pouvez. Pourquoi ne pas les lui expliquer ?

L'idée de se transformer en propagandiste des organisations confessionnelles accentua encore l'amusement du jeune homme. Heureusement, une voix venue des allées de quilles lui évita de répondre.

— Patron, si vous voulez avoir le plaisir de vous faire battre, c'est notre tour.

Melançon désignait du doigt l'espace devenu libre.

— Je m'excuse, je dois y aller...

— Vous faites bien d'entretenir de si bonnes relations avec les employés de votre père. Vous comprenez visiblement les méthodes modernes de gestion.

— ...À la prochaine, l'abbé.

Un moment plus tard, Édouard glissait ses doigts dans les trous d'une grosse boule noire.

— Si ce gars-là se rendait en Afrique, en un an, tous les Nègres seraient convertis, prononça-t-il en regardant Maxime Fortin, déjà en grande conversation avec un groupe de jeunes femmes.

— Je parierais pour six mois !

Le contremaître lança sa boule et abattit toutes les quilles. La bataille serait rude, son adversaire décida de se concentrer sur son jeu. C'était sans compter sur la présence de Clémentine. Elle se glissa près de lui pour s'enquérir :

— Tu as discuté longuement avec le jeune prêtre. Que te voulait-il ?

— ...Curieusement, il m'a entretenu de l'administration de l'entreprise de mon père.

Tout à fait exacte, la réponse troubla un peu la jeune femme. Elle poursuivit :

— Je le trouve très sympathique.

— Pour un curé, tu as tout à fait raison. À côté de lui, Émile Buteau ressemble à un ogre.

— J'essaie toujours de me confesser à lui, depuis quelques mois. Il comprend…

Édouard devina tout de suite que le propagandiste de l'action sociale catholique du diocèse de Québec connaissait dans le détail les motifs de sa présence en ces lieux. Si l'un des membres d'un couple illicite confiait ses turpitudes à un prêtre, l'autre se trouvait tout autant exposé. Bonne catholique, Clémentine choisissait d'ignorer les invitations de son compagnon à la discrétion au moment de demander le pardon de ses fautes. La compréhension dont parlait celle-ci tenait au simple fait que le jeune ecclésiastique ne proposait pas de la lapider sur le parvis de l'église Saint-Roch. Vraisemblablement, il n'exigeait même pas qu'elle cesse tout à fait de voir son amant, sous peine de lui refuser les sacrements. Sans doute l'incitait-il à rechercher le mariage, afin de lui permettre de redevenir une blanche brebis dans le petit troupeau paroissial.

Cette sollicitude plaidait en faveur du confesseur. Elle contenait aussi une menace potentielle. Le jeune héritier se découvrait une nouvelle raison de chanter les louanges du syndicalisme confessionnel dans les oreilles de son père. Le prêtre de choc possédait un levier redoutable sur sa vie…

～

Finalement, Melançon l'emporta sans trop de mal. Édouard afficha son indifférence, quoiqu'il pestât intérieurement contre l'abbé Fortin, responsable de son manque de concentration. Le petit ecclésiastique aimable prenait à ses yeux l'allure d'un méchant inquisiteur. Pour mettre fin aux railleries de son contremaître, le jeune homme décida de rentrer plus tôt à l'appartement de la rue Saint-Anselme pour un petit souper en tête-à-tête.

Au moment de regagner la sortie du Cercle Frontenac, un attroupement retint son attention. Des gens se pressaient près de la porte d'une petite salle de réunion. Une voix haletante leur parvint de l'intérieur.

— Je vous l'affirme, un nuage jaune verdâtre roulait sur le sol, pas plus haut que les genoux.

— Dans ce cas, cela ne pouvait vous atteindre.

Clémentine joua des coudes afin de voir qui parlait ainsi. La jolie blonde arriva sans s'attirer trop de gros mots près de l'embrasure de la porte. Son compagnon, plus grand, profitait d'une vue imparfaite sur un petit homme sanglé dans un uniforme kaki élimé. Tout le côté gauche de son visage offrait de vilaines boursouflures violettes. L'oreille paraissait totalement obstruée par une excroissance de chair.

— Même si cela restait à cette hauteur, l'effet des vapeurs se faisait sentir dans les yeux, le nez, la bouche. À la première respiration, les hommes s'écrasaient. La minute d'après, ils crachaient leurs poumons.

— ...C'est impossible, articula Clémentine.

L'homme posa les yeux sur elle. Son rictus tordit un peu le côté gauche de son visage.

— Je t'assure, ma belle, qu'ils vomissaient leurs poumons. Dans une grande toux rauque. On voyait d'abord du sang, puis des lambeaux de chair. Les plus chanceux crevaient bien vite.

— Les journaux en ont parlé, fit valoir quelqu'un. Le gaz moutarde...

— Exactement, grommela le vétéran. À cause de la couleur, mais aussi de l'odeur, ils appelaient cela le gaz moutarde. D'autres parlent d'ypérite, pour rappeler la ville d'Ypres. C'est arrivé là-bas.

— Où ça ?

— À Ypres, une jolie petite ville de l'ouest de la Belgique. Maintenant, il n'en reste rien.

Édouard tendit le bras entre les spectateurs fascinés jusqu'à toucher l'épaule de Clémentine. Celle-ci se tourna à demi, vit dans les yeux de son compagnon l'invitation à partir, esquissa un petit geste d'agacement du bout des doigts, puis reporta son attention vers le blessé pour demander :

— Votre visage ?...

L'autre la contempla un moment, bien certain que plus jamais une aussi jolie bouche ne se poserait sur la sienne, puis murmura :

— Le gaz, du chlore, brûle la peau humide. Cela fait d'énormes cloques. Après la cicatrisation… Tu vois le résultat.

De défi, il tourna la tête pour mieux lui montrer la chair malsaine. Toutefois, mieux valait revenir aux aspects militaires de ces événements.

— Comme le gaz flotte à la surface du sol, il se glisse dans les tranchées, dans les trous d'obus. Les gars s'y précipitaient pour éviter les balles allemandes et crevaient, la gueule en sang.

— Vous avez gagné la bataille quand même ?

— Les Français se sont sauvés comme des lapins. Nous, je veux dire les Canadiens, on s'est accroché et on a tenu jusqu'à la bataille de Saint-Julien.

Cette résistance, se rappelait Édouard, avait valu au premier ministre Borden une avalanche de télégrammes de félicitations pour la bravoure de son contingent. Comme si le politicien y était pour quelque chose !

— Comment avez-vous réussi à vous en tirer ?

Le vétéran marqua une hésitation et échangea un nouveau regard avec Clémentine.

— Comment avez-vous fait ? insista un autre.

— …J'ai pissé dans mon mouchoir et je l'ai collé sur ma bouche.

Une nouvelle quinte de toux souligna cet aveu. Depuis cette bataille, les armées alliées fournissaient des uniformes mieux ajustés et des masques grossiers, affectant la forme d'une cagoule, aux hommes postés sur la ligne de front. L'urine gardait toutefois une certaine popularité, comme protection supplémentaire.

— Pourquoi êtes-vous allé là-bas ?

La question, chargée d'ironie, trahissait l'opinion de l'interlocuteur : seul un imbécile acceptait de se plonger dans un pareil enfer. Cela lui valut un regard courroucé, puis une réponse acide.

— Dans la vie, il y a ceux qui font leur devoir et les autres qui vont se cacher...

Les doigts d'Édouard revinrent sur l'épaule de Clémentine, plus insistants. Cette fois, sans se retourner, elle hocha la tête et vint le rejoindre. Au moment de mettre le pied sur le trottoir de la rue Saint-Joseph, le jeune homme grommela :

— Dans la vie, il y a les gens intelligents qui gardent tous leurs morceaux et les idiots qui acceptent d'aller se faire tuer pour le roi d'Angleterre... ou de revenir estropiés au point de faire peur aux enfants dans les rues.

— Admets tout de même qu'il faut bien du courage pour faire son devoir.

Édouard serra la mâchoire, réprimant la réponse qui lui venait à l'esprit. Comment sa compagne pourrait-elle comprendre ? La politique la dépassait totalement. Il ne se sentait des obligations que pour le Canada français.

Sentant l'humeur de son amant se dégrader, la jeune femme préféra se tenir coite pendant quelques minutes. Ils entraient dans l'édifice de la rue Saint-Anselme quand elle risqua encore :

— De nombreux Canadiens sont-ils morts dans cette bataille ?

— À Ypres ? Environ deux mille, et quatre mille blessés, si je me souviens bien. Parmi eux se trouvait ton nouvel ami. On a dû le réexpédier chez lui sans même une tape d'encouragement dans le dos.

La pointe d'ironie n'échappa pas à Clémentine. Sans un mot, elle attrapa la pièce de viande achetée la veille et conservée dans une boîte de fer blanc pendue au bord de la fenêtre. Cet expédient permettait d'économiser l'achat de glace pendant l'hiver. Son amant retrouva sa bonne humeur habituelle au moment de se mettre à table. De son côté, sa compagne se montra disposée à faire bon accueil à ses avances.

Elle craignait par-dessus tout ces moments où l'homme devenait distant, morose.

La soirée se termina comme d'habitude, dans le lit étroit de la minuscule chambre. L'utilisation du préservatif en intestin de mouton n'avait plus aucun mystère pour elle. Un peu après dix heures, Édouard boutonnait son paletot. Devant lui, sa compagne serrait les deux pans de son peignoir sur sa poitrine.

— Tu pourrais rester avec moi, cette nuit.

— Nous avons eu cette discussion si souvent... Si on me voyait sortir de cet édifice le matin, ta réputation serait ruinée.

Comme si un couple ne pouvait se livrer à des plaisirs coupables l'après-midi ou en soirée. Entre eux, seule la nuit demeurait taboue. Toutefois, l'homme avait raison : sortir de l'appartement d'une jeune femme en fin de soirée ne s'avérait pas aussi compromettant.

— De plus, je dois servir de chauffeur à mon père.

Il posa un baiser sur la moue boudeuse de Clémentine, puis quitta les lieux. Un peu plus tard, elle lava le condom dans l'évier de la salle de bain. Durant une fraction de seconde, elle se surprit à tirer sur la mince pellicule de peau. Que se passerait-il si un coup d'épingle la perçait à son extrémité ? Un trou juste assez grand pour laisser passer un peu de semence... Avec sa maîtresse enceinte, le riche héritier se déroberait-il au mariage ?

Elle contempla son visage dans la glace un instant et secoua finalement la tête, faisant voler ses bouclettes de droite à gauche. Son instinct lui faisait imaginer une fuite immédiate.

Intact, le tube de peau retrouva sa place dans le tiroir de la table de nuit, soigneusement rangé dans une petite boîte cylindrique.

Chapitre 9

Au début, les rencontres entre Fernand et la jeune domestique se révélaient fortuites, ou à tout le moins, c'est ce que chacun aimait croire. Le gros homme descendait un peu passé onze heures, se servait un verre de whisky et, si la lune brillait, se campait devant la grande fenêtre du salon pour contempler la rue Scott. Si de légers craquements venaient du vieil escalier, il se réjouissait d'avoir un peu de compagnie.

Après quelques mois de ce jeu, tous deux en vinrent, sans se concerter, à privilégier certains soirs, en particulier les vendredis, sachant que le lendemain, tous les membres de la maisonnée se levaient un peu plus tard. Puis, depuis l'automne précédent, ils convenaient d'un rendez-vous d'un regard. Ainsi, au soir du 21 janvier, Fernand versait un peu de sherry dans un second verre avant de s'asseoir sur le canapé. Une ombre noire, où seuls le visage et les mains offraient des taches plus claires, vint le rejoindre après quelques minutes.

— Voilà, dit lentement l'homme en tendant le petit verre.

— … Ce n'est pas bien.

Curieusement, alors que la domestique ne se troublait guère de leurs longues conversations, accepter cette boisson lui paraissait fort compromettant. Après une brève hésitation, elle allongea pourtant la main pour la prendre. Elle avala un peu du liquide sucré, puis remarqua :

— Vous paraissiez très préoccupé, au souper.

— As-tu lu les journaux, ces derniers jours ?

Malgré les invitations répétées, jamais Jeanne n'avait accepté de tutoyer son employeur. Outre la timidité, prendre une pareille liberté durant la nuit augmentait le risque de se tromper le jour. Un seul oubli de ce genre la conduirait à la rue. Son interlocuteur, quant à lui, réglait la difficulté en s'en tenant toujours au « tu ». Cette familiarité existait déjà avec la vieille bonne qui l'avait vu grandir. L'utiliser pour la nouvelle venue ne surprenait personne.

Comme les événements politiques passionnaient son employeur, une fois la vaisselle du souper lavée, elle parcourait les journaux ayant échappé aux épluchures ou au cabinet d'aisances des domestiques. Les petits rouleaux de papier « hygiénique », une innovation récente, paraissaient trop somptuaire pour les postérieurs ancillaires.

— Les folies de Lavergne vous inquiètent ?

— À Paris ou à Berlin, ce gars aurait déjà été fusillé. Il faut la magnanimité des Britanniques pour accepter des déclarations aussi terribles.

Jeanne résolut de trouver la signification du nouveau mot dès le matin suivant. Un vieux dictionnaire traînait dans la cuisine à cette fin.

— Donc, il ne risque rien ?

— Lavergne ? Bien sûr que non, sinon il se tiendrait bien silencieux dans son trou. Il a de l'audace seulement quand il sait ne rien risquer. Penses-tu, il alimente lui-même la rumeur selon laquelle Wilfrid Laurier serait son véritable père. Ce doute rend sa personne sacrée, la toucher serait un sacrilège.

— S'il n'est pas menacé, pourquoi vous inquiéter ?

— À cause du mauvais exemple. N'importe quel autre excité prononçant la moitié de ces insanités se retrouverait dans un camp.

Les ressortissants des pays ennemis, Allemands ou Autrichiens, de même que les Canadiens affichant trop ouvertement leur scepticisme sur la justesse de la cause alliée, se comptaient par milliers dans des centres de détention. Armand Lavergne ne risquait toutefois pas vraiment de perdre le confort douillet du *Château Frontenac* pour se retrouver dans l'un d'eux.

Après de longues minutes à évoquer les discours incendiaires du député de Montmagny, la domestique énonça le fond de sa pensée.

— Vous ne semblez guère disposé à aller dormir.

— À trois dans le même lit, je dois me tenir en équilibre sur le bord. Tôt ou tard, je vais me retrouver sur le plancher.

Eugénie avait évoqué l'idée de le voir migrer dans une autre chambre dès le début de sa grossesse, sous prétexte de mieux se reposer. L'initiative avait paru un peu prématurée à l'époux. Même dans les milieux très religieux où il gravitait depuis l'enfance, les mariés ne commençaient pas à faire chambre à part moins d'un an après les noces.

— Le raffut réveillerait certainement vos parents.

Jeanne pouvait sans vergogne faire allusion à son embonpoint alors que le même sous-entendu dans la bouche de quiconque le blessait. Pour elle, la minceur trahissait un état proche de la famine ou la maladie. Le corps devait permettre d'afficher sa prospérité. Des mots de ce genre sonnaient presque comme un compliment chez elle.

— Il te ferait sans doute aussi sursauter. Tu imagines combien j'ai envie de retrouver les petits douze pouces de matelas auxquels j'ai droit pour la nuit.

Quelquefois, la vieille domestique de ses parents l'avait trouvé endormi sur le canapé, au moment où elle venait allumer la cuisinière au charbon, peu après le lever du soleil.

— Moi, je dois monter. Demain matin...

— Oui, bien sûr. Tu as besoin de ces heures de repos.

Quand elle se leva pour marcher vers la porte, Fernand la suivit des yeux, dorénavant habitués à l'obscurité. Sous l'uniforme noir, les fesses de la domestique lui parurent fort séduisantes. Si Eugénie n'avait pas réussi à le chasser du lit conjugal, depuis le début de sa grossesse, elle se refusait à tout rapprochement physique. Quand il avait feint d'insister, elle s'était réfugiée derrière un interdit médical. Jamais l'homme n'avait osé demander au docteur Caron, et plus tard au docteur Hamelin, si le devoir conjugal mettait vraiment la vie de l'enfant à naître en danger. La privation décuplait son appétit, en quelque sorte.

— Bonne nuit tout de même…

La domestique n'osait pas utiliser son prénom, et au terme de conversations semblables, le «Monsieur» paraissait trop formel. Son employeur n'éprouvait pas pareil scrupule.

— Bonne nuit, Jeanne. Vous êtes très gentille de me tenir ainsi compagnie.

À nouveau seul, le gros notaire eut une pensée pour Édouard Picard. Plus de huit ans plus tôt, dans une boutade, celui-ci avait évoqué le charme de la petite bonne, la présentant comme un meilleur parti que sa propre sœur. Constater trop tard le bien-fondé de l'assertion lui laissait un goût de cendres dans la bouche.

~

— Picard, cela me rappelle les assemblées de 1911, cria Armand Lavergne pour couvrir les cris «À bas la conscription!» provenant des poitrines des centaines de jeunes hommes réunis devant eux.

Le samedi 22 janvier 1916, une foule se massait sur la place du marché Montcalm. De très nombreux agriculteurs retardaient leur retour à la maison afin d'entendre les orateurs nationalistes. Ils représentaient le segment de la population le plus réfractaire à l'enrôlement. Les autres spectateurs venaient des ateliers et des manufactures de la ville. Un petit groupe de collégiens se tenait aux premiers rangs, facilement reconnaissable avec leur «suisse».

— Si nous avions fait perdre moins de votes à Wilfrid Laurier, nous ne serions pas dans cette merde aujourd'hui. Les gens qui rêvaient alors d'obtenir la balance du pouvoir se fourraient le doigt dans l'œil jusqu'au coude.

La répartie d'Édouard, formulée à l'un de ces mauvais stratèges, laissa Lavergne un moment muet. Cela ne durerait pas. Wilfrid Lacroix, un jeune militant du Parti libéral, se retourna vers lui en annonçant :

— Voici maintenant notre orateur principal, le député indépendant de Montmagny, Armand Lavergne.

Celui-ci s'avança sur l'estrade branlante, une construction grossière de planches et retira un moment son couvre-chef de fourrure, le temps de déclarer :

— Comme je vois quelques-unes de nos compagnes parmi nous, je me découvre un moment pour les saluer.

Cette entrée en matière signifiait surtout que l'homme trouvait leur présence incongrue. Les ricanements inspirés par ses propos se turent bien vite. Son chapeau de nouveau bien enfoncé sur le crâne, il commença :

— Il y a quelques jours à peine, le premier ministre du Royaume-Uni, Herbert Henry Asquit, a déposé à la Chambre des communes anglaise le *Military Act*. Quand elle sera adoptée, dans quelques semaines, cette loi permettra d'appeler pour le service militaire dans les tranchées tous les hommes célibataires âgés de dix-huit à quarante et un ans.

La mesure rompait avec la tradition britannique du volontariat. Un « Oh ! » de stupeur émergea de plusieurs poitrines.

— Combien de temps faudra-t-il encore avant que les impérialistes qui nous gouvernent adoptent une mesure semblable ? Vous tous, devant moi, êtes susceptibles d'être conscrits pour aller mourir dans cet enfer en France ou en Belgique. Dans combien de temps ? Un mois ? Deux mois ?

Pendant quelques minutes encore, le politicien évoqua les diverses clauses du projet de loi britannique. Les auditeurs en venaient à oublier qu'il concernait un pays lointain. Chacun imaginait le jour où ce serait son tour.

— Et en attendant cet instant fatidique, quel triste spectacle se déroule sous vos yeux ! Depuis des semaines, tous les politiciens fédéraux se promènent à travers la province afin de vous inviter à contribuer aux emprunts de la Victoire. Tout cet argent va au Royaume-Uni alors qu'il serait tellement utile à nos frères de l'Ontario. Des enfants, là-bas, sont privés d'un enseignement dans la langue de leurs ancêtres, les premiers occupants de ce pays. Pendant ce temps, nous devons financer l'effort de guerre de l'Empire. Ne donnez pas un sous, gardez votre argent pour soutenir les Canadiens français maltraités dans tout le pays.

Le Règlement 17, adopté dans la province voisine quelques années plus tôt, continuait d'agiter les passions. Des femmes armées de longues aiguilles à chapeau défendaient les écoles catholiques contre les officiels dépêchés pour y faire cesser l'enseignement en français. De jeunes institutrices de dix-huit ans acceptaient de travailler sans recevoir aucun salaire. Ces événements héroïques, sans cesse repris dans les journaux du Québec, justifiaient toutes les résistances à la participation au conflit.

— Pourquoi devrions-nous payer pour la défense de l'Angleterre? Pourquoi aller mourir pour ce pays étranger? Les soldats de cette contrée sont-ils venus nous aider dans le passé? Les affirmations en ce sens tiennent de la chimère. Les États-Unis sont les seuls maîtres de ce continent. Le Royaume-Uni ne compte plus pour rien. Nous ne lui devons rien. Aujourd'hui, les impérialistes, les mêmes qui ferment nos écoles, veulent enrôler nos enfants. Si un jour le Canada est menacé par un ennemi, je serai le premier à revêtir l'uniforme et à réclamer la conscription. Mais je ne tolérerai jamais cette mesure pour une guerre européenne dans laquelle nous n'avons rien à voir.

Les applaudissements reprirent, passionnés, suivis des cris «À bas la conscription!» Tous ces arguments, chacun les connaissait. Le député avait prononcé les mêmes à l'Assemblée législative, environ une semaine plus tôt. En réalité, cette foule attendait la phrase fatidique, le défi lancé aux autorités. Une affirmation susceptible, dans la plupart des pays participant à la Grande Guerre, de mériter une accusation de haute trahison à son auteur. La prononcer en Chambre ne portait pas à conséquence, à cause de l'immunité parlementaire. En allait-il de même sur une place de marché?

Lavergne ne décevrait pas cette attente :

— Que vive le Canada et que périsse l'Angleterre !

Les cris devinrent frénétiques. De son siège dans les gradins, Édouard distingua dans la pénombre de la fin de l'après-midi les silhouettes d'officiers de police prenant position sur le trottoir de la rue Saint-Jean, le long des murs de l'Auditorium de Québec et du YMCA. Comme si le scénario avait été répété à l'avance, une éventualité bien probable, quelqu'un dans la foule cria :

— Tu préférerais que les Allemands s'emparent du Canada ?

— Crois-tu que ce serait pire que de vivre sous la botte des Anglais ? Comme disait ma grand-mère, se faire mordre par un chien ou par une chienne, c'est pareil !

Les cris atteignirent leur apogée. Au même moment, les policiers sortirent de la pénombre pour se trouver dans le halo des réverbères. Un officier hurla dans son porte-voix :

— Dispersez-vous ! Rentrez à la maison tout le monde ! De toute façon, vos femmes ou vos mères vous attendent pour souper.

Armand Lavergne tourna les yeux vers le mur d'enceinte de la ville, à quelques dizaines de pieds sur sa droite. La silhouette d'un uniforme se dressait comme une ombre noire sur le rideau du ciel obscur. Il remarqua un mouvement dans la foule ; des hommes s'en détachaient pour s'éloigner dans les rues avoisinantes. La population demeurait encore bien loin de la révolte si une allusion à une soupe fumante suffisait à la disperser. L'orateur baissa les bras et conclut, un peu dépité :

— J'espère que mes paroles ont pu scandaliser tout le monde.

Dans les premiers rangs, Thalie se tourna vers son frère pour prononcer très fort :

— En as-tu assez de ce bouffon ?

— De toute façon, il a terminé : tout son discours à l'Assemblée a été soigneusement répété ici.

Le député regagnait déjà le fond de la scène, pour échanger quelques mots avec Édouard Picard.

~

— Il a vraiment dit cela? commenta Marie.

— Vraiment. «Mordu par un chien ou une chienne, c'est pareil», répéta Mathieu.

La marchande secoua la tête. La famille se trouvait réunie autour du repas du soir. Un peu d'inquiétude dans la voix, elle déclara:

— J'aimerais que vous n'alliez plus à ce genre de réunion. Tôt ou tard, cela se terminera par une bagarre. Avec tous les militaires qui traînent dans la ville...

— Ne t'inquiète pas maman, répondit Thalie d'un ton amusé. Si jamais cela tourne mal, je serai là pour protéger mon grand frère.

Marie esquissa un sourire, certaine non seulement qu'ensemble, ils couraient moins de risques, mais que le grand garçon savait se défendre bien mieux que neuf ans plus tôt, quand de jeunes imbéciles jouaient aux tortionnaires. Gertrude intervint de sa voix rauque:

— Lui ne risque rien.

— Pardon? rétorqua la maîtresse de maison.

— Ce Lavergne. Cela lui coûte peu de faire le fanfaron. Il provoque tout le monde, puis s'en retourne auprès de sa bourgeoise.

Le couple Lavergne fréquentait la basilique tous les dimanches. La domestique avait pu apprécier son air présomptueux des dizaines de fois.

— Les gars à qui il monte la tête n'auront personne pour les tirer d'affaire.

Elle partageait totalement l'opinion de Fernand Dupire sur le sujet: quand une tuile se détachait d'un toit, invariablement, un pauvre la prenait sur la gueule.

— En parlant de ses admirateurs, précisa Mathieu, Édouard s'affichait près de lui.

— Ceux-là s'entendent très bien depuis des années, observa Marie. Enfin, je me souviens de les avoir vus ensemble lors de la dernière élection fédérale.

La conversation se poursuivit sur la situation politique de plus en plus tendue. Au moment de quitter la table, Thalie déclara :

— Je vais me cacher dans ma chambre pour étudier.

Puis, elle précisa à l'intention de son frère :

— Tu savais, toi, que la romancière George Eliot était une femme ? Son véritable nom était Mary Anne Evans. Tout comme George Sand, pour être prise au sérieux, elle a adopté un nom masculin.

— Non, je ne savais pas, et je te rappelle que les deux sont à l'Index, donc interdits aux bons élèves du Petit Séminaire. Par contre, je suis à peu près certain que saint Thomas d'Aquin était un vrai prêtre.

Après une petite grimace à son frère et des bises aux femmes de la maison, elle s'esquiva. Quand elle eut disparu, sa mère murmura :

— Elle travaille très fort.

— Elle n'a jamais aimé être seconde.

Marie regarda son fils, un peu touchée, comme toujours, par la complicité entre ses deux enfants.

— Je ne voudrais pas qu'elle se rende malade.

— C'est pour cela que je la surveille… Et même si je tolère très bien d'arriver quatrième ou cinquième de ma classe, je vais travailler un peu aussi. Bonne nuit.

Il se pencha pour poser ses lèvres sur la joue maternelle et répéta le même souhait à l'intention de la domestique. Restées seules, les deux femmes prendraient le temps de vider leur tasse de thé à petites gorgées. Au moment de débarrasser la table, Marie déclara :

— Parfois, je m'inquiète un peu d'avoir des enfants si sages. Tous les deux dans leur chambre à étudier…

— Je parie que vous n'avez jamais été plus dissipée que ces deux-là.

— Moi non. Mais leur père respectif…

Gertrude laissa échapper un rire bref, puis commenta :

— À leur sujet, je pourrais vous en raconter de belles… Je suppose que les enfants ont pris le meilleur de leurs deux parents et oublié le mauvais.

Cela, Marie le souhaitait de tout cœur.

~

Au milieu de sa onzième année de scolarité, Thalie s'avérait déjà très instruite, en comparaison des attentes de 1916. Pour une femme, aux yeux de la plupart de ses contemporains, elle l'était beaucoup trop, en fait. Bien sûr, les sensibilités des protestants différaient un peu. Puis, les seuls membres de cette communauté figurant parmi ses familiers fréquentaient aussi le Quebec High School. Elle en arrivait à trouver normal ce qui paraissait suspect à la plupart des autres.

Le vendredi 4 février, elle arriva de son pas rapide au grand édifice de brique de la rue Saint-Augustin et gravit les marches glacées au même rythme. Dans le hall aux murs beiges, un peu poussiéreux, elle entendit bien le babil de ses camarades, un peu plus haut perché que d'habitude, sans connaître le motif de cette excitation. Les murs des espaces communs de l'édifice s'ornaient d'affiches de recrutement. Quelques élèves de l'école avaient déjà joint le détachement d'infirmières, ces « sœurs » dévouées qui prenaient soin des blessés dans les hôpitaux de campagne. Les invitations bien senties à participer aux emprunts de la Victoire utilisaient les arguments les plus surprenants. L'une des publicités les plus en vogue, juste avant Noël, recommandait aux petites filles de demander cela comme étrennes.

À la place d'honneur du hall, un grand panneau dominé par les mots *To Our Heroes* affichait les portraits des volontaires apparentés aux élèves et aux enseignantes de l'établissement, posant fièrement dans des uniformes tout neufs. La photographie d'une bonne demi-douzaine d'entre eux, dont celle de l'époux de *Mrs.* Ann Thompson, l'institutrice de Thalie à l'automne 1914, s'ornait d'un petit ruban noir en signe de deuil. L'adolescente constata qu'aucune décoration de ce genre ne s'était ajoutée pendant la nuit. La tension palpable ne tenait donc pas à cela.

Dans ce milieu, la guerre européenne ne se trouvait ni lointaine ni étrangère. Il ne se passait pas une journée sans qu'une élève ne verse des larmes pour un parent décédé ou, le plus souvent, pour un parent pour lequel on craignait le pire. Au moment où la jeune fille se dirigeait vers sa classe, sa voisine de pupitre lui emboîta le pas pour s'enquérir, un peu nerveusement:

— Thalia, as-tu lu les journaux, ce matin?

— Non. Avec le contrôle des connaissances si proche, je passe tout mon temps à mémoriser les mésaventures des Tudor.

Si les héros de la Nouvelle-France et ceux de la Rome antique formaient un curieux amalgame dans l'imaginaire de Mathieu, la jeune fille meublait le sien des avatars de la vie des diverses dynasties s'étant succédé sur le trône d'Angleterre. En comparaison, les mœurs de Québec lui paraissaient d'une troublante harmonie.

— Le parlement d'Ottawa a été incendié cette nuit, clama la grande rousse sur le ton de la conspiration.

— Tu... tu veux dire que quelqu'un a mis le feu?

— Mon père a reçu un coup de fil d'un collègue de Montréal avant même le lever du soleil. Il a évoqué des espions allemands ou autrichiens. Tu savais que la femme du gouverneur général est une princesse allemande, une Hohenzollern? Le coupable ne se trouve peut-être pas bien loin...

Les histoires à propos d'une cinquième colonne composée d'immigrants venus des pays ennemis et toujours dévoués à leur contrée d'origine alimentaient de grandes méfiances. Les camps de concentration où des centaines, plutôt des milliers d'entre eux, attendaient la fin du conflit en témoignaient éloquemment.

— Il y a eu des morts dans les flammes, continuait son interlocutrice. Le feu s'est répandu trop vite pour que ce soit un accident.

Thalie se réjouit de ne pas l'entendre évoquer une responsabilité canadienne-française. Les discours d'Armand Lavergne attiraient des accusations de sédition, parfois de trahison. Les milieux orangistes, familiers avec un racisme agressif dirigé contre les catholiques, excitaient les passions en évoquant le peloton d'exécution ou l'échafaud pour le député de Montmagny. Certains ne faisaient pas dans le détail et promettait ce sort à toute la communauté francophone.

— Je suppose que l'on trouvera les coupables bien vite, affirma l'adolescente pour se faire rassurante. Après tout, Ottawa n'est pas une si grande ville. Les espions n'y passent sans doute pas inaperçus.

— Ces gens s'y connaissent, Thalia. Ils apprennent à parler anglais sans accent, changent leur nom..., poursuivit sa compagne sur le ton de la confidence.

Son interlocutrice correspondait de mieux en mieux à cette description, avec son prénom modifié et sa lenteur de débit à peine perceptible dans l'autre langue. La prononciation ne la distinguait plus guère des autres écolières.

— Selon mon père, continuait l'autre, un événement de ce genre risque de faire chuter les cours de la Bourse. Si maintenant même le Canada ne se trouve plus à l'abri des attaques ennemies...

Cela paraissait peu plausible. Les commandes militaires, ainsi que la demande accrue en Europe pour les produits de première nécessité, enrichissaient les entrepreneurs et les commerçants. Le tout s'accompagnait aussi d'une hausse vertigineuse des prix, susceptible de faire grincer des dents les travailleurs. Si l'on arrivait à faire abstraction qu'il s'agissait d'abord et avant tout d'un massacre aveugle de jeunes vies humaines, la guerre paraissait une bonne affaire.

Les jeunes filles retrouvèrent leurs compagnes dans la classe. Le nombre du groupe, avec dix-huit élèves, favorisait les apprentissages. Thalie s'installa à sa place habituelle, au premier rang, et sortit ses livres de son sac de toile. L'incendie d'Ottawa était commenté par toutes ses camarades. L'arrivée de l'institutrice fit à peine diminuer le niveau sonore, tellement que cette dernière dut saisir l'une des brosses sur le bord du tableau pour en frapper l'angle de bois sur la surface noire. Le « toc, toc, toc » ramena un peu de calme.

— Mesdemoiselles, j'ai entendu dans le corridor les histoires les plus rocambolesques. Vous savez tout comme moi que tous les édifices publics, à Ottawa comme à Montréal et Québec, sont surveillés en permanence par des militaires depuis le mois d'août 1914. Depuis, combien a-t-on signalé d'attentats au pays ?

Dix-huit paires d'yeux se posèrent sur la femme replète âgée d'une cinquantaine d'année.

— Aucun..., répondit bientôt l'une des élèves.

— Tout de même, risqua une autre, plusieurs accidents demeurent inexpliqués.

— Sont-ils plus nombreux qu'avant le déclenchement des hostilités ?

Chez les opposants à l'instruction des filles, plusieurs prétendaient que le sexe faible préférait les fables les plus fantaisistes aux explications reposant sur un examen méthodique des faits. Cette enseignante n'entendait certainement pas laisser ses élèves tomber dans ce piège.

— ...Il faut toujours une première fois, s'aventura la rousse. Selon mon père...

— Nous ferons le point sur les découvertes des personnes chargées de l'enquête lundi prochain. Découpez les articles pertinents des journaux, nous les regarderons ensemble. En attendant, dans notre pays, au moment des grands froids de février, les appareils de chauffage mettent souvent le feu à de vieux édifices. Alors, nous allons réfréner notre appétit pour les histoires d'espionnage pendant quelques jours.

Maintenant, qui parmi vous peut me nommer les nombreuses épouses de Henry VIII et les causes de leur décès ?

Quelques doigts se levèrent timidement.

— Thalia, commencez avec la première d'entre elles.

~

De l'histoire à la géographie, en passant par les mathématiques, la matinée s'écoula bien vite. Le temps consenti pour le dîner s'avérait court, et le froid, vif. Thalie préférait apporter un sandwich de la maison et le manger distraitement, la plupart du temps sans lever le nez d'un livre. Les institutrices insistaient toutefois pour que les élèves sortent au moins quelques minutes afin de prendre l'air. Elle boutonnait son manteau quand une camarade prononça à haute voix :

— Voilà une nouvelle affiche. Quelqu'un a dû l'accrocher pendant les classes du matin.

Elle portait en guise d'en-tête les mots *To the Women of Canada*. De nombreuses réclames s'adressaient au sexe faible, la plupart afin de les inciter à gérer la maisonnée avec parcimonie, de façon à augmenter le montant des emprunts de la Victoire. Celle-là concernait plutôt le recrutement et commençait par ces mots : « Vous avez lu ce que les Allemands ont fait en Belgique. Avez-vous pensé à ce qui se passerait s'ils envahissaient notre pays ? »

Les atrocités commises dans le petit royaume ami de la Grande-Bretagne alimentaient une abondante littérature dans les pays alliés. Les trois questions suivantes, adressées aux Canadiennes, invitaient celles-ci à encourager leur époux, leur frère, leur fiancé ou leur fils à joindre l'armée. Le message se terminait ainsi : « N'aiderez-vous pas un homme à s'enrôler aujourd'hui ? »

Comme au temps de la République romaine, ou encore mieux, de celle de Sparte, les femmes se voyaient confier la mission de fournir des hommes pour les combats. Certaines prenaient cette directive très au sérieux. L'une des élèves de la classe « préparatoire », dont les diplômées pouvaient rêver d'une admission à l'Université McGill, déclara dans un fou rire :

— J'ai apporté des plumes. Nous y allons ?

Les jeunes femmes du Royaume-Uni avaient mis au jour une curieuse coutume. Afin de fouetter le courage des hommes de leur âge, elles présentaient une plume blanche à ceux qu'elles croisaient dans la rue habillés en civil. Cela signifiait une accusation pure et simple de lâcheté, illustrée par la parure du *chicken*. Elles entendaient aussi, avec une belle unanimité, réserver leurs faveurs aux seuls mâles membres des forces armées.

Si l'usage se trouvait rarement repris au Canada, certaines s'y attachaient tout de même. Trois filles se partageaient les vestiges de la queue du poulet ayant fait les frais d'un repas du soir chez l'une d'elles. La plus âgée demanda, une pointe d'ironie dans la voix :

— Thalia, tu désires te joindre à nous ?

L'invitation tenait du défi. En ces temps de tension, être la seule Canadienne française au Quebec High School l'exposait à voir son patriotisme remis en question avec une navrante régularité. La mauvaise réponse, la mauvaise attitude ferait bien vite le vide autour d'elle. À terme, à force d'être ignorée, elle devrait quitter l'établissement. Déjà, deux élèves d'origine irlandaise avaient préféré interrompre leur scolarité pour mettre fin aux remarques incessantes sur les « troubles » dans leur pays d'origine.

Pour Thalie, le choix se révélait cornélien : plaire à un groupe risquait de vexer l'autre. Les voisins de la rue de la Fabrique n'avaient pas que des mots tendres pour la jeune fille instruite chez les protestants…

— …Pourquoi pas. De toute façon, je voulais prendre l'air.

Le quatuor se retrouva bien vite dans la Grande Allée. Fustiger l'honneur des lâches n'était pas si simple. D'abord, le froid raréfiait le nombre des passants. Puis, remettre une plume blanche à un bon père de famille semblait de la dernière indélicatesse. Même le gouvernement britannique n'entendait guère soumettre ceux-ci à la conscription. La prudence s'imposait donc.

— Celui-là, celui-là, fit nerveusement une des adolescentes en prenant l'une des plumes des mains de la plus grande.

La décoration honteuse enfermée dans son poing, elle s'approcha d'un homme grand, athlétique, qui se dirigeait vraisemblablement vers l'Hôtel du gouvernement. Bientôt, une autre lui cria :

— Non, non !

La volontaire se tourna vers ses compagnes, interdite. L'une lui faisait de grands gestes de la main pour l'inciter à revenir. Le piéton s'arrêta, intrigué par ce manège, puis demanda :

— Mademoiselle, je peux vous aider ?

L'autre rougit violemment et bredouilla un peu au moment de répondre.

— Non, monsieur. Je m'excuse, je vous avais pris pour un parent.

L'homme lui jeta un regard soupçonneux avant de continuer son chemin. Quand la jeune fille se retrouva avec ses compagnes, elle s'enquit :

— Qu'est-ce qui se passe ?

— Il habite la maison voisine de la mienne, rétorqua l'une d'elles en pouffant d'un rire incontrôlable.

Bien sûr, offrir une plume blanche pouvait ruiner totalement les relations de voisinage ou de famille. Ces auxiliaires féminines des services de recrutement devaient modérer leur enthousiasme et éviter de faire naître des conflits à proximité de chez elles sous prétexte de vouloir encourager la participation à une guerre lointaine.

— Donne-moi cette plume, ordonna Thalie en tendant la main.

L'autre écarquilla les yeux et suivit le regard de sa compagne. Un homme jeune, élégamment vêtu, un melon sur le crâne, s'approchait d'un pas vif. Elle obtempéra et regarda la petite Canadienne française crâneuse s'approcher de sa cible sans marquer la moindre hésitation.

— Mon beau cousin Édouard, déclara-t-elle en français, j'ai été bien édifiée par les discours prononcés au marché Montcalm, l'autre jour. Pas vraiment scandalisée, cependant : Lavergne sera déçu. Voici une jolie petite plume blanche à arborer en guise de décoration. Vous connaissez certainement quels sentiments celui qui la reçoit inspire à celle qui la lui offre… Si vous ne comprenez pas ce qui vous vaut cet honneur, demandez à votre père. À cet égard, vous êtes son héritier.

Le fils du roi du commerce de détail demeura bouche bée au moment où les petits doigts féminins passèrent la plume dans l'une des boutonnières de son manteau. Il l'arracha rageusement peu après, retenant de justesse le flot d'injures lui venant aux lèvres. Avec un sourire narquois, la jeune fille tourna les talons pour rejoindre ses camarades.

— Tu le connais ? demanda l'une d'elles à voix basse, le souffle coupé par tant d'audace.

À ce moment, Édouard passa près du petit groupe en lançant un regard mauvais.

— Oui, je le connais.

— C'est un lâche ? questionna une autre.

— Le fils d'un lâche. Dommage que son père n'ait pas été avec lui… Puis, il s'oppose à la participation à la guerre.

Cette façon de présenter les choses n'intrigua pas ses camarades. Depuis quelques jours, Thalie savait que Mathieu n'était que son demi-frère. Pendant quelque temps encore, elle ne décolérerait pas. La petite démonstration porta toutefois à conséquence. Dorénavant, et pour plusieurs mois au moins, les élèves du Quebec High School n'oseraient plus douter de sa loyauté à la cause alliée.

La petite plume tordue reposait dans la paume du grand jeune homme.

— Elle m'a dit que tu saurais pourquoi j'ai eu droit à cette insulte.

Déjà fâché de devoir marcher jusqu'au travail parce que la Buick s'accommodait mal des rigueurs de l'hiver canadien, l'incident rendait Édouard rouge d'une impuissante rage. La même accusation de lâcheté, formulée par un homme, se serait soldée par une farouche bagarre. Dans les circonstances, que faire à une jeune fille dont la tête venait à peine à la hauteur de son épaule?

Thomas prit la plume pour la jeter sur le plancher du magasin. Les pas des centaines de clients feraient bientôt disparaître la décoration honteuse.

— Comment puis-je deviner les lubies d'une petite fille? Tu sais qu'elle va dans une école protestante. Les autres ont dû lui monter la tête…

Le commerçant préférait ne pas fournir l'explication toute simple qui se formait dans son esprit. Thalie atteignait à peu près l'âge de Marie au moment où il troussait celle-ci sur le grand bureau de sa pièce de travail. Sans doute la mère avait-elle jugé utile de prévenir sa fille contre les dangers pesant sur une jolie personne en évoquant sa propre expérience. Ou encore le grand frère – « mon fils », songea-t-il en rougissant – avait-il tenu à faire partager à sa cadette le secret de l'identité de son père. Car celui-ci savait. Comment interpréter sa déclaration sibylline, le jour du dernier appareillage de l'*Empress*? Il s'agissait là d'une déclaration de guerre.

— Toutefois, enchaîna-t-il bientôt, j'aimerais te voir cesser de te donner en spectacle avec ce damné Lavergne. L'attitude à adopter face à la guerre ne fait pas l'unanimité. Nous sommes dans le commerce, un peu de discrétion est nécessaire.

Les deux hommes se tenaient au rez-de-chaussée du magasin, près de l'ascenseur. Le rayon des articles pour fumeurs se trouvait sur leur droite.

— Tous les Canadiens français sont contre la conscription, plaida Édouard, encore consumé par la colère.

— Aucune loi de conscription n'a encore été déposée au Canada.

— Borden va suivre l'exemple du gouvernement du Royaume-Uni...

— Puis, tu as tort, l'interrompit Thomas en lui faisant signe de baisser le ton. Je pense que la plupart de tes compatriotes espèrent une victoire alliée. Si on leur promettait que leurs propres enfants en seraient exemptés, plusieurs accepteraient le principe de la conscription.

Le jeune homme voulut protester. Cependant, le visage de son père indiquait une limite claire à ne pas franchir. Aussi essaya-t-il la modération.

— Tu viens de dire qu'il convient de respecter les sentiments de la clientèle. Tu conviendras sans doute que dans le quartier Saint-Roch, la majorité s'oppose à une participation à la guerre. Cela ne nous amène rien de bon, toutes ces affiches relatives à l'enrôlement. Le magasin finit par ressembler au bureau de recrutement de l'Auditorium de Québec.

Des yeux, il montrait les nombreux placards demandant aux jeunes hommes de joindre l'un ou l'autre des régiments, dont certains réservés aux Canadiens français, comme celui d'Olivar Asselin. Certaines publicités référaient explicitement au panthéon de héros de la communauté, évoquant sans vergogne Dollard des Ormeaux, Lambert Closse, Louis-Joseph, marquis de Montcalm ou Charles de Salaberry. Le premier surtout, tout droit sorti des manuels d'histoire catholiques, devenait une arme de propagande redoutable.

— Ces affiches, placées exclusivement à l'entrée, dans le rayon des produits pour fumeurs et dans celui des articles de sports, sont d'ailleurs ridicules. Allumer une pipe ou chasser l'orignal n'a rien à voir avec la guerre.

— Il y en a ailleurs.

— Une douzaine, toutes placées dans la cage de l'escalier ou dans les toilettes. La plupart des clients détestent...

— Pas ceux-là !

Thomas regardait quatre hommes revêtus de leur capote kaki. Les deux gares de la ville de Québec se trouvaient tout près, le camp de Valcartier comptait une population estimée à la moitié de celle de la vieille cité. Après quelques bières, les soldats excités par les articles haineux publiés dans leur coin de pays cherchaient volontiers des traîtres canadiens-français. Armand Lavergne ne risquait rien dans le confort douillet du *Château Frontenac*, mais des travailleurs de la Basse-Ville subissaient parfois un passage à tabac. Des briques fracassaient souvent les vitrines des commerces dont la devanture s'ornait de drapeaux Carillon-Sacré-Cœur, à une époque où l'*Union Jack* prétendait occuper tout l'espace.

— Nous ne sommes tout de même pas dans un pays occupé ! grommela Édouard.

— Non. Et si tu veux voir la différence, je te paierai le billet pour la Belgique.

Le jeune homme réprima à nouveau la colère montant en lui, puis après un moment, fit encore remarquer :

— Et ces grandes affiches sans élégance qui encombrent la vitrine ?

— Les publicités pour les emprunts de la Victoire ?

— Tout comme les statistiques sur la contribution des employés du magasin : cela est de mauvais goût.

Les entrepreneurs se voyaient lourdement sollicités pour apporter leur contribution à ce fonds patriotique. On s'attendait aussi à ce qu'ils exercent bien des pressions pour obtenir celle de leurs employés. Thomas ne se dérobait pas à ce « devoir ».

— Non seulement je continuerai de placer ces chiffres dans les vitrines, mais je vais les améliorer un peu afin de mieux paraître encore. Wilfrid Laurier doit même intervenir auprès du premier ministre afin de m'obtenir un insigne de « souscripteur exemplaire ». Je le porterai avec fierté, même aux assemblées de la Société Saint-Jean-Baptiste.

Édouard secoua la tête de dépit, mais eut la sagesse de mettre fin à la discussion.

— Je vais aller m'occuper du rayon des meubles.

— Cela vaudra certainement mieux pour nos affaires que de servir de faire-valoir à Armand Lavergne.

〜

Mathieu était affalé sur la vieille ottomane placée dans la chambre de sa sœur. L'adolescente, son peignoir fermé jusqu'au cou, était étendue en travers de son lit.

— Tu as fait quoi?

— Je lui ai donné une plume blanche.

Elle demeurait un peu surprise par sa propre audace. L'événement était connu et commenté par toutes les élèves du Quebec High School, et à cette heure tardive, sans doute aussi par leurs parents.

— L'un de ces jours, tu recevras un mauvais coup.

— Voyons, jamais il n'osera. Je suis une fille.

Lisant un peu de scepticisme dans les yeux de son frère, elle ajouta encore à voix basse:

— Et toute petite, en plus.

— Tu n'as certainement pas fait cela pour le convaincre de s'enrôler.

— Pourquoi pas?

Son petit masque de défi résista un court moment sur son visage, puis elle avoua:

— Je lui ai dit de demander à son père de lui expliquer le sens de mon message.

Mathieu ferma les yeux un moment et les ouvrit pour contempler le joli visage buté.

— Je me demande si j'ai bien fait…

— Je suis en droit de savoir. Toute cette tension à laquelle je ne comprenais rien, au fil des ans…

— Je crains que cela ne change tes rapports avec maman, ou avec moi.

Dans les histoires de jeunes filles mises enceintes, les accusations se portaient volontiers sur la victime, pas seulement sur le bourreau. La « sagesse populaire » affirmait avec une belle insensibilité que celle-ci l'avait certainement cherché. Thalie comprit tout de suite le sens de la remarque et affirma d'une voix émue :

— Non, jamais. Tu imagines, si quelqu'un me…

L'adolescente aimait se croire invincible. Toutefois, au début de l'après-midi, les yeux d'Édouard avaient démontré une capacité de violence nouvelle pour elle. Ailleurs que dans une rue passante, sans la présence de ses trois camarades d'école pouvant faire office de témoins, les choses se seraient déroulées d'une autre façon. Tout au plus espérait-elle être capable d'offrir une bonne défense. Mais face à un homme faisant au moins une fois et demie son poids…

— À part l'admiration, quel sentiment pourrais-je avoir pour maman ou pour papa ?

Des larmes coulaient de ses yeux à l'évocation du disparu. Depuis quelques jours, toutes les situations ambiguës émaillant son enfance prenaient un sens nouveau. Elle renifla bruyamment, puis conclut en tendant la main :

— Et je n'aurai jamais un demi-frère. Tu es entier et tout à moi.

— Ni moi une demi-sœur.

Leurs doigts se rejoignirent un moment, puis Mathieu choisit d'évoquer des événements anodins de sa propre journée.

Chapitre 10

Les hommes entraient toujours dans le commerce ALFRED en affichant une certaine timidité. Cela tenait à la fois au caractère féminin de la clientèle et du personnel, de même qu'à l'abondance de robes et de dessous pendus sur des cintres. Toutefois, Marie trouvait celui-là particulièrement emprunté. Pas très grand, une moustache et une barbe châtaines lui couvrant la lèvre supérieure et le menton, il lui rappelait vaguement les illustrations des manuels d'histoire.

De son poste derrière la caisse, la marchande lui adressa un sourire engageant. D'habitude, cela suffisait à convaincre les rares visiteurs à lui confier, parfois à voix basse, les raisons de leur visite. Celui-là se contenta d'un « Bonjour, Madame », puis s'attarda devant un étal de robes. Comme les clientes s'avéraient peu nombreuses en ce vendredi après-midi, elle adressa un signe discret à l'une des vendeuses, lui montrant la caisse des yeux, puis s'approcha en replaçant son ruban à mesurer autour de son cou.

— Monsieur, je peux vous aider ?

— ...Je ne sais pas, commença l'autre.

Puis après une pause, il prononça :

— Oui, sans doute. J'aimerais acheter des robes à mes filles. Quelque chose qui leur fasse plaisir.

— Des étrennes un peu tardives, à moins que vous ne vouliez lancer la tradition des cadeaux de la Saint-Jean, pour faire contrepoids à ceux de Noël. L'idée charmerait tous les vendeurs de la province.

Le regard complice de la propriétaire ne reçut pas de réponse. Le silence fut trop long, à la limite du savoir-vivre. À la fin, l'homme consentit :

— En quelque sorte, oui, il s'agit d'étrennes tardives. Les fêtes de fin d'année sont passées totalement inaperçues à la maison. J'aimerais me rattraper un peu, m'occuper d'elles.

— Vous avez évoqué vos filles.

— Oui, Amélie et Françoise.

— Vous avez leurs mensurations ?

Si des pères attentionnés s'engageaient parfois dans ce genre d'emplettes, une femme prenait toujours la précaution d'inscrire tous les renseignements utiles sur une feuille de papier. Certains clients se présentaient même avec une page de la section « commandes postales » arrachée au catalogue Eaton, dont les espaces blancs se trouvaient soigneusement noircis.

— …Non, je n'ai pas les mensurations. La plus grande, Françoise, a seize ans. Elle est à peu près grande comme cela…

L'homme indiqua de la main la hauteur de son épaule. Marie ne put retenir un éclat de rire, puis elle expliqua :

— Malheureusement, j'ai besoin d'informations plus précises. Si vous voulez, nous pouvons monter à l'étage. Vous téléphonerez à leur mère, qui connaît certainement de mémoire des renseignements aussi essentiels que les tours de poitrine et de taille de vos filles.

L'homme la regarda un moment, bouche bée, alors que des larmes perlaient aux commissures de ses yeux. À la fin, il laissa échapper, la voix brisée :

— Leur mère, ma femme, est décédée au début de l'automne dernier.

Cet homme se donnerait bientôt en spectacle, au moment où deux clientes entraient justement dans le magasin. Sans hésiter, la marchande saisit son bras et prononça d'une voix ferme :

— Venez avec moi.

Des larmes coulaient déjà sur ses joues. Aussi l'inconnu se laissa-t-il entraîner au fond de la grande pièce. Marie ouvrit la porte du réduit où se trouvaient une petite table et quatre chaises.

— Attendez-moi ici, je reviens très vite.

Parmi les innovations des deux dernières années, la propriétaire gardait un petit réchaud dans un cagibi attenant. Les habituées du commerce, où les vendeuses au moment de leurs pauses, se voyaient offrir un peu de thé. Quelques minutes plus tard, elle revint avec deux tasses et posa l'une d'elle devant l'homme éploré.

— Je m'excuse…, murmura-t-il. Cela n'arrive plus très souvent, mais dans les moments les plus inattendus…

Il esquissa un mouvement de la main pour montrer son visage. Son mouchoir roulé en boule entre ses doigts, il effaçait ses larmes, s'essuyait le dessous du nez. La gêne de se montrer dans un tel état de faiblesse l'amena à rougir comme une jouvencelle.

— C'est bien naturel. Votre épouse est décédée il y a quelques mois à peine.

— Sept, bientôt huit.

Cet homme devait connaître le nombre de mois, de jours et d'heures écoulés depuis ce moment. Marie attendit que son interlocuteur continue. Cela ne tarda pas.

— La tuberculose… Ce n'était pas vraiment une surprise, mais le choc fut rude.

— Une partie de nous refuse de croire aux événements les plus cruels… même longtemps après.

Devant les yeux interrogateurs de son vis-à-vis, elle crut bon de préciser :

— Mon mari est mort lors du naufrage de l'*Empress*.

— Oh ! Vous avez toute ma sympathie. Il s'agissait de cet Alfred-là.

L'homme se souvenait de la raison sociale du commerce, étalée en lettres d'or sur un grand panneau blanc, au-dessus de la porte, et de la photo du commerçant, ornée d'un ruban noir, posée au-dessus de la caisse enregistreuse.

— L'événement a fait beaucoup jaser, dans le temps. J'aurais dû faire le lien.

Un moment, Marie se sentit mal à l'aise de n'avoir pas offert ses condoléances à son client. Les phrases toutes faites ne lui venaient pas naturellement. Pour se donner une contenance, elle avala une gorgée de thé à peine tiède, âcre d'avoir été trop longtemps infusé.

— Vous avez raison, on refuse de croire à une disparition définitive, poursuivit le visiteur. Pendant les fêtes, la situation était atroce : les filles se levaient heureuses, puis se rappelaient soudainement…

L'homme passa à nouveau son mouchoir sous ses yeux et renifla un peu bruyamment, au mépris des convenances.

— Votre travail vous permet-il de rester un peu près d'elles ?

— Malheureusement non. Je suis le député du comté de Rivière-du-Loup. Afin de les avoir un peu plus près de moi, je les ai mises en pension chez les ursulines. Je peux les voir tous les dimanches pendant une heure. C'est si peu.

— D'un autre côté, avec les religieuses qui les tiennent sans cesse occupées, des camarades de leur âge, sans jamais un vrai moment de solitude, cela se révèle sans doute préférable.

Devant le regard interrogateur du client, elle expliqua :

— Ma fille a fréquenté le couvent. Bien que ce fût en externe, la routine m'est familière.

— …Peut-être mes filles la connaissent-elle ?

L'homme imaginait l'existence possible d'une relation amicale entre les adolescentes.

— Thalie fréquente une autre école depuis bientôt deux ans.

— J'y pense, madame Picard, je ne me suis pas présenté. Paul Dubuc…

— Je sais, député libéral à l'Assemblée législative, réélu le 22 mai dernier avec une écrasante majorité. J'avais deviné. Je tente de me tenir informée, surtout que dans l'ouest, quelques provinces commencent à donner le droit de vote aux femmes. Même au niveau fédéral, l'idée semble faire son chemin, depuis quelque temps.

— Dans la province de Québec, je ne pense pas que nous irons aussi loin.

Le changement abrupt de sujet lui fit du bien. S'il rougissait encore, cela tenait à un autre malaise. Devant certaines femmes, il trouvait difficile de croire aux arguments habituels sur l'incompétence politique du sexe faible. Celle-là semblait plus raisonnable que la plupart de ses électeurs.

Marie préféra ne pas le pousser dans ce buisson d'épines. Charitable, elle revint plutôt au premier sujet de leur conversation.

— Vous savez, je ne peux vraiment pas vous vendre des robes au hasard... Surtout que les pères ont tendance à considérer leurs filles un peu plus petites, plus jeunes qu'elles ne le sont en réalité.

— Je tenais à leur faire cette joie. Nous retournerons bientôt à Rivière-du-Loup pour la belle saison. Des parents m'ont promis de prendre bien soin d'elles. Des semaines avec des cousins et des cousines leur changeront les idées.

— Surtout si de jolies robes retiennent l'attention des cousins. Ne renoncez pas à ce projet.

— Elles sont trop jeunes...

L'homme se troublait à la pensée que ses enfants puissent intéresser des garçons.

— Vous voyez, les pères considèrent leurs filles bien petites, même quand elles leur viennent à la hauteur de l'épaule. La mienne a seize ans aussi. Si elle avait des cousins, elle ne passerait pas inaperçue.

— ...Ces choses-là m'inquiètent tellement. Seule une femme comprend vraiment...

Plutôt que de continuer la phrase, il se tamponna à nouveau les yeux.

— La seconde a quel âge?

— Quatorze ans.

— Revenez avec elles demain. Si vous acceptez d'y mettre quelques dollars, ce seront les plus charmantes jeunes filles du Bas-Saint-Laurent.

Il marqua une hésitation, puis chuchota :

— Les ursulines sont intraitables à propos des sorties.

— Voyons, elles n'ont même pas le droit de vote. Devant un député, membre de l'équipe au pouvoir en plus, elles les libéreront certainement pendant deux heures, demain après-midi.

Un sourire malicieux soulignait ces paroles. Les détenteurs du pouvoir politiques reculaient-ils devant des vierges acariâtres revêtues de costumes d'un autre âge ?

— Je verrai ce que je peux faire... Peut-être qu'en mettant une échelle contre la muraille, je les libérerai.

L'homme se leva, à nouveau mal à l'aise. Marie l'accompagna et ouvrit la porte du réduit. Au moment de sortir, il prononça :

— Je vous remercie beaucoup. Vous êtes gentille de m'avoir...

Le rouge aux joues, il s'emmêla, ne sachant comment conclure un échange de ce genre.

— Ce n'est rien. Je garde toujours des tasses de thé imbuvables pour les situations délicates.

Au moment de s'approcher de la sortie, il continua :

— Vous savez, tous ces pleurs... Je me sens terriblement ridicule, un peu idiot en fait.

La marchande posa sa main droite sur la gauche du client. La peau nue, douce et tiède, surprit le visiteur.

— Monsieur Dubuc, quelques qualificatifs me sont bien venus en tête en vous voyant pleurer sur la mort de votre épouse et la tristesse de vos filles. Croyez-moi, les mots « ridicule » et « idiot » ne figuraient pas dans la liste. En vérité, ils ne seraient dans la liste d'aucune femme, et d'aucun homme ayant juste un peu de cœur.

Les larmes revinrent aux yeux du député. Il prit la main de la marchande dans les siennes et laissa échapper un « merci » ému avant de se sauver vers la porte. À deux pas, Thalie se débarrassait de son chapeau de paille et de sa veste, toute disposée à donner un coup de main en attendant l'heure du souper.

— Qui était cet homme? questionna-t-elle, un sourire en coin.

— Un client. Le député de Rivière-du-Loup.

— Il n'a rien acheté.

— Il reviendra demain avec ses filles.

Thalie dépassait maintenant sa mère d'un bon pouce. Elle demeurait une femme de petite taille, mais cela ne la rendrait jamais moins désirable.

— Les clients ont droit à notre petite salle de repos, à notre mauvais thé, et ils pleurent devant toi?

Les yeux de l'adolescente, ou plutôt de la jeune femme, demeuraient rieurs. Si des jeunes gens venaient au magasin avec le seul espoir de lui conter fleurette, les plus âgés ne négligeaient pas d'adresser des œillades et des mots gentils à sa mère.

— Ne dis pas de sottises, conclut Marie. Cet homme pleure sa femme, décédée de tuberculose l'automne dernier, et il a deux filles aujourd'hui aussi dévastées que tu l'as été à l'été 1914.

« N'empêche, pensa Thalie en regagnant son poste parmi les rubans et les dentelles, exprimer des paroles de réconfort ne signifie pas l'absence d'intérêt. »

～

Le Club de la garnison, fondé en 1879, se dressait tout près de la porte Saint-Louis, dans la rue du même nom. Ses membres jouissaient de l'insigne privilège d'y recevoir des invités. Cela rassurait Édouard à demi seulement. Son meilleur habit de soirée paraissait terriblement civil au milieu de tous ces uniformes. Des regards peu amènes se posaient sur lui.

— Je suppose qu'ils trouvent insupportable de voir un homme de mon âge, bien portant, habillé autrement qu'en kaki. Tous ces gens ne distribuent pas des plumes blanches ; ils paraissent sur le point de me coller le dos au mur pour me fusiller.

— N'exagère pas, tout de même, grommela Armand Lavergne en l'entraînant vers une table.

Dans le bar aux boiseries sombres, la fumée des pipes, des cigares et des cigarettes saisissait à la gorge. Des militaires s'entassaient au coude à coude dans un espace assez réduit, un verre de gin ou de whisky à la main, évoquant haut et fort les actes d'héroïsme qui les attendaient sur les champs de bataille des Flandres.

— Ce ne sont ni des miliciens ni même des Québécois, fit valoir l'invité.

— Les miliciens n'osent plus se présenter devant ces vrais soldats. Les amateurs cèdent la place aux professionnels.

Les avocats, les médecins, les notaires et les boutiquiers, membres des vieux régiments formés à l'époque de la fédération canadienne, désertaient les lieux au profit des officiers de la Citadelle ou du camp de Valcartier. Lavergne arborait fièrement l'uniforme d'apparat de son unité, fait sur mesure ; un vêtement suranné et terriblement élégant, comparé au kaki.

— Tu te rends compte, ces vieux idiots édentés ont osé voter mon expulsion de ce club, se lamenta le politicien.

— Après avoir crié à l'Assemblée, puis lors de réunions populaires : « Que périsse l'Angleterre ». Tu fais maintenant semblant d'être surpris ? Cela me paraît un motif suffisant. Après tout, je suppose que tu as prêté un serment d'allégeance au roi, au moment de revêtir cet uniforme.

— Tu prends leur parti, maintenant ?

Les membres du Club de la garnison avaient voté sur l'opportunité de se séparer de leur membre le plus turbulent. Près des deux tiers d'entre eux trouvaient l'amputation désirable.

— Je ne prends le parti de personne. Si tu es vraiment contre la participation à la guerre, que fais-tu dans ces lieux, et avec ce déguisement? Sauf pour le plaisir de jouer à la mouche du coche, de provoquer, je ne vois aucun motif.

— Je suis membre de la milice pour défendre le Canada, pas pour participer aux guerres étrangères.

L'entêtement de cet homme demeurait incompréhensible. Édouard remarqua quelques officiers en conciliabule. Ils jetaient des regards désapprobateurs dans leur direction. Les visages peu amènes laissaient prévoir une intervention prochaine. Un petit serveur chauve vint bientôt vers leur table pour déclarer à voix basse :

— Monsieur Lavergne, votre nom ne figure plus sur la liste des membres de ce club. Je vous prie de sortir d'ici.

— Vous me connaissez, je suis membre depuis des années...

— Vous ne l'êtes plus. Veuillez sortir sans faire d'histoire.

Édouard surveillait trois militaires qui, de leur côté, ne quittaient pas le politicien des yeux.

— Armand, nous ferions bien de déguerpir en vitesse.

— Pas du tout, ces gens-là n'ont pas le droit de me chasser.

— Je suis sérieux, mieux vaut partir...

Le petit serveur s'apprêtait à insister lui aussi. L'un des officiers ne lui en laissa pas le temps.

— *Sir, are you called Lavergne?*

Le député de Montmagny leva les yeux sur un homme grand, bien bâti. Sa lèvre supérieure s'ornait d'une moustache rousse et ses yeux bleus, très pâles, paraissaient presque blancs.

— *I beg your pardon?*

— *You are Lavergne!*

La prononciation de l'homme rendait le patronyme à peu près méconnaissable. Deux autres militaires encadraient le premier. L'instinct du politicien lui fit douter du *fair-play* de ses interlocuteurs. Le moment semblait peu propice pour une discussion sur la liberté d'expression en temps de guerre.

— *No, no. I do not know the man...*

Ils le regardèrent, profondément sceptiques, puis se retirèrent après un moment d'hésitation. Le serveur contempla l'homme, puis fit, ironique :

— Si vous n'êtes même pas Lavergne, cela vous donne encore moins le droit d'être ici. Alors quittez sans faire d'histoire... Ou alors je pourrai détromper ces messieurs.

L'intrus laissa échapper un chapelet de jurons entre ses dents, mais se leva bien vite pour se diriger vers la porte.

— Les salauds, je vais les poursuivre, ragea-t-il en mettant les pieds dehors. Ils n'ont aucun droit de me chasser comme un malpropre. Je paie ma cotisation depuis des années.

— Cela te donnera quoi ? Tu tiens vraiment à venir passer tes soirées avec ces héros de la fière Albion ?

De nouveaux jurons fusèrent en guise de réponse. À la fin, le député de Montmagny abdiqua :

— Nous allons le boire au *Château*, ce fameux verre ?

Édouard acquiesça, heureux de quitter ces parages où dominaient les uniformes kaki.

~

Le lendemain, en milieu d'après-midi, le député Dubuc agite de nouveau la clochette de la porte d'entrée. Derrière lui venaient deux jeunes filles vêtues de l'uniforme du couvent des ursulines. La plus âgée, Françoise, dépassait Thalie d'un pouce ou deux. Châtaine, les traits réguliers, placide, sa timidité la faisait rougir comme la couventine qu'elle était. Amélie, de deux ans sa cadette, ouvrait de grands yeux curieux sur les merveilles du commerce.

Mathieu, derrière la caisse enregistreuse, accueillit le trio. Les pères, plus que les mères, déliaient volontiers leur bourse au moment de parer leurs filles. Le collégien, dont les lectures bravaient les interdits de l'Église, songea au petit médecin viennois du nom de Freud. Celui-là proposerait sans doute une interprétation troublante de ce phénomène.

— Monsieur Dubuc, intervint Marie en s'approchant prestement, la main tendue. Je constate que vous avez pu libérer ces charmantes personnes de leur garde-chiourme.

Le politicien serra la petite main, s'émut à nouveau du contact de la peau contre la sienne.

— Comme vous l'aviez prévu, elles n'ont pu s'opposer à la volonté d'un représentant du peuple.

— Lequel paie sans doute le prix fort pour les laisser s'occuper de l'éducation de ses filles. Elles aussi, au fond, sont de simples marchandes, et vous, l'une des personnes qui leur permettent de subsister de leur commerce.

Dix-sept ans de mariage avec un anticlérical comme Alfred laissaient des traces : certaines des remarques les plus abrasives du défunt sortaient maintenant de la bouche de sa veuve. Elle se tourna, souriante, pour tendre la main à l'aînée des enfants.

— Vous devez être Françoise. Si je ne me trompe pas, ajouta-t-elle à l'intention du père, cette jeune personne est plus grande que vous le disiez. Sur sa beauté, vous aviez cependant raison.

Le petit mensonge pieux fit rougir à la fois la fille et l'auteur de ses jours. La marchande se tourna ensuite vers la cadette pour prendre sa main.

— Et voici Amélie, elle aussi tout à fait ravissante.

Marie saisit ensuite chacune des filles par un bras et se dirigea vers le présentoir des dentelles pour demander à Thalie :

— Veux-tu t'occuper de cette nouvelle cliente ? Son père souhaite lui offrir une robe… Mais monsieur Dubuc, ne pensez-vous pas qu'une seule robe, ce sera trop peu ?

— Elle a déjà des robes…

— Les vêtements de l'été dernier ne lui feront plus. Puis, à son âge, les vêtements allant aux genoux ne conviennent plus.

— Deux robes, abdiqua le père.

À quatorze ans, Amélie devait commencer à cacher ses mollets. Thalie résuma la situation en précisant :

— Quelque chose de pratique, pour les après-midi, et une autre plus... élaborée pour le soir ?

— Votre choix sera parfait, approuva le père.

La fille de la marchande posa sa main dans le dos de l'adolescente afin de la conduire vers les étals de vêtements convenant à des clientes de son âge. Le député Dubuc remarqua en les regardant s'éloigner :

— Cette personne pourrait être votre jumelle.

— Voilà que nous avons un véritable politicien parmi nous, toujours près à flatter ! s'esclaffa Marie. Souvenez-vous, je n'ai pas le droit de vote, vous gaspillez votre salive. Allez nous attendre dans la petite salle que vous avez découverte hier. Si l'ennui vous prend, préparez un peu de thé.

L'homme fit comme on le lui disait. La marchande prit le bras de Françoise juste sous le coude pour l'amener près des présentoirs chargés de robes. Tout de suite, un chiffon de couleur pêche retint l'attention de la couventine.

— Je crois que ceci... commença-t-elle.

— La teinte est parfaite, encouragea Marie. Voyez.

Elle enleva le cintre de la barre horizontale, amena la cliente devant une glace et plaça la robe devant elle. La couleur s'accordait aux joues un peu marquées de rose, aux yeux gris très doux.

— En soirée, cela conviendra parfaitement. Si vous accompagnez votre père lors de ses rencontres politiques...

— Je serai sans doute confinée à la maison, ou alors chez mes tantes.

— Vous saurez bien vous libérer quelques fois, je vous fais confiance. Passez ce petit bijou.

— La couleur ?

Elle faisait allusion aux obligations du deuil. La marchande le devina.

— Mettez là tout de même.

La grande fille obtempéra et s'enferma dans la cabine d'essayage. Quand elle sortit, rougissante de se trouver si belle, Marie s'enthousiasma.

— Superbe. Venez.

En quelques pas, elles se rendirent au réduit, le trouvèrent vide, puis découvrirent le député dans le cagibi en train de faire du thé.

— La multitude de vos talents doit inspirer la plus grande confiance à vos électeurs, se moqua la propriétaire pour obtenir son attention. Préparer ainsi le thé à la moindre invitation !

L'homme se tourna pour leur faire face, prêt à rétorquer quelque chose sur son désir de se rendre utile. Les premiers mots moururent sur ses lèvres, puis il reprit :

— Françoise, quelle jolie femme tu deviens !

La grande fille rougit et chercha une réponse sans la trouver.

— Je vous l'avais dit, reprit Marie. Cette robe est faite pour vous, ou vous pour elle.

Le député marqua une hésitation. Son interlocutrice comprit et conseilla :

— Allez vous contempler dans le grand miroir. Je vous reviens tout de suite.

Après le départ de sa fille, l'homme commença, mal à l'aise :

— Les convenances... Vous savez que les gens vont jaser si elle écourte la période de deuil.

— L'été sera bientôt là. Vous avez une très jolie jeune fille. Laissez la vie reprendre le dessus. Elle va découvrir qu'elle est belle, que des personnes, et même des cœurs, s'ouvrent à elle.

— À seize ans !

— Vous et moi savons qu'elle ne se mariera pas cette année. Laissez-la vivre.

L'homme pencha la tête vers la bouilloire posée sur le petit réchaud, combattant une nouvelle ondée de larmes.

— Leur mère... les aimait tellement.

— Comme toutes deux l'aimaient, et l'aiment encore, n'est-ce pas? Comme vous les aimez.

L'homme acquiesça de la tête.

— Exigez la tenue noire lors de la messe et des vêpres, puis relâchez votre attention le reste du temps. Une cécité temporaire au moment opportun, et les yeux grands ouverts le reste du temps.

Après une pause, Marie reprit:

— Vous aimez cette robe?

— Elle est ravissante.

— Pour lui tenir compagnie, je vais en trouver une petite bleue, dans le même esprit.

Elle retrouva sa cliente placée de profil devant la grande glace, la mine soucieuse.

— Regardons maintenant ce que nous avons en bleu. Pour le jour, ce sera du meilleur effet.

Françoise ne protesta guère, donna son avis sur quelques modèles, les compara à la teinte de sa peau afin d'obtenir le plus bel effet. À la fin, elle se retira dans la cabine pour en essayer une. Un moment plus tard, elle entrouvrit la porte et murmura:

— Madame... pouvez-vous venir un moment?

Marie occupa l'embrasure de la porte. La jeune fille se tenait debout devant un miroir renvoyant le reflet de l'échancrure du corsage.

— Vous ne croyez pas...

— Que ce soit trop révélateur? Non, pas vraiment, sauf aux yeux des ursulines. Toutes les personnes de votre âge porteront la même chose, cet été. Elle s'ouvre tout au plus sur trois pouces.

Devant l'hésitation de la cliente, elle ajouta:

— Nous prendrons un petit foulard de soie d'un bleu assorti. Quand vous ne serez pas certaine de votre tenue, vous le nouerez autour de votre cou. Venez.

Sur le chemin conduisant à la petite pièce à l'arrière du magasin, la propriétaire fit comme elle avait annoncé. Une

Françoise très pudique reçut l'assentiment de son père. De retour près de la cabine d'essayage, elle s'arrêta devant le grand miroir, enleva le foulard et se pencha un peu en avant afin de juger de la quantité de peau révélée par cette posture.

— Vous voyez, vous accrocherez un peu l'œil, sans plus.

Rougissante, la jeune femme révéla le fond de sa pensée :

— Je n'ai pas beaucoup…

Les mots lui manquèrent, Marie compléta pour elle :

— De poitrine ? Mais que feriez-vous de rondeurs plus… ambitieuses ? Déjà à seize ans, vous me dépassez, insista la femme en se mettant à son tour de profil devant la glace.

— Les garçons préfèrent…

Les oreilles cramoisies, elle n'osa continuer.

— Des seins plus gros ? Si jamais l'un d'eux est assez grossier pour vous formuler une remarque aussi sotte, dites-lui de se chercher une vache laitière. Car tout mâle obsédé par les mamelles appartient certainement au genre bovin, pas au genre humain.

Françoise plaça sa main gantée devant sa bouche, un peu gênée d'entendre des mots aussi crus.

À leur retour près de la salle servant d'aire de repos aux employées, ils trouvèrent Thalie et sa jeune protégée. Cette dernière arborait un ensemble composé d'une jupe et d'une blouse matelot dans des teintes bleues du plus bel effet. Pour les adolescentes, les vêtements de ce genre demeureraient à la mode encore une bonne dizaine d'années. Ils autorisaient des activités physiques compatibles avec l'âge et les désirs de leur propriétaire.

— J'ai aussi choisi une robe plus habillée, pour les soupers, expliqua Thalie à sa mère.

— Plus longue aussi, tint à préciser Amélie.

Marie tourna la tête vers Paul Dubuc, qui déciderait ultimement de la garde-robe de sa progéniture.

— Le tout nous convient parfaitement, aux filles et à moi.

Quelques instants plus tard, la marchande s'installait à table avec ses clientes alors que Thalie regagnait ses dentelles. Françoise prit sur elle de servir le thé. Pendant une petite demi-heure, la conversation porta sur la vie au pensionnat, et surtout, sur les grandes vacances toutes proches. Plus tard, au moment où le politicien s'apprêtait à payer ses achats, Marie remplaça Mathieu derrière la caisse. Le jeune homme montra tout son savoir-faire en pliant soigneusement les vêtements pour les mettre dans de grands sacs de papier kraft. Il en tendit deux à la plus âgée en disant :

— Voilà de très jolies robes, mademoiselle...

— Françoise.

— Sur vous, elles seront plus belles encore. La bleue, avec le foulard de soie, vous ira à ravir.

Les oreilles de la cliente passèrent au cramoisi, alors qu'un « merci » balbutié franchissait à peine la barrière de ses lèvres. La propriétaire du commerce apprécia la scène avec un sourire. Depuis un an ou deux, Mathieu risquait quelques mots de ce genre à l'intention des clientes à la fois jeunes et jolies. Cette fois, sa voix témoignait d'une pointe d'émotion.

Près de la porte, au moment de sortir, Paul Dubuc tendit la main, lui aussi plus troublé que la situation ne le demandait.

— Chère Madame, je vous suis très reconnaissant, à la fois pour les paroles prononcées hier et aujourd'hui.

— J'espère que les quatre robes comptent aussi un peu dans cette reconnaissance.

L'homme rougit et baissa la voix pour répondre :

— Je pense que ces vêtements représentent pour vous et moi une bonne affaire. Les mots venaient du cœur et ils sont allés au cœur.

Les deux jeunes filles saluèrent Marie à leur tour, puis le trio disparut dans la rue de la Fabrique. Elle contempla la porte un instant et toussa légèrement pour se donner une contenance. Un client l'avait touchée de la sorte en 1908. Au moment de se retourner, elle découvrit les yeux de ses enfants, rieurs, posés sur elle.

〜

De plusieurs façons, la guerre européenne s'avérait bénéfique aux affaires. La production des fournitures militaires et l'exportation de produits de première nécessité aux pays belligérants permettaient de faire fonctionner les ateliers, les manufactures et les fermes à leur pleine capacité. Depuis le printemps 1916, des annonces dans les journaux invitaient les étudiants de l'est du Canada à participer aux semences et aux récoltes dans les Prairies.

La navigation, rendue très incertaine à cause des sous-marins allemands, de même que la précarité de l'existence sur le Vieux Continent signifiaient aussi que les Américains devaient chercher des lieux de villégiature en Amérique. Les hôtels de Québec affichaient complet, les restaurants réalisaient des affaires d'or.

Cette manne profitait aussi à des magasins comme ALFRED. La clochette de l'entrée retentissait presque sans arrêt. Des touristes de Boston achetaient des robes «françaises» produites dans de petits ateliers de confection de... New York. La plus grande difficulté demeurait l'approvisionnement, puisque les entrepreneurs trouvaient souvent plus avantageux de produire pour l'armée. Néanmoins, la veuve Marie Picard engrangeaient des profits rassurants; sa famille et elle demeuraient à l'abri du besoin.

Le lundi 26 juin, un peu après six heures, elle verrouilla la porte derrière les dernières clientes et appuya son dos contre le cadre en commentant:

— Cela tient du mystère: faire un aussi long voyage pour acheter des vêtements.

— Le charme de la cité de Champlain opère toujours, répondit Mathieu du même ton amusé, tout en complétant le bilan de la caisse.

Depuis 1908, la ville continuait à faire mousser son caractère «antique». La stratégie fonctionnait, et l'argument des vieilles pierres semblait promis à un bel avenir. Après quelques minutes, la marchande laissa sortir les vendeuses et verrouilla à nouveau, bien résolue cette fois à ne pas toucher à la clé avant le lendemain matin. Thalie rejoignit son frère et sa mère pour monter à l'appartement du dernier étage.

Les fenêtres percées à l'avant et à l'arrière, grâce aux portes des diverses pièces laissées ouvertes, permettaient de bien aérer l'espace. L'endroit demeurait relativement frais, même pendant les grandes chaleurs de l'été. Les couverts étaient déjà dressés sur la table de la salle à manger. Au moment où elle s'apprêtait à s'asseoir, Marie trouva une lettre près de son assiette.

— Le gouvernement vous a écrit, fit Gertrude.

— Peut-être une invitation à t'enrôler, commenta Mathieu en riant.

— S'il te plaît, fit la femme en posant des yeux éplorés sur lui.

— Je m'excuse, maman.

Le garçon célébrerait ses dix-neuf ans dans un peu plus de deux semaines. Les allusions à la participation à la guerre suscitaient toujours une réaction émotive; toute forme d'humour sur le sujet demeurait taboue.

— De toute façon, fit la mère de famille avec sérieux, la lettre ne vient pas du bon niveau de gouvernement.

Le coin gauche de l'enveloppe portait l'inscription «Hôtel du gouvernement, Québec» imprimée en petits caractères ainsi que le nom d'un député écrit d'une main précise. Elle fronça les sourcils et déchira le rabat en insérant son pouce sous celui-ci. Un instant plus tard, elle contemplait un carton couleur crème.

— De quoi s'agit-il? questionna Thalie en prenant sa place.

En adressant un sourire à Gertrude, l'adolescente commença à servir la salade. La domestique grommela quelque chose comme «Je ne sers plus à rien», sans que personne n'y prête attention.

— … Une invitation, prononça la maîtresse de maison après une hésitation. C'est ridicule.

Elle relut le court texte écrit à la main. Si la graphie reflétait bien son auteur, ce dernier devait être résolu, soigné, organisé.

— Je peux voir?

Thalie tendit la main, laissant sans vergogne la bonne continuer le service. Retrouver ses fonctions ne ramena pas la moindre expression de joie sur le visage de la vieille femme. La mère paraissait bien incertaine, au point que sa fille agita les doigts en signe d'impatience. Puis, le carton enfin sous les yeux, elle commença par un «Oh! Oh!» amusé, avant de commenter:

— Voilà quatre jolies robes qui font du chemin.

— Je me demande bien ce qui lui prend!

Marie entendait maintenant récupérer la missive. L'adolescente se tourna à demi dans l'autre direction pour la relire encore. Elle déclara ensuite:

— Pourtant, cet homme est très clair.

— Je peux savoir ce qui se passe? demanda Mathieu.

Thalie regarda sa mère rougissante et lui adressa son meilleur sourire avant de dire:

— La plus jolie femme de la maison touche les cœurs. Écoute bien.

Elle se cala dans sa chaise pour lire à haute voix:

Très chère Madame,

Je vous remercie encore pour votre grande gentillesse et vos mots de réconfort. Après quelques jours à Rivière-du-Loup, je constate que mes deux filles retrouvent leur sourire. Cela tient certainement un peu au sentiment de se sentir jolies. Pour cela aussi, je vous remercie.

Me feriez-vous le plaisir d'une visite? Ma sœur aînée s'occupe de la maison, vos enfants et vous seriez les bienvenus. J'aurais grand plaisir à vous faire visiter mon gros village et, je le souhaite de tout cœur, devenir votre ami.

Encore une fois, merci.

Paul Dubuc

— Il a dû écrire cela dans un moment d'ivresse... ou de grande tristesse, s'empressa d'ajouter Marie afin de ne pas ternir la réputation de son correspondant.

— Pourtant, cela me paraît bien convenir au personnage dont tu tenais la main, ou qui te tenait la main, je ne sais plus, commenta l'adolescente. Un homme sensible dont tu as touché le cœur.

— Ne dis pas de sottises. Tu l'as dit, nous lui avons vendu quatre robes.

La femme se défendait mal, ses joues se teintaient de rose. Elle se concentra sur sa salade, feignant de se désintéresser du carton, maintenant entre les mains de son fils.

— Que comptes-tu faire? s'enquit ce dernier.

— ...Rien. Ce n'est pas sérieux, une invitation de ce genre.

— Le gars ne m'a pas semblé porté sur les blagues de mauvais goût, fit Mathieu. Donc, il doit être sérieux.

— Puis, de toute façon, cela ne se fait pas. Que diront les gens?

Ce souci du qu'en-dira-t-on, si angoissant du temps des frasques d'Alfred, prenait une nouvelle allure. La veuve admirable de résolution craignait de devenir celle par qui le scandale arrive. Gertrude demanda sans lever les yeux de son assiette:

— Le bonhomme vous a-t-il semblé plaisant?

— Je ne l'ai pas regardé... en tout cas, pas dans ce sens-là.

— Allez-vous commencer à me prendre pour une gourde, à mon âge?

Marie se troubla, jeta un coup d'œil sur ses enfants, comme si leur présence l'empêchait d'être franche. La domestique insista:

— Ce sont des adultes, maintenant. La preuve, ils feront des journées de travail d'adulte tout l'été. Que pensez-vous de cet homme?

La marchande se trouvait poussée dans ses derniers retranchements.

— C'est un type bien, je crois.

— Alors, allez-y.

— Cela ne se fait pas. Il m'invite chez lui...

— En précisant que sa sœur s'occupe de sa maison. Puis, il invite aussi vos enfants, en guise de chaperons. Votre réputation ne souffrira pas.

Elle se leva pour aller chercher le mets principal dans la cuisine. Marie plaida en son absence :

— C'est la meilleure saison, nous ne pouvons pas abandonner le commerce.

— C'est vrai que si tu t'absentes, tout va s'effondrer, railla Thalie. Mon frère et moi ne savons rien faire.

— Je ne peux y aller seule... Ma réputation...

— Amène Mathieu, conclut l'adolescente. Il a terminé son cours classique parmi les premiers il y a moins d'une semaine. Quelques jours de congé lui feront du bien. Regarde son visage, si pâle.

Le garçon lui adressa une grimace, sans toutefois protester. Rivière-du-Loup exerçait sur lui une certaine attirance.

— Voyons, tu ne peux pas remplacer trois personnes à toi seule, protesta Marie.

— Mais tu peux demander à l'une de nos anciennes vendeuses de venir aider. Eulalie ne cesse de te répéter combien cela lui ferait plaisir.

La plupart des femmes abandonnaient leur emploi au moment du mariage. À moins de tomber enceinte très vite, certaines s'ennuyaient ferme, au point de souhaiter retrouver le petit commerce de la rue de la Fabrique, au moins pour quelques jours.

— Mathieu, tu m'accompagneras?

— Maman, je ferai tout pour préserver ta réputation, y compris me faire dévorer par les moustiques. Je me demande combien de jours de congé tu as pris depuis l'ouverture de ce commerce, à part pour les deux naissances et quelques gros rhumes...

— ...Aucun.

Elle souriait, se réconciliant lentement avec l'idée saugrenue d'accepter l'invitation d'un homme à peine connu. Jusqu'où quelques jours à la campagne la conduiraient-elle?

— Acceptez-vous d'entendre raison? demanda Gertrude en revenant avec un plat de service.

— Il semble que je n'ai pas le choix.

— Tant mieux, sinon vous allez devenir aussi ronchonneuse que moi, au fil des ans. Ce serait dommage.

La domestique distribua la nourriture en adressant un clin d'œil complice aux enfants.

Au moment de se retirer dans sa chambre, Marie sortit sa meilleure plume, son meilleur papier, puis commença.

Monsieur Dubuc,

— Ridicule, grommela-t-elle. Même les fournisseurs méritent un « Cher Monsieur ».

La feuille fut déchirée en quatre. Puis, elle recommença:

Cher ami,

Je serai heureuse de passer les premiers jours de juillet à Rivière-du-Loup... en votre compagnie. Mon fils, Mathieu, m'accompagnera. Je me réjouis que vos filles trouvent à nouveau du plaisir à leur existence. De jolies robes aident sans doute un peu à ce beau résultat; votre tendresse, beaucoup.

Au plaisir de vous revoir,

Cette missive ressemblait à une lettre jetée à la mer. Tout homme un peu sensible comprendrait que son cœur demeurait prêt à s'ouvrir. Elle écrivit encore « Marie », hésita avant d'ajouter Picard. Finalement, le prénom lui parut suffisant. Elle cacheta l'enveloppe avant de changer d'idée.

Chapitre 11

« Les premiers jours de juillet », pour reprendre l'expression de Marie, signifiait le samedi et les jours suivants. La célérité des services postaux, puis l'utilisation du télégraphe, permirent de régler très vite les derniers détails et même de devancer le moment du départ. Dès le vendredi matin suivant, dernier jour de juin, une voiture taxi déposa la mère et le fils au pied de la passerelle donnant accès au traversier. De l'autre côté du fleuve, un second véhicule les amena à la gare. Trois quarts d'heure après avoir quitté le commerce, Mathieu commenta :

— Je ne croyais pas qu'un être humain pouvait recevoir autant de recommandations en un si bref laps de temps. Thalie doit être très saine d'esprit pour résister à cela.

— Elle a seulement seize ans, et nous la laissons seule, se justifia la mère en rougissant.

— Seule ? N'ai-je pas entendu une petite conspiration ce matin, dans la cuisine, selon laquelle Gertrude doit monter la garde à l'étage du magasin ? Souhaitons juste que notre bouledogue domestique ne chassera pas la clientèle.

Pendant un moment, Marie choisit de regarder défiler le paysage sur sa gauche. Le fleuve Saint-Laurent offrait une surface d'un bleu profond, le soleil donnait au vert des arbres et des pâturages un éclat particulier. Les villages endormis succédaient aux champs fertiles.

— J'ai dit à monsieur Dubuc d'accepter que ses filles vieillissent, deviennent des jeunes femmes, fit-elle enfin. Je suppose qu'il pourrait me retourner le conseil. Non seulement tu es un homme, mais tu es beau et fort.

Ils se trouvaient sur des sièges se faisant face, près de la fenêtre. La mère tournait le dos à sa destination, le garçon y faisait face. Le choix des places trahissait-il des états d'âme différents ? Mathieu portait un costume de lin écru. Son canotier se trouvait près des bagages, sur l'espace de rangement au-dessus de leur tête.

— Merci. Tu n'es pas vilaine non plus. Quelques années de moins pour toi, ou quelques-unes de plus pour moi, et les gens imagineraient sans mal un couple de villégiateurs en route vers Notre-Dame-du-Portage.

Ce charmant village, un peu à l'ouest de Rivière-du-Loup, accueillait son lot d'estivants, établis dans de jolies résidences secondaires construites près du fleuve.

— Dis plutôt plusieurs années, dans un sens ou dans l'autre. J'ai trente-six ans, et toi dix-neuf.

— Mais ni toi ni moi ne faisons notre âge.

Marie s'étonnait toujours de l'immense ressemblance entre son fils et Alfred. En comparaison, les traits du garçon rappelaient fort peu ceux de son père naturel. Elle expliquait la chose par le mimétisme, l'enfant modelant ses expressions sur celles de l'homme s'occupant de lui. L'examen d'un portrait du grand-père, Théodule Picard, lui aurait fourni une explication toute simple du phénomène.

Après un moment de silence, la femme admit à voix basse :

— Je me sens terriblement mal à l'aise. J'ai reçu cette lettre lundi. Vendredi, je me précipite à sa rencontre. Si Thalie faisait une chose pareille, je mourrais d'inquiétude, certaine de la voir courir à sa perte.

— Mais dans notre maison, Thalie est certainement la femme la plus réfléchie, risqua Mathieu, un sourire en coin.

Sa mère dut se donner un moment de réflexion avant de reconnaître l'humour contenu dans la remarque. À la fin, elle répondit :

— Si tu as raison, cela témoigne éloquemment du caractère déraisonnable des deux autres !

Le sourire complice sur le visage du garçon lui permit de se détendre un peu. Celui-ci enchaîna après une pause :

— De toute façon, il y a un train tous les matins entre Lévis et Rivière-du-Loup, et un autre, le soir, fait le trajet dans l'autre sens. Si tu aimes ton séjour, nous restons, sinon, nous repartons.

— Si j'aime ce séjour, je me demande si le plus sage ne serait pas de prendre la fuite immédiatement.

Mathieu demeura un moment silencieux, puis admit :

— Je ne comprends pas.

— Je ne sais pas si je crains d'aimer sa présence ou de ne pas l'aimer. L'une ou l'autre de ces possibilités changera ma vie.

Le garçon comprit alors le véritable sens de ces paroles : aimer cet homme, ou ne pas l'aimer, signifiait tout de même que son cœur souhaitait une nouvelle présence. Après avoir reconnu ce fait, elle ne pourrait poursuivre son existence de veuve solitaire.

Paul Dubuc devait se poser exactement les mêmes questions.

〜

Longtemps à l'avance, le député se tint sur la longue jetée de planches le long des rails faisant office de quai. La gare, une petite bâtisse construite en bois, abritait un comptoir et une petite salle d'attente. Sauf en cas de pluie ou de froid intense, les voyageurs et les personnes venues accueillir quelqu'un préféraient les banquettes en plein air.

Le train s'annonça d'abord par son panache de fumée noire et grasse, puis la locomotive présenta sa masse de fer et de fonte aux regards. Elle s'arrêta dans un nuage de vapeur et le crissement aigu de l'acier contre l'acier.

Paul Dubuc marcha jusqu'au bout des madriers, surveillant les portes des deux wagons de première classe. Plus tôt ce matin-là, au cours d'un long soliloque, il avait débattu de la pertinence de se faire accompagner par Françoise. À la fin, venir seul lui avait semblé moins intimidant, à la fois pour lui et pour ses invités.

Un grand jeune homme à la silhouette un peu familière descendit deux valises, les posa sur le quai pour tendre la main afin d'aider quelqu'un. La jupe d'un bleu sombre lui rappela immédiatement Marie Picard. Elle descendit avec vivacité, sauta en riant de la dernière marche sur les madriers en appuyant la main sur son large chapeau de paille pour le tenir bien en place. La dernière mode autorisait les femmes à montrer leurs chevilles et un tout petit bout de jambe. Le mouvement en révéla un peu plus, en même temps que de jolis bas bleus aux broderies discrètes. Le corsage azur, boutonné jusqu'au cou, montrait une silhouette souple et fine.

Le politicien s'approcha, un peu rougissant, et tendit la main en murmurant :

— Madame, je suis si heureux de vous revoir.

Il s'empara des doigts gantés. Il joignit son autre main à la première pour insister :

— Vraiment heureux.

— …Je ne dirai pas que tout le plaisir est pour moi, répondit-elle en souriant, touchée par l'accueil. Toutefois, je vous assure qu'il est partagé.

Les yeux de l'un et de l'autre appuyèrent les paroles. Le garçon regardait la scène, amusé d'abord, un peu mal à l'aise après un moment, saisi du sentiment d'être indiscret. Dubuc interrompit sa contemplation, libéra les doigts féminins pour lui tendre la main.

— Et bien sûr, je suis aussi très heureux de vous revoir.

— Je ne peux répondre autrement que ma mère…

Les mots s'accompagnaient d'un sourire ironique. L'homme choisit de s'amuser aussi de son propre trouble. Il offrit :

— Je vais porter les valises. Une voiture nous attend.

— Je m'occuperai de la mienne, précisa le garçon.

— Madame ?

Marie lui abandonna son bagage et accepta de poser sa main sur le bras offert. La gare se trouvait rue Lafontaine, à proximité de la rivière du Loup. Le véritable nom de la municipalité demeurait Fraserville, d'après le patronyme du seigneur ayant favorisé son développement au siècle précédent. Toutefois, le nom du cours d'eau, à la fois ancien et français, prévaudrait éventuellement.

La femme monta dans le coupé en s'appuyant sur la main de son hôte. Le garçon se percha sans mal à côté du cocher. Celui-ci signala au cheval de se mettre en route d'un claquement de langue. La rue longeait la rivière. Des chutes rompaient le cours de celle-ci dans un foisonnement d'écume. Une grande bâtisse industrielle se trouvait tout près afin de profiter de l'énergie disponible.

— C'est le moulin Fraser, le plus gros employeur de la ville.

— Il produit de la pulpe de bois, je crois, compléta Mathieu en se tournant à demi sur son siège.

— Oui. Nous aimerions bien voir la construction d'une machine à papier.

Le politicien rêvait de création d'emplois pour ses électeurs. La voiture quitta bientôt la berge du cours d'eau pour pénétrer dans le village proprement dit. Comme dans toutes les localités de cette taille, le couvent tenu par des religieuses et le collège par des frères enseignants s'avéraient les bâtiments les plus ambitieux, avec, bien sûr, une église paroissiale aux prétentions de cathédrale. Les rues, le plus souvent bordées de grands arbres, respiraient le calme. Les maisons, habituellement construites en bois, parfois en brique pour les plus cossues, offraient de grandes galeries couvertes où se reposer.

Le cocher s'engagea bientôt dans la rue de l'Hôtel-de-Ville et s'arrêta au coin de Saint-Pierre, devant une vaste demeure à l'architecture traditionnelle présentant trois lucarnes à l'avant, et sans doute autant à l'arrière. En descendant, Paul déclara avec une certaine fierté :

— Vous voici chez moi. Le palais de justice se trouve tout près. Avant de tâter de la politique, j'y ai passé mes journées à plaider pour des querelles de clôtures.

— Vous ne le faites plus ? questionna Marie.

— Quand l'Assemblée législative fait relâche, je me consacre à quelques clients fidèles. Je suis devenu un dilettante du droit, en quelque sorte.

Il tendit la main, prit celle de la femme pour l'aider à descendre, réussit sans trop de succès à faire semblant de ne pas remarquer les bottines de cuir verni noires soigneusement lacées sur les pieds menus, les jambes fines et les jolis bas ainsi que le froufrou blanc du jupon sous la jupe de serge bleue.

Après des années de vie commune avec un homme peu attentif aux exhibitions charmantes, Marie ne savait trop quelle contenance adopter. Dans l'ignorance, elle résolut de se réjouir de ces attentions.

Mathieu retrouva prestement le trottoir, récupéra sa valise à l'arrière du véhicule et laissa la seconde à leur hôte. Le politicien offrit à nouveau son bras à sa compagne. Alors que le trio s'engageait dans l'allée de gravier conduisant au domicile, la porte s'ouvrit. Une femme d'une cinquantaine d'années vint sur la grande galerie en s'essuyant les mains avec une serviette. Déjà, elle s'activait devant les fourneaux pour préparer le dîner. Les deux jeunes filles de la maison sortirent sur ses talons, à la fois souriantes et intimidées.

— Marie, je vous présente ma grande sœur, Louise. Elle m'a élevé il y a des décennies, et la voici condamnée à s'occuper de ma maison et de ma famille depuis l'année dernière.

Depuis son veuvage, en fait. La précision s'avérait superflue. Elle-même veuve, elle gagnait un gîte confortable et un couvert généreux en devenant une espèce de gouvernante dans la famille de son frère. L'entente profitait bien à chacune des parties.

— Madame… prononcèrent les deux femmes simultanément en tendant la main.

Elles exprimèrent leur malaise respectif dans un sourire. Mathieu montra tout son savoir-vivre en se présentant d'une poignée de main et d'une inclinaison de la tête.

— Et vous connaissez déjà ces jolies jeunes filles, continua Dubuc.

Afin d'éviter tout impair dû à une mémoire défaillante, il précisa :

— Amélie et Françoise.

— Jolies et élégantes, prononça Marie en serrant leur main.

Elles portaient les robes achetées quelques semaines plus tôt.

— Si vous voulez m'excuser, je vais retourner à mes chaudrons, prononça l'hôtesse. Je vous reverrai tout à l'heure, indiqua-t-elle en s'esquivant.

— Je vais vous conduire à vos chambres, proposa l'homme.

La porte donnait sur un long couloir. Les pièces familiales se trouvaient sur la gauche, au rez-de-chaussée : la cuisine, la salle à manger et le salon. De l'autre côté s'alignaient un bureau, une salle d'eau et deux chambres. Paul s'engagea dans l'escalier, ses visiteurs sur les talons, ses filles fermant la marche. À l'étage, les pièces se répartissaient aussi de part et d'autre d'un couloir.

— Vous occuperez ces chambres contiguës. La salle de bain se trouve entre les deux. Mathieu, précisa-t-il en ouvrant une première porte, voici la vôtre.

— La mienne se trouve juste en face, précisa Amélie, comme si cela présentait un grand avantage.

— Je suppose que c'est le meilleur côté de la maison, commenta le jeune homme en épiant la réaction de la jeune fille.

— Oui, il donne sur le jardin. Le matin, il y a plein d'oiseaux.

À quatorze ans, l'amitié d'un beau et grand jeune homme paraissait précieuse à la jeune fille, au point de partager les chants des oiseaux avec lui. L'adolescente, vêtue de sa jolie robe au col matelot, lui montrait une dentition parfaite.

— Marie, voici la vôtre. Je vous laisse vous rafraîchir, après ce voyage. Aimeriez-vous nous rejoindre sur la galerie, pour une limonade, avant le dîner?

— …Je ne voudrais pas vous importuner.

— Ce qui nous dérangerait vraiment, ce serait que vous vous sentiez mal à l'aise avec nous. Nous occuper de nos invités nous procure au contraire un grand plaisir.

La femme commença par lui adresser son meilleur sourire avant de rétorquer:

— Nous serons heureux de nous joindre à vous.

— À tout à l'heure.

L'homme s'engagea dans l'escalier. Françoise le suivit.

— Amélie, appela-t-il, laisse nos invités s'installer.

La gamine échappa un soupir, frustrée dans son devoir d'hôtesse. La politesse n'exigeait-elle pas d'aider Mathieu à défaire ses valises?

Si un homme figurait au pinacle des élites villageoises, au point de se faire élire député après avoir occupé les fonctions de maire, cela nécessitait de connaître tout le monde, et d'être reconnu de tous. Après un dîner léger, Paul avait proposé à son invitée de visiter « la plus belle localité de la province ». Trente minutes plus tard, Marie avait été présentée à au moins la moitié de ses habitants. La même phrase revenait sans cesse, toujours identique:

— Voici Marie Picard, une bonne amie de la famille.

Les hommes murmuraient « enchanté », avec des yeux complices, alors que les femmes, même les épouses aimantes et fidèles, semblaient dire « Pourquoi diable chercher à Québec ce qui se trouve en abondance à Rivière-du-Loup? » Voir un bon parti profiter aux étrangères décevait toujours.

Si le notable caressait le désir d'une idylle discrète, rien ne l'indiquait dans son comportement. À l'heure du souper, sa visiteuse deviendrait le sujet de conversation.

— Vous ne craignez pas de faire jaser ? remarqua Marie alors qu'ils marchaient à l'ombre de grands érables dans le parc longeant la rivière.

Dubuc se retourna pour la contempler un moment, puis demanda :

— Voulez-vous vous asseoir un moment sur ce banc ?

Abrités par un épais buisson de lauriers, ils pourraient contempler l'eau coulant doucement à leurs pieds. La femme ferma son ombrelle et tira un peu sur sa jupe au moment de s'installer. Son compagnon s'assit un peu de biais afin de voir son visage. Son grand chapeau de paille lui donnait l'air d'un villégiateur fuyant la chaleur moite de la grande ville.

— En toute franchise, Marie, je le crains un peu, reconnut-il enfin. Dans une certaine mesure, je le souhaite aussi. Tous ces gens me connaissent, les plus âgés connaissaient déjà mon père. Je me flatte d'avoir une réputation enviable, tout comme vous…

— Que savez-vous de ma réputation ? demanda sa compagne d'un ton amusé.

Tout de même, sa voix trahissait aussi un peu d'inquiétude. Dans une ville de la taille de Québec, tout son passé pouvait être commenté.

— Ne craignez rien, répondit-il, je ne suis pas de nature inquisitrice. Deux ou trois personnes m'ont dit précisément ce que je voulais entendre : vous êtes une veuve respectable, connaissant bien son domaine d'activité, gratifié par la vie de deux enfants studieux, disposés depuis l'enfance à vous aider dans votre commerce. S'il y avait quoi que ce soit de plus à dire sur vous, je ne l'ai pas demandé et je ne l'ai pas écouté, soyez-en bien certaine.

Autrement dit, l'homme avait entendu des rumeurs sur les habitudes de feu son époux sans que cela n'entame sa bonne opinion de la veuve. La mise au point formulée, il revint sur la contradiction apparente de sa première réponse.

— Vous me plaisez beaucoup, vous l'avez compris, déjà.

Marie acquiesça de la tête, ses grands yeux bleu sombre dans les siens.

— Certaines personnes jugeront sans doute tout à fait incorrect de me promener avec une jolie femme à mon bras huit mois après avoir enterré mon épouse.

Les bonnes gens désireuses de le condamner utiliseraient ces mots précis.

— Vous savez, j'ai été un bon mari, insista l'homme avec un trémolo dans la voix. Je ne dis pas parfait, mais Amélie… Ma cadette porte le nom de mon épouse. La liste de ses reproches à mon égard s'est avérée bien courte.

— Je vous crois, assura Marie en effleurant la main de son compagnon, posée sur le banc, à quelques pouces de sa cuisse.

Dubuc se perdit un moment dans la contemplation de la rivière, attentif à refouler ses larmes. Après un moment, il poursuivit :

— Puis, je vous ai rencontrée. Les grenouilles de bénitier et les censeurs de village peuvent bien préférer que l'événement se produise après la fin du grand deuil. Ce ne fut pas le cas. Que dois-je faire ? Attendre l'été prochain pour vous envoyer un petit carton d'invitation ?

— De toute façon, maintenant, il est trop tard, commenta sa compagne, amusée.

Personne ne s'attendait à ce qu'un veuf, surtout avec deux jeunes filles sur les bras, demeure bien longtemps seul. Toutefois, un trop grand empressement provoquerait toutes sortes de médisances. Paul murmura bientôt :

— Votre missive de lundi dernier portait les mots « Cher ami ». Je les ai pris au pied de la lettre. Ai-je eu raison ?

— …Oui. Je suppose que je ne peux résister aux larmes d'un bel homme.

Elle ramena ses doigts gantés sur la main posée entre eux et serra légèrement ceux de son compagnon. Il répondit par une légère pression des siens. La femme remit sa main sur la poignée de l'ombrelle posée en travers de ses genoux.

— Vous savez, il a dû se passer deux ou trois ans avant que je me permette de pleurer devant ma femme. En fait, je crois que ce fut au moment de la mort d'un petit garçon, deux jours après sa naissance…

Cette fois, la main féminine revint se poser sur celle de l'homme bien fermement, pour ne pas la quitter. De l'autre, elle déplaça l'ombrelle entre eux afin de mieux dissimuler ce contact.

— Il a fallu quoi, devant vous ? Dix minutes ?

— Mais les circonstances…

— Non. En passant la porte, mes yeux se sont posés sur vous, et toutes mes défenses sont tombées. Tenez, je me suis senti comme Amélie devant Mathieu, tout à l'heure… J'ai voulu partager les oiseaux de ma jolie demeure avec vous.

Ce qui passait nécessairement par l'acceptation de son veuvage. Le souvenir des émotions mêlées, la peine d'un côté, l'attirance de l'autre, occupa un long moment son esprit.

Puis, le père prit le dessus sur l'amoureux. Son visage trahit une certaine préoccupation. Rougissant, il avoua :

— Au sujet d'Amélie… Elle est terriblement sensible, malgré ses airs frondeurs. Cette attirance d'enfant pour votre fils ne risque pas de la blesser ?

— Mathieu demeure le meilleur grand frère du monde. Croyez-moi, jamais il n'aura un mot, ou un geste, pouvant blesser.

— Ce garçon tient de sa mère.

Paul exerça une petite pression sur la main de sa nouvelle amie tout en lui adressant un clin d'œil.

— Je n'ai pas encore le droit de vote, inutile de m'abreuver de jolis compliments pour me séduire.

— Je ne parlais pas à l'électrice… Mais vous avez tout de même percé mes intentions.

Marie ignora la précision pour convenir plutôt:

— Mathieu me ressemble vraiment. Thalie tient plutôt de son père. Elle a certainement le cœur aussi bon que son frère... mais l'expression de ses sentiments est plus tapageuse.

Pendant un long moment, le contact léger des doigts combla tous les besoins de communication entre eux. Puis, l'homme fit mine de vouloir se lever.

— Remettons-nous en route. J'aimerais encore vous montrer la rive du fleuve.

Elle hocha la tête pour signifier son accord et abandonna la main pour ouvrir son ombrelle en se levant à son tour. Elle saisit le bras tendu, s'appuya peut-être un peu plus lourdement sur lui et laissa son épaule effleurer son compagnon tout en marchant. Il l'entraîna vers un bosquet de pin assez dense. Le sol, couvert d'aiguilles, paraissait doux comme un tapis sous les pieds, l'odeur, délicieuse.

— C'est l'endroit le plus discret du parc, commenta-t-il. Je vous parie que tous les jeunes du village, à vingt ans, ont volé ici leur premier baiser.

Marie le contempla un moment, les yeux rieurs. Elle s'arrêta, leva la tête, ferma à demi les paupières. Comme il ne se passa d'abord rien, elle fit valoir:

— Si vous ne vous dépêchez pas, un plus jeune et plus vif que vous profitera de l'aubaine.

Les lèvres touchèrent les siennes, douces et légères. La femme regarda autour d'eux. Personne ne semblait s'intéresser à leur petit aparté. Elle leva les doigts vers le menton pour caresser le bouc démodé, puis souffla:

— Si vous souhaitez recommencer, vos chances seront meilleures en coupant cet ornement. Rares sont les femmes attirées par une ressemblance avec le cardinal de Richelieu.

— ...La moustache?

— Accordons-lui un sursis. Sans doute survivra-t-elle à un nouvel essai.

Marie plaça son ombrelle de façon à lui signifier l'ajournement *sine die* de l'aparté. Elle reprit le bras de Paul et accorda son pas au sien.

— Aucun jeune homme de vingt ans n'accepterait d'en convenir, mais les baisers volés à quarante ans sont considérablement plus émouvants, confia-t-il après quelques pas.

Sa compagne, elle, n'hésita pas à le croire. Elle demanda bientôt, afin de quitter ce terrain trouble :

— Vous me disiez tout à l'heure craindre de faire jaser, mais le désirer tout à la fois.

— Nous vivons à la campagne, où le sens commun prévaut le plus souvent. La vie, comme la mort, se montre aux gens dans toute sa nudité. Je pense que la plupart de mes électeurs seront rassurés de reconnaître en moi un de leur semblable, capable de pleurer sa femme sincèrement, puis d'aimer encore. Ceux qui ne comprennent pas des choses aussi élémentaires de l'existence votent certainement déjà conservateur. Vous me plaisez, je ne me cacherai pas.

— Et si jamais les femmes se montrent moins enclines à reconnaître votre logique, la loi électorale vous autorise à ne pas vous en inquiéter.

La taquinerie lui permit d'oublier le petit vertige lui faisant un peu tourner la tête. Pariait-on son existence sur l'émotion d'une première rencontre ? Il semblait disposé à le faire pour elle.

— Croyez-vous vraiment que mes électrices, si j'en avais, me condamneraient, dans les circonstances ?

— Seulement celles ayant déjà jeté leur dévolu sur vous, sans doute. Vous représentez un si bon parti, dans votre petite ville…

Elle pressa sa main sur son bras pour souligner la minauderie. Quarante minutes plus tard, ils longeaient la rive du fleuve. Celui-ci offrait une surface agitée, d'un bleu profond, avec des reflets verdâtres au creux des vagues. Tout le long de la route, des résidences secondaires permettaient aux estivants de profiter de l'air du large.

— Il me semble reconnaître cette petite silhouette, là-bas.

Une gamine vêtue d'un costume matelot courait sur la plage étroite et un peu boueuse. Derrière elle, à dix pas, suivait un grand jeune homme.

— Et moi la grande, ajouta Marie.

Ils échangèrent un regard amusé.

〜

— Dans le monde entier, c'est mon endroit favori, expliqua Amélie en contemplant ses orteils boueux et nus.

— Tu es très gentille de le partager avec moi.

Elle lui décocha son meilleur sourire avant de reporter tout de suite son attention sur ses pieds gelés. Si, le soir, elle aimait porter une robe lui allant à mi-mollet, au grand jour, la petite fille prenait toute la place. Au moment de quitter la route, elle avait enlevé ses chaussures et ses bas pour les laisser dans une anfractuosité du roc. « C'est une bonne cachette », avait-elle expliqué avant d'inviter son compagnon à faire de même. Celui-ci avait obtempéré à contrecœur, convaincu qu'une promenade sur les battures ne valait pas une paire de souliers neufs.

Par ailleurs, trente minutes les pieds dans la vase, parfois léchés par l'eau du fleuve, lui avaient fait regretter l'invitation. Le peu de popularité des bains de mer en ces parages ne tenait pas qu'aux relents de la pudeur victorienne : la crainte de mourir d'hypothermie jouait aussi son rôle.

— Tu viens ici souvent ? questionna Mathieu.

Ils se trouvaient assis côte à côte dans une anfractuosité de la falaise, les fesses sur une grande pierre plate. Le fleuve s'étendait une douzaine de pieds plus bas. Le ressac produisait une musique apaisante.

— Tous les jours, l'été.

— Pendant les autres saisons, tu te retrouverais avec des jambes bleuies de froid.

— Ce n'est pas si glacial. Encore en septembre, l'eau est bonne.

— Tu dois avoir le sang d'un Esquimau.

À nouveau, elle lui montra toutes ses dents dans un sourire, certaine qu'il s'agissait d'un compliment. Tout en enlevant la vase agglutinée entre ses orteils avec un bout de bois, elle demanda :

— Me trouves-tu jolie ?

— … Oui, très jolie. Surtout avec cette robe.

— Elle vient de ton magasin, c'est pour cela que tu le dis.

— C'est le magasin de maman. Je suis sûr que tu es jolie même avec le costume des ursulines.

Elle tourna un peu la tête pour voir son visage, afin de s'assurer de son sérieux. La figure très franche de son compagnon la rassura, au point de confier :

— Toi aussi, tu es beau.

Mathieu répondit dans un éclat de rire. Se faire dire cela deux fois dans la même journée représentait une aubaine. Bien sûr, que le premier compliment vienne de sa mère, et le second, d'une fillette de quatorze ans, réduisait un peu sa satisfaction.

— Tu as quel âge ?

— Dix-neuf ans.

Elle demeura un long moment songeuse, puis se résolut à conclure tristement :

— Tu es trop vieux, tu ne peux pas être mon cavalier.

— C'est vrai. Mais si tu étais un peu plus vieille, ou moi, un peu plus jeune…

— Tu aimerais ?

— Bien sûr. Mais nous savons tous les deux que cela n'est pas possible.

Amélie lui montra à nouveau sa parfaite dentition et se redressa pour appuyer son dos contre la paroi rocheuse derrière elle. Rassurée sur sa capacité de plaire, elle se soumettait de bonne grâce aux hasards de la vie, sachant bien qu'un garçon mieux assorti se présenterait à elle l'un de ces jours.

— Ta maman et mon papa sont aussi vieux l'un que l'autre.

— À peu près.

— Tu crois qu'elle voudra de lui pour cavalier?

Être jeune ne signifiait pas être sotte. La nature de cette visite impromptue ne lui échappait pas.

— Je pense que oui. C'est un homme gentil.

— Très gentil.

Elle mordit sa lèvre inférieure et égara son regard sur l'étendue du fleuve. Mathieu avait une longue expérience des profils butés de petites filles et des larmes refoulées.

— Cela te ferait de la peine? murmura-t-il.

— Maman est morte l'an dernier. Elle s'appelait Amélie, comme moi.

Cette réponse valait un oui.

— Papa, l'année d'avant, avança le garçon. Il s'appelait Alfred.

— Comme le magasin?

— Il l'a ouvert l'année de ma naissance, très précisément quelques jours plus tôt.

La fillette demeura silencieuse un instant, ruminant toujours sa question. Elle finit par la formuler.

— Si ta mère a un nouveau cavalier, cela ne te rendra pas triste?

— Les grandes personnes aiment avoir quelqu'un de leur âge dans leur vie. Cela ne changera rien pour moi. Elle n'oubliera jamais papa, mais il est parti…

— Peut-être parle-t-il avec maman, au ciel, comme nous nous parlons.

— Ils doivent s'inquiéter qu'on attrape un rhume, avec nos pieds gelés.

Elle éclata d'un grand rire. Mathieu ne jugeait pas utile de partager son scepticisme sur les conversations des chers disparus, assis sur un nuage. À la fin, Amélie convint:

— Si papa est heureux, cela me fera plaisir aussi. Il a eu beaucoup de peine.

Une souffrance aussi grande que celle de la petite fille, cela sautait aux yeux. Le garçon eut envie de passer son bras autour de ses épaules, mais préféra réserver ce genre de tendresse fraternelle à leur seconde, sinon leur troisième conversation. Quand le sang recommença à circuler à peu près normalement dans leurs pieds, la gamine décréta qu'il était temps de rentrer à la maison. Elle ajouta sur le ton de la conspiration :

— Nous prendrons des framboises dans le jardin de madame Langevin. Comme elle ne voit presque plus rien, elle ne s'en apercevra pas.

Après s'être gelé les orteils à nouveau, ils se livrèrent sans vergogne à ce larcin, puis se dirigèrent vers la rue de l'Hôtel-de-Ville avec des taches suspectes sur les doigts. Alors qu'ils s'approchaient de la grande maison, Amélie confia :

— Françoise est plus grande que moi… Même ici…

Des mains, elle désigna sa poitrine. Mathieu consentit avec circonspection.

— Oui, tu as raison.

— Elle est assez âgée pour être ta fiancée.

Le constat ne méritait pas de réponse. Son compagnon s'inquiéta un peu de la nouvelle tournure de la conversation.

— Tu lui plais, tu sais ?

— C'est pour cela qu'elle a préféré ne pas venir avec nous.

— Elle est timide. Surtout avec les garçons.

Visiblement, cette affliction épargnait sa cadette. Cela aussi ne méritait pas vraiment de commentaire. La question suivante arriva sans surprise :

— Est-ce que tu la trouves jolie ?

Mathieu se sentit rougir un peu. Impossible de se dérober, et mentir risquerait de blesser l'aînée.

— Oui, très jolie.

La gamine lui jeta un regard amusé, passa sans transition au pas de course puis cria sans se retourner :

— Je vais le lui dire !

Un instant plus tard, elle grimpait l'escalier conduisant à la grande galerie de la maison familiale deux marches à la fois, puis faisait claquer la porte derrière elle. Visiblement, surmonter sa propre déception amoureuse ne lui coûtait guère, du moment où l'homme de ses pensées restait dans le giron familial.

La maison Ouellet se trouvait sur le chemin bordant le fleuve. De larges fenêtres donnaient sur celui-ci, offrant aux convives une vue magnifique du soleil déclinant. Tous les Dubuc, y compris la sœur aînée du député, et leurs invités, se trouvaient dans une très grande salle à manger, parmi les autres clients du restaurant.

— Je suis un peu étonnée d'entendre tellement de conversations en anglais, commenta Marie au-dessus de son potage.

— Du temps de mon père, vous n'auriez pas entendu un mot de français. Saviez-vous que Rivière-du-Loup, ou plutôt Fraserville, a déjà été la capitale de la villégiature au Canada ?

Chaque fois que la femme levait la tête vers son hôte, le menton maintenant glabre du député lui tirait un sourire amusé. Au moment de quitter la rue de l'Hôtel-de-Ville, l'homme avait admis en lui offrant son bras : « Je ne reculerai devant rien, ou presque, pour mériter un second baiser. » Pareil enthousiasme, en plus du sacrifice de l'ornement pileux sur l'autel de l'amour, bouleversait un peu son invitée.

— Non, je ne savais pas.

— Pendant des années, après la construction du chemin de fer Grand Tronc, les gens de Montréal et de Toronto sont venus chercher ici un peu de fraîcheur pendant l'été. Les cultivateurs de la région établis près du fleuve louaient même leur maison et passaient les mois de juillet et d'août tant bien que mal dans le fenil de leur grange.

— Cela devait être très amusant, commenta Amélie.

— Tu imagines l'odeur du fumier des vaches? intervint Mathieu à ses côtés.

La fillette plissa le nez. Comme plusieurs idées plutôt bonnes au premier examen, celle-ci comportait aussi un mauvais côté. Le garçon enchaîna, à l'intention du député:

— Pourquoi la région a-t-elle perdu son rang? Le paysage demeure magnifique.

— Les chemins de fer se sont étendus vers l'est, les compagnies de navigation ont découvert Murray Bay, dans Charlevoix. Maintenant, dix petites villes se partagent les citadins riches, sans compter la côte est des États-Unis.

— À en juger par la clientèle ce soir, la désertion n'est pas totale, de loin s'en faut.

— La population du village double pendant l'été, elle doit quadrupler à Notre-Dame-du-Portage. Le restaurant où nous nous trouvons réalise les trois quarts de son chiffre d'affaires en deux mois. Toutes les jeunes filles des cultivateurs des environs amassent quarante dollars pendant la belle saison en offrant leur service comme domestique.

Marie prit un air amusé devant cet enthousiasme.

— Mais vous ne régnez plus, à titre de député, sur la capitale canadienne de la villégiature.

L'homme écarta les mains d'impuissance, comme pour s'excuser du fâcheux résultat et passa machinalement, ou peut-être à dessein, les doigts sur son menton nu. Le second service retint l'attention de tout le monde un moment, puis Mathieu risqua à l'intention de Françoise, assise en face de lui de l'autre côté de la table:

— Fréquenterez-vous encore longtemps le couvent des ursulines?

— J'aurai parcouru tout le cours d'études au terme de la prochaine année scolaire.

— Que comptez-vous faire ensuite?

Le garçon regretta sa question aussitôt après l'avoir posée. La présence de Thalie dans sa vie lui faisait oublier combien l'horizon des jeunes filles demeurait terriblement étroit, plus encore pour l'enfant d'un notable de village que pour les autres.

— …J'ai pensé à me faire religieuse, commença-t-elle.

Toutes les jeunes filles y songeaient tôt ou tard, la réponse allait de soi. Pourtant, Mathieu laissa sa fourchette en suspens et risqua encore une remarque déplacée :

— Je suis heureux que vous en parliez au passé.

La jeune fille posa ses grands yeux gris sur lui. Le secret murmuré au creux de son oreille par Amélie, trois heures plus tôt, la faisait encore rougir quand elle y songeait. Sa première remarque avait été : « Si des gens te disent des choses absurdes, ne va pas les répéter. Tu vas passer pour une idiote. » La fillette ne s'était pas formalisée de la rebuffade. Plus tard, la grande sœur demeura une bonne heure devant son miroir, à mettre et enlever le foulard de soie autour de son cou afin de vérifier l'effet. À la fin, la pièce de tissu était restée dans le tiroir du haut de sa commode.

Maintenant, tout en mangeant, sa main gauche se posait parfois à la naissance de sa gorge, au moment où elle se penchait un peu en avant. Les derniers mots de son vis-à-vis lui mirent le rose aux joues. Elle continua :

— Je suppose que je rentrerai à Rivière-du-Loup.

Pour elle, travailler dans un atelier ou une boutique aurait été déchoir. Si la chose la laissait indifférente, en occupant un emploi, elle porterait un dur coup aux ambitions politiques de son père. Ses opposants conservateurs ne se gêneraient pas pour affirmer : « Comment pouvez-vous lui faire confiance ? Il n'arrive même pas à faire vivre sa famille. La preuve ? Son aînée doit travailler ! »

Au bout du compte, à l'aube de sa vie de femme, les contraintes sociales ne lui laissaient d'autre liberté que d'attendre à la maison. Avec de la chance, un jour viendrait la visite d'un jeune homme digne de poser les yeux sur la fille du notable et de lui proposer le mariage après une cour bien sage.

— Moi, intervint la cadette à l'intention de Mathieu, assis à sa droite, être plus vieille, je me ferais infirmière dans l'armée. J'irais en France.

Au gré de la propagande de guerre, cette ambition devenait presque aussi légitime, pour une jeune femme, que l'entrée au couvent. L'affirmation attira l'attention de son père. Il prononça d'une voix douce :

— Alors, je me réjouis que tu sois encore un peu petite. Sinon, je mourrais d'inquiétude.

Cette éventualité troubla Amélie au point où l'homme regretta avoir utilisé cette expression. Les allusions à la mort s'avéraient très lourdes de sens dans cette famille. La gamine surmonta toutefois très vite le moment de morosité :

— Des députés, même des ministres ont des garçons dans l'armée et des filles infirmières.

— Oui, tu as raison. Malgré tout, cela m'inquiéterait beaucoup, je t'assure.

Ses collègues comptant des enfants « faisant leur devoir sacré » ne paraissaient pas malheureux de la situation. Certains d'entre eux tendaient plutôt à l'utiliser pour se faire du capital politique. Ce réflexe opportuniste ne réduisait cependant en rien leur angoisse au moment du départ du convoi vers l'Europe.

— Si vous étiez totalement libre de vos choix, sans aucune contrainte, demanda doucement Mathieu en se penchant un peu sur son couvert, que feriez-vous ?

Un bref instant, Françoise eut l'impression que le garçon tentait de mieux voir dans l'échancrure de son corsage. Courageusement, elle garda sa main gauche sur le bord de la table avant de répondre en rougissant :

— Je me ferais institutrice. Parfois, je me rends à l'école d'application des ursulines. Les enfants sont si amusants…

La congrégation offrait le cours « normal » aux futures maîtresses d'école. Les plus jeunes de leurs élèves permettaient aux plus âgées de se faire une idée de la réalité d'une classe de niveau élémentaire.

— Vous pourrez toujours vous reprendre avec les vôtres, consentit le garçon avec sympathie.

Comme Paul semblait disposé à entretenir Marie de la réalité économique et sociale de chacune des nombreuses paroisses comprises dans le comté de Rivière-du-Loup, « tante Louise » exerçait un chaperonnage discret sur le reste de la tablée. Sa placidité se trouvait mise à rude épreuve avec, d'un côté, son frère très visiblement entiché d'une veuve, et de l'autre, deux jeunes filles plutôt admiratives devant un grand jeune homme sans doute un peu trop déluré, car il venait de la ville. Seule la politesse exquise des deux visiteurs la rassurait un peu.

— Vous-même, osa bientôt Françoise en se faisant violence pour maîtriser sa timidité naturelle, vous avez terminé le cours classique, je crois.

— Il y a moins de dix jours. Cet après-midi, Amélie m'a montré les vestiges du feu de la Saint-Jean, sur la grève. Avoir su, je serais venu y jeter mon uniforme de collégien. Mais je veux bien attendre l'an prochain, et vous joindrez votre costume des ursulines à mon vieux suisse.

Cette fois, tante Louise sourcilla un peu devant l'audace de la proposition.

— Attendez-moi quelques années, plaida Amélie. Je veux brûler le mien aussi.

Comme le chaperon le craignait, les plus jeunes souffraient toujours du mauvais exemple venu des aînés. Heureusement, elle pouvait compter sur la plus grande, toujours aussi sage.

— Si vous n'avez plus usage de votre suisse, ne serait-il pas convenable de le laisser à la disposition de jeunes gens moins fortunés que vous ? Juste dans ce village, cinq ou six garçons étudient au Petit Séminaire grâce à l'aide de nos bons prêtres.

Tante Louise respira plus à l'aise. Si elle avait aperçu l'étincelle dans l'œil de Françoise, elle aurait compris combien cette phrase si admirable servait de poudre aux yeux. Mathieu ne s'y trompa point.

— Vous avez raison. À mon retour à Québec, je mettrai mon uniforme à la poste à votre intention. Je ne doute pas que vous saurez le remettre aux bonnes œuvres de votre paroisse.

Amélie trouva le retournement de situation bien décevant. Les deux jeunes gens, quant à eux, gardèrent un moment leurs yeux croisés, un sourire complice aux lèvres.

— Et ensuite, quels sont vos projets d'avenir ? demanda la jeune fille.

— Je commencerai des études de droit à l'Université Laval en septembre.

— Vous n'avez pas été tenté de reprendre le commerce de votre père ?

— Ma mère s'en occupe très bien. Je ne voudrais pas faire d'elle une chômeuse, ni attendre le jour de sa retraite en me tournant les pouces pendant trente ans.

D'une certaine façon, Françoise fut soulagée de comprendre que Marie Picard n'entendait pas venir s'installer à Rivière-du-Loup en laissant l'entreprise familiale à son aîné. L'initiative lui serait apparue cruellement hâtive. Elle jeta un bref coup d'œil à l'autre bout de la table, où la femme buvait les paroles de son père.

— Plus sérieusement, continua Mathieu en suivant son regard, je pense que des études de droit me seront très utiles, même si je me livrerai au commerce un jour.

— Et la politique ? demanda-t-elle.

— Jamais. Je ne pense pas être disposé à séduire sans cesse mes concitoyens.

La jeune fille décida de mettre cet état d'esprit parmi les qualités du jeune homme. Depuis de longues minutes, sa main ne revenait plus sur l'échancrure de son corsage.

Chapitre 12

Le samedi se déroula un peu de la même manière que le jour précédent: des promenades à deux ou en groupe plus nombreux dans le village et ses environs, des activités réunissant des Dubuc de la parenté. Ceux-ci affichaient leur perplexité devant les visiteurs venus de Québec, supputant les intentions du député. Toutefois, Marie et son fils mettaient à profit des années à faire du commerce pour neutraliser les préventions contre eux, avec un grand sourire, une voix douce, des réponses à la fois brèves et franches aux questions posées.

À la fin, chacun feignait de croire au retour d'amis de la famille longtemps perdus de vue.

La grand-messe du dimanche matin posa un problème logistique d'un autre ordre. Paul, au moment de partir pour l'église, vêtu d'un costume sombre orné d'un brassard noir, proposa d'exiler ses filles dans le banc de parents au fond du temple pour faire de la place aux Picard dans le sien. Marie répondit en fronçant les sourcils:

— Jusqu'ici, je vous ai vu faire preuve d'un tact remarquable. Grâce à cela, vous les aidez à surmonter leur chagrin, et vous nous permettez, à Mathieu et à moi, de nous sentir à l'aise. Toutefois, une initiative de ce genre viendrait tout ruiner, et pour moi, et surtout pour elles...

L'homme rougit en baissant la tête, puis convint dans un souffle:

— Vous avez raison. Je m'excuse...

Marie serra les doigts de l'homme dans les siens, retira sa main quand des pas se firent entendre dans l'escalier. Françoise et Amélie descendaient d'un pas lent, grave, toutes de noir vêtues. La défroque du deuil les plongeait plusieurs mois en arrière, ouvrant sans cesse leurs plaies. Mathieu les suivait de près, lui aussi vêtu de sombre et très sérieux, comme dans un curieux mimétisme.

— Mes belles, nous allons nous diriger tout de suite vers l'église. Tante Louise a préféré aller à la basse-messe afin d'avoir plus de temps pour préparer le repas de midi.

Il ouvrit la porte et les laissa passer devant lui. Au moment où la famille se trouva dans l'allée de gravier, l'homme leur offrit ses bras et les deux filles s'accrochèrent chacune au sien. Marie ferma la porte derrière elle et accepta le bras de son fils. Elle prit toutefois bien soin de laisser ses hôtes prendre une avance d'une quinzaine de pas.

L'église dressait son imposante silhouette de pierre à peu de distance. Les Dubuc se dirigèrent vers le banc de la famille, situé dans l'allée centrale, près de celui des marguilliers, comme il convenait pour un notable. Les membres recueillis du trio demeuraient épaule contre épaule, le père murmurant en alternance dans l'oreille de ses filles. Pour l'heure à venir, sous les yeux de tous leurs concitoyens, ils se rappelleraient la perte récente et, au moins dans le cas des plus jeunes, prieraient pour le repos de la défunte.

La mère et le fils, guidés par un zouave tout gonflé de virilité militaire factice, s'installèrent dans une allée latérale, au fond de la grande bâtisse, dans un banc demeuré sans «propriétaire» lors de l'encan annuel. La messe se déroula au rythme lent des incantations en latin, interrompues par la longue procession de la communion. Les visiteurs se retrouvèrent à genoux devant la balustrade parmi les paroissiens, une toile de lin ramenée sur les mains afin d'éviter tout contact entre leur peau et le pain sacré, au cas où un prêtre malhabile laisserait choir celui-ci. Ils tendirent la langue pour recevoir l'hostie. Dubuc n'avait formulé aucune recommandation à ce sujet, mais ignorer cette occasion de montrer sa foi aurait été un impair impardonnable.

Largement passé onze heures, au moment où les ouailles sortaient sur le parvis de l'église, le député se trouva rapidement entouré de ses électeurs. La proximité du pouvoir amenait chacun à désirer cultiver son amitié, et pour les plus audacieux, quémander des largesses. De nombreux petits contrats devaient se donner ainsi devant les grandes portes du temple.

En ces temps troublés, les cultivateurs revenaient le plus souvent avec la même question posée avec, dans la voix, les infinies variantes de l'inquiétude.

— Aurons-nous la conscription?

— Le gouvernement du Québec n'a aucune voix au chapitre. Vous devez en parler à votre député fédéral, le jeune Ernest Lapointe.

— Le gars est dans l'opposition, vous êtes au pouvoir.

— À Québec, pas à Ottawa. Les questions militaires, c'est le fédéral. Mais de toute façon, aucun projet de conscription n'a été déposé encore. Vous vous inquiétez pour rien.

Des paroles de réconfort de ce genre laissaient les agriculteurs bien sceptiques. Si un député ne pouvait lever la menace de la guerre de la tête de leurs fils, à quoi servait-il? Les mieux informés ajoutaient:

— Dans les vieux pays, ils ont voté la conscription.

— Mais c'est très loin. Ici, personne n'a encore déposé une loi de ce genre.

Dubuc demeurait prudent, soucieux de n'alarmer personne. Les députés de langue anglaise, à Ottawa, en harmonie avec les convictions de leurs électeurs, réclamaient de plus en plus violemment l'enrôlement obligatoire afin de faire partager à tous le prix du sang.

Au début des conversations, Françoise et Amélie demeurèrent près de leur père, un sourire poli sur les lèvres. À la fin, celui-ci leur suggéra:

— Vous pouvez rentrer avec nos invités. Je vous rejoindrai dès que possible.

Des votes pouvaient se gagner ou se perdre sur le parvis de cette église. Paul devait continuer de rassurer de son mieux ses électeurs inquiets. Les deux filles rejoignirent Marie et Mathieu. La plus jeune prit sans vergogne le bras du garçon et l'entraîna vers la maison. Tout le long du chemin, dans un babillage incessant, elle lui donna toutes les informations imaginables sur les habitants des demeures riveraines. Les secrets de famille demeuraient toutefois bien protégés. Parmi les informations les plus intimes livrées ce jour-là figuraient le nombre de chats et de chiens de chaque maisonnée et les noms auxquels ils ne répondaient habituellement pas.

Trois pas derrière, Françoise marchait aux côtés de Marie.

— Parfois, le dimanche, nous dînons aussi tard qu'une heure. Papa parle à tout le monde.

— À titre de député, cela fait partie de son travail.

— Il le faisait bien avant l'élection de 1912, l'année où il a été élu pour la première fois. Maman se moquait de lui. Vous voyez, Amélie a hérité de cet aspect de sa personnalité.

La voix haut perchée de la fillette leur parvenait sans mal. Elle faisait de grands gestes pour souligner ses paroles. Son compagnon la regardait en souriant et répondait par des monosyllabes.

— Elle ferait certainement une politicienne redoutable.

— … Les femmes ne votent pas.

— Cela devrait changer bientôt. Au moins au fédéral.

Françoise jeta un regard perplexe sur la femme à ses côtés et demanda après un moment :

— Vous croyez que ce sera une bonne chose ?

— Dans deux ans, mon grand garçon aura le droit de vote. Dans cinq ans, vous ne l'aurez pas. Croyez-vous vraiment qu'il sera plus compétent que vous ou moi pour choisir un député ?

— … Il a fait son cours classique.

— Je suppose que tous les hommes responsables de la guerre en Europe ont fait des études du même genre. Je suis

allée chez les sœurs de la congrégation Notre-Dame, dans la
Basse-Ville de Québec, pendant quelques années; vous êtes
chez les ursulines. Vous et moi n'enverrions pas des jeunes de
son âge se faire tuer, n'est-ce pas?

La jeune fille rougit alors que Marie lui adressait son
meilleur sourire. À la fin, elle fit signe que non de la tête.

— Pour cette raison, je me réjouis des rumeurs venues
d'Ottawa sur le droit de suffrage des femmes. C'est chose
faite dans les trois provinces des Prairies.

— Papa n'y est pas favorable.

— Mais à nous deux, nous pourrons certainement lui faire
entendre raison.

Pour la seconde fois, la première ayant été leur conversation dans la salle d'essayage du magasin ALFRED, une
certaine complicité passa entre elles. La femme profita de
l'occasion pour offrir son bras. Françoise, un peu intimidée
sous son grand chapeau de paille noir, posa finalement sa
main sur le pli du coude.

— De toute façon, je suis certaine que Paul ne vous refuse
rien de raisonnable.

La jeune fille jeta un regard en biais à son interlocutrice,
bien certaine de ne plus détenir l'exclusivité de ce genre
d'influence sur son père.

~

La prédiction se réalisa : Paul Dubuc revint à son domicile
largement passé midi. À ses côtés marchait un homme encore
jeune, bâti comme un colosse, son visage rond, un peu poupin,
souligné d'une petite moustache et d'une paire de lunettes
à monture noire. Une grande femme, le visage un peu quelconque, se pendait à son bras.

— Marie, je vous présente Ernest Lapointe, le député du
comté au fédéral.

La femme quitta son fauteuil d'osier pour tendre la main.

— Et son épouse.

L'homme ajouta, en se retournant vers les nouveaux venus :

— Marie Picard est une amie de la famille. Voici son fils, Mathieu. Et vous connaissez déjà ces charmantes demoiselles, mes filles.

Au retour de la messe, afin de patienter, tout ce monde s'était installé sur la grande galerie, un verre de thé glacé et une assiette de crudités à portée de la main. La conversation était soulignée par le bruit des dents tranchant un radis ou une carotte. Personne n'avait mangé depuis la veille au soir afin de participer à la communion.

— Nous allons tout de suite passer à table, enchaîna le maître de la maison après les échanges de poignées de main.

Il précisa à l'intention des Picard :

— Je suis désolé de vous avoir fait attendre de la sorte...

— Votre métier comme le mien conduit parfois à manger tard. Nous comprenons très bien.

Dans la salle à manger, tante Louise s'agitait déjà devant la soupière, une longue louche à la main. Chacun prit la place qu'on lui désignait. La conversation porta sur la douceur du temps et la promesse d'excellentes récoltes pendant tout le premier service. L'arrivée du plat de résistance favorisa le passage à un sujet plus sérieux.

— Tout à l'heure, commenta Paul en découpant le rôti pour poser une tranche de viande dans chacune des assiettes à tour de rôle, les gens m'ont sans cesse questionné sur la conscription.

— Je sais, précisa Lapointe, mi-sérieux, mi-moqueur. Je t'ai même entendu leur dire de s'adresser à moi.

Cette dérobade ne semblait guère plaire au député de format géant.

— Tu es au fédéral. Le gouvernement provincial n'a aucun pouvoir à ce sujet.

— Je sais, je sais, commenta l'autre d'une voix bourrue.

Marie, plutôt silencieuse jusque-là, ne put s'empêcher de demander d'une voix préoccupée, alors que ses yeux se posaient sur son fils :

— Le gouvernement en viendra-t-il à cette extrémité ?

— Le premier ministre semble résolu à user de prudence, mais bientôt, il ne pourra plus résister aux appels de membres importants de son propre parti. Sinon, une fronde risque de le renverser. Je veux dire que ses propres ministres vont vouloir le remplacer par un homme plus complaisant.

Des yeux, la commerçante indiqua à son interlocuteur que le mot « fronde » figurait aussi dans son vocabulaire. Mathieu intervint à son tour :

— Toutefois, il devra tenir des élections au préalable. La limite constitutionnelle est passée.

Un gouvernement demeurait en exercice pendant quatre ans, selon l'usage. La constitution autorisait de rester au pouvoir pendant cinq ans. Les conservateurs, élus lors du suffrage de 1911, amorçaient leur sixième année.

— Les députés ont consenti à l'unanimité d'attendre encore. En temps de guerre, tous doivent oublier les querelles partisanes pour servir les intérêts supérieurs de la nation.

L'expression du jeune homme fit comprendre au député que le fils partageait avec sa mère un sain scepticisme quant au jeu politique. Au-delà des principes et des grandes phrases, le premier souci d'un élu demeurait de veiller à sa propre réélection.

— De toute façon, continua Lapointe, cette année ou l'an prochain, les conservateurs seront réélus. Pour nous, le tout sera de limiter l'ampleur de la défaite.

— Au Québec, commença Dubuc…

— Nous ne risquons rien ici. Toutefois, si le Parti libéral n'a aucun député à l'extérieur de notre province, et si, dans les faits, nous devenons l'organisation politique des seuls Canadiens français et le Parti conservateur celle des Canadiens anglais, nous serons condamnés à une éternité dans l'opposition.

En faisant fi de la politique partisane, pareille éventualité exposait le pays à la guerre civile.

— Même Armand Lavergne, ajouta Mathieu, a recommandé de voter libéral lors de l'élection de mai dernier. Il affirmait que le salut de notre nation reposait entre les mains de Lomer Gouin, un homme qu'il a tourné en dérision pendant dix ans.

Ernest Lapointe contempla le jeune homme avec des yeux amusés.

— Monsieur, je vois que vous saisissez très bien combien le Parti libéral se trouve en péril si Armand Lavergne et les imbéciles qui le suivent se mettent à nous appuyer.

— Ailleurs au Canada, cet homme est accusé de trahison, compléta Dubuc en s'adressant directement à Marie. Nos adversaires pourront dorénavant murmurer que le Parti libéral est celui de la déloyauté à la mère patrie et le Parti conservateur celui du devoir sacré dû à son pays.

Son hôte lui soulignait une vérité si évidente… Soucieuse de préserver sa bonne entente avec celui-ci, Marie le remercia plutôt d'un sourire.

— Jeune homme, intervint bientôt Lapointe, la politique semble vous intéresser. Poursuivez-vous toujours vos études?

— Je commencerai mon droit en septembre.

— Vous n'avez pas songé à la théologie?

— …Je ne me sens nullement la vocation.

Le député esquissa une moue railleuse. Dubuc expliqua à sa place :

— Bientôt, avoir la vocation deviendra le dernier souci de la majorité des jeunes gens qui feront ce choix.

Cette fois, ce fut à l'intention de ses filles, lesquelles posaient de grands yeux intrigués sur lui, que l'homme s'obligea à expliquer :

— La loi de conscription anglaise prévoit quelques exceptions, dont les hommes mariés et les membres du clergé. Les étudiants en théologie comptent parmi ceux-ci.

D'extrême justesse, Amélie se retint de proposer le mariage sur-le-champ à Mathieu pour lui éviter l'enrôlement obligatoire. Son humour tombait parfois à plat. Un regard à tante

Louise la convainquit que l'initiative ne serait pas bien reçue par toutes les personnes autour de la table.

～

Parfois, même l'expérience acquise par vingt ans de travail dans un commerce se révélait insuffisante pour meubler une conversation. Devant madame Lapointe, Marie ne put éviter les longs silences embarrassés. Elle se consola en se disant que le défi rebuterait même ses collègues au bagout le plus assuré.

Paul Dubuc et le député au parlement fédéral émergèrent du bureau situé au rez-de-chaussée au terme d'un conciliabule long d'une heure. Pendant ce temps, non seulement la cadette des filles se laissa-t-elle recruter par une armée de cousins et de cousines afin de participer à la fenaison de la ferme d'un oncle habitant les environs, mais l'aînée se trouva entraînée en rougissant dans une longue promenade.

Un moment, Mathieu pensa lui offrir son bras. La couventine timide, cuirassée dans un vêtement de deuil, lui parut réfractaire à ce genre d'attention. Il préféra s'abstenir. Elle le conduisit vers le parc situé près de la rivière, commentant par des phrases souvent inachevées la vie du village. Heureusement, un petit orchestre juché sur une gloriette faisait les frais de la musique. Devant l'impossibilité de maintenir à tout prix le rythme de la conversation, paraître absorbé par les airs entraînants donnait le change.

Fruit d'un curieux patriotisme, tous les musiciens amateurs du pays s'efforçaient de purger leur répertoire des pièces des compositeurs des pays ennemis. Cela voulait dire bannir des concerts Bach, Beethoven et Mozart, mais surtout les valses des Strauss, père et fils. Pareille amputation donnait une curieuse sonorité aux représentations offertes dans les parcs. Les marches de *Pomp and Circumstance* de sir Edward Elgar n'agissaient pas toujours pour le mieux sur les estomacs canadiens-français.

Après un moment, Mathieu se lança.

— Il y a des bancs près de la rivière. Ne souhaiteriez-vous pas vous asseoir ?

— Oui, d'autant plus qu'ils se trouvent à bonne distance de ce… bruit.

Elle lui adressa un premier véritable sourire depuis le départ de la maison. Sans le savoir, ils se retrouvèrent bientôt sur le banc ayant accueilli leur parent quarante-huit heures plus tôt. Après un bref silence, la jeune fille risqua :

— Vous avez dit à Amélie que vous me trouviez jolie.

— Je ne croyais pas qu'elle irait en courant vous le répéter. Je me suis senti gêné pendant toute la soirée, après cela. Mieux vaut ne lui confier aucun secret.

Françoise fixait un point au milieu de la rivière. Une brise rendait la chaleur un peu plus supportable. Son chapeau de paille retenait ses cheveux châtains, dégageant son profil. Sa peau demeurait très pâle, sans doute très douce. Le garçon se demanda comment elle réagirait s'il tendait les doigts pour effleurer sa joue. Mal, sans doute.

Comme si elle suivait le cours de ses pensées, la jeune fille tourna ses grands yeux vers lui, songeuse, se mordit la lèvre inférieure, puis jeta tout à trac :

— Ce n'est pas gentil de vous moquer de moi ainsi.

La répartie le laissa interdit. Il écarquilla les yeux, la bouche à demi ouverte. Son trouble s'avérait si apparent qu'elle ajouta bien vite :

— Je comprends que vous vouliez sans doute… réduire son enthousiasme à votre égard.

Mathieu contempla un long moment sa compagne. Le chapeau et la robe noirs, bien qu'élégants, ne la flattaient pas. Les gants blancs paraissaient un peu incongrus avec sa tenue de deuil. Son regard appuyé amena du rouge sur les oreilles de la couventine. N'y pouvant plus, elle détourna les yeux.

— Amélie est une charmante petite fille, expliqua le garçon. À certains égards, elle me rappelle ma sœur. C'est aussi une personne fort raisonnable, capable de comprendre tout de suite la nature des relations entre les grandes personnes comme nos parents, et celles pouvant exister entre elle et moi. Je n'avais aucune intention de «réduire son enthousiasme», comme vous dites, par un moyen détourné.

Le garçon n'entendait pas faciliter la tâche de son interlocutrice. Elle devrait demander ouvertement les mots espérés et non plaider le faux pour obtenir le vrai.

— ...Pourquoi lui avoir dit cela?

La voix perdait de plus en plus de son assurance, au point de chevroter un peu.

— Elle m'a posé la question, je lui ai répondu.

Françoise posa à nouveau les yeux sur lui et attendit la suite en vain.

— ...Avez-vous dit vrai?

— Croyez-vous que je sois un menteur?

Quand un clignement amena un peu d'humidité à la commissure de l'œil gauche, il comprit devoir cesser ce jeu tout de suite. Du bout du majeur, très doucement, il recueillit la larme avant de la voir couler, comme pour l'effacer, puis consentit dans un souffle:

— Voilà précisément ce que je pense. Vos grands yeux gris sont magnifiques, encadrés de longs cils. Tous les traits de votre visage sont doux, harmonieux. Dommage que vos sourires soient si rares, ils illuminent l'ensemble. Votre bouche est si jolie, avec ses fossettes. Voilà deux jours que je me demande si je pourrai un jour vous embrasser.

Les jeunes filles timides, à la peau très pâle, révélaient leurs émotions de la plus charmante façon. Le rouge monta sur son cou et atteignit le lobe de ses oreilles au moment où elle tournait à nouveau son regard vers le centre de la rivière. Mathieu décida de ne pas s'arrêter en si bon chemin.

— Après avoir passé huit ans au Petit Séminaire avec des prêtres voués à me faire prendre la soutane, je ne devrais même plus percevoir ces choses. Pourtant, je les vois: vos seins comme des faons, votre taille fine, vos hanches...

La référence au *Cantique des cantiques* lui échappa. Elle s'effraya plutôt.

— Arrêtez... Ce n'est pas bien.

Françoise se leva et avança de deux pas vers la rivière. Mathieu lui laissa un moment pour reprendre son souffle avant de la rejoindre.

— Voilà pourquoi j'ai dit à Amélie que je vous trouvais jolie. Quand le mot de votre père est arrivé à la maison, j'ai été très heureux, parce que cela me donnait l'occasion de vous revoir. Je suis satisfait de constater que ces deux-là s'entendent bien pour la même raison. Autrement, qu'aurais-je pu faire ? Vous m'imaginez en train d'essayer d'escalader le mur entourant le couvent des ursulines afin de vous apercevoir dans la cour ?

— ...Surtout que nous ne sortons pas souvent.

Les joues en feu, la couventine apprivoisait une situation nouvelle : pour la première fois, un grand garçon de six pieds la regardait comme une femme. L'expérience s'avérait plaisante, ses derniers mots en témoignaient. Mathieu le comprit ainsi. Cela lui donna le courage de prendre son bras juste au-dessus du coude pour la forcer à se tourner vers lui.

— Je ne ferai rien de déplacé. Je ne répéterai peut-être jamais les mots que je viens de prononcer...

Vit-il vraiment un peu de regret dans les yeux de sa compagne ? Il s'empressa de continuer :

— À moins que vous m'y autorisiez. Toutefois, souvenez-vous que je ne mens jamais aux personnes que j'estime. Si je crains de blesser, ou seulement de les troubler, il m'arrive toutefois de demeurer silencieux. Aurais-je dû me taire ?

Comme elle gardait ses grands yeux sur lui, sans oser répondre, le garçon lui adressa son meilleur sourire en disant :

— Acceptez-vous de prendre mon bras pour rentrer à la maison ? Votre père et son nouvel invité doivent avoir fini de régler le sort du Parti libéral.

Il joignit le geste à la parole. Françoise posa sa main gantée au creux de son coude. En silence, ils regagnèrent la rue de l'Hôtel-de-Ville à pas lents. La maison des Dubuc se trouvait sous leurs yeux quand elle convint faiblement :

— Merci de m'avoir répondu.

Devant le regard interrogateur de son compagnon, elle compléta :

— Tout à l'heure, je vous ai posé une question, vous m'avez répondu. Merci.

— J'aurais peut-être dû être moins… précis.

Elle secoua la tête, faisant luire sa chevelure sous le soleil.

— Vous m'avez répondu. C'est bien.

Le garçon serra les doigts posés sur son avant-bras. Sa compagne dormirait mieux, ce soir-là : sa poitrine paraissait à la hauteur des attentes des grands garçons de la ville.

La route, étroite, longeait le fleuve tel un long ruban de terre brune. La chaleur la rendait poussiéreuse ; un lourd nuage se soulevait à l'arrière de l'automobile et demeurait un moment suspendu en l'air avant de retomber doucement.

— Heureusement que nous ne sommes pas dans un cabriolet, déclara Édouard en riant, sinon nous devrions porter des lunettes de protection et un grand cache-poussière.

Les longues excursions à la campagne en automobile demeuraient hasardeuses, seulement possibles durant les jours secs de l'été. En cas de pluie, un chemin comme celui-là s'encombrait d'ornières si profondes que les roues pouvaient s'enfoncer jusqu'au moyeu. Dans une voiture découverte, même les jours de beau temps, des lunettes de motocycliste protégeaient les yeux de la poussière, un long vêtement ample les habits et un foulard la bouche.

— Tu as une autre roue de secours, au moins ? demanda Clémentine.

Juste après le village de Beaumont, une crevaison avait forcé le conducteur à s'arrêter sur le bord de la route afin de procéder au changement de la roue, sous les regards curieux d'une dizaine d'enfants accourus des environs. Certains avaient semblé voir un véhicule moteur pour la première fois.

— Oui, le concessionnaire en donne toujours deux, sans compter une provision de chambres à air et un ou deux pneus de rechange. J'espère qu'un forgeron pourra effectuer la réparation à Saint-Michel… Ce serait plus rassurant avant d'entamer le chemin du retour.

Le couple roulait depuis le matin. Après une longue discussion, souvent reprise, le jeune homme avait enfin consenti à effectuer une visite rapide dans le village d'origine de sa maîtresse. Après plus de deux heures de route, ils purent stationner la voiture près de l'église paroissiale de Saint-Michel-de-Bellechasse, sous de grands arbres. Ils parcoururent la petite agglomération à pied, puis s'installèrent sur une grande pierre plate afin de contempler les embarcations à l'ancre dans l'anse Mercier. Là aussi, un certain nombre de villégiateurs profitaient de la douceur du temps.

Après un moment, l'homme s'enquit :

— Faisons-nous notre petit pique-nique avant que le repas ne soit gâté par cette chaleur ?

Les dîners sur l'herbe connaissaient une vogue considérable. L'allongement des temps de loisirs et le mouvement romantique favorisaient ces rendez-vous avec la nature. Clémentine acquiesça de la tête. Se souvenant de leur conversation au parc Victoria, deux ans plus tôt, Édouard avait consenti à cette expédition après s'être assuré de l'existence d'une petite rivière discrète.

Quelques minutes plus tard, ils s'engageaient dans un chemin de traverse. Au-delà du deuxième rang, avant d'arriver au troisième, ils passèrent un pont étroit, surplombant un cours d'eau.

— Tu peux stationner ici, l'informa Clémentine.

La voiture se trouvait près d'une barrière donnant accès à un champ, sous un orme immense. L'homme ouvrit la portière arrière, récupéra une lourde couverture à carreaux pour la tendre à sa compagne, puis se chargea du panier à provisions.

— Tu me montres le chemin ?

Elle le conduisit près du pont, troussant sa jupe afin de franchir la clôture faite de perches de cèdre. L'obstacle décourageait peut-être les vaches placides, mais certainement pas les jeunes amoureux. La rivière présentait une eau tout à fait limpide. La rive herbeuse descendait en pente douce.

— Nous pourrions nous asseoir ici, indiqua Clémentine.

— Sous les grands arbres, là-bas, proposa plutôt son compagnon. Ce sera certainement plus frais qu'en plein soleil… et moins visible aussi.

Elle rougit un peu et hocha la tête en guise d'assentiment. Un bosquet bordait les flots. Des buissons denses servaient d'écrin à une petite plage de sable. Édouard posa le panier, alla mettre les limonades et les bières à tremper dans l'eau fraîche. Puis, il aida la jeune femme à étendre la couverture sur le sol.

— Tu avais raison, c'est joli ici. Tu es déjà venue ?

— … Quand j'étais plus jeune.

Son hésitation fit rire son amant. Sans doute ce lieu avait-il abrité certaines de ses privautés. Toutefois, il se souvenait trop bien de leur « première fois » pour penser que les villageois peu dégourdis l'avaient entraînée bien loin dans ces jeux. L'essentiel, il en avait été le premier et le seul bénéficiaire.

Le panier contenait les victuailles habituelles pour les circonstances : du pain, du fromage et des fruits. Les commentaires sur la douceur de la température et la beauté du site occupèrent seuls la conversation. Le repas fut suivi des jeux de mains prévisibles, « inévitables », songea-t-elle au moment où une main remontait entre ses jambes, dépassant le haut de ses bas.

— Quelqu'un pourrait nous voir, murmura-t-elle en serrant les cuisses de toutes ses forces.

— Tu m'as assuré que ce coin demeurait discret.

La simple vue d'une voiture garée dans le chemin de traverse suffirait à attirer l'attention de jeunes gens curieux. Les curés insistaient trop, dans leur sermon du dimanche, sur les dangers moraux de ces «machines» pour les jeunes filles. Personne ne se priverait d'une occasion de jouer au voyeur si elle se présentait.

Malgré tout, elle relâcha un peu les muscles, laissa les doigts atteindre son sexe et tâter la chair moite à travers le tissus léger de la culotte. La caresse leva un peu ses inquiétudes; elle abandonna à la fois son entrejambe à la main et sa bouche à la langue agile. Comme le condom était demeuré dans le tiroir de la table, près du lit, le tout se solderait par les pratiques les plus honteuses de leur répertoire, sans doute.

La présence de nombreux soldats dans la ville de Québec avait entraîné le développement d'un nouveau commerce illicite dans les tavernes obscures. Des photographies «coquines», de la taille d'une carte postale, s'écoulaient à un bon prix. La plupart montraient une femme aux seins nus, souvent lovée contre le corps d'un soldat en uniforme s'apprêtant à rejoindre la ligne de feu. Édouard lui en avait montré de bien plus révélatrices, lui faisant découvrir l'usage de la bouche dans des activités fort intimes.

Le jeune homme avait insisté pour introduire ces nouvelles pratiques dans le menu habituel de leurs ébats. S'abaisser à cela heurtait fort la pudeur de la jeune femme. S'y livrer à un endroit où le risque d'être surprise s'avérait réel la troublait encore plus. Toutefois, son seul recours demeurait d'y mettre plus d'enthousiasme que d'habitude afin de réduire la durée de l'exercice.

À peine trente minutes plus tard, ils se retrouvaient tous deux dans la rivière au lit un peu vaseux, de l'eau jusqu'en haut des genoux.

— C'est tout de même incroyable de la trouver si fraîche par cette chaleur, déclara Édouard en riant. À me voir, on dirait que j'ai douze ans.

Il regardait son sexe et ses testicules. Ils paraissaient vouloir lui entrer dans le ventre. L'homme s'immergea tout de même complètement et creva la surface un instant plus tard en s'ébrouant comme un jeune chiot.

— Je vais me faire sécher au soleil.

Étendu nu sur la couverture, appuyé sur son coude droit, il regarda sa compagne s'ébattre dans l'eau. Le froid donnait à ses mamelons l'allure de petites fraises turgides. La chair de poule se répandait sur son corps. Elle s'accroupit pourtant, de façon à avoir de l'eau jusqu'au menton, puis ferma les yeux un long moment.

La fraîcheur de l'onde ne lui permit pas une trop longue baignade. Frissonnante, elle vint rejoindre son compagnon sur la couverture et se résolut à demeurer nue le temps nécessaire pour que les rayons du soleil assèchent sa peau. À l'instant où le garçon allongea la main pour mêler ses doigts à la toison blonde de la jonction de ses cuisses, elle se tourna sur le ventre en disant :

— Non, pas encore. De toute façon, le temps presse. Si nous voulons nous arrêter chez mes parents, puis rentrer à Québec avant la nuit, mieux vaut ne pas nous attarder.

Édouard demeura un moment silencieux, les yeux sur les jolies fesses, sa nouvelle érection demandant à être soulagée.

— Ce n'est pas ce que nous avions convenu.

— ... Tu sais, ce ne sont pas des sauvages, ils ne vont pas te retenir prisonnier.

La main se posa au bas du dos de la jeune femme, descendit un peu.

— Non.

Elle s'éloigna jusqu'au bord opposé de la couverture. S'il insistait encore, elle se retrouverait sur le sable.

— Nous allons nous mettre en route dans une dizaine de minutes. Tu auras séché d'ici là.

Édouard commença à remettre ses vêtements. Clémentine eut la désagréable impression qu'en acceptant de nouveau de lui accorder ses faveurs, elle aurait pu le convaincre de s'arrêter à la maison un moment, le temps de lui permettre de saluer ses parents.

Quand il démarra le véhicule, un peu plus tard dans l'après-midi, elle se détrompa. Rencontrer la famille d'une jeune femme signifiait un engagement formel. En conséquence, se dit-elle en mordant sa lèvre inférieure, jamais il ne la présenterait aux Picard, pas plus qu'il ne verrait les LeBlanc.

Son compagnon desserra le frein, puis prononça d'un ton faussement joyeux :

— Voyons maintenant si quelqu'un, au village, sait comment boucher les trous d'une chambre à air.

Les yeux résolument tournés vers la fenêtre, elle ne répondit pas.

～

Dans un souci élémentaire de discrétion, Mathieu s'approcha du bord du quai de madriers. Le train en provenance de Rimouski se faisait entendre au loin, dans le silence du soir. Dans quatre, cinq minutes tout au plus, les wagons de première classe s'arrêteraient devant lui.

— Vous auriez pu attendre demain. Vous me voyez un peu déçu, argua Paul en noyant ses yeux dans ceux de la femme.

— Ma fille a le même âge que Françoise, et elle se trouve toute seule au plus fort de la saison.

L'allusion explicite à la jeunesse de Thalie amena son compagnon à hocher la tête.

— De toute façon, vous et moi savons ce que nous voulions savoir, n'est-ce pas ?

Sur ces mots, elle posa sa main gantée sur celle de Paul, serra un peu les doigts et reçut une pression en retour.

— Tous ces gens autour... Il y a tout de même une manière plus convenable de dire au revoir à une femme...

Le mot « aimée » ne franchit pas les lèvres de son compagnon. Ce serait toutefois pour leur prochaine rencontre, chacun en était persuadé.

— Que diraient les gens si leur député s'affichait trop au milieu de la gare du chef-lieu de son comté? le taquina-t-elle.

— Il n'y a que des touristes aux alentours.

— Soyez sage. Il y a aussi mon fils. Puis, enfin, n'avez-vous pas profité un peu du fait que personne ne se trouvait dans le couloir avant de quitter la maison?

— Si peu…

L'homme joignit sa main droite à la gauche pour tenir celle de sa compagne. Sa perceptible gaieté témoigna de son appréciation du petit moment d'intimité.

— Dès le début de la session législative, je vous contacterai, Marie.

— Je serais très déçue si vous ne le faisiez pas. Je compterai même les jours.

— …J'aurai sans doute à me rendre à Québec d'ici là. Dans ces temps difficiles, les discussions en tête-à-tête valent mieux que les lettres. Le téléphone et le télégraphe offrent trop peu de discrétion.

— Puis, votre zèle vous vaudra peut-être un poste de ministre. Dans cette éventualité, vous devriez séjourner la majeure partie de l'année dans la Vieille Capitale.

Le sourire de la femme trahissait à la fois un espoir et un profond amusement. Le train entra en gare dans un grand fracas d'acier frotté sur de l'acier.

— Jusqu'ici, je n'ai jamais caressé cette ambition. Vous me donnez la meilleure raison de le faire. Je ne tarderai pas à aller vous saluer.

— Je vous attends déjà.

Ému, après une dernière pression de la main, une caresse du bout des doigts sur la peau très douce du poignet, au-dessus du gant de dentelles, Paul s'en alla d'un pas rapide, se retourna brièvement au moment de quitter la surface de madriers et lui adressa un dernier au revoir de la tête.

Marie vint rejoindre son fils. Celui-ci tenait les deux valises et avançait vers la porte du wagon.

— Attends-moi, je reviens t'aider, fit-t-il en grimpant les trois marches.

Après avoir posé les bagages à l'intérieur, il redescendit pour tendre la main vers sa mère.

Au moment où ils s'asseyaient sur la même banquette, celle-ci annonça :

— Paul te salue… Il est parti un peu vite de la gare. Ses affaires…

— Monsieur Dubuc n'a certainement pas pensé à moi au cours de ces quelques minutes, et c'est très bien ainsi.

Elle regarda un long moment par la fenêtre, à sa droite. Le train se remit bientôt en marche. Elle aperçut alors brièvement le politicien assis dans sa voiture. Un cousin lui servait de cocher lors de ses séjours dans la petite ville. L'homme agita la main au passage du wagon. Elle lui répondit en appliquant sa paume grande ouverte contre la vitre.

Après de longues minutes de silence, Mathieu argua :

— Finalement, ce petit congé s'est révélé bénéfique.

— Oui, consentit-elle après une hésitation.

La locomotive fendait la campagne dans le jour couchant. Le soleil s'inclinait sur l'horizon, de l'autre côté du fleuve. À la fin, elle commenta :

— Cet homme… Tu es certain que cela ne te dérange pas ?

— Ton propre bonheur me rend heureux, je t'assure. Thalie pense comme moi. Ne te sers pas de nous pour justifier une mauvaise décision, si, à la fin, la crainte de bousculer un peu tes habitudes de veuve vertueuse l'emporte sur…

Mathieu n'osa pas aller au bout de sa pensée, trop incertain des plaisirs cachés dans une relation amoureuse. Bien plus tard, lorsque le train dépassa le village de Saint-Michel-de-Bellechasse, il confessa à son tour :

— Pour moi aussi, ce congé a été des plus agréables, même si des années me séparent sans doute d'un heureux dénouement. Et cela seulement si la vie ne me réserve aucune mauvaise surprise.

Sa mère délaissa la contemplation du paysage, devenu monochrome avec le crépuscule, pour regarder le jeune homme à ses côtés. Elle posa sa main sur son bras et le pressa un peu. Mathieu garda ses yeux clos, puis laissa échapper un grand soupir.

~

Jamais un chef de parti politique provincial n'avait trouvé un homme aussi bien disposé que Paul Dubuc pour prendre part à divers comités, du moment où les réunions se déroulaient à Québec. En conséquence, le député de Rivière-du-Loup partagea une demi-douzaine de soupers en tête-à-tête avec Marie au cours de l'été 1916.

Le dimanche 3 septembre, pour la première fois, les deux familles étaient réunies au complet pour un dîner au *Château Frontenac*. Même Gertrude, après d'interminables négociations, s'y trouvait, encadrée de Thalie d'un côté et d'Amélie de l'autre. Après un silence gêné, cette dernière se mit en frais de lui expliquer les nombreuses différences entre deux mois de liberté dans son village natal et dix mois d'incarcération chez les ursulines. Thalie intervenait parfois pour demander des détails, heureuse d'avoir pu échapper à pareille horreur.

Sans trop de mal, après l'échange de quelques lettres au cours des deux derniers mois, Mathieu avait conservé Françoise dans de bonnes dispositions à son égard. Aussi la poignée de main, au moment de se revoir, dura bien plus longtemps que de raison. Les yeux se dirent des choses que la timidité, de part et d'autre, ne permettait pas de prononcer à haute voix.

Les adultes, et même les deux petites sœurs complaisantes, firent en sorte qu'ils se retrouvent l'un en face de l'autre à une extrémité de la longue table rectangulaire. Les parents occupaient l'autre bout.

— Partagez-vous toutes les appréhensions d'Amélie à propos de l'année qui commence? demanda bientôt le garçon.

Les deux filles Dubuc portaient leur costume de couven-tine. En fin d'après-midi, leur père les accompagnerait jusqu'au parloir du monastère pour les y abandonner pour de longs mois.

— Vous savez, ce soir, au réfectoire, elle sera très contente de retrouver ses amies de l'an dernier.

— Voilà qui me rassure. Je songeais déjà au moyen de mettre une lime dans un pain pour la lui envoyer dis-crètement.

— Je suis certaine que les religieuses sauraient la trouver. Nous ne recevons jamais rien qui n'ait été ouvert et examiné au préalable.

— Je me réjouis de constater que votre âme sera entre bonnes mains. Mais vous ne m'avez pas vraiment répondu. Comment vivrez-vous les prochains mois?

Le reproche se fit sur le ton de la complicité. Chacun se souvenait de la dernière fois où la petite sœur avait été évoquée, masquant les expressions franches.

— En réalité, moins bien qu'elle. J'ai moins de facilité à me lier. J'ai peur d'être bien timide...

Une rougeur sur ses joues souligna l'aveu. Mathieu montra toutes ses dents dans un sourire, puis murmura sur le ton de la confidence:

— Avec pour résultat, sans doute, des amitiés plus pro-fondes, plus durables aussi.

— Et moins nombreuses. Toutefois, après une année chez les ursulines, je connais bien quelques camarades. J'aurai plaisir à les retrouver.

— Une éventualité qui ne vous rendra pas totalement heureuse.

Le garçon la devinait sans mal. Le visage mobile, enclin à rougir à la moindre émotion, trahissait toutes les pensées de sa vis-à-vis.

— Les repas à quarante de part et d'autre d'une table, les dortoirs, se brosser les dents tous les matins parmi une petite cohue... Quand maman était là, à Rivière-du-Loup, je revenais à la maison tous les soirs.

Thalie, son épaule touchant celle de son frère, écoutait depuis un instant. Elle intervint:

— Moi, je crois que je n'aurais pas pu me résoudre au pensionnat. Après la classe, je retrouvais Mathieu, mes parents, la routine du magasin. Un poids me quittait, ici...

De la main, elle indiquait sa poitrine. Un moment, Françoise jalousa son aisance, cette faculté de s'exprimer sans gêne face à des inconnus. Surtout, avec un grand frère comme le sien, elle ne devait pas rougir chaque fois qu'un garçon posait les yeux sur elle.

— Vous savez, les événements nous imposent parfois de nous adapter même au plus difficilement supportable, répondit-elle en baissant les yeux.

Thalie tendit la main au-dessus de la table afin de toucher l'autre main gantée. Le geste de sympathie suscita la surprise et un regard étonné.

— Je m'excuse, j'ai manqué de tact. Je comprends que l'on doive parfois accepter même l'insupportable. Au fond, j'ai eu beaucoup de chance. Mais dites-moi, les élèves de dernière année n'ont-elles pas parfois des permissions de sortie?

— ...Parfois.

— Si vous m'y autorisez, je pourrais vous accompagner en ville. Il y a ici un salon de thé...

Françoise garda ses yeux gris dans ceux, d'un bleu profond, de la jeune fille.

— Je pourrais toujours dire que je rejoins papa, répondit-elle. Cela leur semblera plus naturel... Nous sommes surveillées de très près.

— Merci d'accepter. Je serai heureuse de vous revoir.

Thalie retira sa main, puis ajouta de son habituel ton enjoué:

— Puis, mon grand frère pourra vous écrire, comme il le faisait cet été. Je suppose que ses cours de droit lui laisseront un peu de loisirs.

— Les lettres sont ouvertes...

— Cela sera encore plus amusant. Il pourra signer de mon nom, chercher à dire des choses entre les lignes. S'il commençait toujours en mettant «Très chère cousine Françoise», elles n'y verraient rien de mal.

Mathieu échangea un regard avec sa sœur, touché de la voir proposer son amitié à cette jeune fille pour lui faire plaisir. Il ajouta en souriant, taquin :

— Si je signe du nom de Thalie, je pourrai même ajouter un «X». Cela semblera tout naturel, une bise entre cousines.

— Je suppose..., admit la couventine. De votre côté, continua-t-elle, soucieuse de changer de sujet, votre séjour à l'université vous réjouit-il ?

— Toute personne capable d'endurer le cours classique peut survivre aux études de droit. Imaginez, des leçons tous les matins et l'après-midi pour étudier...

À l'autre bout de la table, Paul arrivait à commenter les derniers événements politiques d'une voix égale. Sous la table, à l'abri de la nappe, le dessus de son pied droit servait de support à la cheville de Marie. Il intervint à l'intention du garçon :

— Le plus utile pour vous serait de trouver un emploi de clerc chez un avocat talentueux de la ville. Au rythme de deux heures par jour, cela complétera bien les cours. Bien sûr, ces deux heures ne vous vaudront aucun salaire pendant la première, et sans doute aussi la seconde année.

— ...À part le notaire de mes parents, je ne connais personne dans ce milieu.

— Souhaitez-vous vous spécialiser dans les contrats de mariage et les testaments ?

— Pas vraiment.

En réalité, Mathieu choisissait un peu le droit à l'aveuglette, partageant simplement la conviction d'Alfred que cela le préparerait bien « aux affaires ».

— Me permettez-vous de dire un mot à mes collègues à votre sujet ?

— Ce serait vraiment très gentil.

À ce moment, Marie fit doucement glisser le bout de sa bottine vernie contre le mollet de son compagnon.

◆

L'Université Laval formait, avec les Petit et Grand Séminaires, un complexe éducatif voué à la production des élites canadiennes-françaises. Il s'agissait d'une grande bâtisse de pierre grise surmontée d'un clocheton dont la façade donnait sur la rue Port-Dauphin. En ce 4 septembre, le toit de tôle brillait sous les éclats obliques du soleil.

Mathieu trouva sans trop de mal la grande salle, se mêla à la petite foule des nouveaux étudiants, pour l'immense majorité des fils de notables de l'est de la province. Il reconnaissait chez plusieurs d'entre eux des condisciples des huit dernières années du cours classique. Il les avait croisés pour la dernière fois lors de la remise des baccalauréats ès arts du Petit Séminaire, le diplôme d'enseignement secondaire donnant seul accès à l'université. Les autres venaient de collèges ou de séminaires diocésains, de Rimouski à Nicolet, de Trois-Rivières à Chicoutimi.

Mgr François Pelletier, le recteur de l'université, sanglé dans une soutane violette, monta bientôt sur la scène, entouré des divers doyens de faculté.

— Messieurs, commença-t-il d'une voix suave, je vous souhaite la bienvenue dans notre, je devrais dire votre institution d'enseignement.

Sans surprise, Mathieu écouta le prélat évoquer les divers règlements. Plutôt que les études proprement dites, la plupart devaient encadrer les comportements moraux. Puis, l'ecclésiastique conclut:

— Si vous voulez maintenant vous lever, nous allons dire ensemble une prière afin d'amener sur vos efforts académiques la protection bienveillante de Dieu. Puis, nous en dirons une seconde afin que le Créateur, dans ces temps troublés, apporte la lumière à ceux qui nous gouvernent.

L'allusion s'avérait limpide. Dans l'esprit de tous ces jeunes hommes, la même question s'imposa: si venait la conscription, l'Église conseillerait-elle à ses ouailles de se soumettre au pouvoir légitime ou tiendrait-elle à servir les intérêts de la société canadienne-française?

Quelques minutes plus tard, Mathieu entamait une nouvelle étape de sa vie. Il éprouvait un nouveau sentiment de liberté. L'atmosphère paraissait moins lourde de religiosité, malgré la présence de membres du clergé à la direction de l'établissement. Cela tenait certainement un peu à ses vêtements de ville. Le port du « suisse », durant toutes les années précédentes, s'avérait un rappel constant de son état. Et surtout, à dix-neuf ans, il verrait enfin un professeur laïque de ses propres yeux. Bien sûr, le juge chargé de donner le cours d'introduction au droit romain s'avérait d'une moralité à toute épreuve. Tout de même, le voir avec un col en celluloïd aux coins cassés et une cravate à la mode du siècle dernier s'avérait un changement troublant.

~

D'habitude, l'absence d'Édouard au travail un jour de semaine conduisait Thomas au bord de l'apoplexie. Pourtant, cette fois, le père accompagnait son fils dans un curieux pèlerinage, afin de laver sa mémoire des dernières frayeurs attribuables à la catastrophe de 1907. Le 11 septembre, dès six heures du matin, ils se trouvaient tous deux, appuyés contre la Buick, au sommet de la falaise dominant le fleuve, à Sillery. Des navires encombraient le cours d'eau. Depuis

minuit, la circulation navale habituelle se trouvait sus-
pendue.

— C'est tout de même incroyable, ce que l'on arrive à
faire, de nos jours, commenta le jeune homme.

Sous leurs yeux, de nombreux remorqueurs se déplaçaient
en tirant ou en poussant une douzaine de barges sur lesquelles
reposait toute la travée centrale du pont, une immense plaque
composée de poutrelles rivées.

— Je ne connais rien à ce domaine, mais penser que de
grands morceaux d'un ouvrage comme celui-là peuvent être
assemblés sur la rive, et ensuite accrochés à des dizaines de
verges plus haut me paraît impossible. Imagine la taille des
boulons pour faire tenir cela…

Impressionnés, ils contemplèrent la structure du pont qui
s'élevait, très haute, au-dessus des poutrelles d'acier de couleur
rouille. À l'horizontale, comme deux mains tendues l'une vers
l'autre, on voyait s'élancer les sections nord et sud du tablier.
Il restait un espace vide, très long. La travée centrale, sur les
barges, finit par être alignée parfaitement un peu après six
heures trente, attachée par de gros câbles à la structure
existante. Dans un concert de cris inaudibles depuis la rive et
de signaux visuels, les remorqueurs arrivèrent avec un synchronisme parfait à combattre l'effet du courant afin de conserver
l'immense rectangle métallique à l'endroit précis où ils
l'avaient conduit.

Puis, pendant un long moment, plus rien ne sembla se
passer. Pour tromper leur ennui, les spectateurs commencèrent à laisser libre cours à leur imagination.

— Imagine un attentat par les Allemands, fit Édouard.
Cela aurait un retentissement dans tout l'Empire.

— Tous ces soldats servent exactement à empêcher cette
éventualité.

Une fraction des valeureux volontaires du contingent
canadien ne quitterait jamais le pays, affectée à la défense des
édifices et des équipements publics. Les canaux et les chemins
de fer recevaient une attention particulière, car un attentat

risquait d'entraver le commerce pendant un long moment. Le Royaume-Uni se trouvait de plus en plus dépendant des importations pour nourrir sa population et continuer son effort de guerre.

— Ils ne peuvent tout de même pas tout surveiller, insista Édouard. Un seul bâton de dynamite bien placé, et toute l'opération d'aujourd'hui serait un échec.

— Selon ce que j'en sais, au cours des derniers jours, tout a été soigneusement inspecté par des ingénieurs et des militaires. Pas une poutrelle, pas un rivet laissés de côté... Tu veux un peu de café?

Au moment de quitter la maison, un peu après cinq heures, la cuisinière avait remis un thermos à Thomas. Ces bouteilles, produites en Allemagne d'abord, puis très vite un peu partout dans le monde, conservaient la chaleur ou le froid des liquides pendant quelques heures. Si cela permettait de faire cesser les allusions à des attentats, il remercierait la grosse dame de nouveau ce soir.

À huit heures cinquante, dans un crissement de métal, les crics hydrauliques posés sur les bras cantilevers furent actionnés pour la première fois. La travée centrale s'éleva de deux pieds. Le mouvement échappa pourtant aux spectateurs les moins avertis. De longues minutes s'écoulèrent encore avant l'effort suivant. Au troisième, soulevé de six pieds au total, le rectangle métallique dégagea les barges. Les remorqueurs s'éloignèrent rapidement, à toute vapeur.

Pendant très longtemps, alors que les centaines de curieux retenaient leur souffle, la travée demeura immobile. Vers dix heures, elle recommença sa lente ascension. Trente minutes plus tard, elle se trouvait à vingt pieds au-dessus de la surface de l'eau. Au moment de parcourir encore deux pieds, un crissement se fit entendre. Les hommes debout sur le rectangle de métal s'affolèrent un peu, crièrent à ceux qui, des dizaines de verges plus haut, dirigeaient la manœuvre. Après une minute, la structure se décrocha pour choir lourdement dans les flots, soulevant une immense gerbe d'écume dans un bruit mat. Le « Oh ! » de terreur, sorti de milliers de poitrines, couvrit à la fois le bruit des équipements qui, arrachés aux bras cantilevers, tombèrent aussi dans le fleuve, et les cris des ouvriers entraînés avec eux. Le moment de stupeur passé, Édouard murmura d'une voix blanche :

— Tu vois, je te l'avais dit.

Longtemps, Thomas demeura silencieux, figé par l'horreur de la scène. Enfin, il grommela :

— Tu as raconté les mêmes sornettes lors de l'incendie du Parlement. En conséquence, je préfère attendre les résultats de l'enquête publique. Allons au magasin.

Ce second accident entraîna un bilan moins terrible que le premier avec ses treize victimes. Les amateurs de théories du complot seraient à nouveau déçus : une pièce du mécanisme de levage ayant cédé, le déséquilibre résultant de l'incident avait suffi pour envoyer l'immense structure dans le fleuve.

Chapitre 13

Non seulement Eugénie connut-elle un accouchement sans histoire grâce aux soins experts de Charles Hamelin, mais à la mi-septembre, son garçon, Antoine, maintenant âgé de sept mois, criard et joufflu, paraissait tenir de son père. Cela ne semblait guère la réjouir. Heureusement, Jeanne se montrait disposée à se muer en gouvernante pour les quelques années à venir.

Les visites bimensuelles chez ses parents avaient repris au mois d'avril précédent, à l'immense plaisir de grand-maman Élisabeth. Édouard se plaisait d'ailleurs à l'appeler «mémère» à l'occasion. Chaque fois, elle lui adressait un grand sourire, comme s'il la gratifiait d'un compliment rare, et commentait: «Maintenant, c'est ton tour de me faire ce bonheur.»

Eugénie, de son côté, se révélait encline à limiter tout contact avec sa progéniture, le sien comme celui des autres:

— Le mieux serait de le remettre dans son berceau pour le laisser dormir. Sinon, je devrai lui donner le sein de nouveau.

La maîtresse de maison regarda le gros garçon sur ses genoux et lui caressa la joue du bout des doigts avant de prononcer dans un babil enfantin:

— Voyons, ce petit ange ne souhaite pas dormir…

Elle se pencha pour déposer des baisers bruyants dans son cou et continua:

— Tu veux rester avec nous, mon bonhomme, n'est-ce pas?

Les gazouillis heureux témoignaient de la préférence de l'enfant. Ses deux mains potelées s'accrochèrent dans les cheveux blonds, sa bouche édentée, béatement ouverte, laissa échapper un filet de salive.

Ces moments de joie domestique ne contaminaient guère les hommes de la maison. Une nouvelle fois lors d'un repas dominical, les copies des journaux du samedi traînaient au milieu de la table. Depuis des mois, les Canadiens français amélioraient leurs connaissances de la géographie de l'est de la France. Le mot « Courcelette » s'étalait en première page, sur toute sa largeur. Le 22e bataillon, composé de compatriotes, avait participé à une offensive dans le cadre de la bataille de la Somme. Au terme de l'initiative, le commandant, Louis-Thomas Tremblay, avait écrit : « Si l'enfer est aussi abominable que ce que j'ai vu, je ne souhaiterais pas à mon pire ennemi d'y aller. »

— On parle de vingt-quatre mille « pertes ».

La traduction de *casualties* ne faisait plus vraiment de mystère pour personne. D'habitude, cela signifiait environ un tiers de tués, les autres étant blessés assez gravement pour être évacués de la ligne de front.

— Les nôtres ont montré toute la mesure de leur courage, commenta Fernand. Dans les journaux d'hier, les commentaires ont été élogieux, d'un océan à l'autre.

— De la propagande, opposa Édouard, pour nous inciter à nous enrôler pour suivre le glorieux exemple de ces héros. Nous sommes si peu nombreux en Amérique, si nous participons en grand nombre à des boucheries comme celle de Courcelette, nous finirons par disparaître.

L'hypothèse d'une grande conspiration afin de transformer les Canadiens français en chair à canon pour les champs de bataille européens connaîtrait une belle popularité, au point que chacun finirait par oublier la véritable proportion de ceux-ci parmi le contingent : peut-être cinq pour cent.

— Ce qui m'inquiète surtout, intervint Thomas à son tour, c'est le rythme du recrutement volontaire. Celui-ci s'avère bien moins rapide que la progression des pertes.

Ce genre de mathématique alimentait de nombreux éditoriaux. La conclusion venait tout de suite : seule la conscription apporterait une juste solution.

— Ils n'arrivent pas à comprendre que la meilleure contribution de la province de Québec, c'est la production industrielle, affirma encore le fils de la maison.

— Nous sommes faits pour les emplois mal payés dans le textile et la chaussure, et eux, pour l'héroïsme sur les champs de bataille ? intervint Fernand sur le ton de la dérision. Réfléchis un peu, seuls des gens comme Bourassa et Lavergne feignent de croire à des sottises pareilles.

Il jeta un regard vers son fils, sa meilleure assurance contre la conscription. Puis, Eugénie se montrerait bientôt à nouveau encline à recevoir ses avances.

— La dernière trouvaille des politiciens conservateurs d'Ottawa est de nous priver de notre part des contrats de production de guerre. Ils souhaitent nous accorder des emplois en proportion des enrôlements de nos enfants.

En disant ces mots, Thomas secouait la tête de dépit. Élisabeth leva les yeux pour supplier :

— Ne dis pas des choses aussi cruelles. Pas devant lui.

Comme si un bébé de cet âge comprenait quoi que ce soit à la folie des hommes. Des gazouillis baveux la détrompèrent très vite.

— Selon tes amis libéraux, questionna Édouard, la mesure viendra-t-elle bientôt ?

Il faisait allusion à une loi sur le recrutement obligatoire pour le service en Europe.

— Borden essaie de temporiser, de calmer l'impatience des impérialistes parmi ses hommes, répondit le père. Mais l'ampleur des pertes, combinée à la demande des pays alliés pour obtenir des renforts, le forceront à agir.

Pendant un moment, chacun fit semblant de s'intéresser au repas. À la fin du second service, Édouard laissa tomber :

— À mon âge, je devrais commencer à penser sérieusement au mariage.

Thomas échangea un regard avec sa femme. Eugénie esquissa un sourire ironique, puis contempla son enfant sur les genoux de sa belle-mère avant de s'exclamer :

— Cela ne posera pas de difficulté. Tu vois cette secrétaire depuis combien de temps ? Plus de deux ans ?

Édouard retrouva sans mal le visage familier de ses jeunes années, à l'époque où l'arrogante petite impératrice aimait le traiter d'imbécile.

— D'abord, elle est commis à la facturation, pas secrétaire. Puis, toi, tu as attendu sept ans avant de te décider. Ne viens pas commenter ma lenteur en ce domaine.

Thomas posa brutalement son couteau sur la table, au point de faire sursauter Antoine. Le frère et la sœur se concentrèrent sur leur assiette. Seule Élisabeth remarqua la colère dans les yeux de Fernand Dupire.

~

L'atmosphère morose du dîner dominical permit à Édouard de s'esquiver bien vite pour rejoindre l'appartement de la rue Saint-Anselme. Clémentine, désireuse de profiter des derniers jours un peu cléments de la saison, proposa une promenade dans le parc des Champs-de-Bataille. La trop grande proximité de la rue Scott découragea son compagnon. Alors qu'ils marchaient plutôt en direction du parc Victoria, la jeune fille affichait une mine songeuse. Lentement, ses espoirs d'un mariage avantageux s'effritaient. Son amant la mettait entre parenthèses, en quelque sorte, lui refusant à la fois d'accéder à son propre univers, et d'entrer dans le sien.

Ce jour-là, il arborait une mine maussade, un visage buté d'enfant gâté. Le bras auquel elle s'accrochait demeurait raide et les réponses à ses questions, brèves. Ils parcoururent finalement les allées ombragées en silence. Des dizaines de couples faisaient de même. Tous, put constater la jeune femme, offraient un visage heureux, satisfaits de se trouver ensemble.

En fin d'après-midi, quelques membres de la Garde Champlain s'installèrent sur la gloriette de forme octogonale avec leur instrument et firent entendre les premières notes. Édouard s'arrêta près d'un banc pour proposer:

— Garde-moi une place, je vais chercher de quoi boire.

Quelques minutes lui suffirent pour se rendre au kiosque et revenir avec deux limonades. L'homme s'arrêta sous les arbres et contempla sa compagne de loin. Un soldat se penchait vers elle pour lui parler à l'oreille. Si, tout l'après-midi, quelques volontaires avaient profité du temps radieux, soudainement, ils se faisaient plus nombreux. Des recrues devaient avoir reçu une permission de sortie pour la soirée. Les abords de la gare se révélaient désormais moins sûrs, le verre brisé de quelques vitrines encombrerait les trottoirs le lendemain matin.

Clémentine secouait la tête en riant et le militaire se montrait insistant, sans toutefois devenir franchement déplacé. La scène se répétait sans cesse, la silhouette fine, les yeux bleus, les cheveux blonds dépassant du chapeau de paille agissaient toujours de la même façon sur les hommes. La jalousie toucha Édouard. Malgré la peur du scandale, la crainte du péché, les regards réprobateurs des autres posés sur eux, Clémentine lui appartenait. Elle s'abandonnait à ses désirs, se pliait à sa volonté, oubliait tous les autres, et toutes les règles.

D'un autre côté, sa conquête envoyait les factures de la Quebec Light, se passionnait pour de mauvais magazines et s'extasiait sur les sirupeuses idylles publiées en feuilleton dans les journaux. La politique lui semblait assommante alors que ses sujets de conversation demeuraient sans intérêt. Les hommes qu'elle tenait à distance, pour se garder disponible pour lui, travaillaient soixante heures par semaine pour vingt, tout au plus trente dollars. Ou encore, ils portaient un uniforme kaki comme celui-là. Ce soldat pouvait bien lui susurrer des propositions scabreuses à l'oreille, dans trois mois, les pieds pourrissant du mal des tranchées, il chierait dans son froc en attendant l'ordre de se lancer à l'attaque sous une pluie de balles allemandes.

Édouard continua son chemin vers le banc. Le militaire leva finalement les yeux sur lui, esquissa un sourire méprisant et prononça à haute voix et en anglais à l'intention de Clémentine :

— Ne me dis pas que tu préfères passer la soirée avec ce lâche ?

La jeune femme rougit et regarda son compagnon avant de déclarer dans la langue de l'importun :

— Laisse-moi tranquille, à la fin.

— Regarde-le dans son petit veston bien coupé, avec son joli chapeau de paille. Un couard bien caché à l'arrière, pendant que les hommes vont se battre pour leur pays.

Une bouteille dans chaque main, les doigts crispés sur le verre, Édouard sentit une rage sourde monter en lui. Le volontaire cria à l'intention de ses camarades, eux aussi en train de conter fleurette à des jeunes filles malgré la présence d'un cavalier :

— Vous avez vu ce bellâtre ? Un autre de ces Canadiens français trop peureux pour se battre.

Sans réfléchir, Édouard lança la bouteille de limonade qu'il tenait dans sa main droite. Le projectile tourna sur lui-même, se vida d'une partie de son contenu sur la robe de Clémentine et rata sa cible de beaucoup.

— Tiens, il te pousse des couilles, maintenant, ricana l'autre. Tu veux te battre enfin ?

Le premier geste de violence déclencha une réaction en chaîne. Les hommes qui enduraient la présence des soldats autour de leur belle depuis quelques minutes commencèrent à les bousculer. Un premier coup de poing partit et un ouvrier de la chaussure s'étala sur le dos, deux dents en moins sur le devant de la bouche.

Le petit bourgeois de la Haute-Ville vit son propre opposant contourner le banc et venir vers lui avec détermination. À distance, le sifflet d'un policier se fit entendre, strident. Le poste de police se trouvait tout près, l'intervention serait rapide. Pas assez, toutefois, pour empêcher plusieurs mauvais coups d'atteindre leur cible. Nerveusement, Édouard prit la seconde bouteille de limonade comme une massue et fit le geste de frapper son adversaire à la tête alors que le contenu se vidait dans sa manche.

Une vie trop confortable privait l'héritier Picard de certains apprentissages de base. Dans un combat à mains nues, des règles s'imposaient d'elles-mêmes. L'échange de coups demeurait bref et l'un des protagonistes se laissait choir sur le sol s'il se sentait battu, mettant ainsi fin à la bagarre.

Toutefois, le combattant utilisant autre chose que ses mains ne méritait aucun *fair-play*. Le militaire évita sans mal la trajectoire circulaire de la bouteille et décocha son poing dans l'estomac de son adversaire. Celui-ci se plia en deux, répandit les vestiges de son dîner en partie sur ses vêtements, le reste sur l'herbe, et encaissa un autre impact sur le côté de la tête, assez violent pour faire se dérober ses genoux sous lui. Puis, un pied lancé avec force atteignit son entrejambe. L'instinct de se recroqueviller ne lui permit pas d'éviter complètement l'impact.

— Non, arrêtez! Je vous en prie, arrêtez!

Édouard, dans un brouillard, aperçut la jupe de serge de Clémentine, un bout du jupon blanc et les bottines noires. Les pieds du soldat s'agitèrent dangereusement près de son visage. Un coup de ce genre risquait de l'estropier sérieusement.

— Ce peureux fait dans sa culotte.

— Arrêtez, ne lui faites pas de mal.

Elle posa ses mains sur la poitrine kaki, pour le faire reculer, tout en emmêlant les mots anglais et les mots français. L'homme se calma un peu, puis se pencha pour crier:

— Couard! Heureusement que tu as une femme pour te défendre.

Puis, insulte suprême, un long jet de salive atteignit sa joue. Il vit les jambes masculine s'éloigner. Clémentine s'accroupit près de lui dans un froufrou de serge bleu et de coton blanc.

— Est-ce qu'il t'a fait mal ?

Quelle question idiote ! Édouard gémit en se tordant sur le sol, les deux mains à la jonction de ses cuisses. Elle sortit un mouchoir de son petit sac, essuya un peu les traces de vomi sur le menton.

— Tu n'es pas blessé ?

Curieusement, la sollicitude dans sa voix et la douceur du geste brûlaient comme des insultes. Non seulement Édouard s'était montré nettement dominé par son adversaire, mais maintenant, une femme devait l'aider à se redresser. Il secoua la tête pour faire cesser le petit nettoyage, tourna son visage vers le sol, puis posa les mains bien à plat pour se relever péniblement.

La douleur lui tordait la poitrine, irradiait son crâne. Son bas-ventre demeurait pris d'une crampe tenace. Sa compagne passa sa main dans son dos jusqu'à sa nuque.

— Dis-moi que tu n'es pas blessé.

L'inquiétude perçait dans sa voix. Elle se releva et saisit son épaule à deux mains pour le soulever. Lentement, l'homme retrouvait sa respiration. À la fin, il réussit à grommeler :

— Laisse-moi, je vais y arriver seul.

Il réussit à s'agenouiller difficilement, ses fesses reposant sur ses talons. Machinalement, ses mains tâtaient son estomac, comme si l'impact avait laissé une trace palpable. Un peu plus loin, des militaires échangeaient toujours des coups avec des travailleurs de la Basse-Ville. Parmi les insultes, les mots « lâche » et « couard » revenaient sans cesse. Ces enrôlés volontaires toléraient mal de voir autant de jeunes hommes portant toujours des vêtements civils et déambulant avec une jolie fille à leur bras. Leur résolution à payer le prix du sang souffrait de voir une autre communauté refuser ce sacrifice.

Sur la gloriette, dans leur uniforme chamarré, les membres de la Garde Champlain serraient leur instrument de musique contre leur corps, comme une armure. Tout le ridicule de leur tenue, de leur prétention martiale, sautait aux yeux.

— Les policiers arrivent, prononça Clémentine d'une voix qui se voulait rassurante.

Elle se tenait debout, n'osant plus toucher son compagnon. Une douzaine de constables, matraque au poing, se mêlèrent aux belligérants. Ils frappèrent sèchement les soldats paraissant vouloir poursuivre les hostilités, laissant fuir les autres. Dans ce genre de situation, les forces de l'ordre pouvaient aisément se trouver en difficulté.

Les civils profitèrent de la diversion pour quitter le terrain. Déjà, la plupart des badauds se dirigeaient vers leur domicile. Une vingtaine de jeunes gens leur emboîtèrent le pas en s'appuyant sur un compagnon ou une compagne. La plupart saignaient du nez ou de la bouche, d'autres ne voyaient plus que d'un œil, l'autre étant fermé par un œdème.

Édouard refoula un peu son orgueil et accepta l'aide de Clémentine pour se dresser sur ses pieds. La respiration sifflante, un peu plié vers l'avant, une main sur l'épaule de la jeune fille, il entama un long détour afin de se tenir loin des uniformes. La rue Saint-Anselme lui parut terriblement loin.

~

Vêtu de son seul caleçon, étendu sur le lit, l'homme récupérait de son altercation. Dans le petit lavabo de la salle de bain, Clémentine s'efforçait de faire disparaître les vomissures sur la veste et la chemise. Ensuite, elle devrait s'occuper de sa robe aspergée de limonade.

Ce soir-là, le condom resterait dans sa boîte cylindrique. L'homme tâta discrètement ses testicules pour s'assurer de l'absence de tout dommage. La douleur lui sciait le bas-ventre. Il ne pourrait se tenir tout à fait droit avant plusieurs heures.

— Frapper à coups de pied! commenta la jeune fille en venant le rejoindre. Ce n'est pas une façon de se battre.

Heureusement, elle garda pour elle l'essentiel de son commentaire : lancer une bouteille ne figurait pas non plus dans les usages habituels des affrontements entre hommes raisonnables.

— Tu ne sembles pas être capable de t'en empêcher! fit son compagnon d'un ton de reproche.

Clémentine demeura interdite. Son peignoir s'ouvrait un peu sur sa chemise, ses cheveux en désordre lui faisaient une amusante couronne dorée.

— M'empêcher de quoi ?

— D'aguicher tout ce qui passe, surtout en uniforme. Les œillades, les sourires...

— ...Tu ne parles pas sérieusement ?

Elle le regarda, immobile. Après un moment, il continua, déjà un peu moins agressif :

— Où que l'on aille, dès que je me retourne, un homme vient te parler.

Exciter sa jalousie ne lui paraissait pas une mauvaise affaire. Déjà, dans le passé, l'attention des hommes avait suscité des commentaires acides, mais aussi un regain d'attention de la part de son amant.

— Tu crois que je le fais exprès ? Les hommes me remarquent... Toi le premier, quand tu m'as offert cette balade en voiture.

— Tu avais besoin d'encourager ce type ?

— Comment cela, l'encourager ?

— Je te l'ai dit... Les sourires, la façon de bouger les yeux. Si tu lui avais simplement dit d'aller se faire voir ailleurs, rien de tout cela ne serait arrivé.

De nouveau, la surprise se lut sur le petit visage. Un peu plus et il la rendait responsable de toute l'échauffourée. Pourtant, les bagarres entre les militaires venus du reste du pays et les Canadiens français se multipliaient, les premiers reprochant aux seconds de ne pas assumer leur part de l'impôt du sang.

— Si tu ne sais pas te battre, ne commence tout simplement pas la bagarre et tiens-toi loin de ces hommes, siffla-t-elle entre ses dents. Qu'est-ce que cela te donne de me reprocher tout cela ?

Son amant serra les poings jusqu'à blanchir ses jointures. La douleur à l'arrière de sa tête, le lieu de l'impact du second coup, irradia tout son crâne.

Marie se trouvait nue sous le drap et la couverture. Ils avaient quitté le restaurant à l'heure où les autres convives demandaient à voir la carte des desserts. Pareille connivence entre eux couronnait un repas à peine entamé tellement leurs yeux avaient de choses à se dire. La pension du politicien, rue d'Auteuil, possédait une entrée de service discrète. Ils avaient atteint la chambre sans croiser personne.

La pièce s'ornait d'une grande fenêtre donnant sur l'enceinte de la ville et, au-delà, sur le palais législatif. La chambre, assez grande, comptait un lit dans une alcôve, et dans la plus grande section, une table de travail, une chaise et deux fauteuils.

Paul revint du rez-de-chaussée avec une théière fumante. Les deux tasses étaient déjà sur la table, près du lit.

— L'endroit paraît désert. Les autres locataires doivent boire un verre au bar du *Château Frontenac*. Les débuts de session sont propices aux grandes conspirations.

— C'est heureux, car dans cette tenue…

Le député avait boutonné sa chemise tout de travers. Ses bretelles lui battaient les fesses. Il laissa échapper un grand rire en versant la boisson chaude.

— C'est vrai, je me serais attiré quelques remarques. Toutefois, comme la maison n'accueille que des hommes, personne n'hésite à se montrer un peu débraillé.

— Ce sont tous des collègues ?

— Presque tous. La propriétaire aime louer à des gens qui sont absents pendant de longs mois chaque année.

Marie se redressa en prenant bien garde de tenir le drap contre sa poitrine, prit la tasse de thé et souffla un peu sur le liquide afin de le refroidir.

— Je suppose aussi que ces beaux messieurs reçoivent de bonnes amies, à l'occasion. Comme leur épouse se trouve parfois à l'autre bout de la province…

— Je ne l'ai jamais fait !

Paul se sentait déjà coupable d'avoir amené une femme dans son lit avant même le premier anniversaire de son veuvage. Son grand deuil durerait encore plusieurs semaines. La situation s'assimilait pour lui à un adultère commis à titre posthume.

Marie fit passer sa tasse dans son autre main et allongea la gauche afin de la poser sur le bras de son compagnon, maintenant assis près d'elle sur le lit.

— Ce n'est pas ce que j'ai dit. Nous sommes seuls, nous ne trompons personne. De mon côté, je ne regrette pas notre relation, je suis heureuse de ce développement, aujourd'hui. Nous l'attendions tous les deux depuis l'été dernier.

— … Tu as raison, même si notre histoire ferait sans doute ricaner tous les censeurs de Québec, et ils sont légion. Nous avons droit à ce bonheur.

Il parlait comme un homme désireux de s'en convaincre. Après une gorgée de thé, il se tourna vers elle et, dans un sourire timide, demanda :

— C'est vrai, tu ne regrettes pas ?

— Mon seul regret, c'est que tu n'aies pas un exemplaire de ce curieux « tube » dont tu as parlé tout à l'heure.

L'homme avait accepté de bonne grâce de limiter leurs jeux amoureux aux pratiques ne comportant pas le risque de mettre sa compagne enceinte. Toutefois, il avait exprimé sa déception de ne pas avoir l'un de ces condoms évoqués à voix basse par certains collègues. Marie revenait sur le sujet, soucieuse pourtant de dissimuler sa parfaite connaissance de cette protection, dont elle avait fait usage lors de l'épisode délicieux de 1908.

— Depuis que les soldats ont envahi la ville, ce genre de chose devient très facile à trouver.

— Me diras-tu si des visiteuses discrètes hantent parfois ces lieux?

Avant de répondre, Paul posa sa tasse, se leva pour se débarrasser de son pantalon, soucieux de faire vite afin de ne pas exposer ses fesses velues et son sexe flasque, puis se glissa sous la couverture. Sa compagne se tassa un peu pour lui faire de la place, pas assez toutefois pour se priver du contact de son corps, de l'épaule jusqu'à son pied gauche.

— Cela arrive parfois. Certains ont une bonne amie à Québec pendant des années.

— Et une épouse sagement restée dans leur comté avec les enfants?

— Oui.

— D'autres trouvent sans doute une «amie» de passage, en échange d'un dollar.

L'homme se concentra un moment sur sa tasse de thé. Son épouse n'abordait jamais des questions de ce genre, au point où il se plaisait à croire à son ignorance des turpitudes de certains de ses semblables. Maintenant, il se doutait bien qu'aucune femme un tant soit peu intelligente ne passait sa vie dans l'inconscience de cette réalité.

— Cela arrive aussi, consentit-il enfin. Chacun fait semblant de ne rien voir, de ne rien entendre.

— Je tiens à être la seule, murmura Marie. Sans doute voudras-tu un jour cesser de me voir. Je ne ferai pas de drame. Toutefois, d'ici là, je ne souhaite pas te partager. Surtout pas avec une prostituée.

Il tourna la tête pour la regarder. La lumière électrique posée sur la table de chevet jetait une lumière jaunâtre dans la pièce. La lourde tresse de ses cheveux s'était un peu défaite. Le profil demeurait étrangement pur, juvénile, chez cette mère de deux grands enfants.

— Tu sais bien qu'entre nous, c'est pour toujours.

Elle glissa sa main droite sous la couverture, la posa sur le haut de la cuisse nue et esquissa une caresse en disant :

— Je n'ai pas besoin de cette promesse-là. Je veux juste avoir l'assurance que si un jour tu désires quelqu'un d'autre, tu sortiras d'abord de ma vie. De mon côté, je peux t'assurer de la même chose. Aussi longtemps que je serai à toi, je serai à toi seul.

Elle ne lui expliquerait pas les mœurs de feu son époux. Cependant, jamais elle ne tolérerait à nouveau de recevoir un bouquet de fleurs en guise d'offrande expiatoire pour une escapade sexuelle. Résolue à devenir peu économe de ses faveurs, elle voulait que son amant s'en satisfasse exclusivement. Celui-ci se retourna vers elle pour déclarer :

— Je réalise depuis l'été dernier que je ne peux vivre sans une femme dans ma vie. Je n'en veux pas deux, mais une seule. Et je désire que ce soit toi.

La petite main chaude sur sa cuisse rendait sa tasse de thé un peu fade, tout d'un coup. Il la posa sur la table de chevet, fit de même avec celle de sa compagne, puis s'allongea sur le côté afin de lui faire face.

— C'est curieux, mais j'aime que tu sois tellement différente...

Paul n'osa pas ajouter « ... d'Amélie, ma première épouse ». Marie le comprit sans peine. Sa main passa sur la hanche, effleura le flanc sous la chemise.

— Même ta façon de me titiller sur la question du vote des femmes... Il y a un an, les mêmes paroles m'auraient semblé étranges. Je me surprends parfois à trouver tout naturel que mes filles profitent aussi de ce droit, à vingt-et-un ans.

— Je suis heureuse d'avoir cette influence sur toi... Mais ne compte pas sur moi pour convaincre tes collègues plus obtus.

La main tenait maintenant fermement le sexe devenu raide et amorçait un léger mouvement de va-et-vient. L'enjeu du suffrage féminin s'estompa des esprits. Un bras puissant ramena le corps de Marie tout contre celui de son compagnon, une bouche parcourut son cou, chercha son oreille.

~

Même si la journée gardait un peu de la chaleur de l'été, la nuit se révélait fraîche. La mauvaise saison s'annonçait déjà; les vitrines ne présentaient plus que des paletots et des chapeaux de feutre. Au moment de quitter la rue d'Auteuil au bras de son amant, Marie demanda:

— Tes filles se portent bien, m'as-tu dit tout à l'heure. Tu les as vues au couvent?

— Ce sera ma routine pour toute la session législative. La messe le matin, et à deux heures, je me présente au parloir du pensionnat. À quatre heures, une vieille religieuse revêche vient me mettre dehors.

Après un long silence, il poursuivit:

— Toutes les deux paraissent résolues à tirer le meilleur parti de la situation. Amélie a ses amies, Françoise essaie d'apprendre le plus possible.

Ils parcouraient le chemin Saint-Louis. Les rares passants, tous des hommes, hésitaient avant de les saluer. À cette heure, aucun couple respectable ne se trouvait encore dehors. Le *Château Frontenac* offrait toutefois des fenêtres brillamment illuminées. Même la nuit, le grand édifice ne s'endormait jamais tout à fait.

Puis, le couple s'engagea bientôt dans la rue de la Fabrique, et se trouva devant le magasin ALFRED. Paul s'arrêta pour s'entendre dire:

— Nous allons descendre jusqu'au coin, puis revenir vers l'arrière. Ce sera plus discret si je passe par la ruelle.

Il regarda autour de lui. La rue paraissait déserte, les fenêtres des édifices présentaient autant de grands rectangles sombres. Toutefois, des voisins pouvaient se tapir dans l'obscurité afin de surveiller les environs. Cela méritait un petit détour.

Dans la cour arrière, la protection d'un mur un peu branlant leur permit d'échanger un dernier baiser brûlant.

— Dans ma routine du dimanche, s'enquit Paul, après le monastère des ursulines, pourrais-je compter te voir ?

— Le curé le matin, les religieuses l'après-midi, la pécheresse en soirée. Tu ne crains pas pour ton âme ?

L'homme serra ses bras sur le corps gracile et murmura avec une pointe d'impatience dans la voix :

— Ne dis pas ce mot… pécheresse. Plus jamais.

Marie fut émue par cette protestation et apprécia encore plus les mots suivants :

— Je ne pense pas cela de toi, je ne pense pas cela de ce que nous vivons ensemble.

— Je retire ce mot, consentit-elle d'une petite voix. Tu as raison, et à moins d'un contretemps, je t'offrirai tous les dimanches que tu désireras…

Leurs lèvres se soudèrent à nouveau. Marie grimpa ensuite l'escalier de service plutôt raide en se tenant à la rampe, chercha sa clé dans son sac un moment. Le bruit métallique du loquet tiré la fit sursauter. La porte donnant sur la cuisine s'ouvrit pour révéler une Gertrude un peu échevelée, en chemise de nuit.

— J'ai entendu du bruit, grommela-t-elle en se tassant un peu de côté pour laisser passer sa patronne.

— Plutôt, vous êtes restée debout à m'attendre… Comme je vous soupçonne de l'avoir souvent fait à l'époque des frasques d'Alfred.

La domestique ne daigna pas répondre. Elle s'approcha du poêle et vérifia l'état du feu en approchant sa paume de la surface de fonte.

— Je peux vous faire du thé, si vous voulez.

— Non, cela m'empêcherait de dormir. Bonne nuit.

Elle s'apprêtait à sortir de la pièce quand Gertrude demanda dans un souffle :

— Il est bien ? Je veux dire… comme personne.

Puis, reprenant ses sens, elle s'empressa d'ajouter :

— Je m'excuse, Madame. Je ne sais pas ce qui m'a pris…

— Entre amies, je vais vous le dire. Il est très bien. Je crois que je suis heureuse… Pas juste en sécurité, comme du vivant d'Alfred, mais heureuse.

— Profitez-en, vous le méritez.

La femme esquissa encore le mouvement de quitter la cuisine, pour entendre encore :

— Dites-lui de venir ici…

— Pardon ?

— Au lieu de vous rendre chez lui, et d'attirer l'attention au moment de rentrer, demandez-lui de venir ici. Par la ruelle, c'est discret. De son côté, sa réputation ne risque rien, les hommes se promènent dehors toute la nuit sans que personne ne trouve à redire. Jamais on aura la même indulgence à votre égard.

Marie demeura songeuse, consciente qu'au moment de revenir de la rue d'Auteuil, de nombreuses personnes pouvaient la reconnaître. À la fin, elle chuchota :

— À cause des enfants, je ne peux pas.

— Ils comprennent, ils savent que vous êtes amoureuse. Cela se voit sur votre visage. Ce soir, ils se doutaient bien de la raison de votre absence.

— Douter, ce n'est pas tout à fait savoir. Je ne peux pas recevoir un homme dans la maison. Enfin, pas mon amant.

Sur ces mots, sans rien écouter de plus, Marie regagna sa chambre.

∾

Les journées de Fernand Dupire recelaient peu de surprises. Au fil des mois, son père lui confiait un nombre croissant de dossiers, pour la plupart ceux de personnes de moins de quarante ans. Il se réservait toutefois les situations les plus délicates, et les personnes connues depuis des décennies, qui souffriraient d'une rupture de leur vieille relation d'affaires.

Recevoir des visiteurs consommait la moitié du temps du jeune homme, y compris parfois en soirée. Les recherches, la rédaction des actes, occupaient tout le reste. Ce genre de travail demeurait toutefois poreux et réservait des moments pour converser avec ses parents ou même avec Antoine. Dans son cas, bien sûr, le babillage sans fin constituait un piètre échange d'idées.

Au moment de se rendre à la cuisine afin de se verser une nouvelle tasse de thé, il entendit une voix enjouée prononcer:

— Alors, mon petit monsieur, on est tout propre, maintenant?

Il découvrit Antoine nu comme un ver, soutenu par Jeanne, les deux pieds s'agitant dans une bassine de zinc posée sur la table. La domestique, enthousiaste, lui permettait de tester la force de ses petites jambes. Quand elle aperçut son patron à l'entrée de la pièce, elle précisa, en guise d'explication:

— Je trouve plus simple de faire sa toilette ici…

— Oui, je sais. De toute façon, il n'a pas encore appris à être intimidé, dans cette tenue.

Le garçon offrait à la vue un corps toujours luisant d'humidité, un ventre et des fesses rebondies, des membres potelés. Son visage joyeux et son gazouillis témoignaient bien que l'idée de couvrir sa « honte » ne l'habitait pas encore.

La domestique l'enveloppa dans une grande serviette de toile avant de le prendre dans ses bras et, en s'adressant au petit:

— Tout de même, on ne restera pas dans ce bel habit de peau toute la journée, mon grand.

L'enfant regardait en direction du nouveau venu et tendait les bras en émettant un son qu'une personne très optimiste aurait pu confondre avec un « papa ».

— Oui, c'est ton papa, répondit Jeanne. Tu veux aller le rejoindre?

Le geste de la tête semblait un assentiment. La jeune femme s'approcha et tendit un Antoine plutôt excité à son père. Au moment de le prendre, le dos de la main de Fernand effleura l'un de ses seins.

— Je... je m'excuse, bredouilla-t-il.

— Ce n'est rien. Vous vouliez du thé ?

Son sourire engageant permit au jeune notaire de retrouver sa contenance.

— Oui. J'ai tendance à laisser refroidir la tasse. Finalement, je finis par en boire assez peu.

— J'ai mis de l'eau à chauffer, tout à l'heure. Je vais vous en préparer du frais.

Elle étira les bras afin de prendre une théière sur une étagère, révélant ainsi le galbe de sa poitrine dans son mouvement. Tout en ne perdant rien du joli spectacle, l'homme fit semblant de participer au babillage de son garçon, soudainement passionné par les mystères de son nœud de cravate. Elle rinça la porcelaine avec un peu d'eau bouillante, puis chercha du Earl Grey dans une boîte en fer blanc.

Au moment où la boisson commençait à infuser, elle vida la bassine de zinc ayant servi au bain de l'enfant dans l'évier, commença par la rincer avant de se livrer à un nettoyage en règle.

— Vous vous occupez très bien de lui, commenta Fernand. J'espère que le surcroît de travail ne vous pèse pas trop.

— Travail ? M'occuper d'Antoine est un plaisir...

Elle s'interrompit, se mordit la lèvre inférieure avant de convenir dans un sourire :

— Je ne devrais pas dire cela. Vous voudrez couper mes gages, maintenant.

— Cela ne risque pas d'arriver. Je comprends seulement que vous aimez vous occuper de ce gros garçon.

L'homme essayait d'empêcher les petites mains de s'emparer tout à fait de sa cravate. La dernière fois, l'accessoire avait rapidement fait office de tétine.

— Il est si gentil. Le portrait de son père.

L'audace du propos troubla la jeune femme. Elle alla ranger la bassine et revint pour poser les mains sur la théière afin d'apprécier la chaleur de la porcelaine.

LES PORTES DE QUÉBEC

— De toute façon, vous le savez bien, j'avais peu à faire avant sa naissance.

— Cela n'enlève rien à mon appréciation. Vous vous en occupez très bien. Il a de la chance de vous avoir.

Plutôt innocents, ces mots ajoutèrent tout de même au malaise de Jeanne. Ils contenaient un reproche implicite à l'égard de la mère, réfugiée toute la journée dans son petit salon, à l'étage, sans doute encore absorbée dans une romance à deux sous. Cet enfant disait ses premiers mots, s'essayait à ses premiers déplacements avec une autre personne que celle lui ayant donné le jour.

Jeanne s'approcha pour prendre Antoine de nouveau. L'homme s'attacha cette fois à éviter de laisser ses mains outrepasser les règles de la bienséance. Le bébé ne partageait pas ce souci : en mettant ses bras autour du cou de la domestique, il fit tomber à moitié la coiffe amidonnée.

— Fais attention, trésor, tu vas m'arracher une mèche de cheveux...

Le petit couvre-chef blanc pendait à demi sur le côté gauche de la tête, une petite main le secouait un peu, sans y mettre beaucoup de délicatesse.

— Attendez, je vais l'enlever tout à fait.

Fernand souleva la coiffe, enleva les épingles qui la retenaient encore aux cheveux. Le contact des boucles noires, brillantes, le troubla un peu plus que de raison. Il demeura un moment emprunté, l'ornement à la main.

— Posez-la sur la table, je reviendrai la chercher tout à l'heure. Vous feriez bien d'apporter la théière dans votre bureau. La boisson restera chaude un peu plus longtemps.

L'homme fit comme on le lui disait et emboîta le pas à la domestique. Au moment où elle s'engageait dans l'escalier, sous prétexte de faire un salut du bout des doigts à son garçon, il regarda la jeune femme gravir les marches et apprécia les cuisses et les fesses soulignées par la jupe de serge noire.

～

Des mois après son accouchement, Eugénie se plaignait encore de douleurs au bas du dos et au bas-ventre. Pour ajouter à son confort, elle plaçait un oreiller au milieu du lit, entre son époux et elle, afin d'y placer l'un de ses genoux replié. Avec une régularité un peu lassante, elle répétait :

— Je me sens tellement désolée de t'imposer cela. Avec tout l'espace disponible dans cette maison, aménager une autre chambre pour toi ne poserait aucune difficulté. Ce ne serait que pour quelques mois...

Le gros notaire la soupçonnait d'exagérer l'étendue de ses malaises. Ceux-ci, tout comme ses mouvements brusques au cours de la nuit, paraissaient avoir pour seul objectif de le convaincre d'accepter le principe des chambres séparées. Sa résistance faiblissait. Éventuellement, le manque de sommeil le conduirait à céder. Une fois exilé dans une autre pièce, ce serait pour toujours, sans doute, malgré les affirmations de sa femme. Les rapprochements physiques s'estomperaient de façon dramatique, puis disparaîtraient.

Son verre de whisky à la main, il contempla longuement les ombres de la rue déserte. Septembre s'achevait déjà. Bientôt, ce serait le second anniversaire de son mariage. Le souvenir de sa « grande demande » amena un rictus dépité sur ses lèvres. Heureusement, un bruit familier lui parvint de l'escalier. Il se dirigea vers le meuble contenant les bouteilles et les verres, versa un sherry alors que Jeanne gagnait son fauteuil habituel.

— Profitez-en, commenta-t-il en lui tendant le verre. Si Mgr Bégin mène à bien sa campagne en faveur de la prohibition, bientôt, nous aurons du mal à nous procurer de l'alcool.

L'homme s'installa sur le canapé et posa son propre verre sur une table basse.

— Le cardinal souhaite la tenue d'un référendum sur cette question ?

— Oui. La population se prononcera sur la pertinence d'établir la prohibition de la vente d'alcool sur le territoire de la ville.

— Même si cela se passait, les gens pourront toujours aller dans une ville voisine afin de faire leurs provisions. Cela ne posera pas de difficulté pour vous.

Elle prenait l'affirmation au pied de la lettre, comme si son employeur craignait vraiment de se voir priver de ces boissons.

Depuis l'adoption de la Loi Scott au siècle précédent, une municipalité pouvait bannir la vente d'alcool de son territoire. En cas de victoire des « secs » sur les « mouillés », le gouvernement fédéral n'aurait d'autre choix que d'adopter un arrêté en ce sens, limité au territoire de la ville.

— Que pensez-vous d'une mesure de ce genre ? questionna Jeanne, hésitant maintenant à avaler le contenu de son verre.

— Je sais que dans beaucoup de ménages, et pas seulement chez les ouvriers, des pères de famille condamnent leurs enfants à la faim en buvant leur paie.

Le signe d'assentiment de la domestique passa inaperçu dans l'obscurité. Ce scénario, de même que les scènes de violences aveugles résultant parfois des abus, lui étaient familiers.

— Mais la plupart des gens demeurent très raisonnables, comme vous et moi. Faut-il nous priver de prendre un coup une fois de temps en temps sous prétexte que certaines personnes n'arrivent pas à se contrôler ?

— … Vous voterez donc avec les « mouillés » si cette consultation a lieu ?

— Oui, sans doute.

— Et votre père ?

Le ton de la jeune femme trahissait son amusement. Le vieux notaire et sa femme lui rappelaient les grenouilles de bénitier de son village natal.

— Il votera certainement avec les « secs ».

Fernand vida son verre, puis résista à la tentation de s'en verser un autre tellement il tenait à figurer parmi les gens raisonnables évoqués un instant plus tôt. Après une longue pause, elle chuchota :

— Les journaux ajoutent sans cesse de nouveaux détails affreux au sujet de la grande bataille.

— Courcelette? Oui, je sais. Les correspondants de guerre européens livrent lentement leurs histoires, les journaux d'ici les reprennent au fur et à mesure de la réception des communications télégraphiques. Ce sera pire encore quand les publications britanniques et françaises arriveront jusqu'ici grâce aux transatlantiques.

Déjà, Fernand avait expliqué à son employée que les nouvelles les plus importantes des champs de bataille arrivaient presque au moment de l'événement, grâce aux télégrammes des grandes agences de presse. Toutefois, les détails étaient connus une semaine plus tard, au mieux, le temps pour les navires de couvrir toute la distance.

— Tant de personnes, des Canadiens français, se sont fait tuer ou estropier!

L'homme jugea inutile de préciser que leurs compatriotes comptaient pour bien peu parmi les victimes de la boucherie de la Somme.

— J'ai des frères plus jeunes, vous savez, murmura-t-elle après un moment. Certains sont en âge de s'enrôler.

— Ils seraient prudents de penser au mariage.

— Ce ne sont pas des « marieux ».

« Ce qui ne les rend sans doute pas plus malheureux », songea son interlocuteur. Cela le ramena au sujet habituel de ses réflexions. Après un moment, il glissa:

— Je vous remercie encore pour votre façon de prendre soin d'Antoine. Eugénie ne se révèle pas trop… maternelle, je le crains.

La jeune épouse tolérait sans mal de donner le sein à son garçon. Son premier motif, soupçonnait Fernand, devait tenir à son désir d'éloigner la prochaine naissance. Pour le reste des soins, elle affichait une relative indifférence.

— Elle s'en occupe de son mieux, fit la domestique.

— Vous avez sans doute raison. Tout de même, je suis heureux que vous soyez là.

Jeanne posa son verre vide sur la table, un peu troublée, désireuse surtout d'abandonner un sujet de conversation aussi délicat. Un instant plus tard, elle eut l'impression d'entendre un bruit léger venir de l'escalier. Puis, Fernand prononça :

— D'ici quelques mois, nous le verrons courir un peu partout dans la maison.

Pendant quelques minutes, les progrès d'Antoine retinrent leur attention.

Eugénie se trouvait penchée au-dessus de la rampe, mince dans sa robe de nuit blanche, discrète et légère comme un fantôme. À vingt ans de distance, elle renouait avec sa vieille habitude d'écouter les conversations des autres. Toutefois, l'idée ne lui était maintenant plus inspirée par une femme un peu folle.

Chapitre 14

Dans l'esprit des chrétiens, novembre s'imposait comme le mois des morts. La tenue d'un mariage au moment où les arbres jetaient leurs grands bras nus vers le ciel, comme une imploration désespérée, paraissait incongrue. Au point où Édouard, un verre de champagne à la main, demanda à un invité debout près de lui :

— Finalement, notre ami Égide a devancé ses projets de plusieurs mois.

— Les fiancés paraissent pris d'une passion nouvelle depuis quelque temps. Cela les amène à convoler sous un ciel gris, les semelles engluées de boue.

— De mauvaises langues prétendent que la passion a peu à faire dans un empressement de ce genre… et les nouvelles du front, beaucoup.

L'autre contempla son verre avant de poursuivre.

— Même si cela était vrai, ne crois-tu pas que répéter ces propos pourrait blesser Hermance ?

Le jeune Paquet, que des proches – du moins les membres de sa famille – aimaient considérer comme une étoile montante du barreau québécois, tenait à protéger la sensibilité de sa sœur aînée. Le mariage s'avérait d'ailleurs tardif, pas hâtif. Coiffée de la Sainte-Catherine, l'épousée saisissait plutôt au vol une occasion devenue inespérée.

— Tu as raison, convint Édouard avec son meilleur sourire. Regarde combien elle semble heureuse.

Ces paroles ramenèrent son vieil ami du cours classique à sa bonne humeur coutumière. Sa sœur, une grande femme vêtue pour l'occasion d'un fourreau de satin pervenche, tournait élégamment au milieu de la salle de bal du *Château Frontenac*. Un petit homme noir de poil, moins grand que sa compagne de quelques pouces, l'entraînait dans une valse.

— Je leur souhaite bien du bonheur, murmura Paquet, la voix toutefois marquée d'un doute.

Après un silence, il se tourna vers son camarade en disant :

— C'est gentil à toi d'avoir accepté de servir de cavalier à ma cadette. Comme elle vient tout juste de sortir du pensionnat…

— Ne crains rien, la chose ne me demande pas un effort surhumain. Puis, les amis servent aussi à cela.

La remarque les fit rire tous les deux. Machinalement, leurs yeux se portèrent sur un trio de jeunes filles âgées tout juste de dix-huit ans, toutes sorties du monastère des ursulines l'été précédent. La plus jolie, prénommée Évelyne, narrait une histoire un peu osée à ses compagnes. Le récit s'entrecoupait de rires nerveux, les autres gloussant derrière une main gantée.

— Tout de même, elle aurait paru ridicule, toute seule, plusieurs mois après ses débuts.

Après une réception champêtre donnée fin juin afin de montrer cette charmante jeune personne aux célibataires en âge de chercher une compagne, les visites dans le salon paternel ne s'étaient pas succédé au rythme prévu. Les rumeurs venues d'Ottawa concernant l'enrôlement obligatoire paraissaient éloigner certains candidats des jouvencelles, tout en les rapprochant des personnes un peu plus vieilles. Peut-être les premières exigeaient-elles de plus longues fréquentations avant de se laisser conduire à l'autel, alors que les secondes se montraient vite disposées à le faire.

— Mais comme je me suis dévoué, il convient maintenant de m'exécuter. Ta charmante petite sœur ne se trouve certainement pas ici pour discuter avec ces collégiennes.

Édouard profita du passage d'un serveur pour déposer son verre vide sur un plateau. Il se dirigea ensuite vers le trio féminin en replaçant une mèche de ses cheveux.

— Mesdemoiselles, commença-t-il en les englobant dans son regard, je suis désolé de vous interrompre.

Puis, les yeux fixés sur l'élue, il continua :

— Évelyne, me ferez-vous le plaisir de m'accorder cette danse ?

Les nouveaux mariés ayant eu le privilège de se produire les premiers, de nombreux couples envahissaient maintenant le parquet. Un peu rougissante, la jeune Paquet posa sa petite main dans celle, grande et forte, de son cavalier. Les deux autres la regardèrent s'éloigner avec envie, puis gloussèrent à nouveau avec un synchronisme parfait.

Le jeune homme s'arrêta à la périphérie de la piste de danse, posa une main sur la taille de sa partenaire et tint les doigts fins avec l'autre. Son regard, puis une légère inclinaison de la tête, indiquèrent le moment où s'élancer parmi les autres couples. Vue d'en haut, les corolles des robes ressemblaient à autant de rouages d'un mécanisme délicat.

Après une douzaine de rotations, Évelyne Paquet commençait tout juste à se trouver confortable dans cette situation nouvelle. Ce sentiment ne dura pas.

— Vous êtes particulièrement jolie aujourd'hui, Mademoiselle.

Les mots s'accompagnèrent d'un regard plongeant sur la naissance des épaules découvertes et l'échancrure du corsage. Le tout demeurait à la fois bien pudique et fort inspirant. La peau paraissait douce, presque translucide. Édouard voyait les veines, de petites rivières d'un bleu très pâle, sur la naissance de la poitrine.

— …Je vous remercie.

L'hésitation, le tremblement dans la voix, trahissaient une émotion délicieuse.

— De plus, cette robe vous va à ravir.

Elle ne pouvait répéter encore «merci» sans avoir l'air d'une sotte. Un battement de cils exprima son émotion. Ses cheveux châtains, relevés dans une construction complexe, dégageaient des oreilles petites et bien ourlées, un cou très fin. Les yeux gris, grands et limpides, montraient son plaisir trouble de se trouver ainsi entre les bras d'un bel homme.

La pièce musicale s'égrena trop vite au goût d'Édouard. Il céda sa place à un interne un peu empâté. À titre d'ami de la famille, il valsa avec l'épousée, la trouva tout à sa joie de régler son avenir au prix d'un «oui» prononcé devant monsieur le curé. Pendant ce temps, le jeune homme gardait un œil sur la demoiselle. La grâce innocente de l'ingénue le troublait plus que de raison. Une oiselle candide, un peu gauche, tout à fait charmante. Deux pièces musicales plus tard, il la retrouva.

— Vous venez tout juste de quitter le pensionnat, je crois.

La remarque s'avérait de pure forme : à titre de célibataire «éligible», Édouard se trouvait à la réception champêtre donnée plus de quatre mois plus tôt. Il se présentait avec une certaine régularité chez les Paquet afin de rencontrer le frère aîné, un partenaire régulier de tennis. Il prononçait simplement les mots convenus, souvent répétés au cours des dernières années, durant les rencontres entre jeunes gens de la Haute-Ville.

— … Oui. J'ai terminé le cours d'études.

Autrement dit, la demoiselle n'était pas trop niaise pour étudier, et son père avait les moyens de la laisser dans un couvent jusqu'à l'âge du mariage.

— Je me souviens de vous avoir remarquée il y a quelques années, une charmante petite fille coiffée avec des tresses, vêtue de la jupe à carreaux de rigueur chez les ursulines.

Évelyne se rappela surtout de son propre intérêt pour le grand jeune homme si beau, si drôle.

— Vous avez grandi depuis… pour devenir une bien jolie femme.

Elle rougit. Au moment d'évoquer sa maturité, les yeux de son partenaire semblaient voyager de nouveau en direction de son corsage. Sottement, elle balbutia :

— Je viens d'avoir dix-huit ans.

À ce moment de leur vie, de nombreuses jeunes femmes portaient déjà une alliance. Plusieurs, parmi les autres, connaissaient la date de leurs fiançailles, ou alors, l'heureux événement avait déjà eu lieu.

— Ah! L'âge le plus tendre.

Le sourire entendu de son compagnon la troubla encore plus que les mots. Les dernières notes de musique s'éteignirent. Des couples quittèrent la piste de danse, d'autres vinrent les remplacer.

— Vous aimeriez une coupe de champagne?

Elle commença par vouloir refuser, craignant de commettre un impair en acceptant un second verre. À la réflexion, ses dix-huit ans lui parurent l'y autoriser. Elle acquiesça finalement de la tête et posa la main sur l'avant-bras d'Édouard afin de se diriger vers un alignement de tables derrière lequel des serveurs répondaient aux désirs des invités. Son verre à la main, elle remarqua à haute voix:

— Si Mgr Bégin réussit à obtenir la tenue d'une consultation populaire au sujet de la prohibition, il ne sera plus possible de servir du vin lors des mariages.

Tout de suite, la jeune fille regretta ses paroles. Elle venait de donner l'impression de s'intéresser à l'accessibilité des alcools... Édouard renchérit:

— Notre digne prélat n'osera pas aller aussi loin. Vous vous souvenez des noces de Cana. Même Jésus se souciait de procurer du vin lors d'événements de ce genre.

La référence au Nouveau Testament devait rassurer sa compagne.

— Vous avez raison, se réjouit celle-ci.

— Bien sûr, je ne prétends pas percer les secrets de l'archevêché. Toutefois, je pense que le cardinal sera heureux de l'interdiction de la vente des alcools forts, comme le gin, le whisky ou le cognac. Nous continuerons de boire du vin lors des épousailles, et les ouvriers de la bière à la taverne du coin.

Comme si elle venait de recevoir la permission, Évelyne trempa ses lèvres dans sa coupe.

LES PORTES DE QUÉBEC

— Accepteriez-vous de marcher un peu dans les couloirs ? Cette salle devient inconfortable.

Elle donna son assentiment d'un signe de tête et posa de nouveau sa main sur le pli du coude de son cavalier. Les couloirs de l'hôtel se révélaient plus frais. Ils se débarrassèrent des verres vides sur une console, puis marchèrent jusque dans le hall d'entrée. Après de longues minutes d'un silence un peu lourd, la jeune femme fit mine de se retourner.

— Nous devrions revenir vers la salle de bal.

Elle n'osa pas ajouter «Mes parents vont s'inquiéter» tellement cela aurait paru puéril. Édouard paraissait songeur. Après une hésitation, il prononça :

— Mademoiselle Paquet, m'autorisez-vous à demander à votre père la permission de vous rendre visite ?

Elle demeura un moment interdite, puis répondit finalement :

— Vous venez déjà à la maison.

— Pour voir votre frère. M'autorisez-vous à vous visiter… si votre père accepte, évidemment ?

À la fin, elle comprit, baissa les yeux vers le plancher, puis bredouilla :

— Bien sûr, vous le pouvez.

━

— J'ai peur qu'il vous arrive quelque chose, déclara Marie.

Ses deux enfants se tenaient devant elle, leur manteau boutonné jusqu'au cou.

— De plus en plus souvent, continua-t-elle, ce genre de ralliement conduit à des batailles rangées.

— Voyons, la raisonna Mathieu, toutes les forces policières seront là. Les premiers ministres du Québec et du Canada se trouveront sur place. Ce soir, l'Auditorium de Québec sera plus sécuritaire que notre appartement.

Si la mère s'inquiétait, elle parvenait à ne pas interdire. Même pas à sa fille, haute de cinq pieds et très peu de pouces et dépassant à peine les cent livres. La présence du grand frère à ses côtés, avec ses six pieds, suffirait à lui éviter les mauvais coups, espérait-elle. La situation avait bien changé depuis 1908, alors qu'elle lui servait de protectrice.

— Soyez prudents, capitula-t-elle enfin.

— Promis, maman, déclara Thalie en lui faisant la bise.

Encore une fois, l'écolière se trouverait au milieu d'une assemblée d'hommes, l'une des rares représentantes de son sexe, pour entendre parler de la participation à la guerre. Quelques minutes suffirent pour rejoindre la grande salle accolée au mur d'enceinte, rue Saint-Jean. Une foule se pressait à l'entrée, des connaissances s'interpellaient, s'invitaient mutuellement à occuper des sièges contigus.

Un malencontreux hasard amena de nouveau Mathieu au coude à coude avec son cousin Édouard, inévitablement flanqué d'Armand Lavergne. Le premier réussit à ignorer ses parents, la tête droite, le cou allongé comme pour se donner un pouce de plus. Le second ne put résister au plaisir de saluer une jolie fille, même très jeune.

Il se pencha un peu pour lui demander:

— Vous vous intéressez à la politique militaire? Vous avez un amoureux et vous craignez la conscription?

Thalie déclara sans vergogne en le fixant dans les yeux:

— Je la crains moins que vous, il me semble. Curieux, tout de même, un lieutenant-colonel de la milice refuse de former un régiment. Votre jumeau du mouvement nationaliste, Olivar Asselin, a montré plus de loyauté pour l'ancienne mère patrie.

— Je me suis expliqué dans les pages du *Devoir*, prononça Lavergne avec impatience.

Sans doute pour le faire mal paraître, les autorités fédérales avaient bien demandé à ce notable d'imiter son ancien allié et de recruter quelques centaines d'hommes à son tour. Le personnage avait peu après publié les motifs de son refus dans le journal nationaliste, qui allaient de la fermeture des écoles françaises en Ontario au devoir sacré de garder toutes les forces canadiennes au pays afin de défendre le territoire national.

— Je vous ai lu avec attention. Votre épître ressemblait beaucoup aux exercices d'écriture que nous demandaient les ursulines quand j'avais douze ans. Rien de très édifiant, une fois débarrassé des mauvais effets de style. Doit-on s'attendre à autre chose de plus consistant?

L'homme lui tourna le dos, offusqué, puis s'enfonça dans la foule en multipliant les «Excusez-moi» sans conviction. Quand il se trouva assez loin, il grommela à son compagnon:

— Tu connais cette petite garce?

— Ma charmante cousine. Tu te souviens, nous l'avons croisée en ce même endroit il y a presque un an, quand nous sommes venus entendre Asselin prononcer un discours ridicule sur la France et notre devoir de loyauté pour ce pays.

Depuis, fidèle à ses propos, le petit homme noir de poil se battait courageusement sur le sol français. Les journaux de toutes allégeances soulignaient la moindre de ses actions, certains avec des commentaires grinçants.

— La plume blanche... continua Édouard avec une grimace de dépit.

Le jeune homme, un soir où sa consommation de whisky laissait remonter sans pudeur les rancœurs accumulées, s'était confié à ce sujet.

— Pour qui se prend-elle? Son père ne l'a pas élevée?

L'allusion à Alfred amena un sourire troublé sur le visage de son interlocuteur. Au fond, ne reproduisait-elle pas les déclarations abrasives de ce dernier?

— Elle fréquente le High School de Québec, offrit-il plutôt comme explication à son comportement. Cela doit lui monter à la tête.

— Pendant la révolution américaine, les traîtresses comme elle se trouvaient déshabillées, trempées dans le goudron et roulées dans les plumes.

À en juger par son expression, infliger ce genre de traitement à ses contradicteurs ne répugnerait pas au politicien.

∽

Mathieu tenait sa sœur par le bras, soucieux de l'empêcher de parler à quiconque, le temps d'arriver à leur fauteuil. Au moment de s'asseoir, il la gronda sévèrement.

— Tu tiens absolument à amener cet homme à te frapper?

— Tu as entendu ce bellâtre? «Vous vous intéressez à la politique militaire?»

Elle s'efforça de prononcer les derniers mots sur le ton mielleux de Lavergne.

— Quel imbécile! Je suppose qu'à ses yeux, les femmes devraient demeurer dans leur cuisine.

— Tout de même, nous vivons du commerce. Te mettre tout le monde à dos me paraît imprudent.

— Bah! De toute façon, la bourgeoise du grand chef nationaliste s'habille chez Simons ou chez Holt Renfrew. Un petit magasin canadien-français ne peut intéresser cette grande patriote.

La salle de l'Auditorium de Québec se remplissait lentement. En d'autres circonstances, la venue du premier ministre dans la ville aurait attiré une foule de curieux mi-flattés de la grande visite, mi-amusés de sa présence dans une forteresse libérale imprenable. En ce 7 décembre 1916, les gens montraient une mine inquiète. Les détenteurs du pouvoir politique venaient sans doute apporter de mauvaises nouvelles.

Avec un peu de retard, les rideaux de scène s'ouvrirent pour révéler un brillant aréopage d'hommes dans la force de l'âge pour certains, déjà blanchis pour les autres. Seul sur l'estrade, Robert Laird Borden aurait sans doute mérité quelques huées. Ses compagnons agissaient comme autant de «porte-respect». Avec le premier ministre provincial, Lomer

Gouin, le lieutenant-gouverneur, Évariste Leblanc, le juge en chef, François-Xavier Lemieux, et quelques élus de la région, il attira même des applaudissements polis, surtout de la part des anglophones présents.

Selon les usages, une personne familière aux spectateurs devait souhaiter la bienvenue aux visiteurs venus de loin. Lomer Gouin quitta son siège pour s'approcher du lutrin, puis commença :

— En ces heures dramatiques où la civilisation vacille sous les coups des hordes barbares venues de l'est…

Pareille introduction présumait des connaissances géographiques des spectateurs. Après quelques phrases ronflantes, le petit homme à la voix ennuyeuse s'effaça devant Borden. Grand, robuste, une chevelure abondante séparée au milieu, une moustache touffue cachant sa lèvre supérieure, le politicien originaire de la Nouvelle-Écosse commença par dresser un sombre tableau :

— Les nôtres ont montré leur bravoure à la face du monde depuis la résistance héroïque à Ypres jusqu'à, plus récemment, l'immense bataille de la Somme. Des enfants de votre ville ont donné leur vie sur l'autel de la liberté, à Courcelette. Les fils de Champlain, Maisonneuve, Frontenac se sont révélés dignes de leurs ancêtres…

La prononciation des noms des membres du panthéon de la Nouvelle-France se révélait très laborieuse, au point de les rendre méconnaissables. La flatterie nationaliste perdit en conséquence beaucoup de son effet, même si la plupart des personnes présentes comprenaient l'anglais.

— Toutefois, les pertes se sont révélées terribles. Nous manquons d'hommes pour remplacer ceux qui tombent…

Chacun retenait son souffle. Partout en Europe, ce genre de constat précédait immédiatement l'annonce du recrutement forcé. Le premier ministre parut déterminé à lever le suspens.

— Mon jeune collègue de l'Alberta, Richard Bennett, va vous expliquer en quoi consiste le Service national.

Le vieux politicien regagna son siège pour être tout de suite remplacé à l'avant par un personnage plus jeune, à la silhouette un peu replète, les cheveux fuyant sur le crâne.

— Les nations modernes jettent dans la bataille toutes leurs ressources, celles des fermes, des forêts, des ateliers, des manufactures, des usines. Les puissances qui sauront le mieux mobiliser leurs forces l'emporteront, les autres seront balayées. Le Service national servira à dresser un portrait exact de notre potentiel humain...

Très volubile, le député expliqua la nécessité de dresser la liste de toutes les personnes valides habitant le pays. Quelque part dans la grande salle, Édouard murmura dans l'oreille de son voisin :

— Après cela, ils enverront les agents recruteurs dans les maisons pour cueillir la chair à canon au lit.

Comme pour lui répondre, Bennett continua :

— Il ne s'agit pas de la conscription. Au contraire, cela servira à retenir certaines personnes au pays. Nous connaîtrons tous les spécialistes dont la présence se révèle cruciale à l'effort de guerre. Nous pourrons orienter les travailleurs compétents là où on a le plus besoin d'eux.

— Ce n'est pas tout faux, commenta Lavergne à voix basse. Au Royaume-Uni, les ouvriers dont la contribution s'avère la plus précieuse à l'industrie sont épargnés par la conscription. Mais Baptiste se trouve dans le textile, la chaussure, le tabac, sans aucune habileté essentielle à la production de guerre. Des femmes peuvent le remplacer facilement. En conséquence, notre Baptiste apprendra un nouveau métier, celui de soldat.

— Même chose dans le commerce de détail, continua Édouard pour compléter la nomenclature des fonctions peu utiles à l'effort de guerre.

Dans la grande salle, de nombreux spectateurs étaient capables de se livrer à la même analyse. Quelqu'un cria avec force, avec un accent français :

— *Why don't you enlist, Bennett?*

L'orateur interrompit le flot de ses paroles. Le même argument revenait sans cesse au visage des prêcheurs de la participation à la guerre : donnez l'exemple, si la cause est si noble. Pour un qui, parmi ces gens, affichait ce courage, cent restaient à l'arrière, pourtant toujours prompts à fustiger la couardise des autres.

— Je ne parle pas de conscription, mais de l'enregistrement des forces vives du pays…

— *Enlist or shut up.*

Un marmonnement exaspéré commença à monter de la salle. L'homme venu de l'ouest du pays finit par comprendre combien son avalanche de mots ne rallierait personne en ce milieu, surtout si ceux-ci, prononcés dans une langue peu familière à la majorité des auditeurs, laissaient croire à l'imminence de la conscription. Il retourna vers son fauteuil à son tour.

La difficulté, après la domination libérale dans la province depuis 1896, demeurait d'y trouver des conservateurs d'une certaine stature, capables de rallier l'opinion publique ou, à défaut, de livrer au moins leurs discours sans crouler sous une panoplie de quolibets. Ésioff-Léon Patenaude figurait parmi la petite poignée d'hommes habilités à relever ce défi. Il s'avança toutefois devant le lutrin avec une certaine crainte, trahissant son sentiment d'être battu avant d'avoir prononcé le premier mot.

— Afin de dresser la liste de nos compétences nationales, un questionnaire sera envoyé dans toutes les maisons. Les personnes âgées entre seize et soixante-cinq ans devront répondre à celui-ci…

— Tu veux obliger les jeunes de seize ans à s'enregistrer, Ésioff ? hurla une voix. À te voir, avec tes cheveux gris, tu as probablement des garçons de cet âge.

— Pourquoi pas douze ans, Patenaude ? Ce serait encore mieux pour la chair à canon.

Le politicien regarda les hommes au coude à coude dans la salle qui fixaient sur lui un regard mauvais. Plus de mille visages, hostiles pour la plupart.

— Ces renseignements serviront à connaître les compétences de chacun afin de les mettre au meilleur endroit pour l'effort de guerre...

— Tu as l'air en santé, Patenaude. Pourquoi tu ne portes pas d'uniforme?

— Tu serais certainement plus utile au front qu'à trahir tes frères à Ottawa, continua un autre.

— Nous saurons ainsi, continua l'orateur d'une voix de moins en moins assurée, lesquels sont les spécialistes essentiels à l'effort industriel, l'identité des fils uniques, tout comme celle des aînés orphelins de père qui prennent sur leurs jeunes épaules la survie de leur famille...

L'homme continua péniblement la nomenclature des travailleurs trop précieux, pour leur pays ou pour leurs proches, pour les voir un jour en uniforme. Les interruptions se multiplièrent, dont certaines savoureuses: «Hé! Les politiciens ne sont pas sur ta liste. Tu as raison, on pourrait s'en passer! Au front tous les planqués.» En guise de réponse, un autre hurla: «C'est vrai, ça! Les politiciens ne servent à rien!» Puis encore, une phrase reprise comme une mélopée: «À la guerre, les députés, au front les ministres!» L'effet d'ensemble témoignait d'une certaine planification.

— Les gars des premiers rangs, dit Mathieu à l'oreille de sa sœur, sont tous des étudiants. J'ai reconnu parmi eux la moitié des membres de la Faculté de droit, en entrant.

Jeunes célibataires, pour la plupart en santé, leur enthousiasme à conspuer les politiciens tenait à leur conviction de se trouver dans la mire des agents recruteurs. À la fin, les cris «Va t'enrôler!» couvrirent totalement la voix de l'orateur. Dans des lieux moins richement décorés, devant un aréopage moins noble, des œufs pourris ou des légumes auraient souligné ces paroles. Le plafond couvert d'appliques de plâtre, les ors et les colonnes en trompe-l'œil valaient une certaine retenue.

Patenaude se retira finalement à son tour. Pendant un moment, les visiteurs conférèrent à voix basse. Robert Borden se leva pour aller échanger quelques mots avec Lomer Gouin. Le petit homme au physique ingrat, avec un tronc épousant la forme d'une barrique montée sur de petites jambes, secoua la tête de droite à gauche. Jamais il ne se mettrait la tête sur le billot pour défendre le Service national, une invention des politiciens conservateurs d'Ottawa. Quelqu'un en coulisse somma de fermer le rideau alors que les étudiants lançaient un nouveau mot d'ordre, repris par toutes les bouches.

— À bas la conscription! À bas la conscription!

Pendant un long moment, les gens demeurèrent sur leur siège, comme si une nouvelle déclaration risquait encore de les embraser. Puis, les occupants des dernières rangées se levèrent. La foule se répandit lentement sur le trottoir de la rue Saint-Jean et envahit bientôt la place du marché Montcalm, juste en face. Les slogans contre la conscription ne cessaient pas, des hommes en uniforme de police se tenaient prêts, alignés devant le mur du YMCA.

— À moins de vouloir une nouvelle confrontation avec ton cousin, murmura Mathieu, nous ferions mieux de rentrer à la maison.

— Ce prétentieux ne me fait pas peur, déclara-t-elle en tentant de se faire plus grande.

— Depuis mes ennuis à l'Académie des frères des Écoles chrétiennes, je sais que tu ne crains personne. Cela ne signifie pas que tu rencontreras toujours des garçons soucieux de ne pas lever la main sur une fille. Par ailleurs, je ne tiens pas à casser d'autres nez pour te prouver que, de mon côté, je suis devenu apte à me défendre.

Le rappel de cet événement malheureux rendit l'humeur de l'adolescente moins belliqueuse. Elle s'accrocha au bras de son frère pour pénétrer dans la ville murée. Très vite, les cris s'estompèrent. Au moment de pénétrer dans le magasin, plus rien ne rappelait l'agitation de l'Auditorium.

Thomas se sentait un peu fébrile, comme un collégien marchant vers son premier rendez-vous. Le train venait tout juste de pénétrer dans la gare. Des dizaines de personnes se pressaient sur le quai, un mur de poitrines s'alignait devant le wagon de première classe. Le marchand, tiré et poussé, arriva avec difficulté à se maintenir devant la porte. Celle-ci s'ouvrit sur un colosse au visage poupin décoré de lunettes et d'une moustache. Ernest Lapointe descendit en répétant :

— Faites de la place, faites de la place.

Il repoussa sans ménagement les jeunes gens, méritant quelques gros mots en guise de réponse. Il avait les deux mains sur la poitrine de Thomas quand il se rappela l'identité du quidam.

— Monsieur Picard, content de vous voir. Aidez-moi à ouvrir un passage.

À deux, ils dégagèrent un espace de deux verges de circonférence. Puis, le député fédéral de Rivière-du-Loup pencha la tête dans l'embrasure de la porte de la voiture et prononça quelques mots inaudibles. La silhouette gracile se découpa bientôt, affreusement démodée dans sa redingote noire et son pantalon gris. Le haut-de-forme étirait encore son corps longiligne. Dans un silence recueilli, Wilfrid Laurier posa les pieds sur le quai.

— Monsieur Picard, commença-t-il en tendant la main, quel plaisir de vous revoir.

— Un plaisir qui ne se produit pas assez souvent.

L'ancien premier ministre demeurait d'une élégance remarquable. Ses cheveux de neige, toujours portés très longs en dépit de la mode, caressaient le col de celluloïd.

— Ne me disputez pas pour cela. Vos reproches doivent aller à Robert Borden, qui nous prive d'une élection depuis trop longtemps.

Puis, après un moment de silence, l'homme poursuivit :

— Honnêtement, je ne le lui reproche pas. Le pauvre homme a déjà tellement sur les épaules.

Des chefs d'État de son ampleur s'élevaient sans mal au-dessus de la politique partisane dans les moments de crise nationale.

Autour d'eux, les jeunes militants libéraux recommençaient à s'exciter devant le grand homme. Lapointe prononça de sa meilleure voix, celle qui atteignait l'oreille de tous ses électeurs lors d'une assemblée tenue en plein air un jour de grand vent :

— Messieurs, reculez-vous un peu, laissez-nous un passage.

À regret, le petit rassemblement se divisa en deux, comme la mer Morte devant Moïse. Laurier tenait le bras de son organisateur politique de ses longs doigts frêles. Le marchand regarda la peau parcheminée, adapta son pas à celui, plus lent, du visiteur. Le député du Bas-Saint-Laurent marchait devant, les bras écartés, comme pour indiquer la ligne invisible à ne pas dépasser.

— Monsieur le premier ministre, ma voiture se trouve juste devant la gare. Mon fils nous conduira à la salle Saint-Pierre.

Pour Thomas, un seul homme méritait ce titre. La présence des conservateurs au pouvoir, avec Borden à leur tête, lui paraissait une anomalie devant être corrigée dès le prochain rendez-vous électoral.

— Votre fils Édouard ? Ce gamin a le droit de conduire une voiture ?

Soudainement, le commerçant ressentit une vague inquiétude. Le vieux chef, *the silver tongue*, disaient les Canadiens anglais, saurait-il encore jouer au sauveur pour refaire l'unité du pays ?

~

La salle Saint-Pierre cédait en majesté à l'Auditorium de Québec. Toutefois, elle se trouvait dans le comté de Québec-Est, le fief de Wilfrid Laurier depuis 1877. Le grand homme en était le député depuis maintenant trente-neuf ans. Même les orages nationalistes des dernières élections avaient laissé son socle indemne. Dans de nombreux salons canadiens-français, sa photographie figurait entre celle du cardinal Bégin et la croix de la tempérance, comme une icône d'un nouveau culte.

Un peu comme la veille dans la Haute-Ville, le premier ministre provincial présenta le visiteur venu d'Ottawa à une foule survoltée, composée en partie de travailleurs, en partie d'étudiants du Petit Séminaire et de l'Université Laval. Les cris « Vive Laurier ! » et « À bas la conscription ! » couvrirent totalement les paroles d'introduction du petit homme. Pourtant, un silence recueilli tomba sur la vaste salle quand la silhouette à la belle tête couronnée de cheveux blancs, frêle dans sa redingote noire, mince au point de paraître fragile, s'avança devant la scène.

Puis, la voix envahit l'espace, forte comme au temps des grandes assemblées du siècle précédent. L'impression de faiblesse céda la place à une puissance mystérieuse, empreinte de sérénité.

— L'histoire a montré le courage de notre race. Sur toutes ses pages glorieuses se trouve un peu de notre sang. Le sort des armes nous a donné une nouvelle métropole. Nos ancêtres se sont soumis à la divine Providence, à ses mystérieux desseins. Ce sont eux qui ont préservé notre contrée d'une annexion aux États-Unis. D'abord lors de la grande révolution dans ces pays, puis encore à Châteauguay.

Ce genre de retour dans le passé, pour rappeler la gloire des aïeux venus de France, figurait dans tous les discours, surtout depuis que le *pageant* de 1908 avait ravivé la présence de tous ces noms dans les mémoires. Borden avait usé du même procédé vingt-quatre heures plus tôt. Tous s'attendaient toutefois à ce que la suite diffère totalement, tant dans le ton que dans le contenu. Ce ne serait pas exactement le cas.

— Aujourd'hui, nos deux mères patries, l'ancienne, à qui nous devons la fidélité de l'enfant pour celle qui lui a donné la vie, et la nouvelle, qui a gagné notre loyauté au cours du dernier siècle et demi, réclament notre aide. Le militarisme prussien menace la liberté. Ces deux pays appellent au secours. Aux yeux du monde entier, laisserons-nous l'image de lâches qui refusent d'entendre les appels à l'aide ?

Personne ne pouvait huer ou siffler Wilfrid Laurier. Armand Lavergne, assis dans les premiers rangs, contemplait l'ami intime de sa mère. Cet homme lui avait écrit réguliè-rement pendant ses années de pensionnat, l'avait conseillé sur son choix de carrière, avait surveillé ses premiers pas en politique avec un sourire bienveillant, même quand ses excès de langage le transformaient en une nuisance pour le Parti libéral.

À son admiration sans borne se mêlait toutefois un malaise profond, celui du nain ambitieux face au géant. La stature de Laurier agissait comme le révélateur de la médiocrité des réalisations du trublion qu'il était. En lui, les élans d'amour se disputaient avec une jalousie sourde, délétère comme un acide.

— Nous devons nous enrôler, déclara le vieil homme d'une voix grave. Je regrette d'être si vieux, je ne peux plus le faire. Je regrette de ne pas avoir d'enfants, ils feraient leur devoir pour moi, à la fois pour la France et le Royaume-Uni.

Cet effort de rhétorique fut accueilli par un silence lugubre. De toute façon, les enfants de Laurier, s'il en avait eus, seraient maintenant quinquagénaires. Bien sûr, il y avait la rumeur tenace. Édouard Picard se retourna vers Lavergne, assis à côté de lui, mais résista à la tentation de lui donner un coup de coude pour souligner ces paroles. Surtout que l'autre rougissait sous son regard ironique et serrait fortement les mâchoires.

— Certains voudraient relier le sort de nos frères en Ontario, ou ailleurs au Canada, en regard de la langue de l'instruction, à la participation à la guerre. La justice nous sera rendue si nous participons, en ce moment de grand péril, à la défense de la liberté, de concert avec nos compatriotes d'une autre origine.

— Que ces compatriotes-là nous rendent d'abord justice, grommela Lavergne entre ses dents à l'intention de son voisin. Nous verrons ensuite, au sujet de l'enrôlement.

Dans la salle, le bruissement des commentaires s'éleva. Venue à cette grande assemblée afin de crier son opposition à la conscription, l'assistance se voyait recommander de se joindre à l'armée par le plus grand parmi les siens.

— Je vous ai bien entendus crier contre l'enrôlement obligatoire, tout à l'heure. L'idée même de la conscription répugne aux esprits libéraux. Les hommes courageux acceptent de faire leur devoir avec joie ; les y forcer enlève toute noblesse, toute grandeur au sacrifice. Des pays comme la France ou le Royaume-Uni y ont pourtant recours, en ce moment de grand danger. Parfois, un mal devient nécessaire pour nous préserver d'un mal plus grand encore.

Le murmure dans la salle s'accentua encore un peu. Pourtant, personne n'osait hurler des insultes, interrompre l'orateur ou l'empêcher de prononcer son discours.

— Personnellement, je suis contre la conscription.

Cette fois, la foule laissa éclater un tonnerre d'applaudissements. Les mots attendus depuis le début résonnaient enfin.

— Enrôlez-vous de façon volontaire. Cela seul vous protégera de la cœrcition. Si le sacrifice librement consenti suffit à donner au contingent canadien l'ampleur nécessaire, aucune autre mesure ne sera requise.

Ces mots eurent l'effet d'une douche froide sur les spectateurs. Pour des gens opposés à la participation à la guerre, y aller de leur plein gré ne s'avérait guère mieux qu'y être forcé. Plusieurs personnes présentes se remémoraient sans doute l'image popularisée par Lavergne au début de l'année : mordu par un chien ou par une chienne, l'effet demeurait le même. L'expression valait pour plusieurs situations.

— Surtout, rappelez-vous que le Canada continuera d'exister après la victoire. Les divisions nées des querelles présentes survivront à la guerre. Ceux qui jettent la discorde aujourd'hui entre les compatriotes de diverses origines ne sauront peut-être pas comment calmer les choses, dans le futur. Dans ce genre d'affrontements, les Canadiens français n'obtiendront jamais rien de bon.

Wilfrid Laurier conclut son invitation à joindre en grand nombre les rangs de l'armée par des commentaires alarmistes à propos de la situation sur le front européen. La foule, devenue morose, entendait ses paroles sans vouloir les comprendre. Au contraire, la plupart commençaient à croire que le grand homme arrivait au terme d'une brillante carrière. D'autres héros devraient se révéler bientôt aux Canadiens français.

～

Une quarantaine de minutes plus tard, au moment où le tramway s'engageait dans la côte de la Montagne avec un nombre anormalement élevé de passagers pour un vendredi soir, Mathieu et Thalie s'accrochaient à la même courroie de cuir pendue au plafond de la voiture. Les places assises revenaient à des personnes plus âgées qu'eux.

— Le vieux chef a raison, dit le garçon à voix basse, soucieux de ne pas être entendu.

Autour d'eux, des étudiants se montraient véhéments dans leur condamnation des paroles de Wilfrid Laurier. Les quolibets retenus devant lui fusaient maintenant sans retenue.

— Sur les événements à venir?

— Les trois-quarts des Canadiens accusent les autres de lâcheté, sinon de trahison. Comme la guerre ne se terminera pas bientôt, les relations vont se détériorer encore. Comme dans un couple condamné à vivre ensemble, mieux vaut ne pas multiplier les insultes en soirée, sinon le moment du coucher sera mouvementé.

— Oh! Tu te préoccupes maintenant aussi des relations matrimoniales, commenta Thalie en riant.

Une fois par mois peut-être, le jeune homme adressait une lettre au contenu fort innocent au couvent des ursulines. Le ton prudent, tout comme un prénom féminin sur le rabat de l'enveloppe et au bas de la missive, permettaient de tromper les yeux inquisiteurs et indiscrets d'une vieille religieuse. Une fois déjà, sa sœur avait pris le thé au *Château Frontenac* avec une Françoise Dubuc toute rougissante, surtout que des jeunes hommes s'étaient permis de l'inviter à danser. Quand ces importuns furent repoussés, la jeune fille avait passé une heure à chanter les louanges de son grand frère, au-dessus de petits biscuits et d'une tasse de thé. Elle comptait même récidiver à l'occasion.

— Ne te moque pas, le sujet est sérieux, commenta Mathieu d'une voix sévère.

— Lequel? Les relations matrimoniales ou celles entre les Français et les Anglais?

— … Les deux.

La réponse fut accompagnée d'un sourire amusé. Le tramway s'arrêta en face du marché Montcalm. Le frère et la sœur convinrent d'effectuer le reste du trajet à pied. Thalie demanda, au moment où ils s'approchaient du magasin:

— Si Laurier a raison au sujet de la division du pays, il a sans doute aussi raison de recommander l'enrôlement.

— Oui. Sinon, la conscription deviendra inévitable, et les querelles plus vives encore.

Elle s'arrêta, le força à lui faire face dans le halo d'un réverbère avant de poursuivre:

— Cela signifie que tu y songes sérieusement.

— Depuis quelques semaines.

— Si maman l'apprend…

— En conséquence, mieux vaudrait garder le silence.

Les petits secrets entre eux ne troublaient pas la jeune fille. Toutefois, celui-là paraissait d'autant plus lourd à porter qu'il la bouleversait.

— Ne fais pas cela. Je vais mourir d'inquiétude.

Le garçon se pencha pour lui embrasser le front, puis reprit son bras pour marcher à nouveau.

— Si la conscription nous pend au bout du nez, je ne serai pas épargné. Dans ce cas, autant me porter volontaire.

— Pourquoi? Le sens du devoir? Le souci d'épargner la conscription aux autres? Ramener la paix entre Français et Anglais au Canada? Sauver l'Europe des hordes barbares venues d'Allemagne?

La liste un peu longue fit sourire le garçon. Curieusement, lui aurait commencé avec: «Mieux me connaître, dans une situation de péril extrême.» Grandir au sein d'un trio de femmes aimantes, au milieu de robes et de jupons, lui permettait assez mal de prendre sa propre mesure.

— Au moment de partir, consentit-il après une pause, Alfred a commenté l'air de liberté de Paris. Ce serait dommage de le laisser disparaître.

— L'argument d'Olivar Asselin... lui fit réaliser Thalie. Tu risques de te faire tuer.

— Cela arrive parfois, à la guerre.

Ils se trouvaient devant la porte de la boutique. En cherchant sa clé dans sa poche, le jeune homme dit encore:

— Tu ne lui en diras pas un mot, n'est-ce pas?

— Bien sûr que non. Cependant, elle doit s'en douter. Tu m'entraînes dans tous les rassemblements politiques depuis un an.

Cette façon de présenter les choses lui fit lever un sourcil. Savoir qui entraînait l'autre demanderait une longue enquête. Il voulut pousser la porte, mais elle posa la main sur la sienne pour arrêter son geste.

— Si jamais la guerre dure encore deux ans, moi aussi, je m'enrôlerai. C'est l'âge minimum pour joindre le corps des infirmières. Tu sais qu'Irma Levasseur est passée en Serbie afin de servir dans les hôpitaux militaires?

Très vite, Mathieu évalua à un an la durée de la formation d'une infirmière. Si la guerre durait jusqu'en 1919, elle pourrait y aller. Sa participation hâterait-elle le dénouement du massacre ? Cela renforça sa résolution de s'enrôler.

～

Tout en marchant en direction de la Grande Allée, Édouard se remémorait sa première expérience de ce genre, exactement neuf ans plus tôt. Le premier janvier 1908, sa visite chez Élise Caron témoignait bien de sa sottise : elle se trouvait en présence du fils Brunet, un pharmacien promis à un bel avenir. Aujourd'hui, celui-ci était à la tête de son propre commerce. Durant un court laps de temps, il se demanda ce qu'aurait été son avenir avec la jolie brune.

— Ce matin, deux marmots auraient développé des cadeaux en riant... grommela-t-il entre ses dents.

L'idée contenait quelque chose de séduisant et d'effarant, tout à la fois. Au moment de s'approcher de la grande maison ornée d'une porte majestueuse, il prononça encore pour lui-même :

— Dans un an exactement, j'espère ne pas devoir effectuer encore une visite de ce genre... Et d'ici là, je devrais cesser de parler tout seul dans la rue, avant que les passants ne s'inquiètent de ma santé.

Le heurtoir de bronze résonna sèchement contre l'huis de chêne. Une domestique vint ouvrir après une minute.

— Je viens présenter mes meilleurs vœux à la famille.

— ... Bien sûr, monsieur Picard, déclara la jeune femme en le laissant entrer.

Depuis près de deux mois, il fréquentait cette demeure. Sa présence n'avait plus de quoi surprendre. Il remit son chapeau à la bonne, qui l'accrocha à la patère, et commença à se défaire de son paletot.

— Vous pourrez le suspendre. Je vais chercher mademoiselle.

— Si vous le permettez, je vais vous souhaiter la bonne année aussi, comme à la campagne...

Le jeune homme s'inclina avec l'intention de poser une bise sur la joue de la domestique. Elle s'esquiva sans mal, puis prononça en riant au moment de disparaître dans le couloir :

— Bonne année à vous aussi, monsieur Picard.

Trois minutes plus tard, Évelyne se présenta dans l'entrée, un peu rougissante, un rappel amusant de la couleur de sa robe de laine.

— Ma chérie, commença-t-il en se penchant sur elle, je te souhaite la meilleure année possible, avec tout ce que tu désires.

Le dernier mot, prononcé à un pouce à peine de son oreille, coula comme une caresse. Les lèvres se posèrent sur sa joue, douces et légères. La main sur sa hanche, l'autre sur son épaule, ajoutaient au trouble exquis. Elle lui souffla à son tour :

— À toi aussi, Édouard, tout ce que tu désires.

— De cela, tu es un peu responsable...

À Noël, au moment où elle ouvrait son présent, une jolie montre-bracelet – « Pour que tu comptes les heures avec moi », avait osé le visiteur –, la jeune femme avait enfin consenti au tutoiement, une familiarité un peu audacieuse.

Édouard embrassa encore l'autre joue alors que ses mains exerçaient une pression légère. En se relevant, il saisit celles de sa compagne et tint les doigts dans les siens. Elle leva vers lui un visage souriant, comme absorbée par sa présence. À la fin, il dit à voix basse, amusé de son trouble :

— Ne conviendrait-il pas que je salue aussi tes parents ?

— ... Oui, bien sûr. Excuse-moi, je suis si distraite.

Quelques minutes plus tard, elle le guidait dans un salon bourgeois. À son entrée, le couple dans la jeune cinquantaine se leva. Le visiteur tendit la main à la femme, se pencha pour embrasser chastement sa joue, puis déclara avec un sourire parfait :

— Madame Paquet, j'espère que 1917 comblera tous vos souhaits.

Un second baiser atterrit sur l'autre joue.

— Je vous souhaite le meilleur, jeune homme. Mais serait-ce une bénédiction si la vie comblait tous mes désirs dès cette année ? 1918, et toutes les années subséquentes, se révéleraient bien ennuyantes, si votre vœu se réalise.

— Je dois être un peu impatient. Désormais, je m'inspirerai de votre sagesse.

Il se tourna ensuite vers le maître de la maison et lui tendit la main en disant :

— J'exagérerai encore un peu, j'en ai peur, en reprenant les mots de feu mon oncle Alfred : « Je vous souhaite le paradis avant la fin de vos jours, maître Paquet ».

L'avocat saisit la main, puis consentit : « À vous aussi », un peu machinalement. Un moment plus tard, assis sur un canapé à côté de la cadette de la famille, Édouard demanda une tasse de thé à la domestique venue s'enquérir de ses désirs. Pour rompre le silence embarrassé, l'hôte demanda :

— Malgré les circonstances présentes, les affaires de votre père demeurent bonnes, je crois.

Les visites fréquentes du jeune homme en faisaient un candidat « sérieux » au mariage. Cela autorisait le père de la débutante à poser des questions indiscrètes sur ses espérances.

— La situation se révèle compliquée. Tout le monde à Québec profite de l'abondance du travail, les salaires évoluent à la hausse. D'un autre côté, nous avons beaucoup de mal à nous approvisionner, et les prix de vente doivent être augmentés en proportion.

— Nous entendons sans cesse parler d'inflation. Même Armand Lavergne, dans ses discours-fleuve, évoque autant la vie chère que la conscription pour agiter la populace.

L'inquiétude des célibataires à l'égard du recrutement obligatoire se doublait d'un sentiment de colère contre les « profiteurs de guerre ». Des personnes réalisaient des profits colossaux grâce aux commandes militaires, mais aussi en élevant les prix des biens de consommation courants.

— Pour dire vrai, précisa le visiteur, les gages évoluent à peu près au même rythme que les prix. Je soupçonne nos bonnes gens de percevoir seulement les mouvements des seconds. Nous vendons autant, et nos profits demeurent aussi bons qu'en 1914.

L'avocat présenta une mine rassurée. Thomas Picard conservait depuis vingt ans la réputation d'être un entrepreneur avisé. Le magasin de la rue Saint-Joseph demeurait le lieu idéal pour faire ses achats.

— Vous travaillez sous la direction de votre père ?

La question, de convenance, méritait une réponse honnête :

— Depuis la fin de mes humanités classiques, oui, et même auparavant, depuis l'été de mes quatorze ans. Papa tient à me voir assumer la direction de chacun des rayons, l'un après l'autre, avant de pouvoir lui succéder.

La référence à l'enseignement secondaire devait établir l'appartenance du prétendant au nombre des gens respectables. L'aisance à citer des auteurs latins demeurait encore un sauf-conduit dans ce monde étriqué. Il desservit toutefois sa cause en ajoutant, mal à propos :

— En quelque sorte, il s'agit de ma formation professionnelle : l'université du commerce de détail, si vous me permettez cette expression.

L'avocat donna son assentiment de la tête, tout en songeant : « Petit présomptueux, comparer l'apprentissage de la vente au détail aux études supérieures ». Évelyne perçut le changement subtil dans l'atmosphère. Elle proposa timidement :

— Édouard, je pourrais profiter de ta compagnie pour aller chez les voisins présenter mes vœux. Mon frère a quitté la maison tôt ce matin.

Ce genre de visite plutôt innocente nécessitait tout de même une escorte. L'alcool aidant, les bises du premier de l'An se révélaient parfois un peu insistantes.

— Ce sera avec plaisir.

Il se leva en même temps que la jeune fille et salua ses hôtes en réitérant ses bons souhaits. Se livrer avec elle au rituel de la tournée des familles alliées témoignait du sérieux de leur relation. Chacun comprendrait qu'ils se voyaient pour le « bon motif ».

Le bruit de la porte d'entrée fermée dans le dos du couple agit comme un signal. Maître Paquet prononça sur un ton amusé :

— Je suppose qu'avec le temps, Picard saura instiller un peu de sens à ce garçon.

Son épouse se pencha pour prendre une revue sur la table basse en face de son fauteuil, mais préféra ne pas s'y plonger tout de suite.

— Tu trouves qu'il représente un bon parti ?

— Ma foi, son père doit lui verser un traitement raisonnable, puis un jour, il héritera de l'affaire.

— L'argent n'est pas tout...

L'homme laissa échapper un rire bref avant de remarquer :

— Dans la mesure où un homme en a suffisamment, effectivement, il peut s'autoriser le luxe de dire que ce n'est pas tout... Une femme aussi, je suppose.

La précision tenait à la politesse : une femme mariée ne possédait rien : sa prospérité tenait à celle d'un époux. La maîtresse de maison s'agita un peu dans son fauteuil et continua après une hésitation :

— Depuis quelques semaines, des voisines évoquent très généreusement devant moi des rumeurs sur le jeune Picard. Il semble avoir fréquenté tous les salons de la Haute-Ville.

— ...Certains ont un peu de mal à arrêter leur choix. Toutefois, il ne va nulle part ailleurs, maintenant. Il paraît désireux de se ranger.

L'épouse se mordit la lèvre inférieure, intimidée. Elle arriva finalement à formuler son inquiétude la plus vive, tout en fixant les yeux sur la porte du salon, résolue à s'arrêter si une domestique venait :

— À voix basse, quelqu'un m'a confié que ce garçon alternait ses fréquentations entre la Basse-Ville et la Haute-Ville depuis des années.

Par un chemin bien tortueux, les confidences de Fernand Dupire à sa mère atteignaient les oreilles de l'épouse d'un avocat prospère, membre éminent du Parti libéral. L'homme demeura songeur un moment, puis admit:

— Je ne savais pas. Au fond, le plus important reproche que je peux lui faire est son imprudence politique. En s'affichant depuis si longtemps en compagnie de Lavergne, il nuit à sa réputation.

— Évelyne paraît tellement entichée de lui. La pauvre demeure si innocente, alors que de son côté...

Même au sein d'un couple vieux de trente ans, certains sujets demeuraient intimidants. Son époux prit sur lui de préciser:

— Ce n'est pas la même chose, tu sais. Je parierais que la plupart des garçons de nos voisins sont allés s'encanailler un peu dans Saint-Roch et Saint-Sauveur avant de s'engager dans un mariage tout à fait respectable. Même notre fils...

Maître Paquet s'abstint de livrer le fond de sa pensée: «Le soir des noces, que l'un des deux conjoints sache un peu quoi faire n'est sûrement pas plus mal.» Son épouse rougit violemment, passant rapidement en revue les absences de son seul garçon au cours des dernières semaines. Surtout, où se trouvait-il depuis le matin?

— Je vais tout de même les surveiller de près. Les voilà qui se tutoient maintenant.

La virginité de sa fille méritait la plus grande vigilance. Devant les frasques des candidats au mariage, mieux valait détourner pudiquement le regard.

— Une mode venue des États-Unis, sans doute, grommela l'avocat.

Madame Paquet ouvrit sa revue. Une heure plus tard, elle se trouvait toujours à la première page. Vraiment, son fils?...

En vertu d'une tradition maintenant vieille de trois ans, le souper du premier jour de l'année réunissait les Picard dans la salle à manger de la rue Scott, avec, bien sûr, l'addition de Fernand Dupire et de ses enfants, présents et à venir. Édouard patienta jusqu'à la fin du repas. Toutefois, au moment où Thomas donna le signal de la migration vers le grand salon afin de prendre un digestif, il déclara de sa voix la plus contrite :

— Je suis désolé, mais j'ai un engagement en fin de soirée.

Le chef de la maisonnée le contempla un moment et réussit à grand-peine à retenir les mots qui lui brûlaient les lèvres. Eugénie ne montra pas la même retenue :

— Jamais les Paquet ne toléreraient une visite aussi tardive, car cela bouleverserait toutes les convenances.

Le jeune homme afficha un air mauvais, mais prit bien garde de prononcer un mot, conscient que l'humeur noire de sa sœur ferait peser une menace sur sa romantique idylle. Des confidences échangées au-dessus d'une tasse de thé atteindraient les demeures bourgeoises de la Grande Allée en moins de vingt-quatre heures. Évidemment, il ignorait qu'à cet égard, les rumeurs délétères se répandaient déjà.

— C'est le premier de l'An, fit Élisabeth en posant la main sur son avant-bras. Tu es certain de devoir t'absenter ?

Elle portait un chemisier de soie brute légèrement décolleté et un rang de perles autour du cou. La fin de la trentaine lui allait à merveille, ses cheveux brillants captaient la lumière du lustre et prenaient des reflets vieil or.

— Je suis désolé, maman. Cet engagement, auprès d'un bon ami, date de quelques semaines. Je ne peux pas me dérober.

— Il est neuf heures…

— Alors, je dois y aller tout de suite, pour ne pas allonger mon retard.

Alors que les autres passaient au salon, le jeune homme regagna l'entrée afin de revêtir son paletot et ses couvrechaussures. Le froid exigeait le port d'un chapeau de fourrure peu élégant. La chance lui sourit pourtant, puisque la Buick accepta de démarrer après une dizaine de rotations de manivelle. Trente minutes plus tard, il frappa à la porte du petit appartement de la rue Saint-Anselme. Elle s'ouvrit aussitôt sur une Clémentine aux yeux rougis.

— Je croyais que tu ne viendrais plus…

— Je te l'ai expliqué déjà, mes parents recevaient ma sœur, son mari et leur garçon.

Bien sûr, elle le savait. Elle avait même osé formuler à haute voix l'idée de se joindre à eux. « Depuis le temps que nous sommes ensemble, ce serait normal », avait-elle argué à la mi-décembre. La scène résultant de ces quelques mots demeurait l'un de ses plus mauvais souvenirs. Son amant n'avait pas donné de nouvelles pendant toute une semaine. Seule une visite discrète dans les locaux du magasin Picard, un plaidoyer larmoyant prononcé dans les toilettes, la promesse de respecter dorénavant « sa vie privée » avaient pu finalement ramener Édouard dans ses bras.

Depuis, elle demeurait d'une soumission exemplaire, soucieuse d'éviter toute nouvelle confrontation.

En conséquence, elle se soumit à un baiser sans tendresse, trop envahissant et à des mains plutôt rudes sur ses fesses. Le garçon paraissait tenaillé par une envie féroce, demandant une satisfaction immédiate et sans raffinement. Le passage dans la petite chambre ne tarda pas. Céder à son désir ferait baisser la tension, l'amènerait à une attitude plus aimable. Minuit approchait quand Clémentine osa évoquer ses états d'âme:

— La journée a été si longue. Passer seule ces jours de fête devient insupportable.

— Alors pourquoi ne pas être allée dans ta famille? Tu évoques sans cesse tes frères, tes sœurs, tes cousins, tes cousines…

— Tout le monde me demande pourquoi je suis toujours seule, à mon âge.

Le visage de son compagnon se ferma de nouveau. Elle regrettait déjà ses mots. Dans quelques minutes, il regarderait sa montre, évoquerait la nécessité de rentrer, puisque le lendemain matin, dès la première heure, il devrait conduire son père au magasin.

La scène revenait sans cesse, comme un mauvais film.

Chapitre 15

L'année 1917 commença sous de mauvais auspices. Les discussions à propos du Service national soulevaient les passions. Les Canadiens français y voyaient le préalable à la conscription. Dans les journaux nationalistes, de nombreux chefs d'opinion incitaient à refuser de participer au recensement des ressources humaines. Même les publications libérales respectables, en fustigeant la façon maladroite des conservateurs de mener le recrutement, finissaient par encourager la désobéissance civile.

Au moment de la messe dominicale du 7 janvier 1917, les paroissiens canadiens-français comprirent que Robert Borden jouissait maintenant d'un allié de taille. Le cardinal Louis-Nazaire Bégin, âgé et perclus de rhumatisme, monta péniblement en chaire. D'un ton mieux adapté à une oraison funèbre, il commença :

— Mes très chers frères, mes très chères sœurs, je vais vous lire une lettre pastorale de Mgr Paul Bruchési, archevêque de Montréal.

Le souci de préciser l'identité de l'auteur du document laissait soupçonner le désir du prélat de s'en dissocier. Il déplia un morceau de papier et lut :

« Pour des raisons sérieuses et très sages, approuvées par des hommes éminents indépendants de tous les partis, le gouvernement désire faire en quelque sorte l'inventaire de toutes les forces et de toutes les ressources dont notre pays peut disposer au point de vue commercial, agricole et industriel. Les renseignements qu'il sollicite seront précieux durant la guerre. Ils le seront également après.

«À cette fin, un certain nombre de questions seront posées à tous les citoyens âgés de seize à soixante-cinq ans. Il est de haute convenance que nous y répondions. Les réponses, venues de nos campagnes comme de nos villes, feront certainement voir dans notre province de Québec des conditions familiales et sociales, un état de choses tout en son honneur. Ces réponses, vous les écrirez, mes très chers frères, en toute liberté, sincèrement et loyalement... Il ne s'agit pas de politique. Il ne s'agit pas non plus de conscription...

«Faisons œuvre de patriotisme éclairé, et conformément à l'enseignement et à la tradition de l'Église catholique, montrons une respectueuse déférence envers l'autorité civile, agissant selon ses droits. »

Un marmonnement parcourut l'assemblée de fidèles. Dans un autre lieu, un étudiant séduit par les écrits nationalistes se serait sans doute mis à scander : «À bas la conscription ! » Cependant, même les plus militants comprenaient que la basilique se prêtait mal à ce genre de débordement. Tout de même, au moment où l'ecclésiastique rangeait le document, les pas de quelques fidèles se firent entendre, suivis par le bruit des grandes portes ouvertes, puis refermées sans ménagement.

Dans son banc, Thomas Picard serra les dents et posa la main sur l'avant-bras de son fils en soufflant :

— Ne bouge pas d'ici.

～

Deux heures plus tard, dans la grande demeure de la rue Scott, Édouard laissait sa colère s'exprimer.

— Les soutanes se font les complices des impérialistes ! Toutes ces belles paroles sur la grandeur de l'héritage catholique et français, ce n'était que du vent. Nous voilà menés vers les bureaux de recrutement par nos seigneurs les évêques.

— N'exagère donc pas, tempéra Fernand, de l'autre côté de la table. Il s'agit simplement de l'enregistrement pour le Service national.

— Tu sais bien où cela conduira. Une fois la liste de tous les jeunes gens dressée, avec leur statut civil et l'énumération de leurs compétences, ils sauront où aller les chercher.

Les dîners dominicaux en compagnie de la belle-famille se poursuivaient avec régularité, au grand plaisir d'Élisabeth. Dès son entrée dans la maison, Antoine, toujours aussi joufflu et volontiers souriant, se retrouvait dans ses bras. Un peu avant Noël, en la regardant intensément, il avait prononcé un « maman » assez convaincant dans un filet de bave. La femme avait regardé en direction de sa belle-fille avec des yeux inquiets, certaine de la voir fulminer de ne pas avoir été la bénéficiaire de ce premier mot. Eugénie afficha plutôt un masque de totale indifférence.

— L'Église ne sert pas les impérialistes, mais plutôt le pouvoir légitime, expliqua Thomas. C'est là sa grande utilité depuis deux mille ans.

— Monsieur Picard, réagit le gros notaire en rougissant un peu, le rôle de l'Église est d'abord de nous conduire au salut.

Parfois, le gendre trouvait beau-papa dangereusement libéral. Le maître de la maison regarda son garçon au moment de répondre :

— Bien sûr, vous avez raison. Elle enseigne aussi le respect de ceux qui gouvernent, vous en conviendrez sans doute, et l'acceptation du droit de propriété.

Les derniers mots s'adressaient spécifiquement à Édouard. Le jeune homme continua après une pause :

— Dans ce cas-ci, ce n'est pas la même chose. Le clergé se met au service de nos adversaires...

— Le clergé se met au service de l'ordre public, rectifia Fernand. Face à des agitateurs irresponsables, il tente de ramener le peuple au calme.

— En se camouflant derrière la volonté de Dieu, comme si celui-ci se trouvait du côté des Alliés dans cette guerre.

De multiples sermons laissaient en effet entendre, tant chez les catholiques que chez les protestants, que Dieu avait choisi son camp. Pas un avion ne sortait des ateliers de Toronto, un sous-marin des chantiers de la Vickers, à Montréal, ou un croiseur de ceux de Lévis, sans une bénédiction à grand renfort de prières et d'eau bénite.

— Je suppose que les curés prétendent la même chose en Allemagne, continua-t-il.

— L'Allemagne est luthérienne, précisa Fernand. On n'y trouve pas de curés.

— La Bavière, et toute l'Autriche, sont catholiques, avec des évêques conscrits pour les tâches de propagande, insista son vis-à-vis.

— Ce qui vient prouver mon point de vue, conclut Thomas. Ici comme ailleurs, chez les catholiques et chez les protestants, les églises enseignent la soumission aux pouvoirs légitimes. C'est exactement ce que l'on attend d'elles.

Élisabeth soupira en se souvenant du petit manuel de civilité de la baronne de Staffe, soigneusement rangé dans le tiroir du haut de sa coiffeuse. L'opuscule recommandait de ne jamais discuter de politique ou de religion à table afin de garder aux convives toute leur sérénité. Dès le lendemain, elle se rendrait à la Librairie Garneau afin de voir si une nouvelle édition ne traitait pas des circonstances particulières de la guerre et de la menace de conscription.

— Toi, quand tu seras grand, tu auras plus de chance, prononça-t-elle en soulevant un peu le gros bébé joufflu qui testait la force de ses jambes en essayant de se mettre debout. Les hommes auront appris qu'envoyer des jeunes gens s'entretuer sur les champs de bataille ne donne jamais rien de bon.

L'enfant répondit à cette prédiction fort imprudente par un gazouillis, en agitant la tête de droite à gauche. Pendant un moment, les adultes réfrénèrent leurs arguments. Cela donna le temps à l'hôtesse d'orienter la discussion vers une autre direction, en s'adressant à Fernand.

— Avez-vous pensé à notre proposition ? En louant avec nous une maison du côté de Charlevoix, ce trésor profitera du bon air, tout comme sa maman. Si nous prenons assez grand, vos parents, Thomas et Édouard pourront nous rejoindre la fin de semaine, et même pour de plus longues périodes.

Eugénie prit l'initiative de répondre avant son époux.

— Ce serait sans doute une bonne idée pour Antoine, mais de la fin de juin au mois d'août, je resterai à Québec. Je ne veux pas courir le risque d'accoucher à l'aide d'un médecin de campagne.

— Oh! Quelle bonne nouvelle.

Avec une habileté tenant de l'atavisme, puisqu'elle n'avait eu aucun enfant, Élisabeth se leva, puis fit glisser Antoine sur sa hanche et le tenant d'une main afin de contourner la table pour embrasser sa belle-fille. Celle-ci se laissa faire de bonne grâce. Thomas suivit l'exemple de sa femme. Édouard s'exécuta même à son tour.

Quand tout le monde eut repris sa place, la maîtresse de maison dit encore :

— La différence d'âge entre les enfants ne sera pas trop grande, un peu comme entre Édouard et toi. Tu préférerais sans doute avoir une fille, maintenant?

— ...Comme les souhaits ne peuvent rien changer au résultat, mieux vaut n'en formuler aucun.

— À ce rythme, ricana Édouard, tu feras honneur aux grandes familles canadiennes-françaises. Je te vois déjà à la tête d'un clan Dupire...

— Ou alors je ne me relèverai pas de l'accouchement, comme maman, pour mourir ensuite très jeune.

La remarque laissa chacun figé de stupeur. Les allusions au décès prématuré d'Alice Picard précédaient toujours une sérieuse crise familiale. Élisabeth échangea un regard inquiet avec son mari. Celui-ci s'éclaircit la voix avant de déclarer :

— Mieux vaut ne pas évoquer d'événements malheureux dans un moment pareil. Nos grands-mères prétendaient, peut-être avec raison, que cela attirait une calamité sur la maison. Puis, de nos jours, avec les progrès de la médecine dans tous les domaines, tout ira certainement pour le mieux.

Au moment de l'annonce de la nouvelle grossesse, Fernand avait accepté en rougissant sa part de félicitations. Il contemplait maintenant son assiette avec une mine préoccupée. Le repas se continua sans incident fâcheux. Tous les convives s'attachèrent par la suite aux préceptes de la baronne de Staffe, bannissant les sujets délicats de la conversation.

Cet état de grâce ne durerait pas indéfiniment. Au moment où Édouard se leva de table en s'excusant de son départ précipité, Eugénie demanda avec un sourire sournois :

— Cette fois, tu vas à la Basse-Ville ou à la Haute-Ville ?

— Juste pour te décevoir, j'irai sans doute à Cap-Rouge.

— Tu as raison, les beautés de la campagne ont aussi leur charme.

La jeune femme faisait peut-être allusion à sa belle-mère, née à Saint-Prosper-de-Champlain. Pourtant, son regard se porta sur son époux.

En mettant son paletot, le fils de la maison retournait encore la question dans sa tête. À la fin, il grommela : « Si la Buick démarre en deux tours, ce sera la Grande Allée. S'il en faut plus, je descendrai au faubourg Saint-Roch. »

Chacune de ces destinations n'amenait pas les mêmes satisfactions. Le plus sage demeurait de bien partager ses visites.

La longue période écoulée depuis les dernières élections forçait Thomas Picard à espacer ses visites à Ottawa. À la réception d'un télégramme, le mercredi 16 mai, il convoqua Édouard afin de lui confier la responsabilité du magasin pendant deux jours.

Depuis quelques semaines, son héritier s'occupait du rayon des vêtements pour homme à la suite du départ à la retraite du titulaire de celui-ci. En mai 1917, il en était à son quatrième « département ». À ce rythme, il aurait fait le tour de l'entreprise dans sept ou huit ans. La lenteur de son apprentissage le désespérait, la vitalité et l'enthousiasme de son père le déprimaient.

Le jeudi 17 mai, le commerçant pénétra dans la grande maison bourgeoise en brique de la rue Theodore. Un vieux maître d'hôtel rabougri le reçut à la porte pour le conduire vers le salon. Alors que Wilfrid Laurier se levait de son vieux fauteuil, le visiteur s'approcha de lady Zoé et s'inclina bien bas en disant :

— Madame, j'espère que votre santé reste bonne.

— Il y a à peine dix ans, lors de vos visites, je tentais de me lever. Vous me disiez de rester assise, à mon grand soulagement, je le confesse. Aujourd'hui, mes jambes ne me permettent même plus d'esquisser le geste. Convenons alors d'un nouveau protocole : vous ne me demandez plus de nouvelles de ma santé, comme cela, je n'aurai plus à mentir sur mon état.

Elle tendait une main parcheminée, un peu tordue par l'arthrite. Thomas prit bien garde de la serrer, se contentant de la tenir dans la sienne un moment, tout en hochant la tête en signe d'assentiment. Elle continua :

— Toutefois, cela ne vous dispensera pas de l'obligation de me donner des nouvelles des vôtres. Comment se portent votre belle épouse et vos deux enfants ?

— Élisabeth va très bien. Elle s'affiche comme une grand-mère exemplaire, surtout que ma fille Eugénie se trouve de nouveau enceinte.

— Pour la seconde fois en si peu de temps, après un mariage un peu tardif. Elle rattrape le temps perdu avec plaisir, je suppose. Vous êtes un homme comblé. Et du côté de votre fils ?

— Il paraît maintenant trouver au mariage des vertus nouvelles. Il ne devrait pas entamer le prochain hiver célibataire… Ce qui, dans les circonstances actuelles, présente certainement un double avantage.

L'homme ajouta ces mots avec un certain embarras, tout en portant son regard vers l'ancien premier ministre, debout à deux pas, attentif à l'échange.

— ...Je comprends, murmura la vieille dame. Espérons toutefois que le second avantage demeure accessoire, et le premier, essentiel. Je vous abandonne à mon mari, maintenant que vous évoquez la politique. Il vous entretiendra certainement de votre motif d'inquiétude.

Laurier salua son épouse d'un sourire et désigna la porte du salon d'un geste ample. Un moment plus tard, les deux hommes pénétrèrent dans la bibliothèque, de l'autre côté du corridor. Le maître d'hôtel se tenait près de la porte. Il indiqua :

— J'ai pris l'initiative de vous servir quelque chose. Monsieur Picard, vous optez toujours pour un cognac, mais si vous désirez autre chose...

Le domestique interrogeait le visiteur du regard.

— Un cognac me va très bien. Il est remarquable que vous vous en souveniez, après toutes ces années.

Laurier émit un rire bref, puis commenta :

— Un jour vous comprendrez, Picard. Mon bon Edgar et moi, nous sommes de la même génération. Nous sommes tous deux assez âgés maintenant pour faire exactement ce qui est attendu de nous sans que personne ne formule le moindre mot. Les vieillards sont comme les enfants sages, en fait.

De la tête, il congédia le serviteur, désigna l'un des fauteuils de cuir placés de part et d'autre de la cheminée et s'installa dans le second. Le feu dans l'âtre répandait une chaleur un peu suffocante. Comme dans toutes les demeures des gens de cet âge, la température se révélait en toute saison bien trop élevée. Machinalement, le visiteur passa son index entre sa peau et le col de sa chemise.

— Votre fils a raison de se marier, si l'idée de jouer au héros en Europe ne lui dit rien.

— ...La conscription viendra bientôt ?

— Le premier ministre Borden en fera l'annonce demain à la Chambre, comme le veut la rumeur.

— Il a été élu en temps de paix, trois ans avant le déclenchement des hostilités. Il ne peut pas… Le peuple ne lui a pas confié ce mandat.

Le vieux politicien leva la main pour calmer son visiteur, puis expliqua :

— Lui-même le réalise très bien. C'est pour cela que des élections seront tenues très bientôt. En réalité, le peuple sera invité à sanctionner son initiative en le reportant au pouvoir.

— …Il sera réélu.

— Évidemment. Tout le Canada anglais lui donnera un appui majoritaire.

— Ces gens sont tous conscriptionnistes !

Encore une fois, Thomas s'emportait. Condamné à contrôler les écarts de langage de son fils à Québec, il se promettait de livrer le fond de sa pensée en ces lieux.

— Voyons, n'exagérez pas, opposa son hôte. Plusieurs de nos compatriotes de langue anglaise n'approuvent pas, par exemple dans les milieux agricoles, chez les ouvriers.

— Il sera tout de même réélu.

— Oui. Nous devons livrer une campagne dure, dont le seul objectif sera de permettre au Parti libéral de survivre à la guerre et en tant qu'organisation nationale. Nous devons nous assurer de perdre en défendant des idées qu'une majorité de nos électeurs approuveront, une fois la paix revenue.

Thomas hocha la tête en guise d'assentiment. Les Canadiens des deux communautés paraissaient pris d'une fièvre dans cette atmosphère de conflit. Les discours les plus outranciers, qui en d'autres circonstances susciteraient des ricanements méprisants chez la plupart, trouvaient des oreilles attentives. Les arguments libéraux devraient demeurer en dormance dans la tête des électeurs pour renaître en 1921 ou 1922, lors du rendez-vous électoral suivant.

— L'idée de former un gouvernement d'union semble vous séduire, risqua le visiteur après une longue pause.

— C'est du moins l'impression que j'ai tenté de donner.

Comme les autres dirigeants des pays en guerre, le premier ministre Borden souhaitait partager avec ses opposants le coût politique de mesures difficiles, voire cruelles. Ceux qui aujourd'hui approuvaient la conscription risquaient de regretter ses effets une fois la paix revenue. Il avait offert à Laurier de former un gouvernement d'union, dont feraient partie des députés libéraux.

— Dire tout simplement « non » se serait révélé désastreux, au niveau politique. Certains excités de la cause impérialiste cherchent des prétextes pour crier à la trahison. À la fin, je dirai non, mais en apportant une nuance importante : l'effort de guerre est trop mal dirigé pour que nous nous compromettions dans l'aventure avec les conservateurs.

— … Tous les libéraux de langue anglaise risquent de quitter le parti, risqua Thomas.

— Faites confiance aux militants libéraux. Plus exactement, des élus traverseront le parquet de la Chambre pour aller siéger avec nos adversaires afin de ne pas perdre leur salaire de député. Vous savez, une fois la paix revenue, les électeurs jugeront le plus souvent sévèrement un pareil comportement.

La population aimait se montrer dure à l'égard de ses représentants. Certains opportunistes trouveraient peut-être la facture à payer élevée au moment de rendre des comptes à leur électorat.

— Vous laisserez donc ces élus abandonner le parti, conclut Thomas.

— Pourrais-je les en empêcher ? Je serai beau joueur, je prétendrai respecter le choix de leur conscience. Mais en prononçant exactement ces mots, en réalité, j'inviterai les gens à porter sur eux un jugement moral.

Le commerçant comprit l'ampleur des sacrifices déjà consentis par son chef afin de donner les meilleures chances d'avenir à son organisation politique. Autant se placer tout de suite sur la même longueur d'onde.

— Avec ces défections, le Parti libéral deviendra exclusivement celui des Canadiens français. Comme nous sommes minoritaires, nous risquons de nous condamner à l'opposition pour l'éternité.

— À vous entendre, dans cette pièce vous êtes le vieillard chagrin, et moi, l'homme tenant l'avenir entre ses mains. Secouez votre pessimisme. Dans tous les comtés du pays, un candidat se réclamera des idées libérales, et il ramassera au moins le tiers des voix. En 1921, je suis prêt à parier qu'une majorité de ces personnes, défaites en 1917, seront élues.

— Des membres très influents du parti lorgnent vers les conservateurs...

— Beaucoup reviendront au bercail la queue entre les jambes. Les autres seront remplacés par des plus jeunes. Je devine que je ne perdrai pas au change.

Thomas tendit la main pour prendre le ballon de cognac, le réchauffa un peu entre ses paumes avant d'avaler une gorgée. À la fin, il admit en riant :

— Votre *silver tongue* réalise encore des miracles. Je suis presque heureux de commencer une campagne électorale condamnée à la défaite.

— Regardez plus loin. Vous verrez la suite, alors que moi...

Le vieil homme esquissa un geste de la main pour signifier l'incertitude de son futur.

— Ne dites pas des choses pareilles. Gladstone gagnait des élections à un âge bien plus avancé que le vôtre.

— Gardez ce genre de phrases pour les charmantes électrices de Québec-Est. De mon côté, je souhaite seulement vivre assez longtemps pour recoller les morceaux du parti à la fin de la guerre. Si Dieu en décide autrement, Picard, je vous implore d'user de toute votre influence afin de mettre un habile négociateur à ma place.

Le visiteur profita de l'allusion aux électrices pour abandonner le sujet du décès prévisible et demanda :

— Quelle sera notre position sur le suffrage des femmes ?

— Sous un gouvernement libéral, la mesure serait venue plus vite, et d'une façon moins tordue. Borden semble croire que les femmes ayant un proche dans l'armée sont plus compétentes que les autres au moment de mettre leur bulletin dans une boîte. Encore une fois, celles qui sont privées de ce droit aujourd'hui se souviendront de notre intervention en leur faveur au moment de se prononcer en 1921.

Robert Borden lançait de nombreux ballons politiques afin de mesurer la popularité de ses «innovations». Selon la rumeur, lors des prochaines élections fédérales, les femmes ayant un époux, un frère, un fils dans les forces armées, ou étant elles-mêmes membres de celles-ci, voteraient. Son pari était de les voir appuyer son parti en guise de remerciement pour la loi de la conscription. Ainsi, de nouvelles recrues remplaceraient les êtres aimés sur la ligne de front.

— Mais vous, qu'en pensez-vous ? insista Thomas.

— Ma femme, Zoé, a autant de sens politique que les deux tiers des ministres qui ont siégé dans mes cabinets, de 1896 à 1911. Qu'en est-il de votre femme ?

— Je ne connais pas très bien vos ministres, mais son jugement vaut certainement celui de tous mes employés masculins, tout comme le mien. Elle surpasse assurément mon fils et ses amis nationalistes, à ce sujet. Mais le clergé catholique n'appréciera pas…

— Voilà la beauté de toute l'affaire. Cela lui donnera une raison de s'éloigner un peu des conservateurs. De notre côté, ce sera un sujet de discorde de plus avec nos seigneurs les évêques. Cela ne nous empêchera pas de balayer la province de Québec. D'autant plus que nos amis nationalistes ne viendront pas nous nuire, cette fois.

Le mot «ami» s'accompagna d'un sourire ironique.

— Avec Asselin s'illustrant sur les champs de bataille, Lavergne clamant que Lomer Gouin sauvera la nation canadienne-française, Bourassa ne sachant trop s'il doit nous encenser ou nous détester, nous sommes en sécurité, commenta Thomas.

— Vos bonnes paroles sèment tout d'un coup une grande inquiétude en moi. Avec ces trois personnages de notre côté, nous sommes en bien plus mauvaise posture que sans eux.

Le constat s'avérait réaliste. Si Lavergne et Bourassa se prononçaient en faveur des libéraux, certains impérialistes étendraient leur condamnation de trahison à l'ensemble de l'organisation de Laurier. Son interlocuteur acquiesça de la tête. Les autres sujets épuisés, il devait en venir à l'objet le plus épineux de sa visite.

— Lors de votre dernière visite à Québec, vos électeurs sont demeurés un peu perplexes. Prêcher l'enrôlement volontaire...

— Faites-vous à cette idée, je me propose de faire exactement la même chose sur toutes les scènes, partout au Canada, tous les jours de la campagne.

— Notre position sur la conscription..., commença Thomas.

Les libéraux marchaient sur un fil : paraître négliger l'effort de guerre entraînerait des accusations de déloyauté, au pire de trahison. Personne ne devait douter de leur appui total, sans réserve, à la cause alliée.

— Nous affirmerons avoir d'immenses réserves au sujet de l'enrôlement obligatoire, contraire à toutes les traditions britanniques. Surtout, nous soutiendrons sur toutes les tribunes que la conscription ne serait pas nécessaire si les conservateurs géraient mieux le recrutement volontaire.

— Les volontaires sont si peu nombreux dans notre province...

— Entre vous et moi, les nôtres n'ont pas plus envie d'aller se battre en Europe que les Américains. Je les comprends...

Les États-Unis étaient entrés dans le conflit exactement un mois plus tôt. La mesure demeurait toutefois largement impopulaire.

— Cette explication ne séduira pas les foules du Canada anglais, ricana Thomas.

— En conséquence, nous répéterons sans cesse que les nôtres s'enrôleraient plus volontiers si les agents recruteurs parlaient leur langue, si on les versait dans des bataillons de leur communauté et si on leur donnait des aumôniers catholiques au lieu de les exposer au prosélytisme des pasteurs protestants.

— Des correctifs à toutes ces difficultés ne feraient pas une bien grande différence dans les chiffres…

— Nous laisserons les historiens supputer la question au cours des prochaines décennies. Quant à nous, nous répéterons ces arguments jusqu'à l'automne.

Pendant quelques minutes encore, les deux hommes évoquèrent divers aspects de la stratégie électorale. Une nouvelle fois, le comté de Québec-Est se prononcerait en faveur du vieux chef. De cela, ils ne doutaient pas.

～

Depuis l'incendie ayant ravagé l'édifice du gouvernement, les Communes siégeaient dans le vieux musée Victoria. Si les députés retrouvaient des banquettes alignées à peu près normalement, la place réservée aux visiteurs provoquait certains étonnements. Le vendredi 18 mai, Thomas se trouva coincé entre une délégation de membres des Ligues d'Orange, l'organisation loyaliste volontiers raciste au Canada anglais, et un énorme ours brun empaillé. Les premiers risquaient de vouloir le rouler dans le goudron s'il ne s'enthousiasmait pas suffisamment, ou au bon moment, pour la mesure au menu du jour. Le second paraissait abriter des parasites susceptibles de se communiquer au voisin. L'homme le regardait du coin de l'œil en réprimant une furieuse envie de se gratter.

Dans cette salle habituellement bruyante, le silence se répandit lorsque le premier ministre Robert Borden se leva. Dans un premier temps, il aborda des sujets d'importance secondaire. Puis, il en vint à celui de toutes les inquiétudes:

— Quant aux efforts du Canada dans cette guerre, et ici, j'aborde un sujet d'une grande gravité et, je l'espère, avec la pleine connaissance de la responsabilité qui incombe à mes collègues et à moi...

Pendant quelques instants, il insista sur les pertes subies par le contingent en Europe et évoqua le jour où de quatre, le nombre de divisions passerait à trois, puis à deux. Le politicien renia ensuite en quelque sorte ses engagements passés.

— J'ai moi-même déclaré au parlement que rien d'autre que l'enrôlement volontaire ne serait proposé par le gouvernement. Mais je suis revenu au Canada impressionné par l'extrême gravité de la situation et avec un sentiment de responsabilité envers notre effort à la période la plus critique de la guerre.

Chacun s'avança sur le bout de son siège, attendant soit avec satisfaction, ou alors avec angoisse, les mots fatidiques.

— Pour moi, il est évident que le système volontaire ne rapportera plus de résultats substantiels.

Sur la droite de Thomas, les impérialistes trépignèrent de joie. Tous les Canadiens français présents dans la salle montraient des visages inquiets. Après un long aparté sur le devoir de tous les Canadiens de se porter au secours des soldats déjà au front et de demeurer fidèles aux idéaux des héros tombés au champ d'honneur, l'objectif résonna enfin.

— Le nombre d'hommes requis ne sera pas moins de cinquante mille, et plus probablement de cent mille.

Le premier ministre comptait donc ajouter vingt pour cent au contingent. Au moment où il retrouva son fauteuil, tous ses collègues se levèrent pour lui faire une véritable ovation. Wilfrid Laurier se prépara à lui répondre, suscitant de son côté des applaudissements respectueux.

— Mon très honorable ami a terminé ses observations en disant que nous sommes encore très éloignés de la fin du conflit. Je crains que ses paroles ne soient que trop vraies. Les événements qui se sont déroulés en Russie constituent une phase nouvelle de la guerre sur laquelle nous n'avions pas tablé.

L'enthousiasme des conservateurs, sur le parquet ou dans les gradins improvisés le long des murs, se fit plus discret. L'entrée des États-Unis dans le conflit s'avérait trop récente pour changer quoi que ce soit au front occidental. Comme la Russie se retirait du côté de l'est, l'Allemagne pouvait au bas mot ramener un million de soldats du côté de la France et de la Belgique. Les Alliés auraient du mal à maintenir la ligne de défense.

Tous attendaient toutefois sa réponse à la proposition de conscription. Ils seraient déçus :

— Quant aux méthodes que le Canada devra employer relativement à la poursuite de la guerre, je n'ai qu'à dire ceci, que le Canada entend participer à la guerre jusqu'à la fin, jusqu'à ce que la victoire ait été obtenue. Concernant les moyens que nous devrons adopter dans le but de diriger nos soldats vers le front et de remplir jusqu'à la fin le devoir que nous sommes tous déterminés à accomplir, beaucoup de considération sera requise avant que la politique traditionnelle suivie par ce pays soit mise au rancart. Je ne fais aucune observation à cette heure.

Les impérialistes grommelèrent. Thomas s'amusa de leur déconvenue. Des paroles semblables pouvaient satisfaire tout le registre des opinions canadiennes. Le politicien termina par une déclaration de loyauté.

— La seule chose que je dis, et à laquelle j'engage la parole et le jugement de mes collègues, c'est que nous n'avons d'autre intention que celle de demeurer dans la guerre jusqu'à la fin et que nous sommes résolus à accomplir notre devoir au meilleur de notre jugement, de façon à assurer que les meilleures méthodes soient adoptées pour atteindre cette victoire à laquelle nous aspirons tous et que nous souhaitons tous comme une certitude.

Au moment où le vieil homme reprit sa place, chacun se sentit obligé d'applaudir. Comment siffler après une invitation à tout faire pour la victoire... Mais tous devinaient, sans pouvoir l'en accuser encore ouvertement, que la conscription lui répugnait.

Thomas quitta le vieux musée Victoria avec le sourire, certain de conserver le comté de Québec-Est au vieux chef.

∽

Comme les voyages, les événements politiques dramatiques entraînaient l'acceptation de compagnons de lit étranges. Armand Lavergne n'eut pas à aller bien loin pour trouver une salle discrète, le *Château Frontenac* abritait plus que sa part de conspirateurs. Les invités arrivaient en douce l'un après l'autre, pour se voir diriger au bon endroit par Édouard Picard, convertit en cicérone pour l'occasion.

À huit heures, le président et le vice-président de la Jeunesse libérale, Oscar Drouin et Léon Casgrain, encadraient l'un des rares espoirs francophones du Parti conservateur, Charles Dorion. D'autres, comme l'architecte Wilfrid Lacroix, se trouvaient déjà dans la mouvance libérale et deviendraient un jour député fédéral pour ce parti. Le plus expérimenté du groupe, excepté Lavergne bien sûr, était l'échevin Eugène Dussault. Toutes ces personnes flirtaient toutefois avec le mouvement nationaliste.

Ces politiciens s'interpellaient joyeusement l'un l'autre, se reprochaient des prises de position passées, évoquaient des événements cocasses. Des étrangers, de l'autre côté d'une large table, les regardaient avec une gêne évidente. Les costumes du dimanche un peu élimés, l'accent guttural, les ongles noircis, cassés, évoquaient la Basse-Ville.

— Monsieur Arthur Marois, commença Lavergne à l'intention de ses amis, est le président du Conseil central de Québec, l'organisme qui regroupe les différents syndicats de la ville.

Le nom s'avérait familier. Le personnage intervenait régulièrement dans la vie politique municipale. L'hôte continua :

— Et avec lui, Pierre Beaulé.

L'homme maigre, totalement inconnu, présentait un visage régulier, barré d'une moustache. Il s'imposait comme le meneur, au sein du Cercle Léon XIII. Depuis une semaine, on le connaissait aussi comme le dirigeant du mouvement syndical catholique de la ville.

— Je pense que nous sommes au complet, enchaîna le politicien en se levant pour aller fermer la porte.

— C'est fait, maintenant ? demanda le président du Conseil central.

— J'ai parlé à mon père tout à l'heure, au téléphone. Borden a évoqué son projet de conscription cet après-midi. Il sera adopté d'ici quelques mois.

Devant la mine abattue des autres invités, Armand Lavergne frappa la table de son poing.

— À quoi vous attendiez-vous ? Je le répète depuis 1914 : les impérialistes ne seront satisfaits que si toute la jeune génération des Canadiens français se retrouve au cœur de cette boucherie.

À l'entendre, les jeunes nationalistes serbes responsables de l'assassinat de Sarajevo n'avaient d'autre objectif que celui-là. Il ajouta un ton plus bas :

— Laurier ?

— Il a refusé d'approuver le projet sur le recrutement, il refusera de composer un gouvernement d'union.

— Au moins, il ne se tachera pas les mains dans cette parodie de démocratie, déclara Oscar Drouin, le président de la Jeunesse libérale.

— Tous les membres éminents de son parti vont le faire, répondit Lavergne en haussant les épaules.

Les yeux des membres de ce petit cénacle se posèrent à nouveau sur le fils du commerçant.

— C'est en effet ce qu'il a dit. L'influence du Parti libéral se réduira à la seule province de Québec.

— Nous devons donc agir au plus tôt, nous donner une organisation pour remplacer ce parti moribond.

L'ancien député indépendant de Montmagny paraissait avoir dressé un vaste programme. Les militants de la Jeunesse libérale se regardèrent, un peu inquiets : leur plan de carrière risquait de prendre une toute autre tournure si ce boutefeu disait vrai. Celui-ci continua en sortant d'une chemise quelques documents.

— Afin de gagner du temps, j'ai jeté ces quelques mots sur papier.

Quand chacun eut sa copie entre les mains, il enchaîna :

— Je propose la tenue d'une grande assemblée publique lundi soir, dans Saint-Sauveur, pour rallier la population des faubourgs à notre cause. On prononcera de grands discours, puis quelqu'un suggérera la création d'une Ligue anticonscriptionniste…

— Avec la Loi des mesures de guerre, interrogea l'échevin Dussault, nous ne risquons pas des ennuis avec la justice ?

— Nous jouissons encore de la liberté de parole et d'association, déclara l'animateur du petit groupe.

Lavergne paraissait résolu à animer et guider cette petite conspiration dans la bonne direction. Après une pause, devant les regards sceptiques posés sur lui, il précisa :

— Nous n'affirmerons rien de bien méchant : les Canadiens français sont les plus loyaux sujets du roi George, mais ils considèrent la conscription pour une guerre étrangère incompatible avec les libertés britanniques. Cette mesure ne serait légitime que pour défendre notre territoire national…

— Le concept est un peu imprécis, glissa Édouard à l'intention de ses compagnons. Car si vous demandez un passeport, vous apprendrez que vous êtes des Britanniques, pas des Canadiens.

— Tu crois le moment bien choisi pour évoquer cette question ? l'interrompit Lavergne.

Celui-ci obéissait à un scénario précis. Les digressions ne devaient pas l'en détourner.

— Je suppose que vous avez pensé à un chef pour diriger cette Ligue ? questionna narquoisement l'architecte Lacroix.

Le meneur de jeu surprit tout le monde en affirmant d'une façon péremptoire :

— N'importe qui, sauf moi. Mon nom dans la liste des officiers sèmerait la crainte dans les chaumières. Mais vous, vous seriez parfait pour ce rôle.

Le jeune homme rougit un peu avant de répondre :

— J'ai bien trop de difficulté à établir mon bureau d'architecte pour consacrer du temps à un travail d'organisation. Les circonstances sont difficiles pour un jeune professionnel…

Surtout, les gouvernements et les gros entrepreneurs de langue anglaise dirigeaient les plus gros chantiers de construction. Ils ne confieraient pas la préparation des plans à un jeune homme s'affichant ouvertement contre l'effort de guerre. Lavergne continua le tour de table, offrant le poste aux diverses personnes présentes. Secouant vivement la tête, peu désiraient s'afficher ouvertement contre la politique de leur propre organisation.

— Un chef ouvrier, comme président, serait du meilleur effet, glissa Édouard.

Son mentor saisit la suggestion au vol pour fixer des yeux le président du Conseil central et commenter :

— Mon ami Picard a raison. Tous les ouvriers syndiqués de la ville vous connaissent bien. Vous rencontrez régulièrement le maire de Québec, le premier ministre Gouin. Tout le monde vous prendra au sérieux.

— Je ne saurais pas…

Un peu plus et l'homme dans la force de l'âge confessait déchiffrer les lettres dans les journaux avec une certaine difficulté, écrire avec une orthographe et une syntaxe un peu fantaisistes.

L'animateur de la conspiration n'insista pas, laissa échapper un soupir, puis conclut :

— Dans ce cas, je ne vois pas d'autre choix que notre ami Dussault.

Les regards se tournèrent vers l'échevin municipal alors que Lavergne enchaînait :

— Votre carrière est bien établie, vous remplissez déjà un office public, votre nom et votre réputation sont sans reproche.

— Si vous croyez... Je veux bien accepter.

L'acquiescement venait trop vite, l'homme s'attendait déjà à cette proposition. L'impression d'une planification préalable se trouva confirmée bien vite.

— Comme la Ligue prendra sans doute de l'importance, j'aurai besoin d'un vice-président.

— Je dirais deux vice-présidents, l'un dans chacun des vieux partis, afin d'offrir un symbole puissant. Monsieur Dorion, comme vous êtes le seul représentant du Parti conservateur ici ce soir...

— Je décline.

Le ton ne laissait guère de place à la discussion.

— Quel dommage! Monsieur Lacroix, un poste de vice-président sera moins exigeant... Puis, la nation a besoin de vous.

Le patriotisme triompha peut-être de son hésitation. Il acquiesça, cette fois.

— Monsieur Drouin, vous acceptez le second poste? continua Lavergne.

L'empressement de celui-ci à clamer son accord parut aussi un peu suspect. Les deux chefs ouvriers échangèrent un regard entendu. Après la première offre et le premier refus, sans doute de pure forme, les messieurs de la Haute-Ville exprimaient leur désir de conserver entre leurs mains les guides de l'association. La politique demeurait leur jouet favori.

Rompu aux questions stratégiques par ses longs mois d'études de la question sociale au sein du Cercle Léon XIII, Pierre Beaulé demanda avec un petit sourire en coin:

— Quelle légitimité avons-nous de choisir à l'avance les officiers d'une société encore inexistante?

— Nous ne choisissons pas ces officiers, précisa l'ancien député avec le plus grand sérieux. Nous évoquons seulement entre nous les noms des personnes dont la candidature sera proposée lundi prochain, lors d'une grande assemblée tenue sur le boulevard Langelier.

Pendant une heure encore, on discuta de l'identité des conférenciers et des thèmes à aborder afin de susciter les adhésions les plus nombreuses. Le moment opportun où quelqu'un, perdu dans la foule, suggérerait la création d'une Ligue anticonscriptionniste fit l'objet de chauds débats. À la fin, tous se rallièrent à l'idée de placer cet événement après la prestation de Lavergne. Celui-ci promettait une formule explosive, comme la phrase ayant fait le tour du pays au début de l'année précédente, « Que périsse l'Angleterre ! », sans vouloir la révéler tout de suite.

On arrivait au terme de la réunion quand Édouard engloba les ouvriers dans son regard pour demander :

— Messieurs, au moment de son assassinat, le politicien français Jaurès suggérait la grève générale comme moyen de paralyser les généraux souhaitant précipiter son pays dans la guerre. Ne croyez-vous pas que la même stratégie fonctionnerait dans notre ville ? Un arrêt de travail ruinerait l'effort de guerre.

— Vous suggérez que nous utilisions la grève révolutionnaire, à la façon des socialistes français ? commença Marois en écarquillant les yeux.

Le jeune homme mesura combien ses interlocuteurs demeuraient réfractaires à l'usage de moyens d'action aussi draconiens. Pierre Beaulé crut bon de lui rappeler une vérité toute simple.

— Quand un ouvrier ne se présente pas au travail un matin, toute sa famille se trouve privée de nourriture pour la journée.

— Mais ce sont les travailleurs qui se trouveront les premiers conscrits ! s'insurgea-t-il.

— Croyez-vous que nous l'ignorions, monsieur Picard ? demanda le chef ouvrier catholique. Vous venez de découvrir que les hommes ne naissent pas égaux en regard des privilèges ? En droit non plus, d'ailleurs. Ils ne sont égaux qu'aux yeux de

Dieu. Pour une personne qui, tous les jours, passe de la Haute-Ville à la Basse-Ville, vous auriez dû vous en rendre compte avant aujourd'hui.

La répartie jeta un froid dans la petite assemblée. Armand Lavergne entreprit bientôt de remercier tout le monde de leur participation et donna l'assurance que les journaux du lendemain convieraient tous les citoyens à participer à la grande assemblée. Les chefs ouvriers s'esquivèrent les premiers, les autres ensuite. Resté le dernier, Édouard maugréa:

— Pourtant, mon idée se défend.

— La grève générale? Cesse de dire des sottises. Tu viens prendre un verre?

Il accepta. La remarque de Pierre Beaulé, sur ses allées et venues de bas en haut de la falaise séparant la ville en deux, lui laissait un goût amer.

❧

Le mois de mai chassait les derniers froids et ramenait des pointes de verdure aux branches des arbres. Les jeunes gens en âge de se courtiser gagnaient une liberté nouvelle en quittant les salons et les chaperons attentifs. Bien sûr, ils devaient rester dans le domaine du convenable. Les allées ombragées du parc des Champs-de-Bataille accueillaient suffisamment de promeneurs pour rassurer une respectable débutante.

Ce dimanche-là, peu après le repas du midi, Évelyne Paquet posait sa main sur le pli du coude de son prétendant afin d'entamer une longue marche. Les affres du dernier hiver et les promesses de l'été à venir occupèrent leurs échanges pendant un long moment. Puis, Édouard saisit les doigts repliés sur son avant bras avant de murmurer:

— Évelyne, je tenais à cette conversation discrète afin de te poser une question très délicate…

— …Je t'écoute.

Le ton, comme le geste, lui permettaient de deviner la suite. Aussi les mots de la jeune fille ressemblèrent à une exhalaison.

— M'autorises-tu à demander ta main à monsieur ton père?

Le garçon regretta tout de suite sa formulation et se reprit sans tarder:

— Je veux dire, accepterais-tu de m'épouser?

La jeune fille ralentit ses pas jusqu'à s'arrêter et leva les yeux vers lui. Sa bouche s'ouvrit à demi, mais elle ne trouva d'abord pas ses mots. Après une longue inspiration, elle déclara doucement:

— Oui, je veux bien.

À son tour, Édouard resta sans voix. La question posée et la réponse reçue lui faisaient tourner la tête. Il prit finalement les deux petites mains dans les siennes, les réunit afin de les élever vers sa bouche, puis baisa les doigts gantés.

— …Merci. Je parlerai à ton père d'ici quelques semaines. En attendant, je réglerai avec le mien certains détails pratiques. Je suis certain que maître Paquet voudra me demander quelques précisions sur mon avenir au sein de l'entreprise. Je compte bien être en mesure de le rassurer tout à fait.

L'ajournement de la grande demande tenait aussi à un désir diffus de gagner du temps. S'engager pour tout le reste de sa vie lui donnait un trac fou.

Pendant un moment, le couple demeura immobile sous un grand érable, au milieu d'une allée. Les autres promeneurs devaient les contourner. Elle osa alors demander:

— Tu as songé à une date?

— Cet été, certainement. De cela aussi, je devrai conférer avec mon père. Comme je compte effectuer un voyage avec ma charmante épouse, nous devrons convenir du moment le plus propice. Il devra se passer de moi pendant plusieurs jours.

Cette façon de présenter les choses lui donnait le beau rôle. En réalité, Thomas ne renoncerait pas à ses vacances annuelles avec Élisabeth. Le voyage de noces viendrait ensuite.

Ses lèvres se posèrent encore sur les doigts, puis Édouard abandonna les mains, saisit la jeune fille par les épaules et l'embrassa sur la bouche. Elle se raidit d'abord, avant de sentir ses genoux flageoler.

Quand son fiancé se redressa, elle remarqua quelques badauds aux yeux courroucés par le spectacle de leur amour.

~

Le soir du samedi 2 juin, une foule en colère se massait au marché Montcalm, convoquée par la Ligue anticonscriptionniste à grand renfort de publicité dans quelques journaux et d'affiches collées sur les poteaux électriques. Une routine s'installait déjà. Le président Dussault et les vice-présidents Lacroix et Drouin commencèrent par un appel raisonné au bon droit : aucun citoyen canadien ne pouvait être conscrit pour servir dans une guerre faisant rage sur un autre continent. Toutefois, une précision importante revenait sans cesse.

— Si le Canada se trouvait un jour menacé, nous serions les premiers à faire un rempart de nos poitrines afin de protéger à la fois nos proches et nos droits. Mais pour un conflit mené par des nations étrangères, de l'autre côté de l'Atlantique, c'est un insupportable abus de pouvoir.

Ces mots soulevaient toujours des applaudissements frénétiques et des « À bas la conscription ! À bas la conscription ! » répétés. Mais le clou du spectacle vint en dernier. Armand Lavergne se livra à un procès en règle de la politique étrangère du Royaume-Uni et dressa une liste des affronts subis par les Canadiens français d'un océan à l'autre depuis trente ans. Cela fit irrémédiablement monter la fièvre d'un cran.

— Les gens ne sont pas comme d'habitude, observa Thalie.

Pour la première fois depuis le début de sa fréquentation des rassemblements de contestation, la jeune fille de dix-sept ans ne se sentait pas tout à fait en sécurité. De nombreux spectateurs montraient des yeux mauvais, vitreux même, comme s'ils avaient commencé par s'exciter dans une taverne avant de venir. Certains secouaient des bâtons au bout de leur poing.

— Je te l'avais dit. Plus nous approcherons de l'adoption de la loi, plus la tension va monter dans les rues.

Le fait d'avoir raison ne mérita pas un meilleur accueil à Mathieu. Elle lui lança un regard sombre avant de tourner de nouveau la tête vers l'arrière, du côté de l'Auditorium et du YMCA. De nombreux policiers se trouvaient au coude à coude, une matraque tenue à deux mains en travers de la poitrine.

Sur l'estrade de planches dressée devant l'édifice du marché, quelques orateurs se livraient entre eux à une compétition pour trouver les expressions des plus susceptibles de séduire la foule. Lavergne se montrait redoutable à ce jeu, multipliant les audaces, certain de son impunité.

— Je ne suis pas contre la conscription pour la défense du pays, mais je ne reconnais à aucun gouvernement le droit de nous imposer le service obligatoire pour prendre part aux guerres impériales… Je n'accepterai pas la conscription, votée ou non, décrétée par le gouvernement ou non. Je serai pendu ou fusillé, mais je demanderai toujours, avant la conscription, des élections et un référendum… D'ailleurs, le gouvernement Borden ne nous représente plus ; ses pouvoirs sont périmés, et il prend ses ordres de l'Angleterre. Or, le Canada est autonome, et nous ne devons à l'Angleterre, selon le mot de Sir Richard Cartwright, que le pardon chrétien pour le mal qu'elle nous a fait.

Puis, il prononça à nouveau la phrase vieille de dix jours, répétée dans chaque réunion politique :

— On parle des atrocités allemandes en Belgique. Que l'Angleterre, avant de se voiler la face, commence par rendre la liberté aux Irlandais et cesse de les fusiller dans les rues.

La tension monta encore d'un cran. Les cris redoublèrent. Depuis le soulèvement de Pâques 1916, pendant lequel quelques centaines de patriotes avaient encerclé et tenu le bureau de poste de Dublin et des bâtiments environnants, le Royaume-Uni menait une répression cruelle contre les partisans de l'indépendance de l'Irlande. Elle était d'autant plus dure que les nationalistes avaient obtenu l'aide de l'Allemagne pour mener ce soulèvement. Dans ces circonstances, certains Canadiens français jugeaient bien ironique d'aller mourir en Flandre pour empêcher les Allemands de faire en Belgique ce que les Britanniques paraissaient soucieux de perpétuer dans la verte Érin.

— Ces gens devraient intervenir, cria Thalie pour couvrir le raffut autour d'elle.

Elle jeta un œil du côté des agents de la paix.

— L'effectif se compose à peu près également entre Canadiens français et Irlandais, expliqua Mathieu. À leurs yeux, pareil discours doit sembler très raisonnable.

À ce moment, quelqu'un cria dans la foule :

— Au *Chronicle* !

— Oui, oui, au *Chronicle* ! insistaient de nouvelles voix.

Le quotidien de langue anglaise défendait la conscription. Cela semblait un affront inacceptable à plusieurs. Des personnes se détachèrent de la multitude pour passer dans la rue Saint-Jean. Leur nombre passa à cent, puis à mille.

— Nous rentrons, prononça Mathieu en plaçant son bras autour des épaules de sa sœur.

L'électricité dans l'air incita l'adolescente à demeurer coite et à lui emboîter le pas sans discuter. Le chemin s'avérait le même que celui des manifestants. Au moment où ceux-ci, hurlant et gesticulant, s'engagèrent dans la rue de la Fabrique, le garçon indiqua encore :

— Passons par la rue Garneau, puis par la ruelle. Personne ne paraît vouloir s'en prendre aux commerces, mais je ne me vois pas déverrouiller la porte devant ce troupeau affolé.

Quelques minutes plus tard, ils gravissaient l'escalier de service à l'arrière et pénétraient directement dans la cuisine de l'appartement. Depuis le couloir, Gertrude déclara d'une voix forte :

— Les voilà, madame.

Marie se trouvait dans le salon, penchée à la fenêtre. Elle se tourna, le visage préoccupé.

— Vous n'irez plus à ces assemblées.

Au ton de sa voix, aucun des deux enfants ne répliqua. Thalie lui fut même reconnaissante de ne pas limiter cet inter-dit à sa seule petite personne. Elle se pencha à son tour à la fenêtre.

— Personne n'a brisé quoi que ce soit?

La masse des protestataires occupait toute la largeur de la rue, obligeant les tramways ainsi que les voitures hippo-mobiles et automobiles à s'arrêter. Personne n'osait protester devant ces gens en colère.

— ...Non. À part les cris et les gestes menaçants, rien.

— Je vais descendre dans la boutique, déclara Mathieu en quittant la pièce.

Au passage, le jeune homme se munit d'un solide bâton de baseball. Bien sûr, il ne pourrait pas s'opposer à une effraction menée à plusieurs, mais sa silhouette à travers les fenêtres découragerait les moins téméraires.

— Ils se rendent au *Chronicle*, expliqua Thalie aux deux femmes auprès d'elle.

Quelques minutes plus tard, sur la côte de la Montagne, toutes les fenêtres du quotidien volaient en éclats, défoncées à coup de briques.

~

Avec la belle saison, les agriculteurs se faisaient à nouveau nombreux dans le grand magasin Picard, rue Saint-Joseph. Thomas effectuait la tournée des différents rayons avec une satisfaction évidente. Si la guerre européenne laissait des régions entières dévastées, de ce côté de l'Atlantique, elle ramenait le plein emploi et les bonnes occasions d'affaires.

Au moment de passer au rayon des vêtements pour femmes, il s'arrêta un moment, troublé par l'étrange impression de voir le passé ressurgir devant ses yeux. Édouard conversait de façon animée avec deux femmes, la mère et sa fille, à en juger par la ressemblance. La plus jeune cherchait vraisemblablement une robe de mariée. La scène lui rappelait étrangement Alfred, le grand excentrique capable de faire croire au pire laideron qu'une jolie robe valait les meilleurs philtres d'amour. Il s'approcha au point de pouvoir entendre son fils expliquer :

— Pour un jour comme celui-là, il convient de prendre quelque chose de gai, de fleuri.

La jeune femme, âgée de vingt ans peut-être, buvait ses paroles. À ses côtés, affichant un nombre d'années au moins deux fois plus grand, la mère renchérit :

— La robe devra servir tous les dimanches, puis lors de mariages et de funérailles. Je conserve toujours la mienne.

— Vous pouvez vous le permettre. Vous affichez encore une silhouette de jeune fiancée...

Thomas étouffa son rire derrière sa main. Le bruit attira l'attention du garçon. Il se tourna vers lui pour déclarer :

— Papa, je passerai te voir dans quelques minutes.

Puis, sans transition aucune, il enchaîna :

— Attendez, une couleur un peu moins printanière conviendrait peut-être mieux, si vous entendez la porter fréquemment. Je vais vous montrer autre chose...

Une heure plus tard, le jeune homme se présenta dans les bureaux administratifs et désigna la porte de la pièce de travail du commerçant en demandant au secrétaire :

— Le patron se trouve-t-il là ?

— Il vous attend.

Un instant plus tard, il ferma la porte derrière lui et alla s'asseoir sur la chaise placée devant le lourd bureau.

— Alors, cette robe devant servir à la fois pour des noces et des enterrements ?

— La demoiselle éblouira les paroissiens de Saint-Malachie pendant les cinquante prochaines années.

Le sourire disparut bien vite des lèvres du visiteur. Il continua :

— Dimanche dernier, j'ai demandé à Évelyne Paquet si elle acceptait de m'épouser. Elle a répondu « oui ».

— C'est pour cela que tu présentes un visage soucieux depuis ce temps ? Aurais-tu préféré un refus ?

Thomas demeurait un peu moqueur. Son fils se déplaça sur sa chaise, comme pour réduire son inconfort et rassembla son courage avant de dire :

— Je n'ai pas encore parlé à son père. Le vieux est terriblement prétentieux. Abandonner sa plus jeune à un commerçant lui semblera sans doute une déchéance.

— Le bonhomme pourrait commencer par rembourser le solde de l'hypothèque sur sa maison bourgeoise. Cela lui donnerait une meilleure raison de faire le fier.

Édouard réprima son envie de rire. Comment ce diable d'homme arrivait-il à connaître ainsi la vie de ses semblables ? Il retrouva cependant sa mine préoccupée au moment de dire :

— Si je me présente devant lui pour la grande demande avec, sur ma carte professionnelle, le titre de chef de rayon, il va m'envoyer promener, hypothèque ou pas.

Ce fut au tour de père de changer de position dans son fauteuil afin de se donner une contenance. À la fin, il prononça avec une pointe d'impatience :

— Souhaites-tu que je prenne ma retraite afin de te permettre de mieux paraître devant cet avocat ? Si sa fille est si précieuse que cela, ce vieil imbécile peut essayer de la fourguer à un parti de son choix.

Le garçon leva la main pour apaiser son interlocuteur, puis déclara sur un ton conciliant :

— Personne ne parle de ta retraite… Seulement, si je partageais certaines responsabilités, je me sentirais un peu mieux armé au moment de lui parler.

L'homme posa les coudes sur son bureau et demanda en plaçant le menton dans la paume de sa main droite :

— Tu parais avoir longuement réfléchi à la question. Alors, quelle solution as-tu imaginée pour résoudre ce problème ?

— ... Si je prenais la direction des ateliers de confection ? Cela me permettrait de tout connaître de la gestion d'une entreprise.

Le visage de Thomas trahit une certaine inquiétude. Édouard continua pourtant :

— Je suppose que Paquet ne trouverait pas à redire devant le nouveau directeur des ateliers de confection Picard.

— Ce poste est occupé par Fulgence Létourneau.

Le garçon ne se troubla guère.

— Il s'agit d'un simple employé. Je suis ton fils.

— Cet homme occupe cet emploi depuis environ vingt ans. Le succès des ateliers tient à sa gestion efficace et prudente. Crois-tu que je puisse le jeter à la rue maintenant ?

Répondre « oui » paraîtrait insensible. Édouard n'osa pas s'exprimer franchement. Ni l'amitié, ni même la reconnaissance pour des services rendus, ne lui semblaient dignes d'orienter une décision d'affaires.

— Je ne dis pas que tu devrais le mettre à pied. Il pourrait reprendre son poste de secrétaire...

— Après avoir œuvré vingt ans comme directeur ! Ne dis pas de sottises.

Sans le savoir, Fulgence Létourneau jouissait de la meilleure assurance-emploi possible. Tous les soirs, il bordait le petit-fils de son patron au moment de coucher Jacques.

— Dans ce cas, Paquet va certainement me refuser la main de sa fille.

— ... Je peux lui parler.

— Surtout ne fait pas cela ! J'aurais l'air ridicule.

Avant la grande demande, des pères prenaient souvent l'initiative d'une conversation. Les jeunes personnes entichées l'une de l'autre oubliaient volontiers les aspects plus terre à terre de l'existence. Thomas s'abstiendrait toutefois de le faire. Après un moment de réflexion, il décida de rassurer un peu son fils.

— Si tu me laisses un peu de temps, je m'arrangerai pour que ta carte professionnelle porte autre chose que chef de rayon.

— …Merci. Au niveau de la rémunération? Si je dois acheter une maison…

— Ne pense pas à acheter en ce moment! Les prix sont à la hausse à cause de la guerre. Dès la paix revenue, les bonnes affaires encombreront le marché.

— Mais je ne peux pas…

Il s'arrêta en voyant le sourire ironique de son père.

— Mais oui, tu peux l'emmener vivre à la maison. Cela paraîtra naturel à tout le monde, et si nous la croisons tous les matins au petit déjeuner, nous saurons peut-être enfin pourquoi la donzelle se révèle tellement supérieure à un fils de marchand.

Insister ne donnerait rien. Édouard esquissa le geste de se lever quand son père le retint:

— Il y a encore un problème à régler, bien plus sérieux que ton statut professionnel, il me semble.

— Que veux-tu dire? demanda le garçon en posant à nouveau les fesses sur la chaise.

— L'autre fille, celle de la Quebec Light. Tes absences de la maison sont trop fréquentes et régulières pour que je donne crédit à tes fadaises. Je n'ai pas la naïveté d'Élisabeth. Personne ne rencontre des amis à ce rythme-là.

À l'évocation de sa belle-mère, le garçon rougit. Sa voix se révéla moins assurée au moment de dire:

— Ce n'est rien…

— Rien? Tu la vois depuis trois ans.

— Pas tout à fait.

L'impatience durcit le visage du commerçant.

— Elle ne se doute de rien, je suppose.

— Je ne lui ai jamais rien promis. Nous avons eu du plaisir ensemble, mais maintenant, j'ai l'âge de me ranger.

— Et l'idée de te ranger avec elle ne t'a pas effleuré?

— Voyons, c'est la fille du bedeau de Saint-Michel-de-Bellechasse, commis dans une entreprise de service public.

L'avocat Paquet ne s'avérait pas le plus prétentieux des protagonistes de cette histoire. Thomas se recula dans son fauteuil et croisa les bras sur sa poitrine.

— Tu la trouvais cependant assez bien pour la voir pendant toutes ces années.

— Le mariage, c'est autre chose...

Un moment, le visage de Marie Buteau passa dans l'esprit du commerçant. Au moins, son fils n'avait pas engrossé cette demoiselle. Incapable de formuler les propos se bousculant dans son esprit, l'homme conclut d'une voix lasse :

— Mets fin à cette histoire au plus vite. Si maître Paquet lève le nez sur toi, ce ne sera peut-être pas à cause du titre figurant sur ta carte professionnelle.

Le garçon demeura un moment songeur, puis quitta la pièce.

Chapitre 16

Même pour un garçon résolu à tirer le meilleur de la vie, la situation devenait inconfortable. Tous les dimanches après-midi, il regagnait le domicile des Paquet dans la Grande Allée, échangeait quelques mots polis avec les parents d'Évelyne, puis tendait son bras à cette dernière afin d'entamer une longue promenade avec elle. Pendant deux heures, ses grands yeux gris parlaient d'un amour éperdu alors que la voix évoquait en termes posés les plaisirs raisonnables de la vie conjugale.

Jamais elle n'abordait la dimension charnelle de ceux-ci. Toutefois, à chaque pression sur ses doigts, à chaque effleurement de sa taille, le souffle paraissait sur le point de lui manquer. Édouard se penchait parfois pour lui murmurer des mots innocents à l'oreille, juste pour voir un trouble exquis l'envahir.

Pareille innocence, mêlée à une sensualité ne demandant qu'à se révéler, touchait profondément son compagnon. Les premiers émois physiques de cette jeune personne viendraient de lui. Il la conduirait aux ébats les plus intimes, surveillerait se révéler sur son visage les émotions les plus fortes. Personne avant lui, personne d'autre que lui, dût-elle vivre cent ans, ne profiterait de la même intimité. La seule fierté de conduire une vierge à l'autel lui permettait de contenir son désir. Ses réactions, quand il la pressait un peu de près, la trahissaient. Un peu d'insistance, et elle s'abandonnerait toute, par amour pour lui. Toutefois, jamais il ne dépasserait les légers baisers sur les lèvres. La satisfaction de la voir frémissante, le souffle court, lui suffirait jusqu'au soir des noces.

Puis, il la laissait à la porte de la demeure paternelle et retrouvait la Buick pour se rendre à la Basse-Ville. Chaque fois, tout le long du trajet, il se répétait : «Cette fois, je vais le lui dire, cela ne peut pas continuer.» Au moment où la porte de l'appartement de la rue Saint-Anselme s'ouvrait sur la jeune femme blonde aux cheveux bouclés, aux yeux bleus, à la bouche rouge comme une cerise, sa résolution se dissolvait et une érection se manifestait. L'excitation contenue auprès d'Évelyne se concluait avec une autre.

— Je t'attends depuis si longtemps, formulait invariablement Clémentine.

Le reproche alimentait une culpabilité mêlée de colère, sans toutefois réduire son désir.

— Les dîners familiaux sont interminables.

Il lui suffisait d'ouvrir les bras pour la voir s'y précipiter. Curieusement, un sexe dur contre son ventre la rassurait. «S'il me désire autant, il doit au moins m'aimer un peu», songeait-elle. Ce constat lui faisait accepter la langue forçant sa bouche, les mains sur ses fesses.

Trois, tout au plus quatre heures plus tard, Édouard regagnait la Haute-Ville en grommelant :

— La prochaine fois, juré, je le lui dirai !

Depuis quelques années, excepté au moment des repas, Édouard se trouvait rarement à la maison. Élisabeth attendit quelques jours l'occasion de lui parler en tête-à-tête. Un soir où Thomas se trouvait à une réunion politique susceptible de se terminer très tard, elle laissa la porte de sa chambre entrouverte. Un peu après onze heures, de légers bruits de pas dans l'escalier attirèrent son attention. Elle se rendit sur le palier, puis déclara à voix basse :

— Ton père m'a communiqué la nouvelle, il y a quelques jours. J'aimerais te parler un moment.

Le simple fait que la demande en mariage n'ait pas été discutée à table, en famille, trahissait le profond malaise du grand garçon. Il se manifesta encore quand il répliqua :

— Il se fait tard...

— Tu comptes vraiment éviter de parler d'un sujet aussi important avec moi ?

Le chagrin dans la voix de sa belle-mère le toucha droit au cœur.

— Non, bien sûr que non.

— Alors, viens un moment.

Elle revint dans la chambre à coucher conjugale, le garçon sur les talons. Au moment de s'asseoir sur le Récamier placé dans l'alcôve, elle continua :

— Prends cette chaise et approche-toi.

Le petit siège recouvert de soie placé devant la table de maquillage paraissait bien fragile. Après un silence embarrassé, elle demanda :

— Cette fille, Évelyne, tu l'aimes ?

— Elle est gentille.

— Ce n'est pas là le sens de ma question. Tu te souviens, tu m'as donné la même réponse à propos de cette jeune fille de la Basse-Ville, il y a trois ans.

Élisabeth se souvenait très bien de la jolie blonde à l'air un peu emprunté, rougissante, rencontrée lors du pique-nique annuel des entreprises Picard.

— ... Oui, j'aime Évelyne.

L'aveu, formulé après une hésitation, paraissait mal assuré. Édouard crut nécessaire d'ajouter :

— Elle me ferait une excellente épouse.

La précision enleva un peu de crédibilité à sa première réponse.

— Pour t'engager pour la vie, tu dois en être bien certain.

— Oui, je l'aime. Il est grand temps pour moi de devenir sérieux, de fonder une famille.

Encore une fois, son insistance devenait suspecte, ses motifs trop raisonnables pour rendre compte d'un engouement amoureux.

— L'autre jeune fille... Tu me rappelles son prénom?

— ...Clémentine.

— Oui, Clémentine. Tu la vois toujours?

Elle fixa ses grands yeux bleus dans les siens, une expression de gêne sur le visage. Édouard se rappela immédiatement leur première rencontre, dans le grenier de la demeure de la rue Saint-François, le plaisir ressenti au moment où, dans ses bras, il avait mêlé ses doigts aux lourds cheveux blond foncé.

— Tu la vois toujours, insista-t-elle, affirmative.

— Oui.

— Ce soir, tu arrives de chez elle.

La rougeur sur les joues, les yeux résolument fixés sur le plancher, valaient un aveu.

— Lui as-tu dit ce que tu projetais?

— ...Je n'ai pas encore osé.

Jamais il ne pourrait mentir délibérément à cette femme. Les réponses venaient au gré des questions.

— Je crois que tu l'aimes, au fond. Pourquoi ne pas lui avoir proposé le mariage? Thomas m'a parlé de son père bedeau... Tu la rejettes à cause de cela?

Le grand garçon sentit la douleur dans la voix de cette femme, fille d'agriculteur, orpheline très jeune, élevée dans des couvents grâce à la charité d'un vieux prêtre. En repoussant Clémentine, ne rejetait-il pas aussi celle qui, depuis maintenant vingt-et-un ans, l'aimait comme une mère? Édouard comprit si bien son trouble qu'il tendit la main pour la poser sur celle d'Élisabeth, puis lui avoua tout bas:

— Belle maman sans trait d'union, Clémentine n'est pas comme toi. C'est une gentille personne, mais je ne peux pas m'engager avec elle pour la vie.

En reprenant cette vieille expression, utilisée pendant toute son adolescence, il ramena un petit sourire sur les lèvres de sa belle-mère.

— Plus tu tarderas à le lui dire, plus elle souffrira.

Il baissa à nouveau les yeux et hésita avant de convenir :

— Chaque fois que je vais la voir, je me répète cela tout le long du trajet. Mais à la fin, je n'y arrive pas, de peur de la blesser.

Pouvait-il donner toutes ses raisons ? Comment avouer à cette femme capable d'un seul grand amour dans sa vie combien, au moment même où il en courtisait une autre pour le « bon motif », ses ébats intimes avec une ancienne maîtresse devenaient précieux ? La connivence entre eux n'allait pas jusque-là. Il préféra se taire.

— Et Évelyne ? Tu es certain de tes sentiments pour elle ?

— Ce sera une excellente épouse.

Elle secoua la tête. Ses cheveux défaits, de part et d'autre de son visage, captèrent les reflets dorés de la lumière électrique. Elle pressa la main toujours sur la sienne, puis chuchota :

— Va te coucher, maintenant. Thomas devrait arriver d'une minute à l'autre.

⌐⌐

Maître Paquet savait adopter un air sévère. Puisque sa nomination comme juge attendrait le retour des libéraux au pouvoir à Ottawa, il réservait les sourcils froncés et la mâchoire crispée au tribunal familial, qu'il présidait avec sérieux.

Son bureau lambrissé de chêne s'avérait bien sombre, un peu solennel. Sur sa table de travail, le bronze représentant Lambert Closse aux prises avec un Iroquois paraissait presque gai en comparaison de l'austérité des lieux. Devant lui, le jeune homme élégant, vêtu d'un costume de coupe anglaise, une paire de gants blancs tenue dans une main, commença :

— Je vous remercie de me recevoir… Monsieur Paquet, je serais infiniment heureux si vous m'accordiez la main de mademoiselle votre fille.

Depuis le matin, Édouard repassait dans sa tête la formule à utiliser. Il avait même consulté le petit opuscule aux pages jaunies de la baronne de Staffe, si souvent parcouru par sa belle-mère, afin de connaître les usages du monde.

L'avocat le toisa des pieds à la tête et se cala contre le dossier de son siège avant de demander :

— Si vous êtes devant moi aujourd'hui, je suppose que ma fille vous a déjà donné son accord.

— … Il y a quelques semaines.

De dépit, le garçon se mordit la lèvre inférieure. Pareille réponse suggérait une hésitation de sa part, ou à tout le moins, un empêchement. Le père ne cilla pas au moment de demander :

— Serez-vous en mesure de la faire vivre convenablement ?

— … Je suis le directeur adjoint des entreprises Picard.

Le second mot, «adjoint», enlevait tout son lustre au premier. Paquet évalua le titre à sa juste valeur : un hochet offert par le père afin de faire patienter son rejeton.

— Je m'occuperai des achats… compléta ce dernier.

Il regretta tout de suite l'usage du futur : il se trahissait lui-même.

— Où comptez-vous habiter ?

— Chez mes parents… La maison est vaste, confortable.

Au moins, il n'eut pas l'indélicatesse d'ajouter : «J'en hériterai un jour. »

L'avocat demeura songeur un moment, puis consentit d'une voix lasse :

— Si ma fille vous a déjà donné son assentiment, j'aurais mauvaise grâce à refuser le mien, n'est-ce pas ?

L'acceptation sonnait comme un refus. Édouard respira profondément en entendant la réponse, contemplant son futur beau-père avec une certaine timidité. Celui-ci demanda encore :

— Avez-vous pensé à une date ?

— Le premier samedi du mois d'août conviendrait à ma famille. S'il en allait de même pour la vôtre…

— Cela nous laisse assez de temps pour tout préparer. Maintenant, il vaudrait mieux rejoindre ces dames.

Évelyne et sa mère attendaient au salon le résultat de la grande demande.

Tout à son agacement à l'idée de donner la main de sa cadette à un marchand au détail, maître Paquet n'avait pas un moment songé à la jolie blonde logée dans un appartement situé près de l'École technique de Québec. Pourtant, sa brève enquête lui avait rapidement révélé son existence.

Comme au temps de sa fréquentation du Petit Séminaire, une fois les classes terminées, Mathieu retrouvait son poste derrière la caisse enregistreuse. Comme la Faculté de droit faisait relâche dès le mois de mai, cela allongeait d'autant sa contribution à l'entreprise familiale. Toutefois, sa carrière de vendeur de vêtements pour dames tirait à sa fin. À l'été 1918, cela s'avérait déjà convenu, le bureau d'avocat où il effectuait son apprentissage requerrait ses services à plein temps pendant la belle saison. S'il se trouvait encore là…

Lorsque Marie revint un peu tardivement de dîner – Paul devait certainement se trouver en ville –, il ne lui laissa pas le temps d'enlever son chapeau.

— Maman, j'aimerais te parler un moment.

— Je t'écoute.

— Seul à seul.

Des yeux, le jeune homme désigna la vendeuse s'activant à trois verges à peine. Elle acquiesça, confiant à la jeune femme la responsabilité du commerce.

— Où aimerais-tu aller? demanda-t-elle en mettant le pied sur le trottoir.

— Au parc Montmorency?

— Le lieu de tes conspirations avec Thalie? Je dois m'attendre au pire.

Elle présentait un visage inquiet. La main posée sur le bras de son fils, elle contourna la basilique et accéda au petit espace de verdure. De l'autre côté de la rue, devant le bureau de poste, le grand Mgr de Laval coulé dans le bronze prenait une teinte verte au fil des ans. Mathieu la conduisit machinalement au banc préféré de sa sœur, juste devant la falaise abrupte. Assis de biais afin de voir le visage de sa mère, qui adopta la même posture, il se lança :

— Tu sembles très heureuse.

Lors de son dernier anniversaire, la femme avait presque perdu un an. Elle appréciait le fait de pouvoir compter sur une présence masculine rassurante, pleine de tendresse, en ne perdant rien de l'autonomie acquise en 1914. Son sourire quittait rarement ses lèvres, jamais les commissures de ses yeux, même en ce moment où l'angoisse montait en elle.

— Oui, c'est vrai. Alors que le monde paraît déterminé à se déchirer, ma petite existence se déroule sans bouleversement. Rassure-moi : tu n'as pas l'intention de tout chambarder?

Ses yeux allèrent vers un groupe de trois militaires moroses, assis sur un banc voisin. À en juger par leur figure, la date de l'embarquement devait approcher. Les parades dans les rues de la ville témoignaient de moins d'enthousiasme qu'en 1914, chacun ayant l'occasion de lire les horribles comptes rendus des combats dans les journaux.

— Malheureusement, oui. Je songe à m'enrôler.

La femme ferma les yeux. Très vite, des larmes, comme des perles, roulèrent de ses paupières. Mathieu sortit rapidement un mouchoir de sa poche et le lui mit entre les doigts. Prévisibles, ces pleurs le trouvaient bien préparé. Après un instant, elle posa son regard sur son fils, l'examina longuement, comme pour imprimer les traits de son visage dans sa mémoire.

— Pourquoi faire une chose pareille?

Son ton trahissait une parfaite incompréhension.

— Depuis que je suis né, j'ai fait mon devoir. À l'école, au magasin…

— Ton devoir, c'est ta famille !

La voix se cassa sur le dernier mot. Elle dut reprendre son souffle et réprimer son sanglot avant de poursuivre.

— Tu ne dois rien au gouvernement. Surtout pas d'aller risquer ta vie dans cette guerre stupide.

— Des centaines de milliers de Canadiens, des millions d'Européens considèrent devoir le faire.

— Pas toi !

Elle détourna son regard vers le fleuve et lui présenta son profil buté, si semblable à celui de Thalie. Sa respiration, lente et profonde, lui permettait seule de prévenir l'explosion de ses émotions.

— Dans quelques semaines, la conscription sera en vigueur. Mieux vaut m'enrôler volontairement plutôt que de me retrouver forcé de le faire dans deux ou trois mois.

Les journaux évoquaient les brimades subies par les conscrits dans les régiments britanniques. Les volontaires s'attribuaient volontiers une supériorité morale sur ceux-ci, en vertu d'une mystérieuse hiérarchie basée sur le courage viril.

— Tu es le fils d'une veuve, tu seras exempté.

— À ce sujet, les politiciens évoquent l'exemple de l'aîné des garçons des agricultrices, pas celui des commerçantes très capables de bien diriger leur entreprise.

Lors d'assemblées publiques, ou dans les journaux, chacun commentait la liste des motifs d'exemption du service militaire. Les hommes mariés et les membres du clergé ne prêtaient guère à discussion : personne ne songeait à les arracher à leur état. Pour les autres, les arguments contradictoires ne tarissaient pas.

— Je pourrais tout mettre à ton nom.

— D'abord, cela ne changerait rien à mon sort. Ensuite, je refuserais. Je recevrai mon héritage à ton décès, qui surviendra sans doute dans cinquante ans, à en juger par ton état de santé.

Marie demeura un moment songeuse, puis murmura :

— Françoise… D'après son père, elle a beaucoup d'estime pour toi.

— Tu évoques vraiment un mariage hâtif pour éviter le service militaire ?

Elle garda les yeux dans les siens, sans toutefois pouvoir articuler le « oui » brûlant ses lèvres.

— Je l'estime aussi beaucoup. Mais cette jolie couventine de dix-sept ans est trop jeune pour engager déjà sa vie de cette façon. Puis, crois-tu vraiment que je sois le genre d'homme à vouloir l'utiliser de cette manière ?

Après un long moment de silence, elle convint :

— Non, je ne le crois pas. Tu n'es pas ce genre d'homme, et je serais triste que tu le deviennes.

— Je suis le genre prêt à faire son devoir pour sa famille… et pour son pays, même si celui-ci ne le mérite pas nécessairement.

Elle acquiesça lentement, puis détourna à nouveau son regard vers le fleuve d'un bleu profond. Mathieu posa son bras autour de ses épaules. De longues minutes plus tard, elle se leva en soupirant.

— Nous devons retourner travailler.

— Bien sûr.

Encore une fois, la routine du commerce de vêtements lui donnerait une contenance, lui permettrait de contrôler les émotions se bousculant en elle.

〜

Marie demeura à son poste jusque vers cinq heures. Son visage devenait plus morose au gré du temps. À la fin, elle s'esquiva dans l'escalier sans regarder derrière elle. Mathieu fermerait le commerce. Trente minutes plus tard, celui-ci leva la tête au tintement de la clochette, puis reconnut Paul Dubuc. Le député vint jusqu'à la caisse et déclara, une certaine émotion dans la voix :

— Elle vient de me téléphoner. J'ai pensé que ce serait une bonne idée de venir la voir... même si elle ne m'y a pas invité.

— Une idée excellente, je vous assure. Je vous remercie pour elle, mais aussi pour moi.

Si sa mère avait l'occasion de pleurer un bon coup dans des bras aimables, elle lui ferait ensuite meilleure figure.

— Elle m'a dit que c'est par sens du devoir...

— Un devoir envers moi d'abord, je crois, mais je ne pense pas qu'elle puisse comprendre. Puis, je possède en plus toute une série de mauvais motifs. Le moins ridicule de ceux-là est mon désir de voir l'Europe.

L'homme tendit la main et serra celle du garçon en commentant :

— Je ne pense pas que j'aurais ce courage, à votre âge. Je vous admire.

— ...Merci, mais je ne crois pas mériter ces paroles, vraiment.

— Françoise sera peinée, et terriblement inquiète.

— J'aimerais le lui dire moi-même. Elle quittera le couvent dans moins d'une semaine. J'essaierai de préparer une rencontre, alors.

De la tête, le député s'engagea à garder le silence.

— Je pourrais vous inviter au *Château* à nouveau, pour un repas familial.

— Ou ma mère vous invitera ici. Ce serait tout naturel.

— Vous croyez que je peux monter ?

Du doigt, l'homme indiquait l'escalier conduisant à l'étage.

— Continuer jusqu'à rencontrer une porte, puis frappez, et entrez.

Il fit comme on le lui conseillait. Thalie pénétra dans le commerce juste à temps pour voir l'homme disparaître. Elle chercha sa mère des yeux un instant.

— Je le lui ai dit, expliqua Mathieu.

— ...Et ?

— Elle a appelé son preux chevalier à la rescousse. Celui-ci m'a félicité. Il monte maintenant la consoler.

— Je veux bien prêter mon grand frère au roi d'Angleterre. Mais si elle se met en tête de me dénicher un beau-père...

Son visage exprimait tout son dégoût pour une éventualité de ce genre. Elle crut bon d'ajouter, se sentant un peu coupable de son égoïsme :

— Cela même si le bonhomme se révèle très bien. Et ses filles aussi.

— Je ne pense pas que celui-ci oserait se mêler de ta vie. Puis, maman ne le lui permettrait pas.

Déjà, elle enlevait son chapeau tout en regagnant son poste de travail habituel.

～

Paul, debout sur la dernière marche, frappa à la porte, puis ouvrit pour se retrouver devant Gertrude, un peu surprise. L'appartement des Picard n'accueillait que très peu de visiteurs.

— Vous la trouverez dans sa chambre, grommela-t-elle en pointant l'une des portes s'ouvrant sur le couloir.

L'homme cogna d'abord doucement avant d'ouvrir en entendant un « oui » étouffé. Couchée en travers de son lit, Marie leva vers lui un visage chiffonné par les larmes.

— J'ai pensé... commença-t-il en lui tendant les bras.

Elle se releva bien vite, s'écrasa contre le corps de son compagnon, laissant les traces de ses larmes sur le revers de son veston.

— Pourquoi me fait-il cela ?

— Crois-tu vraiment qu'il désire te faire du mal ?

Sans décoller son visage de la poitrine, elle l'agita doucement de droite à gauche. Les mains masculines caressaient son dos, se perdaient sur sa nuque, sous la lourde tresse de ses cheveux. À la fin, elle se recula un peu pour implorer :

— Tu pourrais certainement intervenir pour l'empêcher de faire une folie de ce genre. Le médecin militaire pourrait le déclarer inapte...

Des affections médicales parfois bénignes, telles les pieds plats, permettaient d'échapper à l'enrôlement. Des volontaires rejetés de cette façon se plaignaient parfois fort amèrement de leur mauvaise fortune dans les pages du *Chronicle*.

— Je n'ai pas ce pouvoir, tu le sais. Mais surtout, je ne le ferais qu'à sa demande. Non seulement je respecte sa décision, mais je l'admire.

— Tu n'es pas sérieux !

Elle se dégagea de ses bras pour s'éloigner d'un pas, posant sur lui de grands yeux sombres.

— C'est un coup de tête de gamin, insista-t-elle. Il faut lui faire reprendre ses esprits.

— C'est la décision d'un homme posé, réfléchi.

Marie demeura un long moment immobile, combattant les sanglots lui nouant la gorge. Elle confessa enfin, un ton plus bas :

— Je ne peux pas me faire à cette idée. Les gens meurent par milliers, chaque jour.

— Une forte majorité revient.

— Estropiée.

— Pas tous, tu le sais bien.

Elle accepta de revenir s'appuyer sur sa poitrine, puis fit doucement :

— Il se trouve encore derrière sa caisse enregistreuse, et déjà j'ai peur.

— C'est le rôle des parents, n'est-ce pas ? Laisse-le devenir un homme.

De sa part, la remarque avait quelque chose d'ironique. Elle l'entraîna sur le lit, s'étendit de tout son long contre son corps. Après un moment à sentir la main robuste aller et venir sur toute la longueur de son dos, elle dut convenir que l'inquiétude partagée se supportait infiniment mieux.

Quand, un peu après six heures, le frère et la sœur se présentèrent à l'appartement, ils trouvèrent le couple dans le salon,
assis de part et d'autre de la fenêtre grande ouverte, chacun un
verre de cognac à la main. Le plus naturellement possible –
c'est-à-dire avec une certaine timidité –, Marie annonça :

— Paul soupera avec nous.

— Quelle belle idée, consentit Thalie. Y ai-je droit, moi
aussi ?

Elle voulait dire : de prendre une boisson.

— Pour une jeune fille en pleine croissance...

Paul pouffa de rire. La femme se reprit en posant des yeux
amusés sur lui :

— Juste un peu, alors.

— Je vais me changer et je me joins à vous.

Au moment où l'adolescente revint, Mathieu lui tendit un
verre. Pour la première fois devant témoin, elle but un cognac
à petites gorgées, réprimant chaque fois une grimace. En
cachette, bien sûr, elle avait déjà goûté à toutes les bouteilles.

En passant à table, Marie demanda en contrôlant tant bien
que mal le ton de sa voix :

— Quand penses-tu aller au bureau de recrutement ?

— Pas avant juillet, répondit le garçon, troublé.

Indiquer une date donnait à son projet une réalité
nouvelle.

— Thalie aura alors terminé l'école, elle pourra t'aider au
magasin.

— Il m'a même montré comment utiliser la caisse, déclara
la jeune fille en prenant sa place.

« Évidemment, songea la mère, ces deux-là complotent
depuis des semaines. » Elle regarda sa fille un moment. Cette
dernière gardait un visage serein, alors que son frère adoré
projetait d'aller à la guerre. Pour les mois à venir, ce serait
l'exemple à suivre.

— Je l'accompagnerai, continua l'adolescente, pour être
certaine qu'il ne se joindra pas à la marine. Notre cher grand
sot ne sait pas nager.

La voix se brisa un peu sur le dernier mot. Elle aussi vivrait avec l'inquiétude vrillée au cœur. À l'instant où Gertrude consentait à s'asseoir à table, après avoir répété trois fois « Voyons, cela ne se fait pas devant un invité », Marie leva son verre presque vide pour déclarer :

— Buvons en l'honneur de notre ami, mais aussi à la santé de Mathieu, avec l'espoir d'un prompt retour...

— Et cela en un seul morceau, insista Thalie, des larmes dans les yeux.

Sous la table, sa main gauche chercha le flanc de son frère, comme pour se rassurer. Gertrude sentait elle aussi l'émotion monter en elle. Sa voix sortit de sa gorge comme un croassement :

— Tu as toujours le boulon que je t'ai donné, il y a une dizaine d'années ?

— ...Je suppose, répondit Mathieu après une pause. Quelque part dans mon vieux coffre.

— Mets-le dans ta poche. Ne t'en sépare jamais.

Un peu plus et la vieille domestique menaçait de se porter volontaire aussi, pour continuer de garder un œil sur lui.

~

Le dimanche 24 juin, après avoir téléphoné pour aviser de son arrivée, Paul se présenta à la porte du commerce de la rue de la Fabrique. Mathieu se trouvait au rez-de-chaussée pour lui ouvrir, ainsi qu'aux deux filles. Les hommes échangèrent une poignée de main. Amélie mérita une bise sur la joue. Puis, le grand garçon se retrouva devant Françoise, intimidé plus que de raison. La poignée de main ne convenait guère. La cadette prononça d'une voix amusée, proche du fou rire :

— Papa, viens voir les robes de ce côté, sinon ceux-là nous ferons attendre jusqu'à l'heure du souper.

L'homme se laissa détourner de son devoir de chaperon au point de diriger ostensiblement ses yeux vers un mur.

— ...Françoise, je suis très heureux de vous revoir.

— Moi aussi, vraiment.

Une rougeur monta sur le cou, progressa vers les oreilles. Il se pencha pour poser les lèvres sur sa joue droite. Elle tendit ensuite la gauche en fermant les yeux à demi.

— Vous avez fini ? clama Amélie, très infidèle à son engagement à la discrétion, car elle profitait de la présence d'un miroir pour surveiller la scène. J'ai faim.

— Nous pouvons monter, consentit Mathieu en riant. Maman se demande sans doute encore si son rôti sera à la hauteur.

Afin de consacrer tout leur temps à la préparation du repas, la maîtresse de maison et la domestique avaient préféré se rendre à la basse-messe, tôt le matin. Toutes les attentes furent satisfaites sur ce front. Les adultes – Thalie se comptait naturellement parmi eux, mais pas Françoise – en arrivaient au porto quand le jeune homme proposa à cette dernière :

— Accepteriez-vous de venir marcher un peu avec moi ? Prendre l'air me fera du bien. Et surtout, j'aimerais vous parler.

Sa mine montrait bien un peu d'inquiétude. La fille sage consulta son père du regard pour recevoir son assentiment :

— Tu peux y aller.

— Moi aussi, déclara Amélie en repoussant sa chaise.

— Non, tu restes avec nous, précisa Paul. Ils veulent parler entre grandes personnes.

La remarque ajouta un peu plus de rose aux joues de l'aînée et une moue boudeuse sur le visage de la cadette. Thalie joua à la bonne fée en disant :

— Nous irons manger un cornet de crème glacée sur la terrasse Dufferin, tout à l'heure. Je te l'offre.

— Tous ensemble ?

— Bien sûr, Mathieu et Françoise nous rejoindront au kiosque à trois heures.

Des yeux, elle obtint l'assentiment du couple. Mathieu offrit son bras à sa compagne pour descendre jusqu'au rez-de-chaussée. Au moment de mettre le pied dehors, il demanda :

— Votre séjour chez les ursulines s'est bien terminé ?

— Oui, je suis prête à jeter mon uniforme.

— Ne faites pas cela : une jeune fille pauvre de Rivière-du-Loup pourrait en profiter.

Elle pressa la main sur le bras de son compagnon au rappel de leur conversation de l'été précédent.

— Que ferez-vous maintenant ?

— Nous irons passer la belle saison à la maison, en famille. Vous viendrez, j'espère.

L'invitation, formulée d'une toute petite voix, le toucha au cœur. Sa main droite couvrit les doigts repliés sur son bras gauche et esquissa une caresse.

— Et ensuite ?

— Je devrai rester là-bas tout l'hiver. Ce sera affreux, seule avec ma tante.

Elle n'ajouta pas que recevoir les beaux partis de la petite ville n'améliorait en rien la perspective.

— Avez-vous demandé à votre père de rester à Québec avec lui ? S'il prenait un appartement, à la place de sa chambre dans une pension...

— Je serais seule aussi. Enfin, je le suppose. À l'entendre, sa vie de député ne lui laisse pas beaucoup de loisirs. Il déclare être à nous tout l'été, et à la province le reste du temps.

Mathieu préféra ne pas préciser que sa mère grugeait un peu le temps dévolu à Québec. Machinalement, il entraîna la jeune femme vers le parc Montmorency.

— Avec la guerre, les emplois sont très nombreux dans la ville. Vous pourriez travailler.

— ...Mon père ne me laissera pas aller en usine.

Son compagnon comprit que Françoise, de son côté, accepterait peut-être. Au moment d'arriver dans la rue Port-Dauphin, il commenta :

— Moi non plus, je ne vous le permettrais pas, même si je sais que vous vous débrouilleriez aussi bien que toutes les autres. Je pense à un bureau, ou à la vente. Les salaires dans les ateliers entraînent la désertion des autres types d'occupation. Maman ne cesse de recruter de nouvelles personnes, au rythme des départs vers l'Arsenal.

— ...Je n'y ai jamais pensé.

Elle releva un peu ses jupes afin de s'asseoir sur un banc. Moins d'une semaine plus tôt, Marie se trouvait exactement à la même place. Encore une fois, placé de façon à pouvoir regarder le visage de sa compagne, Mathieu commença :

— Je tenais à vous annoncer moi-même que je compte m'enrôler. La semaine prochaine ou dans dix jours, tout au plus.

Françoise reçut la nouvelle comme un coup de poing à l'estomac. Depuis un moment, surtout avec toutes les questions sur ses projets immédiats, elle avait pensé à une demande en mariage. La réponse qui tournait dans sa tête ne servait plus à rien : « Nous sommes trop jeunes, mais j'attendrai le temps nécessaire. »

Elle se reprocha sa sottise, sa naïveté. Le long silence hébété inquiéta le garçon.

— Je pense que c'est mon devoir. Puis, de toute façon, la conscription nous pend au nez...

— Mais vous pouvez vous faire tuer !

Pour la première fois de sa vie, peut-être, Françoise avait crié contre quelqu'un. Tout autour, les badauds posèrent les yeux sur eux. Elle quitta le banc et alla se réfugier sous un grand érable en pleurant, posant son front contre l'écorce rugueuse et enlaçant le tronc de son bras droit.

Le jeune homme lui laissa deux ou trois minutes pour lui permettre de retrouver sa contenance, guère plus, afin de priver tous les spectateurs du plaisir d'aller la consoler. Il plaça son épaule contre la sienne, posa lui aussi son front contre le tronc, puis argumenta lentement :

— J'aurai plusieurs raisons de tout faire pour revenir. Maman et Thalie figurent en tête de liste. Mais si vous m'y autorisez, vous serez la première de ces raisons.

Pour ce grand garçon réfléchi, cela valait la meilleure déclaration d'amour. Françoise se tourna à demi pour fixer ses yeux gris dans les siens. Des larmes coulaient sur ses joues. Elle les affichait sans pudeur aucune.

— Vous savez que je tiens à vous. Beaucoup.

Additionnée aux larmes, ces mots-là aussi constituaient un «Je t'aime» fort passable. Surtout, elle inclinait la tête vers l'arrière, fermait les yeux à demi. Mathieu ne se déroba pas, baisa la bouche offerte, découvrit que ses lèvres ne voulaient plus s'en détacher. Il encercla sa taille fine, caressa son visage de petits baisers légers, effaçant les larmes au passage, puis revint à son point de départ.

Le contact fut à la fois suffisamment long et étroit pour permettre à Françoise de sentir quelque chose contre son ventre. Elle ne se déroba pas, accepta cette réponse toute simple à la question qui, au cours des derniers mois, lui venait la nuit : « Suis-je assez belle pour lui ? »

L'homme dut rompre l'étreinte. Dans un sourire, il murmura :

— Ne privons pas Amélie de notre présence.

— Ne nous privons pas de crème glacée.

Mathieu garda son bras autour de la taille de sa compagne jusqu'à la place d'Armes, puis se contenta ensuite de la main gantée au pli de son coude. Elle s'appuyait sur lui avec une certaine langueur, cherchant le contact du haut de la cuisse contre sa hanche. L'attente commençait déjà.

~

Pour Clémentine, les lundis se ressemblaient tous, à la Quebec Light. Dans une grande salle, derrière autant de tables, une douzaine de jeunes femmes s'activaient dans un amoncellement de paperasse. Certaines envoyaient des factures dans les divers commerces et domiciles privés abonnés au réseau de distribution d'électricité. Les autres recevaient les paiements, le plus souvent sous forme de chèque, parfois en argent comptant glissé dans une enveloppe. À une extrémité de la pièce, un bureau se trouvait placé sur une estrade. Le superviseur de tout ce petit monde dominait les employées, un peu comme un maître dans une petite classe.

Depuis le matin, Clémentine sentait les regards de ses consœurs de travail se poser sur elle, entendait des chuchotements étouffés. Quand, un peu après dix heures, elle demanda l'autorisation de se rendre aux toilettes, l'une d'entre elles souhaita s'absenter aussi. Le chef du service fronça les sourcils, soupçonnant immédiatement un désir de babiller aux frais de la compagnie, puis grommela finalement en anglais :

— Oui, vous pouvez y aller.

Un instant plus tard, quand la jolie blonde sortit du petit cabinet, sa collègue s'appuya sur l'un des éviers. Elle fit, une certaine sollicitude dans la voix :

— Cela a dû te faire souffrir terriblement. Pourquoi ne t'es-tu pas confiée à nous ?

— De quoi parles-tu ?

L'autre afficha sa surprise et souffla à voix basse :

— Le mariage.

— Quel mariage ?

— …Celui d'Édouard Picard, bien sûr.

Clémentine sentit son cœur s'emballer et le sang lui monter au visage. Son interlocutrice bredouilla :

— …Tu… Tu ne le savais pas ?

Elle fit mine de s'en aller. Deux mains tremblantes se posèrent sur ses avant-bras pour l'immobiliser.

— De quoi parles-tu, enfin ?

— En arrivant ce matin, Solange nous a dit avoir entendu le prêtre de la basilique proclamer le troisième ban pour le mariage d'Édouard Picard et d'une fille Paquet.

Le rouge quitta le visage de la jeune femme pour faire place à une pâleur un peu inquiétante. Elle articula difficilement :

— Ce n'est pas vrai. C'est impossible.

— Tu ne le savais vraiment pas ?

L'incrédulité marquait la voix de sa compagne de travail. Ne sachant comment enchaîner, elle demeura un moment silencieuse alors que Clémentine s'appuyait sur la porcelaine d'un évier, mal assurée sur ses jambes flageolantes. Seul son orgueil l'empêchait de hurler de douleur. Après un long moment, elle prononça d'une voix blanche :

— Je ne peux pas y retourner…

— Je dirai au patron que tu es malade.

Sa désertion lui vaudrait la perte d'une journée de salaire, et surtout, une mauvaise note à son dossier. Mal à l'aise, sa collègue se retira enfin. Clémentine retourna dans le cabinet pour s'asseoir à nouveau sur la cuvette de porcelaine, faute d'un meilleur siège et se pencha en avant jusqu'à toucher la porte du sommet de son front pour laisser finalement échapper de longs sanglots muets. Trois ans presque jour pour jour après leur première rencontre, l'idylle improbable se terminait.

～

Malgré son nouveau titre, Édouard agissait toujours comme chef de rayon des vêtements pour femmes. Tout au plus, sa rémunération se trouvait un peu plus généreuse, et son père lui demandait son avis au moment de passer des commandes aux fournisseurs de l'entreprise.

Posté derrière la caisse enregistreuse, son ventre se noua à la vue de Clémentine. Les cheveux en désordre, les paupières enflées d'avoir tant pleuré, le visage chiffonné, elle cria depuis l'étalage de jupons, situé à une trentaine de pieds :

— Salaud ! Qu'est-ce qu'elle a de plus que moi ?

Le jeune homme contourna le comptoir alors que les regards de trois vendeuses et d'un nombre dix fois plus élevé de clientes convergeaient dans sa direction. Il attrapa le bras de sa maîtresse tout en grommelant :

— Ne te donne pas en spectacle de cette manière.

— Salaud…

Vingt ans après le père, le fils se voyait affublé du même qualificatif, en plein commerce. Sans ménagement, la main crispée sur son bras, il l'entraîna vers l'ouverture percée dans le mur mitoyen permettant d'accéder aux locaux administratifs situés dans l'édifice voisin. Elle protesta :

— Lâche-moi, tu me fais mal !

Ne pouvant espérer une discrétion totale, Édouard trouva la présence du secrétaire de son père moins intimidante que celle des vendeuses. Un regard amusé sur le visage, les doigts suspendus au-dessus du clavier de la machine à écrire, ce dernier surveillait la scène de mauvais vaudeville.

— Pourquoi venir ici te donner en spectacle ?

— Salaud, salaud, salaud ! Encore hier, quand tu es venu me fourrer, tu sortais directement de son salon !

Les gros mots appris durant son enfance revenaient naturellement. Sa colère et sa peine lui enlevaient toute pudeur, au point de clamer son péché devant un étranger.

— Ne dis pas de sottises…

Le ton mal assuré de son amant lui donnait raison. Combien elle se sentait sotte, en ce moment ! Trois ans à espérer, à piétiner tous ses principes moraux pour le retenir près d'elle dans l'espoir naïf de l'amener au mariage. Elle se sentait comme le torchon jeté à la poubelle après avoir été trop utilisé. La nouvelle apprise dans les toilettes de la Quebec Light avait enlevé le bandeau de ses yeux. Cette finale s'avérait inévitable, elle le sentait depuis le premier jour, tout en refusant l'évidence.

« Quelle sotte ! » se répétait-elle sans cesse. Passant en revue de vieux numéros du *Soleil*, elle avait trouvé dans les notes sociales l'annonce du mariage prochain. Les mots lui brûlaient encore les yeux : « Monsieur et madame T. Picard, de la rue Scott, annoncent le mariage prochain de leur fils, Édouard, avec mademoiselle Évelyne Paquet, fille de monsieur et madame F. Paquet, de la Grande Allée. »

Comment cet entrefilet vieux de quelques semaines lui avait-il échappé ? Elle parcourait le feuilleton publié dans ce journal tous les samedis !

— J'ai cru que tu m'aimais. Idiote, idiote, idiote !

Le garçon leva les yeux un moment, le temps de voir le sourire narquois sur le visage du secrétaire. «Un jour prochain, se dit-il, cet imbécile se cherchera un nouvel emploi.»

— Tu m'as menti! ragea la jeune femme.

— Je ne t'ai jamais menti, je ne t'ai jamais rien promis. Nous avons eu du bon temps ensemble.

C'était vrai. Il n'avait rien promis. D'un autre côté, jamais il n'avait détrompé ses espoirs, profitant sans vergogne de tous les avantages de l'ambiguïté de leur relation.

— Qu'est-ce que tu trouves de si intéressant à cette garce de la Grande Allée, à part l'argent de son père? Qu'a-t-elle que je n'ai pas? Je parie qu'elle ne te laisse même pas la toucher...

Un instant, Édouard pensa répondre: «Justement, sa virginité, son innocence». Mais cela, Clémentine ne le possédait plus parce qu'elle lui en avait fait l'offrande. Il murmura plutôt:

— Elle sait vivre, elle a un minimum d'éducation. Jamais elle ne viendrait se tourner en ridicule comme tu le fais, sur mon lieu de travail en plus.

Plus pâle encore, la jolie blonde encaissa mal le choc. Sa main droite se leva pour donner une gifle. Édouard arrêta le geste en saisissant le petit poignet. Clémentine essaya alors de se dégager pour prendre la fuite. Il la retint le temps de dire:

— Je vais continuer de payer l'appartement jusqu'à l'été prochain. Cela te donnera le temps de voir venir les choses.

Puis, sa main s'ouvrit pour la laisser partir. Elle regagna les escaliers au pas de course, dans un bruissement de jupes et de jupons, plus honteuse qu'à son arrivée. Après lui avoir pris tout le reste, voilà qu'il la privait de sa fierté. Ce petit logement de la rue Saint-Anselme, elle ne pouvait se l'offrir. Le bail était au nom du jeune homme. Et il lui ferait encore la charité du loyer!

Chapitre 17

Le mardi 25 juillet 1917, la famille Picard se trouvait réunie devant le déjeuner sans montrer un bien grand appétit. *Le Soleil* était grand ouvert au milieu de la table. Édouard commenta, dépité :

— Cette fois, ils l'ont, leur foutue loi !

La nouvelle n'en était plus une. La veille, la loi de conscription passait avec une énorme majorité à la Chambre des communes. Dans les fenêtres des divers journaux de la ville, de même que dans celles des bureaux de télégraphe, les résultats du vote se trouvaient affichés.

— Par cent deux voix contre quarante-quatre, compléta Thomas.

— Les seuls opposants sont des libéraux de langue française. Les Canadiens anglais ont déserté Laurier en masse pour appuyer la mesure de Borden.

Les prédictions du vieux chef se réalisaient inéluctablement : poussés par des électeurs partisans de l'enrôlement obligatoire, des députés libéraux du reste du Canada se ralliaient à cette loi dans l'espoir de sauver leur siège lors de la prochaine élection.

— Tu crois que pour toi ?... laissa échapper Élisabeth en regardant son fils.

Thomas prit sur lui de la rassurer :

— La loi comprend un certain nombre de mesures d'exception, dont une relative aux gens mariés. Évidemment, si ce conflit s'éternise...

— C'est impossible, trancha sa femme. Les États-Unis sont entrés en guerre en avril, ils promettent de fournir plus d'un million de soldats.

— Aucun de ceux-ci n'atteindra l'Europe avant l'automne, déclara Édouard en posant la main sur l'avant-bras de sa belle-mère. La conscription, ici comme au Royaume-Uni, doit permettre aux Alliés de tenir le coup le temps de voir arriver ces renforts.

Elle referma le journal en secouant la tête, désireuse de voir les deux hommes changer de sujet. Ce geste ne suffit pas. Son époux augmenta encore un peu son inquiétude en ajoutant :

— La menace est d'autant plus grande que les Russes s'écrasent totalement du côté du front de l'est. Cela permet aux Allemands de ramener des troupes en France et en Belgique.

Élisabeth posa sa fourchette en travers de son assiette, puis s'essuya la bouche avec sa serviette. Rien ne passerait plus, autant s'en tenir à sa seule tasse de thé. Thomas n'arrivait pas à changer de sujet :

— Que se passera-t-il du côté de la Ligue anticonscriptionniste ?

— Les assemblées publiques vont se multiplier, expliqua son fils. Lavergne entend continuer à inviter les gens à défier la loi.

— Cela risque tout simplement de conduire un tas de pauvres types au pénitencier.

— Les cachots de la prison des plaines d'Abraham valent certainement mieux que les champs de bataille.

Ce fut au tour d'Élisabeth de toucher le bras de son fils pour murmurer :

— Sois prudent, ne te mêle pas à ces protestations. Dans dix jours, tu seras à l'abri de cela.

Le jeune homme acquiesça, s'essuya la bouche, puis quitta la table en disant :

— Je vais démarrer la voiture.

Après avoir entendu la porte d'entrée se refermer sur lui, Thomas demanda à voix basse :

— Viendront-ils au mariage ?

— … Les faire-part viennent tout juste d'être postés. Nous ne le saurons pas avant quelques jours.

La tradition voulait que le père de la mariée assume les frais de la noce et s'occupe des divers aspects de la cérémonie. Le samedi précédent, Évelyne Paquet, tout effarée, avait sonné à la porte de la rue Scott. La jeune femme venait de découvrir que la famille de madame veuve Alfred Picard ne figurait pas sur la liste des personnes à inviter. Elle paraissait sur le point d'éclater en sanglots face à cet impardonnable impair. Élisabeth, peu désireuse de partager des secrets de famille, avait feint de ne pas comprendre les raisons d'un pareil « oubli ».

Elle n'avait toutefois guère d'autre choix que de laisser sa future bru mettre une invitation à la poste. Autrement, l'absence des seuls parents vivants d'Édouard ferait trop jaser.

— Dans mes pires cauchemars, confessa le commerçant, j'imagine Marie hurlant ses accusations en pleine basilique, juste avant l'échange des vœux.

— De sa part, cela n'aurait aucun sens, le corrigea son épouse. Mais cette jeune fille de la Basse-Ville a des motifs plus sérieux de s'exprimer.

L'homme demeura interloqué, puis avoua :

— Je n'y avais même pas pensé… Moi qui espérais me faire rassurer. Si tu avais vu la scène au magasin ! L'histoire a fait le tour des employés en moins d'une heure.

Bien que fort désagréable, l'événement ne nuisait pas vraiment à la réputation du jeune homme. Même les vendeuses tendaient à pardonner les frasques du charmant garçon du propriétaire, si gentil et si souriant. Elles préféraient condamner la maîtresse abandonnée, prêtes à lui concéder tous les torts dans cette histoire.

Toutefois, le jeune homme avait demandé le renvoi immédiat du secrétaire, pour son « indiscrétion ». Pareil manque de jugement troublait un peu son père. Chasser cet employé entraînerait irrémédiablement une avalanche de révélations sur les secrets glanés au fil des ans, amplifiés par la colère. Pour cela, cet homme méritait des égards.

— Je rendrai visite à Marie demain, déclara Élisabeth en se levant. Tu dois aller travailler.

Thomas quitta sa place en prenant une dernière gorgée de thé et demanda, au moment d'atteindre le hall d'entrée :

— Tu crois que c'est une bonne idée ?

— Certainement. Tu sembles oublier que nous sommes devenues amies.

Le mot paraissait un peu exagéré pour désigner la nature de leur relation. Pourtant, leurs quelques rencontres annuelles se révélaient fort agréables.

~

— Cet homme ne changera jamais, commenta Gertrude en rendant le petit carton beige à sa patronne. Vous inviter au mariage de son fils !

— L'invitation vient de la famille Paquet, répondit Marie. Je m'étonne cependant de figurer parmi la liste des invités.

La domestique haussa les épaules, comme si la précision ne revêtait aucune importance, et regagna la cuisine.

La boutique ALFRED venait de fermer ses portes. La famille se trouvait réunie dans la salle à manger pour le souper. Très régulièrement, la mère levait les yeux sur son fils. Mathieu arborait sans fierté particulière son uniforme de sous-lieutenant du 22e bataillon. Sa scolarité antérieure et sa relative connaissance de l'anglais lui valaient le privilège de recevoir une formation d'officier. Robuste, de grande taille, les jeunes femmes se tournaient sur son passage. La complaisance du commandement du camp Valcartier lui permettait de se trouver avec sa famille : des volontaires comme lui représentaient la meilleure publicité pour le bureau de recrutement.

— De toute façon, ils n'avaient pas le choix, intervint le garçon de sa voix posée. Nous sommes sa seule famille. Les Paquet doivent avoir une collection d'oncles, de tantes, de cousins et de cousines. De son côté, tu l'imagines avec quelques fournisseurs et des amis fidèles du Parti libéral?

Marie posa sur lui ses grands yeux bleus et cilla encore à la vue de l'uniforme kaki. Jamais elle ne s'y ferait.

— Je n'irai pas. Tu sais que je dois aller à Rivière-du-Loup… et toi aussi.

— Moi, glissa Thalie, je vais garder le magasin, toute seule comme une grande. Dommage! Je lui aurais volontiers remis une autre plume.

Mathieu jeta un regard sur sa sœur, puis déclara d'un air faussement sévère:

— Pour t'empêcher de faire cela, maman et Gertrude vont t'attacher sur ton lit, ou alors tu iras à la campagne à ma place.

— Voyons, ce n'est pas moi qui rêve d'une jolie fille timide. Tu ne sacrifieras pas ce voyage.

Elle le regardait en riant, amusée par la petite rougeur sur son cou. Mathieu répondit d'un sourire, puis expliqua à sa mère:

— Je vais aller à ce mariage. Je prendrai le train en fin de journée pour te rejoindre là-bas.

— Mais pourquoi? Mieux vaut ignorer totalement cette famille.

— Bien au contraire, je ne veux pas leur donner la chance de m'oublier.

Elle se troubla en se souvenant de la recommandation figurant au testament d'Alfred. La suggestion de prendre un jour possession du magasin de la Basse-Ville lui paraissait tellement ridicule.

— Si tu crois cela nécessaire, admit-elle pourtant. J'attendrai pour faire le trajet avec toi.

— Vous êtes vraiment cruels, tous les deux, commenta Thalie. Deux personnes se languissent de vous dans le

Bas-du-Fleuve, et au lieu de vous précipiter vers elles, vous trouvez de mauvaises raisons pour les faire attendre.

— Ma petite sœur a à moitié raison. Maman, ne change rien à tes projets. Monsieur Dubuc est en train de se ruiner en timbres à t'écrire tous les jours. J'irai à ce mariage samedi, puis je te rejoindrai en soirée.

Gertrude revenait de la cuisine avec un plat de service. Elle intervint sans vergogne dans la conversation :

— Et cette jeune personne toute frémissante ?

— Elle profitera de ma compagnie tout un dimanche.

Françoise recevrait une portion congrue de sa présence.

~

Soulignée par le tintement joyeux de la clochette, la porte de la boutique s'ouvrit pour laisser passer Élisabeth Picard. Elle marcha sans hésiter vers Marie, la main tendue. Après l'échange de salutations et d'informations sur leur santé réciproque, elle demanda :

— Puis-je vous parler un moment ?

Devant les yeux interrogateurs de la marchande, elle ajouta :

— En privé.

Quelques minutes plus tard, elles s'enfermaient dans la salle de repos.

— Je peux nous faire un peu de thé…

— Ce ne sera pas nécessaire, je resterai seulement une minute. Vous avez reçu le carton d'invitation ?

— …Oui, hier. Il est arrivé un peu à la dernière minute.

Le reproche implicite s'accompagnait d'un sourire ironique. La visiteuse ne se troubla pas.

— Nous n'avions pas songé à vous inviter, mais les beaux-parents d'Édouard ne l'entendent pas ainsi.

— Et votre époux mesure sans doute aussi combien l'absence de sa seule famille prêtera à diverses interprétations.

Élisabeth resta immobile, un peu embarrassée. Marie jugea préférable de clarifier les choses tout de suite :

— Je préférerais mourir plutôt que de me trouver là. Mais je ne connaîtrai pas un sort aussi triste : je me rendrai plutôt auprès d'un ami très cher.

Une fois déjà, elle avait évoqué l'existence de Paul à mots couverts devant la visiteuse. Celle-ci acquiesça d'un signe de tête, pour signifier son appréciation de la situation.

— Thalie devra s'occuper du magasin, ce dont le futur marié et votre époux devraient se réjouir, compte tenu de son caractère fantasque. Mathieu entend y aller. Il représentera notre famille.

— ...Je serai heureuse de le revoir.

— Je vous crois. Votre sympathie pour mes enfants paraît sincère.

Marie marqua une pause, puis ajouta dans un sourire :

— Vous pouvez être rassurée : votre mari pourra compter sur la présence de son fils cadet au mariage de son aîné.

Cette fois, Élisabeth se troubla pour de bon. La longue étude du manuel de civilité de la baronne de Staffe ne lui servait à rien dans une situation aussi délicate. Heureusement, la marchande posa sa main droite sur la sienne au moment de dire encore :

— Ne craignez rien, tout ira bien. Maintenant, je vous chasse afin de revenir à ma caisse enregistreuse.

Lorsqu'Élisabeth franchit la porte du magasin, elle se retourna pour articuler un « merci ».

~

Les noces canadiennes-françaises permettaient habituellement de regrouper des familles nombreuses. Selon un usage ancien, les parents de chacun des mariés se répartissaient de part et d'autre de l'allée centrale, les allées latérales recevant les curieux. Parce que les proches des Paquet dépassaient en si grand nombre ceux des Picard, un marguillier crut nécessaire de demander aux premiers de se mêler aux seconds pour rétablir un certain équilibre et briser l'impression de désertion.

Édouard Picard, au moment de répondre « Oui, je le veux », parcourut nerveusement la basilique du regard, à la recherche d'une silhouette blonde. Ses mots vinrent dans un soupir de soulagement : Clémentine ne s'y trouvait pas. Évelyne, émue jusqu'au tréfonds de l'âme, ne remarqua rien de son malaise. Plusieurs minutes plus tard, elle marcha au bras de son époux jusqu'aux grandes portes donnant sur le parvis, magnifique dans un fourreau de soie, et cligna des yeux sous l'éclatant soleil de ce 4 août.

Mathieu, sanglé dans un uniforme d'apparat de son régiment, la casquette basse sur le front, se retrouva mêlé à la famille immédiate du marié au moment de la prise des photos. Si Élisabeth lui adressa un sourire engageant, Édouard, Thomas et Eugénie lui présentèrent un visage froid. Puis, toute la compagnie s'égailla en direction de la place d'Armes.

La grande maison des Paquet ne suffisait pas à recevoir tous les invités au repas de noces. Comme à l'occasion du mariage de l'aînée, l'année précédente, une salle du *Château Frontenac* permit de réunir les convives. Avant de s'installer autour des grandes tables circulaires, les nouveaux mariés se tinrent debout près de l'entrée, en compagnie de leurs parents, afin de serrer toutes les mains qui se tendaient vers eux. Mathieu s'exécuta avec toute la politesse de façade d'un marchand. Au moment de prendre la main d'Évelyne, il prononça avec entrain en s'inclinant vers elle :

— Madame Picard, je suis heureux de vous compter désormais parmi mes cousines. J'aurais presque envie de dire demi-sœur. Je vous souhaite d'être heureuse.

Il la laissa interloquée, puis passa devant le jeune homme pour continuer :

— Édouard, je suis content de te revoir. Mes meilleurs vœux.

— …Merci.

— Thalie s'occupe du magasin aujourd'hui. Elle ne peut pas être là. Elle ne te manquera sans doute pas. Cette charmante jeune personne a évoqué l'idée de t'offrir à nouveau une plume de poulet, ces derniers jours.

Le nouveau marié se raidit. Il formula d'une voix blanche :

— Dans quelque mois, tu seras dans une tranchée…

— Et toi bien à l'abri, je sais. Ne viens-tu pas de t'acheter une assurance contre les balles allemandes ?

Mathieu se déplaça vers Thomas sans attendre la répartie de son demi-frère, serra la main du commerçant, puis celle de l'épouse de celui-ci. Au moment de s'éloigner, il entendit la mariée murmurer à l'intention de son compagnon :

— Que voulait-il dire, avec son histoire de demi-sœur ?

La réponse lui échappa tout à fait.

Au début de l'après-midi, après un repas plus que convenable, le nouveau couple ouvrit la danse en occupant seul la piste, le temps d'une valse. Les invités se joignirent à eux pour les pièces suivantes. Mathieu fit tourner quelques cousines de la mariée, pâmées sur son bel uniforme. Figurer parmi les braves procurait au moins cet avantage. Puis, Élisabeth marcha vers lui, très séduisante dans sa robe de satin bleue.

— Je vais heurter toutes les convenances, commença-t-elle dans un sourire. Voulez-vous danser avec moi ?

— Personne, dans cette salle, n'oserait refuser pareille invitation venant d'une femme aussi belle. J'accepte avec plaisir.

Un instant plus tard, une main sur sa taille fine, l'autre tenant légèrement ses doigts gantés, il l'entraîna dans un tourbillon.

— Vous êtes courageux de vous porter ainsi volontaire, dit-elle.

— Une qualité inégalement partagée chez les Picard.

Il lut la tristesse sur son visage, se trouva immédiatement mal à l'aise, puis bredouilla :

— Je vous demande pardon. Sincèrement.

Le silence s'installa entre eux, lourd. Il continua après une pause :

— Je ne sais pas si je suis courageux. Aucun des volontaires ne le sait vraiment. Nous partirons tous avec l'espoir que le feu ennemi frappera nos camarades, tout en nous épargnant. En ce qui me concerne, je le saurai là-bas. Selon les histoires sans cesse répétées au camp d'entraînement, la bravoure vient le plus souvent de ceux dont on ne l'attendait pas.

Élisabeth le regarda un moment dans les yeux, puis souffla :

— Je souhaite de tout mon cœur que les balles vous épargnent. Sincèrement.

Au terme de la valse, Mathieu préféra s'éclipser discrètement.

❧

La grande maison blanche, rue Hôtel-de-Ville, affichait un air de quiétude identique à celui de l'année précédente. Le village semblait hors du temps. Marie se sentait presque chez elle, confortée par l'accueil de Paul. Même tante Louise paraissait disposée à accepter la présence d'une nouvelle femme dans la vie de son frère cadet. Une veuve dans la maison d'un veuf heurtait bien des convenances, d'autant plus que le chaperon manquait à l'appel. Au moins, Mathieu serait là avant la nuit.

En fin d'après-midi, Paul avait multiplié les excuses avant de se rendre à une réunion politique. Amélie s'ébattait près du fleuve avec une brochette de cousins et de cousines. L'aînée demeura seule avec la visiteuse.

— J'avais si hâte de le revoir, prononça Françoise.

Les deux femmes occupaient des fauteuils de rotin placés sur la longue galerie. Marie choisit de mentir un peu, par gentillesse.

— Lui aussi, soyez-en certaine. Il convenait qu'au moins un membre de la famille assiste à ce mariage.

La jeune fille posa ses yeux gris sur son interlocutrice pour l'amener à répondre à une question muette.

— Personnellement, cela m'était impossible. Mes relations avec mon beau-frère furent… très difficiles.

— …Je comprends.

« Jusqu'à quel point ? » se demanda la femme. Elle connaissait assez la nature humaine pour se douter que les jeunes filles timides et sages possédaient une ouïe et une sensibilité très fines. Les vicissitudes de l'existence ne présentaient peut-être pas de grands mystères pour elle.

— Comment se déroule votre été ? demanda-t-elle, soucieuse de changer de sujet.

— …Bien, sans doute.

— Vous ne paraissez pas certaine.

Françoise la regarda à nouveau et hésita un moment avant de confier :

— L'été est merveilleux, avec papa et ma sœur dans la maison. Mais je gâche tout en songeant sans cesse à l'automne prochain.

Elle baissa le regard avant de poursuivre à voix basse :

— Il sera en Europe… et moi seule ici à me torturer d'inquiétude, sans personne à qui en parler. Enfin, tante Louise sera là…

À nouveau, elle chercha un appui dans les yeux de son interlocutrice.

— Mais sa présence ne se compare pas à celle de vos proches, je sais. Même Amélie doit faire une confidente agréable.

— C'est vrai. Elle répète les secrets qui n'en sont pas, mais se révèle absolument muette sur les autres.

Elle marqua une nouvelle pause avant de continuer.

— J'ai beau avoir dévalisé la Librairie Garneau fin juin et rationner mes lectures depuis, je ne pourrai m'occuper l'esprit bien longtemps. Vous savez, l'hiver à Rivière-du-Loup est bien long.

— Je peux facilement imaginer le froid, les grands vents venus du fleuve…

— Puis, papa restera sans doute à Québec toutes les fins de semaine.

L'affirmation contenait un reproche implicite à l'égard de la visiteuse. Paul aurait certainement bien du mal à renoncer à ses rendez-vous dominicaux clandestins. Elle tenta de corriger son indélicatesse en ajoutant bien vite :

— Il voudra visiter Amélie au monastère des ursulines.

— Les droits de visite sont calculés si chichement, assura Marie en affichant un sourire complice. Il lui devient difficile de se multiplier.

Françoise rougit un peu, sourit aussi. « La grande fille sage n'a rien d'une sotte », conclut la femme avant de révéler ses intentions.

— Si nous nous y mettions toutes les deux pour le convaincre, croyez-vous que votre père vous laisserait occuper un emploi plutôt digne et loger dans la chambre d'une maison bien tenue ?

— …Je ne sais pas. Il est si soucieux de bien paraître aux yeux de ses électeurs.

— Je ne parle pas d'une usine de munitions. Plutôt d'une boutique respectable, où même des députés viennent acheter de jolies robes à leurs filles adorées.

Le rouge monta sur le cou de l'adolescente au moment où elle saisit le sens de ces paroles.

— Je ne sais pas si je saurais…

— Si le travail de vendeuse se trouve à ma portée et à celle de Thalie, vous vous débrouillerez très bien. Il s'agit juste de vouloir essayer.

— Je suis si timide…

— Aux yeux de Mathieu, ce n'est pas un si grand défaut. Si, de votre côté, vous souhaitez gagner un peu d'assurance, le magasin ALFRED vous procurera une meilleure opportunité de le faire que cette grande maison désertée pendant tout l'hiver.

Françoise cligna des yeux. Ses paupières se chargèrent de larmes.

— Je... je ne sais pas.

Marie se leva à demi pour approcher son fauteuil de celui de sa compagne. Elle se pencha un peu pour la regarder de plus près et prendre sa main.

— Nous allons toutes les deux nous inquiéter de cet adorable fou décidé à jouer au soldat. Sa chambre sera vide, vous pourrez l'occuper. Au High School, Thalie commencera l'année préparatoire aux examens universitaires. Toutes ses soirées seront consacrées à ses livres. Pourquoi ne pas nous entraider ? Nous nous tiendrons compagnie, toutes les deux.

— Mais, vendeuse ?...

— J'ai un vrai problème avec le personnel depuis deux ans. Les usines de munitions versent de meilleurs gages que moi.

— Je ne sais rien faire...

— Alors que j'avais votre âge, mon mari, qui était mon patron à l'époque, m'a dit de ne pas répéter une chose pareille, car même si elle n'était pas vraie, les gens finiraient par le croire. C'était un excellent conseil. Je vous l'offre à mon tour.

Un nouveau clignement des yeux fit couler les larmes sur les joues de la jeune fille. Marie les essuya du bout des doigts, déclenchant une petite ondée sans le vouloir. Privée de ce genre de tendresse depuis longtemps, le geste atteignait Françoise au cœur.

— Je vous donnerai la même chose qu'à n'importe quelle débutante, en retenant le prix de la pension. Ensuite, le salaire augmentera en proportion de votre performance.

— Je n'ai besoin de rien...

— Vous êtes incorrigible. Dire cela, c'est comme affirmer ne savoir rien faire.

Le bout des doigts demeurait sur sa joue.

— Je ne sais pas si papa...

Cela valait un assentiment. De la crainte d'accepter, elle passait directement à celle d'un interdit paternel.

— Crois-tu vraiment que le député de Rivière-du-Loup peut me refuser quelque chose de raisonnable, ou que moi-même je puisse refuser quelque chose à ce digne représentant du peuple ?

Le premier tutoiement passa inaperçu devant le sous-entendu contenu dans le propos. L'expression troublée de Françoise témoignait de sa parfaite compréhension de la situation. Elle aussi ne saurait rien refuser au sous-lieutenant qui montait dans un train au même moment, à Lévis.

— Madame, vous êtes très généreuse...

— Marie. Plus de « Madame » entre nous. Et le jour où tu te sentiras assez à l'aise, tu me diras « tu ».

— Je n'oserai pas... Marie.

La visiteuse se cala dans son fauteuil et sourit gentiment avant d'affirmer :

— En réalité, je suis égoïste. Ma proposition fera plaisir à Mathieu, à Paul et à toi, tout en réglant un problème très réel de personnel. Trois personnes voudront me faire plaisir à leur tour. Tu crois que je serai perdante ?

— Je ne pense pas, Marie.

Le bruit des sabots d'un cheval dans la rue attira leur attention. Paul allait les trouver particulièrement souriantes.

～

— Ma fille, vendeuse ?

Le député paraissait soucieux. Afin de s'éloigner des oreilles bienveillantes et curieuses de tante Louise, le couple avait migré, le thé glacé à la main, dans une gloriette située au fond de la cour. La période du grand deuil étant terminée depuis plusieurs mois, la famille Dubuc pouvait maintenant passer ses dimanches dans des atours mieux adaptés à la période estivale. Paul paraissait plutôt bien dans son costume de lin pâle, un chapeau de paille sur la tête.

— La fonction ne s'avère pas indigne à tes yeux, j'espère ?

Le sourire amusé de Marie ramena son compagnon à de meilleurs sentiments.

— À moi, jamais. Mes électeurs, toutefois…

— Juges-tu vraiment utile de le leur apprendre du haut d'une estrade, lors de la prochaine campagne électorale ?

— Je suppose que pendant tout le prochain siècle, les candidats libéraux gagneront tous les sièges de la province en murmurant le mot « conscription ».

— Alors pourquoi ne dis-tu pas : « Bravo, quelle excellente idée » ?

Paul contempla le bout de ses doigts un moment, évitant de répondre vraiment.

— Tu imagines combien ce sera exigeant pour toi de la former. Puis, elle est si timide…

— Je perds mon temps à former des gamines sans aucune expérience de travail. Toutes me désertent après six semaines pour regagner une usine de munitions. Quant à sa timidité, préfères-tu la garder rougissante toute sa vie ?

— Non, bien sûr…

— Alors donne-lui la chance de voir des gens. Tante Louise paraît bien gentille, mais je ne la crois pas très compétente pour accompagner une jeune fille dans le monde. Mais si Thalie déteint juste un peu sur elle…

L'homme sourit en se souvenant du caractère frondeur de la fille de sa maîtresse.

— Ce genre d'assurance ne paraît pas contagieux, sinon Amélie aurait contaminé son aînée… Tu es certain que cet arrangement ne t'ennuiera pas ?

— Elle couchera dans la chambre de Mathieu, apprendra à vendre des sous-vêtements aux dames de la Haute-Ville. Tu auras la meilleure raison du monde de venir manger à la maison.

— Elle saura… pour nous.

— Elle sait depuis un an. Si elle avait un doute, depuis la nuit dernière…

Paul changea de position sur sa chaise, soudainement très mal à l'aise. Soucieux d'échapper aux oreilles attentives de sa sœur aînée, il avait préféré monter à l'étage au milieu de la nuit au lieu de demander à sa maîtresse de descendre le rejoindre. Si les craquements de l'escalier, puis les murmures étouffés dans la chambre, avaient échappé à tous les occupants de l'étage, cela tenait du miracle.

— Je… Je ne veux pas donner le mauvais exemple.

— Alors tu devras te priver de tes visites rue de la Fabrique.

Depuis le jour où Mathieu avait annoncé à sa mère son désir de s'enrôler, l'homme était venu manger à l'appartement à quelques reprises, lors de ses passages à Québec. Tout naturellement, il s'était attardé chaque fois après que les enfants se soient retirés dans leur chambre. Le sourire de Marie témoignait de sa conviction que son amant ne renoncerait pas facilement à cette nouvelle routine.

Après une longue pause, l'homme poussa un soupir, puis se résolut enfin à avouer le fond de sa pensée à voix basse :

— Ta proposition, relativement à Françoise, me prend totalement au dépourvu. Je comptais aussi te surprendre, aujourd'hui.

De nouveau, il se perdit dans ses pensées, puis plongea :

— J'aimerais t'épouser. Mon deuil est terminé, je sais que je ne désirerai jamais personne d'autre…

Il s'arrêta, rougissant, incapable de fixer les yeux de sa compagne. La voix de celle-ci l'atteignit en même temps que sa main se posa sur la sienne :

— Je te remercie de tout mon cœur, mais nous ne le pouvons plus.

— … Que veux-tu dire ?

Ses yeux, maintenant fixés dans les siens, trahissaient son désarroi.

— Françoise et Mathieu sont en train de se dire qu'ils s'aiment. Nous ne savons pas comment cette histoire se terminera, mais un mariage entre nous les empêcherait de s'unir un jour à leur tour. Je ne connais pas le droit canon, mais entre un demi-frère et une demi-sœur…

Paul la contempla longuement, puis concéda enfin :

— Cela ne m'avait pas du tout effleuré l'esprit.

— Je me dois d'être tout à fait honnête avec toi : même sans ce motif, je refuserais ta demande.

Paul essaya de retirer sa main. Elle s'accrocha à ses doigts.

— En tant que veuve, je possède et dirige mon commerce à ma guise. Je suis responsable de ma propre vie, de mon avenir.

— Je ne me mêlerais de rien...

— Je te crois. Tout de même, aux yeux de la loi, je ne disposerais plus de rien. Puis tôt ou tard, tes collègues députés murmureraient dans ton dos au sujet de ta femme commerçante. Tu désirerais que je cesse...

Les yeux sombres de la femme ne quittaient pas les siens. Son affection pour lui se mélangeait à une sourde détermination, celle de ne jamais se trouver à nouveau à la merci de quiconque. La petite main crispée sur ses doigts témoignait d'une force étonnante.

— Je suis ta femme depuis un an. Aucune bénédiction, aucun contrat notarié ne peuvent augmenter ou réduire mon attachement pour toi. En doutes-tu ?

— Non. Moi non plus, je n'ai pas besoin d'un curé pour m'attacher à toi. Sauf que j'aimerais dire à haute voix que je suis avec toi.

— Ne crains rien. Juste à nous voir nous promener dans la rue, les gens avec deux sous de jugement le comprennent très bien. Nous ne sommes pas discrets.

Paul se pencha pour poser ses lèvres sur celles de sa maîtresse. Au moment de reprendre sa place, il précisa :

— S'il ne s'agissait que de tes réticences, j'insisterais. Je suis pas mal convaincant, tu sais, et je pense être capable de concocter un contrat de mariage capable de te rassurer. Mais tu as raison à propos des enfants. Si on lui en laisse la chance, Françoise voudra porter les enfants de ce brave...

Marie rendit la pression des doigts et tenta de chasser de son esprit le véritable sens des mots « Si on lui en laisse la chance ». Des jeunes gens mourraient à la guerre sans laisser de descendance. Paul comprit son inquiétude et essaya de changer le cours de sa pensée en demandant :

— Tu penses faire d'une fille timide une bonne vendeuse ?

— Sans aucun doute. Elle est si gentille que les clientes achèteront juste pour ne pas la décevoir.

— Tu lui donnes combien de temps pour te tutoyer ?

La nouvelle intimité entre elles l'avait un peu ému, lors du souper de la veille.

— Octobre.

— Ce sera peu orthodoxe, entre une belle-mère et sa bru.

— Comme tu as pu le remarquer, je ne suis pas une femme ordinaire.

Il s'inclina à nouveau pour l'embrasser. Si quelqu'un, parmi les voisins, se penchait à ce moment au-dessus de sa haie, la vraie nature de leur relation serait commentée dans tout le village à l'heure du souper.

～

Les militaires profitaient de certains avantages, même dans une province tellement réfractaire à l'enrôlement. Parmi ceux-ci figurait le privilège de marcher dans un parc avec une jolie fille pendue à son bras. Si l'homme s'avérait élégant, il pouvait même passer son bras autour de la taille de la demoiselle sans trop faire sourciller.

— Si je ne savais pas qu'à ce moment la date de ton embarquement sera terriblement proche, j'aurais hâte à l'automne prochain, laissa entendre Françoise au moment de s'asseoir sur un banc dans le parc longeant la rivière.

— C'est gentil à toi d'avoir accepté. Maman sera moins seule.

— Et moi aussi. Nous nous inquiéterons ensemble.

Mathieu posa sa main sur le dossier du banc. Même s'il ne la touchait pas, la jeune fille se trouvait dans le cercle de son bras. Elle ferma son ombrelle pour la poser en travers de ses genoux et se plaça si près de lui que son bras toucha son flanc.

— Je préférerais vous épargner ce souci...

Elle leva la main, mit le bout de ses doigts gantés sur ses lèvres.

— Ne dis rien.

La main du garçon se déplaça sur l'épaule, exerça une pression légère, puis revint sur le banc. Les mots ne servaient plus à grand-chose. Le silence dura de longues minutes. À la fin, le sous-lieutenant jugea de son devoir de préciser :

— Je ne sais pas combien de temps je serai parti.

Elle le regarda brièvement, ramena ses yeux vers le centre de la rivière du Loup.

— Ni même si je reviendrai...

— Tu reviendras. Jamais je n'envisagerai une autre possibilité.

La voix s'avérait grave, un peu hésitante, comme si une main invisible serrait son cou fin et pâle.

— Si jamais tu acceptais de voir un autre garçon, pendant mon absence...

— Cela ne se produira pas.

— ...Je comprendrais, continua Mathieu, comme s'il n'avait rien entendu. J'ai décidé seul de m'enrôler, tu n'as pas à en subir les conséquences.

Les yeux gris revinrent vers lui, les paupières lourdes de larmes.

— Tu me connais mal. Je t'attendrai tout le temps nécessaire. J'accepte ta décision, même si je ne la comprends pas. Il me suffit de savoir que c'est important pour toi.

Une perle de rosée descendit sous l'œil gauche, roula sur la joue. L'homme se pencha pour l'effacer de ses lèvres, effleura la bouche tout en posant sa main contre son épaule. Tout l'après-midi, la jeune fille resterait recroquevillée dans l'arc de son bras.

En d'autres circonstances, Édouard aurait sans doute accepté la dépense d'un voyage de noces en Europe. Malheureusement, la guerre sur le Vieux Continent rendait la chose tout à fait impossible. La côte de la Virginie fournissait une alternative raisonnable. Pendant trois semaines, un grand hôtel construit en bois et orné, sur la façade, d'une immense galerie couverte donnant sur la mer, abrita les amours des nouveaux mariés. Évelyne se permit même l'audace de revêtir un maillot de bain bien impudique – il découvrait ses mollets et ses bras et, une fois mouillé, collait à son corps de très près – afin de profiter un peu de la caresse de l'eau de mer.

À la fin du mois d'août, les époux regagnèrent le domicile des Picard, rue Scott. Un peu de la même façon que chez les Dupire, trois ans plus tôt, Thomas avait consenti à effectuer certains aménagements afin de rendre la cohabitation plus facile. Heureusement pour la nouvelle venue, l'atmosphère de la demeure se révélait agréable. Élisabeth entendait multiplier les efforts afin de lui rendre la transition facile.

Au lendemain de son retour, le couple se retrouva à la table familiale pour le déjeuner. Évelyne gardait les yeux modestement baissés, les joues un peu roses, comme si elle demeurait vaguement gênée de partager la couche d'un homme.

— Avez-vous bien dormi? questionna la maîtresse de maison en lui versant du café.

Son arrivée entraînait déjà une petite rupture avec la tradition : la consommation exclusive de thé prenait fin. Les domestiques devraient se faire à ce changement.

— Oui, madame, très bien.

— Nous avions convenu d'utiliser nos prénoms.

— Je... Je suis désolée.

Les yeux gris se perdirent dans la contemplation de la confiture. Thomas regardait la jeune femme avec un sourire amusé. La demoiselle s'avérait jolie, bien élevée, d'une innocence sans doute charmante aux yeux de son fils. Toutefois, les réticences de maître Paquet de l'abandonner à un marchand lui paraissaient ridicules, tellement elle semblait fade à côté d'Élisabeth, même si celle-ci comptait plus de deux fois son âge.

Édouard le sortit de ses réflexions en demandant :

— Rien de nouveau, au magasin ?

— La routine. La marchandise de l'automne s'entasse dans l'entrepôt, nous allons sacrifier ce qui reste de l'été pour faire de la place. Aussi longtemps que durera le plein emploi, les affaires demeureront excellentes.

Devant son épouse, le jeune homme aurait préféré voir souligner la longueur de son absence et l'utilité de son retour. Il enchaîna :

— Et la politique ?

Pendant ses trois semaines de séjour aux États-Unis, les assemblées populaires opposées à l'enrôlement obligatoire s'étaient poursuivies sans interruption. La mise en œuvre de la mesure ne tarderait plus guère, maintenant.

— Armand Lavergne prône la révolte. Les affrontements entre les protestataires et les soldats se multiplient. À Montréal, un type s'est fait tuer, des bâtons de dynamite ont explosé près des résidences des propriétaires de journaux favorables à la mesure.

— Si la même chose arrivait à ceux du *Chronicle*...

— Vous n'allez pas discuter de la conscription le premier jour de la présence d'Évelyne parmi nous ? demanda Élisabeth.

Les deux hommes lui adressèrent un sourire et acceptèrent de commenter les derniers beaux jours de la saison estivale et les charmes de la vie domestique. Le maître de la maisonnée s'engagea à inviter les beaux-parents de son fils à souper le prochain samedi.

— Afin que votre père constate par lui-même que nous ne vous maltraitons pas trop, ajouta-t-il en adressant un clin d'œil à sa bru.

Quarante minutes plus tard, les deux femmes faisaient la bise à leur conjoint respectif dans le hall d'entrée, puis revenaient dans la salle à manger.

— J'essaie de réprimer un peu leur enthousiasme pour les questions politiques, confessa la plus âgée en se versant du thé. Je n'ai pas trop de succès.

— Édouard s'intéresse beaucoup à cette question de la conscription.

— En réalité, tous les motifs de contestation présentés par les nationalistes l'ont passionné au cours des dix dernières années.

— Son père ne partage pas son opinion.

La naïveté de la remarque fit rire Élisabeth.

— Regardez cela dans l'autre sens. Votre jeune époux cherche des façons de se distinguer de son père. Si Thomas appréciait les idées de Bourassa, vous verriez Édouard chanter les louanges de Laurier.

Évelyne vida sa tasse de café, refusa de la main quand sa belle-mère voulut lui en verser encore. La dynamique des rapports filiaux lui paraissait bien mystérieuse. Maître Paquet tolérait mal la dissidence. La demeure de la Grande Allée présentait un front idéologique uni.

— Que voulez-vous faire aujourd'hui?

— Je ne sais trop.

— Si cela vous agrée, nous pourrions nous promener dans le parc des Champs-de-Bataille cet après-midi.

— Ce sera avec plaisir.

Après des années de cohabitation avec Eugénie, Élisabeth ne savait trop si elle devait se réjouir de tant de docilité.

Chapitre 18

Une nouvelle fois, la famille Dubuc se trouvait réunie au dernier étage de la boutique de la rue de la Fabrique. Le premier dimanche de septembre marquait le moment de la rentrée dans les divers collèges et couvents de la province. Malgré son humeur habituellement positive, Amélie demeurait fort songeuse, morose même. Cette fois, elle serait seule à regagner la grande bâtisse de pierre grise, aux murs épais comme ceux d'une forteresse.

— Tu sais, j'irai te voir tous les dimanches, fit Françoise en se penchant vers elle.

L'autre soupira, marmonna en jouant dans son potage du bout de sa cuillère :

— Moi aussi, je voudrais devenir vendeuse.

Elle enchaîna en levant la tête :

— Madame Marie, vous avez des employées pas plus vieilles que moi. Pourquoi vous ne m'embauchez pas aussi ?

— Toutes les personnes qui ont la chance d'aller à l'école doivent en profiter. Termine le cours des ursulines d'abord, nous verrons ensuite.

Paul lui adressa un sourire complice. Avec un peu de chance, les circonstances seraient bien différentes dans deux ans.

La cadette n'était toutefois pas la seule à regagner Québec pour de longs mois. Quelques minutes plus tôt, au moment d'entrer dans la boutique du rez-de-chaussée, Mathieu avait dû joindre ses efforts à ceux du visiteur afin de monter la lourde malle de l'aînée à l'appartement. Elle se trouvait maintenant dans la chambre du fils de la maison.

— Tu vas retrouver toutes tes amies, intervint le sous-lieutenant. À l'heure du souper, tu seras contente de commencer une nouvelle année scolaire.

La prédiction se réaliserait sans doute, mais l'adolescente préféra afficher sa mine la plus déçue afin de demeurer le centre d'attraction. Cela ne durerait toutefois pas. Son sort paraissait bénin comparé à celui de l'un des convives. Françoise demanda de sa voix la plus douce :

— Tu sais quand viendra le moment de t'embarquer ?

La guerre bouleversait les habitudes. Les jeunes gens entichés l'un de l'autre abandonnaient bien vite le vouvoiement plutôt que d'attendre les fiançailles pour passer à l'intimité du « tu ».

— Dans cinq ou six semaines. Quand l'armée aura un contingent significatif, un convoi se formera sur les côtes, près de Halifax.

— … Déjà ? L'entraînement est bien trop court, vous ne serez pas prêts…

L'inquiétude marquait la voix de la jeune femme. Elle se trouvait assise près de lui, très près, car les deux familles devaient un peu se tasser dans la salle à manger.

— La préparation se continuera en Angleterre, pendant des mois encore. Il convient d'apprendre à nous livrer à des opérations en collaboration avec les Britanniques, les Australiens, les hommes des autres dominions.

— Et sur le continent ?

— Nous traverserons la Manche cet hiver, sans doute.

De l'autre côté de la table, Marie écoutait la conversation de toutes ses oreilles. Elle intervint :

— C'est si tôt ! Avec les difficultés en Russie, les Allemands amènent des hommes à l'ouest. Les combats seront violents…

— Les Américains aussi arrivent sur le sol français, commenta Paul en posant sa main sur l'avant-bras de sa maîtresse. Cent mille hommes se trouveraient déjà prêts à s'engager.

La conversation s'arrêta pendant un long moment, personne ne sachant comment poursuivre. Les opérations militaires fournissaient un bien mauvais sujet de discussion pour un repas dominical. Cette rencontre prenait l'allure funèbre d'un repas d'adieu.

Au milieu de l'après-midi, Mathieu consulta la pendule placée sur une crédence, puis se leva de table en disant :

— Je dois bientôt prendre le train pour le camp de Valcartier.

Marie quitta sa place pour s'approcher de lui. Elle s'accrocha à l'un de ses bras, posa ses lèvres sur sa joue.

— Sois prudent, tu es mon seul garçon.

Thalie prit son autre bras et ajouta :

— Et mon seul frère.

Peu après, Amélie reçut une bise, Gertrude aussi, et Paul, une poignée de main. Françoise demeura un peu à l'écart, rougissante.

— Reconduis-le jusqu'à la porte, prononça la maîtresse de maison. Quelqu'un doit verrouiller derrière lui.

Ils descendirent les escaliers en se tenant par la main. Près de la vitrine, Mathieu posa ses deux mains sur les joues de sa compagne, l'embrassa doucement.

— Fais attention, murmura-t-elle en battant de ses longs cils.

— Je suis né très prudent.

— Tu t'es enrôlé…

Pour la jeune femme, cela représentait l'imprudence suprême.

— Pour devenir le soldat le plus circonspect du 22ᵉ bataillon. Même là-bas, je ferai attention.

Les lèvres bâillonnèrent toute réponse. Il demanda encore en se redressant :

— Tout à l'heure, vous irez reconduire Amélie au couvent ?

— Avant quatre heures, sinon les religieuses attireront sur elle toutes leurs malédictions pour les douze prochaines générations.

— Après cela, tu t'installeras dans ma chambre. Je vais penser à toi dans ce cadre familier... Cela me fera tout drôle.

Elle se laissa enlacer étroitement, puis confessa :

— À moi aussi. Coucher dans ton lit...

Elle rougit un peu plus, poussa sur la poitrine de son compagnon du plat de ses mains, pour l'éloigner.

— Maintenant, va-t-en.

Il acquiesça, posa à nouveau sa bouche sur la sienne, puis sortit sans un autre mot.

❧

Amélie retrouva le monastère sans trop ronchonner. Françoise revint à l'appartement de la rue de la Fabrique au moment du souper, puis passa la soirée au salon avec Marie et Thalie. Le trio parcourut des magazines dans un silence quasi complet, chacune songeant au jeune militaire, à son départ prochain pour l'Europe. Vers neuf heures, la jeune femme se leva en annonçant :

— Je vais défaire ma malle et me coucher. Demain...

— Tu commenceras ton travail avec moi, compléta la marchande. Tout ira très bien, j'en suis sûre. Bonne nuit, Françoise.

— Bonne nuit, Marie. Bonne nuit, Thalie.

Une fois dans la pièce, elle pendit ses quelques vêtements dans la garde-robe. Du bout des doigts, elle effleura les deux complets de Mathieu, répéta le même geste avec les chemises, le linge dans la commode. Quarante minutes plus tard, après un passage dans la salle de bain, en chemise de nuit, elle s'accroupit sur ses talons, toucha les livres placés sur des étagères, hésita entre Conan Doyle et Maurice Leblanc, puis opta pour le second.

Elle en était seulement à la seconde page quand trois petits coups sur la porte attirèrent son attention.

— Oui ?

Thalie passa la tête dans l'ouverture et s'enquit :

— J'ai vu de la lumière sous la porte. Tu ne dors pas?

— Non... Je me sens un peu nerveuse.

— À cause du magasin? Cela ira très bien, je t'assure.

— Pas juste cela... Habiter cet appartement, me trouver dans son lit...

Elle marqua une pause, un peu inquiète de l'impression laissée par ces mots. Partager l'intimité d'un homme, même si celui-ci se trouvait dans l'immense village de toile de Valcartier, la troublait. Tous les objets familiers le rappelaient à sa mémoire. Surtout le lit, pourtant avec des draps lavés de frais, semblait porter son odeur.

— Je vais lire tous ses livres, ajouta-t-elle après une pause. Lire les mêmes mots...

Thalie lui adressa un vaillant sourire. Elle tendit la main en disant:

— Viens chez moi un moment.

Devant ses yeux interrogateurs, elle expliqua.

— Dans ma chambre. Ici, la fenêtre donne sur l'orphelinat des sœurs de la Providence: un point de vue un peu trop triste pour moi.

Françoise posa le roman ouvert à plat sur le lit et accepta la main tendue en sortant de sous les couvertures. Thalie se trouvait aussi en chemise de nuit, ses cheveux défaits, répandus sur ses épaules. De l'autre côté du couloir, elles pénétrèrent dans la chambre.

— Presque tous les soirs, avant de me coucher, Mathieu venait me voir quelques minutes. J'espère que tu feras la même chose.

Elle conduisit sa compagne jusqu'à l'ottomane placée près de la fenêtre ouverte. Épaule contre épaule, leurs coudes posés sur le rebord, elles contemplèrent les façades de la rue Buade, la silhouette de l'hôtel de ville.

— J'aime contempler la ville dans l'obscurité. Tout est si paisible.

— Tu crois qu'on peut nous observer? Nous sommes en chemise de nuit...

— Comme la lumière est éteinte, non. Tu vois, on ne distingue rien dans les maisons, de l'autre côté. C'est la même chose dans l'autre sens.

La brise fraîche leur caressait le visage. L'invitée se laissa gagner par la sérénité du moment.

— Mathieu venait ici ?

Les habitudes du garçon fascinaient la jeune femme. Elle en aurait pour de longues semaines à faire la liste de ses manies, de ses caprices, comme pour composer une présence.

— Tous les soirs, depuis que je suis toute petite. Le meilleur grand frère, tu sais ?

— Je n'en doute pas...

Elle se défendit d'éprouver un peu de jalousie, puis enchaîna après une pause :

— Il m'a dit que tu penses à devenir médecin.

— Oui. Au terme de l'année scolaire, je pourrai subir les examens d'admission des universités anglaises. La directrice du High School affirme que McGill acceptera bientôt des femmes dans ce programme.

Françoise regarda le petit profil buté. Le front plissé témoignait de sa résolution à entamer les longs mois à venir sous les meilleurs auspices.

— Tu dois me trouver un peu sotte.

Thalie tourna son visage vers sa compagne.

— Pourquoi penserais-je une chose pareille ?

— Tu rêves d'aller à l'université, alors que moi...

— Tu rêves de mon grand frère. Où est la difficulté ?

L'autre eut un rire bref, ramena ses yeux sur la place, en face de la basilique.

— Ne répète pas cela, insista Thalie. Chaque personne accomplit quelque chose. Moi, je veux soigner les gens. Cela ne me rend pas meilleure qu'une autre.

— Je suis du genre à me consacrer à une famille nombreuse, ricana sa compagne.

Thalie passa son bras autour de la taille de sa voisine, l'embrassa sur la joue.

— Tant mieux, cela me permettra d'avoir des clients. Viendras-tu me voir en consultation?

— … Oui, sans doute. Mais cela sera intimidant.

— Plus qu'avec un vieux monsieur barbu qui sent le tabac?

Ces vieux messieurs occupaient toutes les fonctions comportant un peu de pouvoir. Ils ne les abandonneraient pas si facilement.

~

Les opérations de levage commencèrent le 17 septembre. La travée centrale du pont fut à nouveau conduite sous les deux sections érigées sur les rives opposées du fleuve. Des câbles gros comme la cuisse d'un homme accrochés aux angles de l'immense structure de fonte et d'acier permirent de lui faire parcourir les dizaines de verges, deux pieds à la fois. Après chaque mouvement vertical, de nombreux ingénieurs s'assuraient du bon fonctionnement de tous les appareils. Les deux catastrophes antérieures hantaient toutes les mémoires.

En fin d'après-midi, plus de quarante-huit heures plus tard, la section centrale put être fixée aux deux bras cantilevers.

— Cette fois, cela semble fonctionner, fit Édouard.

Le jeune homme se tenait appuyé sur le flanc de la Buick. Durant la matinée, il avait offert de passer prendre sa femme afin de lui permettre d'assister au spectacle. Elle avait décliné l'invitation avant de se précipiter vers les toilettes du rez-de-chaussée. Un moment, le jeune époux avait affiché son inquiétude avant de demander:

— Elle est malade?

— Le genre de maladie qui touche parfois les jeunes mariées, si elles ont de la chance, avait expliqué Élisabeth d'une voix un peu triste en songeant à son propre sort.

Sans avoir elle-même d'enfant, elle serait à nouveau grand-mère au plus fort de l'hiver. Elle se prenait à espérer que le jeune couple ne cherche jamais à se procurer son propre domicile.

La nouvelle de sa prochaine paternité avait sur le coup laissé le jeune homme interdit. Il attendit le retour de son épouse pour la serrer contre lui, puis prit la route du commerce PICARD. En fin de journée, le père et le fils assistaient seuls – c'est-à-dire parmi une foule de plusieurs milliers de curieux – à la conclusion d'une longue aventure technologique amorcée vingt ans plus tôt. Le nombre de morts, dû surtout aux deux accidents, dépassait la centaine.

— Je suppose que chaque détail a été vérifié mille fois, précisa Thomas. Et ce n'est pas fini : le premier train traversera ce pont dans quelques semaines, après de nombreux tests supplémentaires. Veux-tu faire partie de cette aventure ? Wilfrid Laurier comptera parmi les premiers passagers. Il m'a offert quelques places, pour les amis.

— J'attendrai un peu. Cette grande construction a connu trop de malheurs, je veux être certain qu'aucun mauvais sort ne s'acharne sur elle.

Des gens crédules avaient évoqué le «pont maudit»; d'autres affirmaient que Dieu punirait les gens trop enclins à vénérer le progrès technique avec une nouvelle catastrophe.

En ce 20 septembre, l'optimisme s'imposait pourtant. Pour souligner le grand événement, une estrade érigée près du bord de la falaise recevait une brochette de notables. Tout près de la structure de bois s'entassaient la plupart des membres de la chorale de la basilique. Le cardinal Louis-Nazaire Bégin s'avança, majestueux dans sa chasuble dont les fils d'or captaient la lumière oblique du soleil. Il commença par bénir le grand ouvrage de génie avec des gestes amples, parla de la divine protection nécessaire aux entreprises humaines. Puis, il entonna le *Te Deum* de sa voix éraillée, hymne repris immédiatement par les chanteurs de la basilique, puis par toute l'assemblée.

Après le prince de l'Église, le maire de Québec, Henri-Edgar Lavigueur, s'avança à son tour.

— L'heure est venue de sortir de notre chrysalide, de déployer nos ailes...

Le politicien continua, emphatique, sur l'ère de progrès s'ouvrant pour la ville de Québec. L'événement tant attendu remplissait la population d'espoir. La plupart des maisons s'ornaient de drapeaux depuis quelques jours. L'*Union Jack* dominait en ces temps de guerre, mais ceux de la France, des États-Unis, tout comme les Carillon-Sacré-Cœur, s'imposaient aussi. Quelques symboles jaunes et blancs du Vatican égayaient ces bouquets patriotiques.

— Notre ami en a pour une heure avec sa péroraison. Allons souper, déclara Thomas en posant la main sur la poignée de la portière.

Édouard actionna la manivelle afin de faire démarrer le moteur et prit sa place derrière le volant.

— La travée centrale doit voisiner les mille huit cents pieds de longueur, commenta-t-il. Pour fixer le tout, il a fallu plus d'un million de rivets.

Cette fois, l'immense meccano tiendrait.

~

Le bar du *Château Frontenac* bruissait de dizaines de conversations. Les hommes se trouvaient au coude à coude, un verre à la main.

— Notre liberté tire à sa fin, commenta Armand Lavergne en vidant la moitié de son whisky.

— Tu es certain du résultat du référendum de demain ?

— Les curés assomment les paroissiens depuis deux ans avec les multiples dangers de l'ivrognerie. Les orphelinats débordés, les femmes battues, les milliers d'enfants touchés par la tuberculose, tout cela viendrait des ravages de la bouteille maléfique.

Partout en Amérique du Nord, protestants et catholiques utilisaient les mêmes arguments afin d'obtenir la prohibition de la vente des boissons enivrantes. Bientôt, seule la pègre –

et quelques distillateurs opportunistes – tirerait profit du commerce d'alcool.

— Cela sans compter ce damné effort de guerre, ragea Édouard.

Les excès des travailleurs à ce chapitre, affirmaient de nombreux politiciens, affectaient la production des usines de munitions et les divers chantiers. Robert Borden, soucieux de rallier les suffrages les plus nombreux, risquait d'adopter une loi en ce sens, en plus d'accorder le droit de vote à certaines femmes et de le retirer à des centaines de milliers de citoyens nés « dans des pays ennemis ».

— Tu ne crois pas y être allé un peu fort, samedi dernier?

Habitué des formules chocs, en plein Auditorium, Lavergne avait clamé : « Si vous êtes des esclaves, des renégats, des vendus, votez-la, la prohibition. Votez-la, la prohibition, et vous pleurerez des larmes de sang. »

— Les porteurs de soutane font de nous des lâches, incapables de décider par nous-même. Ils nous enlèvent la liberté de choisir comme des hommes.

— Je me demande comment ils font, mais les ouvriers paraissent convaincus des bienfaits de la mesure. Tous les employés du magasin ne bronchent pas quand je leur rappelle que leur petit verre de bière sera bientôt chose du passé.

Le politicien fit signe à un serveur de lui apporter un autre verre, puis enchaîna :

— C'est là toute l'habileté des curés. Ils reprennent une loi anglaise et demandent son application dans la capitale du Canada français. Ils mobilisent les travailleurs au point que ceux-ci réclament maintenant de se priver de leur principale consolation, après d'interminables heures à l'usine ou à l'atelier. Ils arrivent à susciter des motivations étonnantes. Leur jalousie de nos saines habitudes fera gagner l'Église, demain. Les ouvriers s'amusent à nous empêcher de boire du whisky...

Le pessimisme de la prédiction affecta l'humeur du jeune homme. Il se renfrogna avant de demander, passant d'un drame à un autre :

— La fameuse proclamation royale, c'est pour bientôt ?

— Dix jours, tout au plus.

— Tu connais son contenu ?

Son vis-à-vis gardait quelques amis au gouvernement depuis son aventure conservatrice de 1911. Ceux-ci pouvaient l'alimenter en rumeurs de toutes sortes.

— Les hommes de la classe 1, tous les célibataires âgés de vingt à trente-quatre ans, devront se présenter devant un médecin militaire. Ceux qui sont considérés aptes au service feront bientôt un joli voyage en Europe.

Édouard pensa un moment à son épouse, que les nausées matinales avaient conduite chez le docteur Charles Hamelin pour recevoir un diagnostic de grossesse. Grâce à cette situation, aucune convocation ne tomberait dans la boîte postale de la rue Scott. Lavergne continuerait sans relâche d'animer les assemblées publiques avec ses discours incendiaires.

— Les élections suivront immédiatement après, commenta encore le marchand.

— Lui donnant la légitimité pour continuer de gouverner.

— Il gagnera certainement…

— Sans l'ombre d'un doute, mais sans le Québec. Le pays sera cassé en deux.

La perspective mit un sourire sur les lèvres du politicien.

❦

Pendant trois bonnes années, un immense chantier avait occupé le côté nord de la rue Saint-Joseph, sous les fenêtres du magasin PICARD. L'encombrement nuisait aux allées et venues des clients. Heureusement, le commerce jouissait d'un accès par la rue Des Fossés.

Après le presbytère, le temple lui-même avait exigé deux bonnes années de travaux. Le 7 octobre, la grande bâtisse de pierre grise s'ornait d'une multitude de drapeaux du Vatican et de Carillon-Sacré-Cœur. Tous les paroissiens s'arrêtaient sur la place devant l'église et rejetaient la tête vers l'arrière afin de voir la statue dorée de saint Roch et de son chien.

— C'est… majestueux, commenta Élisabeth, la main posée sur son chapeau afin de l'empêcher de se déplacer.

— Une vraie cathédrale, répondit Thomas. Pas plus grande que la vieille église, mais plus impressionnante. Les gens commentent déjà l'élévation éventuelle du curé Buteau à la dignité épiscopale.

Le curé menait sa paroisse d'une main de fer, pourchassait le péché sans relâche, multipliait les articles ampoulés dans l'*Action catholique*, le quotidien moralisateur, en plus de soutenir de son mieux le syndicalisme confessionnel.

— Nous y allons ? demanda Édouard.

Évelyne se trouvait pendue à son bras, mobilisée pour la première fois pour la représentation familiale usuelle. Lors des grandes occasions, les Picard devaient se montrer à leurs employés et à leur clientèle, modèles parfaits des patrons catholiques. La taille de la jeune épouse n'affichait pas encore son état. Son haleine répandait toutefois une odeur rance. Ses haut-le-cœur dureraient encore quelques semaines, lui avait assuré son médecin, puis les choses rentreraient doucement dans l'ordre.

Le jeune homme chercha des yeux autour de lui, salua les employés et les vendeuses du commerce. Quand Ovide Melançon, un garçonnet dans les bras, passa près de lui, les convenances exigeaient qu'il lui présente sa nouvelle compagne. Le contremaître serra la main de la jeune femme en adressant une œillade appréciative à son patron.

— Tu dois être satisfait, demanda Édouard pour orienter son attention dans une direction moins compromettante. Le succès de ce référendum tient un peu à la campagne de tes amis du Cercle Léon XIII et des syndicats confessionnels.

— Pas seulement ces deux organismes : nous avons pu rallier à la cause toutes les sociétés catholiques, du Cercle

Lacordaire aux Ligues du Sacré-Cœur, des Dames d'Isabelle aux Filles de Sainte-Anne.

— Et les Enfants de Marie aussi, glissa madame Melançon d'une toute petite voix. Même si les femmes n'ont pas voté au référendum, elles ont influencé leur époux ou leur père.

Peut-être même certaines avaient-elles refusé à leur conjoint les « avantages » du mariage afin de les convaincre de voter de façon éclairée. Son époux continua avec un gros clin d'œil :

— Dans quelques mois, quand le gouvernement fédéral aura appliqué à notre ville son règlement de prohibition, les riches perdront leur whisky-soda.

Édouard afficha une grimace, puis glissa :

— Nous devons y aller.

Du doigt, il toucha son chapeau en guise de salutation et commença à gravir l'escalier, Évelyne en remorque. Du coin de l'œil, il aperçut la silhouette familière d'une jeune fille blonde et se passionna pour une remarque de sa belle-mère sur le motif de soleil irradiant ses rayons dans toutes les directions qui ornait le parvis de l'église.

Les Picard se trouvèrent un banc dans l'allée latérale de gauche. Longuement, ils admirèrent le temple neuf, richement décoré. Les ouvriers de la paroisse en auraient pour des décennies à payer à la fois la bâtisse et ses ornements. Édouard, tout en regardant les diverses stations du chemin de croix, s'attarda un peu sur Clémentine, assise du côté opposé dans un banc surpeuplé. Elle habitait la paroisse Saint-Sauveur, mais préférait fréquenter Saint-Roch, rassurée par la relative tolérance de ses vicaires à l'égard de ses « fautes ».

Elle aussi se tordait le cou afin de voir son ancien amant, et surtout, la nouvelle épouse de celui-ci. La même question vrillait toujours son cerveau : « Qu'est-ce qu'elle a de plus que moi ? » Excepté une plus jolie robe, la réponse demeurait : « Rien ».

La messe commença bientôt, avec une petite cohorte de servants de messe en aube écarlate. L'abbé Buteau présentait un embonpoint rassurant. Édouard se souvint de ses questions insidieuses lors de ses visites au domicile de la rue Saint-François, plus de vingt ans auparavant. Il s'agissait de la première célébration dans la nouvelle bâtisse. L'événement méritait que certains notables se déplacent, même ceux habitant la Haute-Ville. La véritable inauguration viendrait cependant dans quelques semaines, précisa le prêtre à ses ouailles au début de son sermon, soulignée par la visite de Sa Grandeur le cardinal Bégin. D'ici là, les derniers travaux de finition seraient complétés à toute vitesse.

Cependant, un sujet plus enthousiasmant que les célébrations à venir enflammait le pasteur :

— Nous avons connu cette semaine une victoire éclatante. La lutte a été âpre, des personnes bien en vue, instruites, des esprits forts, se sont crus autorisés à railler les directives de notre sainte mère l'Église.

Édouard songea immédiatement à Armand Lavergne, l'un des rares politiciens à avoir appuyé la cause des « mouillés ». Ces dernières semaines, le tribun avait réduit considérablement ses invectives contre le gouvernement fédéral pour clamer le droit des bonnes gens de Québec de boire un cognac après le souper. Il n'avait même pas hésité à clamer que pouvoir décider librement de boire ou pas faisait partie des « libertés anglaises » chères aux Canadiens.

— Notre premier besoin est de crier vers Dieu pour le remercier de la protection si visible dont il a couvert notre cause et ses représentants, clama le prêtre dans un geste ample, faisant voler les dentelles de son surplis. Certes, un pareil combat ne se livre pas sans que ceux qui y prennent part sentent parfois l'angoisse étreindre leurs cœurs : chaque lutteur ne voit que l'obstacle contre lequel se dépensent son énergie et ses forces, mais c'est Dieu qui, de là-haut, coordonne tout et fait concourir, même ce que l'on croyait devoir compromettre le succès, à la victoire finale. Dieu soit béni !

— Je suis heureux, car Dieu parlait par ma bouche quand je traitais ces « secs » d'idiots, grommela Thomas dans l'oreille de sa femme.

Celle-ci murmura un « Tais-toi » amusé.

— Et merci à tous ceux qui, d'une manière ou d'une autre, ont contribué à forcer ainsi dans ses derniers retranchements le monstre alcool qui reculait d'une tranchée à l'autre depuis dix ans, renchérit le prêtre.

Assimiler la lutte pour la prohibition aux combats meurtriers dans les plaines de Flandre ou l'est de la France permit aux catholiques de choc de la paroisse de se gonfler la poitrine. Eux aussi profitaient d'une gloire martiale.

— La victoire les a déjà récompensés au centuple de leurs efforts et de leurs sacrifices ; mais la satisfaction entière, profonde, qu'ils ressentaient jeudi dernier et qui grandissait à mesure que le succès apparaissait plus éclatant, n'est pas leur seule récompense. La leçon, l'enseignement qui se dégagent de la dernière lutte, auront, nous en avons le ferme espoir, une portée beaucoup plus lointaine. Les catholiques viennent de constater ce qu'ils peuvent lorsqu'ils veulent s'unir et faire abstraction de tous les intérêts, politiques ou autres. Ils ont compris en même temps la raison de certains échecs antérieurs. La leçon portera ses fruits.

Thomas crispa les mâchoires, heurté dans ses principes libéraux. La question de la prohibition avait une importance limitée, comme l'indiquait le curé Buteau. L'Église profitait toutefois de l'occasion pour démontrer toute sa puissance. Aucun politicien ne pourrait s'aventurer dans une avenue nouvelle sans au préalable recevoir l'approbation des porteurs de soutane. Plus personne n'ignorerait cet état de choses.

— Des cent dix-neuf arrondissements contenus dans la ville, seulement treize ont dégagé une majorité antiprohibitionniste. Et dans cette lutte si noble, nos belles paroisses ouvrières, soucieuses de respecter les enseignements de nos évêques, donnent l'exemple. Dans le quartier Jacques-Cartier, quatre cent quatorze votes ont appuyé la prohibition et aucun le parti adverse. Dans les quartiers Limoilou, Saint-Jean et Saint-Vallier, les « secs » ont obtenu respectivement trois cent soixante-deux, trois cent quarante-deux et sept cent cinquante et une voix, nos opposants, aucune. Chez nos voisins de Saint-Sauveur, quatre cent quarante-deux personnes ont préféré la vertu, le vice a obtenu neuf voix seulement.

Dans la grande église, les paroissiens s'agitèrent un peu, comme torturés par l'envie d'applaudir devant la si merveilleuse moralité affichée par les classes populaires.

— Dans notre belle paroisse de Saint-Roch, quatre cent soixante-cinq des nôtres se sont prononcés contre la vente de boissons enivrantes et aucun en faveur de celle-ci.

Après encore quelques phrases montrant sa satisfaction, l'abbé Buteau descendit le petit escalier en demi-cercle de la chaire en affichant la fierté du devoir accompli. Il ressemblait à un croisé ayant terrassé des milliers d'infidèles.

Thomas échangea un regard avec son fils. Ces chiffres leur étaient connus depuis vendredi ; ils se trouvaient publiés dans tous les journaux de la ville. Peu de personnes du quartier Saint-Louis s'étaient données la peine d'enregistrer leur vote : vingt-cinq électeurs avaient appuyé la prohibition, et seulement onze l'achat libre d'alcool.

Les habitants de cet arrondissement chic, des notables, entassaient les bouteilles depuis quelques mois. Ces familles sauraient tenir jusqu'à ce que le bon sens revienne aux habitants de la ville.

❧

Les trains en provenance du camp de Valcartier se succédaient à la gare de la rue Saint-Paul. Les hommes en uniforme descendaient sur le quai pour former aussitôt des rangs. Les talons sonnaient sur les pavés. Dans un ordre parfait, les militaires se dirigeaient vers les traversiers. Le havresac gonflé par l'équipement habituel du volontaire, la gamelle oscillant au rythme de la marche, le fusil Lee-Enfield sur l'épaule, chacun gonflait la poitrine. Sur les trottoirs, les badauds présentaient un visage sombre. En ce matin du 13 octobre 1917, tous les journaux du pays reprenaient la proclamation signée par le gouverneur général. Elle invitait les célibataires âgés de vingt à trente-quatre ans à se présenter à l'examen médical. Trois cent mille jeunes gens recevraient une convocation à ce sujet.

Au moment où la colonne s'engageait dans la rue Saint-Pierre, une voix cria :

— Pourquoi allez-vous combattre pour les Anglais ? Ils ferment nos écoles en Ontario.

— Les Allemands ne nous ont rien fait, clama un autre. Vive le kaiser !

— *Shut up, damn coward !* cria quelqu'un depuis la colonne en marche.

Mathieu tourna la tête, chercha des visages familiers dans la foule, crut reconnaître des étudiants de l'Université Laval. Ceux-là devaient avoir une copie de la proclamation dans la poche afin de parcourir régulièrement la liste des exemptions dont ils pourraient se prévaloir.

Une première pierre atterrit au milieu de la cohorte, sans toucher personne. Des volontaires firent mine de régler leur compte aux insolents tandis que les officiers hurlèrent des ordres afin de maintenir les rangs. Les projectiles suivants atteignirent leur cible, les soldats levèrent les bras afin de protéger leur visage. Heureusement, ils bifurquèrent bientôt à gauche, regagnèrent les quais.

L'ordre de rompre les rangs vint bientôt. Une certaine pagaille régnerait au moment de l'embarquement sur les traversiers. Le sous-lieutenant Picard chercha parmi les spectateurs des premiers rangs. Quelques volontaires venaient de Québec, les parents de certains autres parcouraient de longues distances pour profiter de ce dernier moment. Trois silhouettes féminines retinrent son attention. Marie et Thalie se précipitèrent vers lui et s'abattirent contre sa poitrine, l'une à droite, l'autre à gauche. Sa mère posa accidentellement la main sur la culasse de la carabine accrochée à son épaule, l'enleva comme si le métal lui brûlait la peau.

— Fais attention à toi, fit-elle, la gorge serrée.

— Promis, maman. Ne t'inquiète pas.

Elle voulut dire autre chose, mais sa voix s'étrangla dans un sanglot. Thalie prit le relais :

— Promets-le à moi aussi.

— Promis, juré, craché. Je vais tout faire pour revenir. Avec tous mes morceaux, en plus.

— Ce sera mieux, sinon tu auras affaire à moi.

Les larmes coulaient sur ses joues. Mathieu la serra de nouveau contre lui. La jeune femme prit sa mère par le coude, retourna avec elle vers la ligne des spectateurs. Le sous-lieutenant s'avança vers Françoise, regarda un moment ses yeux gris, comme pour se rappeler de toutes les nuances qu'ils contenaient.

— Je te jure que…

— Ne jure rien, prononça-t-elle. Reviens, c'est tout.

Il la serra contre lui, essaya d'emmagasiner ces dernières sensations dans sa mémoire, pour les mois, peut-être les années à venir. Après un long moment, elle se dégagea, le regarda une dernière fois, puis recula d'un pas.

— Tu vas t'occuper d'elles, n'est-ce pas ?

L'officier regardait en direction de sa mère et de sa sœur.

— De mon mieux, lui dit-elle en combattant visiblement les émotions qui la gagnaient. Aussi bien qu'elles prennent soin de moi depuis des semaines.

Elle tourna les talons avant de fondre en larmes et retrouva les autres d'un pas vif.

— J'écrirai tous les jours ! cria Mathieu, la voix brisée.

~

— Tu crois que le nouveau cabinet changera quelque chose au résultat électoral ? demanda Édouard à son père.

Les journaux du matin se trouvaient encore au beau milieu de la table de travail, dans la bibliothèque de ce dernier. La veille, le premier ministre avait formé le «gouvernement d'union». Celui-ci se présenterait devant l'électorat dans un peu plus de deux mois.

— Ailleurs au Canada, certainement. Robert Borden a nommé treize conservateurs au ministère, neuf libéraux et un député ouvrier du Manitoba. Partout au pays, des candidats de notre parti prendront l'étiquette unioniste pour se présenter devant leurs électeurs. Le plus souvent, leurs organisateurs et les personnes alimentant leur caisse électorale les suivront dans cette aventure.

— Laurier va tout de même présenter des candidats dans tous les comtés.

— Oui, mais ce seront souvent des jeunes gens sans expérience, sans argent, sans organisation. Les journaux parlent déjà de candidats de Laurier plutôt que de libéraux. En quelque sorte, le vieil homme se trouve un peu privé de son parti.

Édouard avala la moitié du contenu de son verre de cognac. Il se tenait sur la chaise faisant face au bureau de son père. Les femmes de la maison se trouvaient déjà au lit, les hommes profitaient de l'occasion afin de discuter politique.

— Cette fois, je vais m'engager avec toi. Il importe d'envoyer un message clair à Ottawa, celui des Canadiens français s'opposant d'une seule voix à la conscription.

— Un effort de ce genre aurait été plus utile en 1911.

Thomas ne pouvait s'empêcher de ressasser sa grande déception, celle du dernier rendez-vous électoral. Un peu naïvement, il avait cru possible de renouveler le tour de force de John A. Macdonald. Le vieux chef conservateur avait réussi à se faire élire une cinquième fois d'affilée. La chose s'était révélée impossible pour Laurier, l'usure du pouvoir pesant sur les libéraux.

— En 1911, personne ne savait que nous aurions la guerre, rappela son fils en guise d'excuse.

— Dis plutôt que nous savions tous que la guerre nous pendait au bout du nez, mais personne n'osait imaginer le genre de massacre où nous nous trouvons enfoncés aujourd'hui.

Le jeune homme but les dernières gouttes de cognac – la prohibition prochaine interdisait tout gaspillage –, puis se leva en disant :

— Face à ces jolies perspectives, je fais aussi bien d'aller me coucher.

Le père le regarda sortir, demeura un moment songeur. La menace de l'enrôlement ne le terrifiait plus directement, puisqu'Édouard se trouvait désormais du côté des gens mariés. Son soulagement demeurait toutefois incomplet. L'idée de s'engager dans une campagne électorale condamnée à l'échec le laissait un peu déprimé.

～

Après la scène sur les quais, les trois femmes, soucieuses de s'occuper l'esprit, étaient revenues au commerce. Celui-ci verrouillé, de retour à l'appartement, chacune d'elle s'était enfermée dans sa chambre afin de pleurer un bon coup. Dans la cuisine, Gertrude ne valait guère mieux. Personne ne mangea vraiment au souper. La conversation ne reprit qu'en soirée, dans le salon. *Le Soleil* ouvert sur les genoux, Thalie commenta :

— La proclamation n'est pas très explicite. Il semble que les hommes dont le travail se révèle utile à l'effort de guerre pourront éviter la conscription.

— Ce sont les spécialistes dont on a beaucoup parlé au moment du Service national, commenta Marie.

— Le texte dit aussi : *c) Que, dans l'intérêt national, il est opportun qu'au lieu d'être employé au service militaire, il continue* [en parlant de l'éventuel conscrit] *à s'instruire ou à s'entraîner à tels travaux pour lesquels il est alors occupé à recevoir l'instruction ou l'entraînement;*

d) Qu'un tort sérieux résulterait, si cet homme était mis en activité de service, à cause de ses obligations exceptionnelles au point de vue financier ou commercial, ou de sa situation domestique...

Ces deux clauses laissèrent les femmes un peu dépitées. En d'autres mots, les autorités militaires entendaient exempter du service actif tous les étudiants et les apprentis, de même que toutes les personnes dont l'absence nuirait à leur entreprise, à leur carrière ou à leur vie de famille. En plus de ces motifs très généraux, le texte évoquait encore, comme raison, la maladie, les infirmités et les objections de conscience. À peu près tout le monde trouverait dans cette nomenclature des arguments susceptibles de convaincre un juge.

Marie traduisit le sentiment des autres en murmurant:

— Mathieu trouverait là trois bonnes raisons de ne pas s'enrôler.

— Nous savons toutes qu'il ne désirait aucunement se dérober à ce devoir, déclara Françoise d'une voix mal assurée.

Elle continua après une pause:

— Je vais aller me coucher. Cette longue journée m'a épuisée.

Surtout, elle savait qu'elle ne garderait pas bien longtemps encore son semblant de contenance.

~

Le lundi suivant, Thalie se présenta au bureau de la secrétaire du Quebec High School for girls un peu plus tôt que d'habitude et tira de son sac de cuir une petite enveloppe. Pendant un moment, elle s'entretint avec la vieille dame. Le cliquetis de la machine à écrire retentit.

L'élève studieuse regagna ensuite sa classe. Toutes ses camarades et elle, de la «préparatoire», jouissaient d'un traitement enviable. Au nombre de six seulement, leurs tables de travail formaient un arc de cercle devant celle de la directrice, une dame allant maintenant sur ses soixante ans, l'air un peu revêche avec ses cheveux d'un gris métallique ramassés en chignon sur sa nuque. Pendant un an, les grandes jeunes filles potasseraient à leur guise la collection de manuels mise à leur disposition, chacune s'attardant sur les sujets lui faisant craindre un échec lors des examens universitaires du printemps prochain. L'une s'inquiétait du latin, une autre des mathématiques... La seule Canadienne française parmi elles se souciait de tout et ne se désespérait de rien. Elle aborderait l'exercice avec confiance.

Au moment de sortir, à l'heure du dîner, Thalie remarqua un petit attroupement dans le hall. Le tableau d'honneur avait dû être agrandi afin de faire de la place à tous les volontaires.

— Comme il est beau, commenta l'une des plus jeunes élèves.

— Et très grand, ajouta une autre. Elle ne lui va pas tout à fait à l'épaule.

— Il ne lui ressemble pas tellement...

L'une des filles regarda dans la direction de la nouvelle venue et attira l'attention des autres à coups de coude. Elles s'écartèrent bientôt en lui adressant un sourire complice.

Une nouvelle photo montrait un jeune officier en uniforme, la casquette basse sur les yeux, encadré par deux femmes, sa mère et sa sœur. Sous l'image, une bande de papier blanc précisait: «Matthew Picard, *22nd battalion*». Après l'avoir épelé, Thalie s'était lassée d'insister: le prénom prendrait cette forme anglaise. Elle refusa de compter le nombre de portraits ornés d'un ruban noir et s'en alla en silence.

Dorénavant, elle partagerait avec une majorité de ses camarades le prix des inquiétudes, des lectures angoissées des comptes rendus des combats dans les journaux, tout comme la crainte horrible de recevoir un télégramme.

Comme les autres, elle s'exposait maintenant à payer le prix du sang.

Grâce aux excellents services postaux, les convocations tombaient dans les boîtes aux lettres avec une affreuse régularité. L'angoisse s'avérait d'autant plus grande que les journaux rappelaient aux appelés ce qui les attendait peut-être si leurs arguments devant les tribunaux se révélaient insuffisants pour leur valoir une exemption. Le dernier jour d'octobre, le nom d'un nouvel endroit devint familier aux Canadiens : Passchendaele. Leurs compatriotes s'y étaient une nouvelle fois distingués dans le sang et l'horreur.

Après les entrefilets de la veille, le 1er novembre, des articles plus détaillés rendirent compte de l'atrocité des événements survenus deux jours plus tôt.

— Cet endroit? prononça Jeanne à voix basse.

La domestique était descendue quelques minutes plus tôt. Son verre à la main, elle tentait de se souvenir des moments volés au cours de la journée pour lire les journaux.

— Passchendaele?

— Oui. C'est un nouveau champ de bataille?

— Non, il s'agit d'un village en Belgique. Certains journalistes parlent d'une nouvelle bataille d'Ypres, la troisième. Les nôtres se trouvent à cet endroit depuis le début de 1915. Les armées ne progressent pas vraiment, elles sont l'une en face de l'autre depuis le début de la guerre, elles épuisent leurs hommes. Le perdant sera celui qui ne pourra plus recruter personne.

Sous la direction du lieutenant général Arthur Currie, les Canadiens avaient chassé les Allemands de cette petite agglomération et résisté longuement aux assauts de ces derniers pour la reprendre. Sous une pluie diluvienne, parfois dans la boue jusqu'à la taille, ils avaient combattu, et souvent étaient morts, totalement en vain. L'objectif se révélait sans aucune réelle valeur stratégique.

— Les pertes ont été nombreuses, commenta encore Jeanne.

— Des milliers et des milliers de blessés, une forte quantité de tués. Beaucoup plus que le nombre de nouveaux volontaires recrutés au cours du dernier mois.

— La conscription, c'est à cause de cela ?

— Tout à fait. Les pertes dépassent considérablement le nombre de nouveaux soldats.

Malgré la pénombre, Fernand constata le trouble de la jeune femme.

— Tu as reçu des nouvelles de la maison ?

— Ce matin. Mes deux frères ont reçu leurs papiers. Ils ont encore dix jours pour se présenter, ou encore obtenir leur...

Elle buta sur le mot nouveau, leva la tête vers son patron.

— Leur exemption. Des tribunaux vont siéger un peu partout au Canada afin d'entendre les motifs de ces appelés pour refuser de se joindre à l'armée.

— Ce sera difficile pour eux de se présenter là. Ils savent à peine lire...

En réalité, personne dans la famille de la jeune femme ne maniait très bien la plume : la missive de sa mère avait nécessité de nombreuses relectures, afin d'en deviner le sens.

— Quelqu'un pourra les aider. La Proclamation se révèle bien généreuse, il serait étonnant qu'un bon avocat ne sache pas trouver les arguments convaincants. Il y a certainement des avocats dans Charlevoix...

— Ils ont pensé se présenter à un tribunal de Québec. Armand Lavergne, dont les journaux parlent tous les jours, doit certainement accepter de plaider la cause des appelés.

— Sans doute. Voilà trois ans qu'il fait de la réclame du haut de toutes les tribunes.

Le gros notaire ne cachait pas son scepticisme. Un représentant de l'armée siégerait sur chacun des tribunaux particuliers formés pour entendre les demandes d'exemption. La présence de la vedette incontestée de la Ligue anti-conscriptionniste ne servirait peut-être pas la cause de ses clients.

— Si vous le voulez, je pourrai les représenter, proposa l'homme.

— ... Vous êtes un notaire.

— Je connais la loi, et la Proclamation rend possible de nombreuses réclamations.

— Le prix?

Jeanne posa son verre vide sur la table, songeuse. Elle ajouta après une pause:

— Ils ne sont pas riches. Ils travaillent dans les chantiers l'hiver, sur des fermes l'été.

— Je ne leur demanderai rien.

— ... Votre travail mérite salaire.

Le notaire réussissait à distinguer les traits dans l'obscurité, mais à cause de la robe noire, la silhouette demeurait indistincte.

— Ce sera une façon de vous remercier de vos bonnes attentions.

Elle le regarda un moment, intriguée. Il précisa après une pause :

— Déjà, vous vous occupiez très bien d'Antoine, et maintenant vous faites de même avec Béatrice. Je vous en suis très reconnaissant.

L'allusion à la petite fille tira un sourire à la domestique. Âgée de trois mois, elle se faisait entendre très souvent de toute la force de ses poumons. Seuls ses bras, plutôt que ceux de sa mère, permettaient de la calmer.

— Elle est si gentille.

— Vous êtes gentille aussi.

Après ces mots murmurés, le silence s'installa entre eux. La moindre remarque supplémentaire risquait de contrevenir aux convenances. Bientôt, la jeune femme reprit son verre, se leva en tendant la main.

— Si vous avez terminé, donnez-moi le vôtre. Je vais les laver tout de suite.

Il lui remit son verre. Au moment de le prendre, elle effleura ses doigts. Après un moment de gêne, elle ajouta:

— Vous devriez monter.

— ... Oui, vous avez raison.

Sous son pas lourd, les marches de l'escalier craquèrent un peu. Fernand ouvrit doucement la porte de la chambre conjugale, enleva son peignoir dans l'obscurité, le déposa sur une chaise. Au moment de s'asseoir sur le lit, il entendit dans son dos :

— J'ai entendu des voix.

— …Jeanne est descendue boire un verre d'eau. Nous avons parlé de ses frères qui craignent la conscription, puis un peu de Béatrice.

— Elle avait beaucoup à dire.

Une fois encore, Eugénie était descendue dans les premières marches de l'escalier, le temps d'entendre quelques mots sur les tribunaux exceptionnels. En levant les couvertures, il précisa :

— Ses frères ont reçu leur convocation.

Chaque fois qu'il se glissait dans le lit, son poids sollicitait les ressorts de son côté. Le matelas se creusait sous lui, de telle façon que la jeune femme glissait en sa direction. Elle tenta de résister au mouvement, sans succès. Au moment de sentir son dos contre son flanc, Fernand allongea la main, la posa sur sa hanche.

— Non ! Je ne vais pas encore très bien.

L'homme admettait sans mal que le passage d'un enfant laissait le bas-ventre de l'accouchée endolori. Le malaise subsistait-il vraiment pendant trois mois ? Elle continua après un silence trop lourd :

— Ce lit demeure bien étroit, aucun de nous ne s'y trouve à l'aise. Si tu voulais…

— Nous sommes trop jeunes pour faire chambre à part. Même mes parents…

La question des chambres séparées revenait sans cesse. Sans doute comptait-elle sur la lassitude pour rompre sa résistance.

Chapitre 19

Même les médecins profitaient de l'effort de guerre. À l'abri du chômage, les travailleurs victimes d'un malaise, ou les membres de leur famille, n'hésitaient pas à consulter au lieu de recourir à des concoctions malodorantes héritées de la tradition. L'affluence sortait tout de même de l'ordinaire, constata Charles Hamelin au moment d'entrer dans le bureau partagé avec son beau-père. Avant de regagner la pièce convertie en cabinet de consultation, il frappa à la porte voisine et attendit de voir le docteur Caron passer la tête dans l'embrasure pour demander :

— Que se passe-t-il, une épidémie soudaine ?

— Une épidémie de gens en trop bonne santé. Tu vas voir.

Un instant plus tard, le praticien revint vers la salle d'attente et prononça :

— Qui est le suivant ?

Un jeune homme, âgé de vingt ans peut-être, se leva avec empressement, puis le suivit dans la pièce attenante. Charles regagna sa place derrière son bureau alors que son patient fouillait dans la poche intérieure de sa veste pour sortir une enveloppe.

— J'ai reçu ceci il y a deux jours.

Il lui tendit une feuille de papier. Le médecin reconnut la convocation dès le premier paragraphe. Son visiteur se voyait invité à se présenter à la Citadelle afin de subir un examen.

— Que puis-je pour vous ?

— Voir si j'ai une maladie…

La situation se révélait étrange. L'appelé espérait recevoir un diagnostic suffisamment alarmant pour ne pas figurer dans la catégorie «A», celle des recrues jugées aptes au service militaire outre-mer.

— Mais cela ne servira à rien. L'armée ne fera confiance qu'à ses propres médecins.

— Ce n'est pas sûr, puisqu'il y a un médecin pour chacun des tribunaux chargés de donner les exemptions. Si vous trouvez quelque chose, je pourrai me servir de cet argument.

Le client se troubla devant le scepticisme apparent de son interlocuteur, puis précisa encore :

— Si malgré tout ils me gardent, cela me donnera un bon motif pour aller en appel. Si vous me trouvez en bonne santé, je me rendrai voir un avocat d'ici le 8 novembre afin de savoir quoi faire.

Le prix de la consultation médicale, si les nouvelles étaient mauvaises, permettrait peut-être d'éviter le recours à un disciple de Thémis. Hamelin secoua la tête devant l'étrangeté de la situation et plaça son stéthoscope autour de son cou en se levant.

— Dans ce cas, retirez votre veste, votre chemise et votre pantalon.

Vingt minutes plus tard, l'omnipraticien retrouvait sa place derrière son bureau. Il prononça dans un soupir :

— Je suis désolé. Vous êtes en parfaite santé.

Il ouvrit les mains dans un geste d'impuissance.

— …Même pas un souffle au cœur ou une hernie ? Cela court dans la famille.

— Rien de tout cela, je vous assure.

— Et mes pieds ?

Jamais auparavant les Québécois n'avaient autant espéré avoir des pieds plats.

— Tout va bien de ce côté aussi.

Le client afficha une mine dépitée en cherchant dans sa poche de quoi payer la consultation. Quand, cinq minutes plus tard, un autre homme du même âge entra dans la pièce, la scène se répéta à l'identique : il ouvrit une enveloppe, en retira une feuille.

— Oui, je sais, maugréa Hamelin. Déshabillez-vous.

La journée serait longue. Jamais des médecins n'avaient annoncé si souvent à autant de personnes une nouvelle aussi désastreuse : la grande majorité se révélait en excellente santé.

~

Le 8 novembre 1917, les tribunaux d'exception commencèrent leurs travaux. Très curieusement, le gouvernement leur donnait seulement trois jours pour accorder, ou refuser, des exemptions aux appelés. Le 10 novembre au plus tard, à moins d'une décision favorable, les jeunes hommes devraient joindre l'armée. Sinon, ils seraient considérés comme des déserteurs et s'exposeraient à une peine de cinq ans de prison.

En conséquence, les corridors de l'édifice du chemin de fer de Québec, rue Saint-Joseph, s'encombrèrent d'une multitude d'appelés. Armand Lavergne s'agitait au milieu d'une petite cohorte de jeunes gens inquiets.

— Cela se passera bien, n'est-ce pas, Monsieur ?

— Mais oui, je vous ai déjà tout expliqué. La proclamation prévoit de nombreux motifs pour échapper à la conscription. Si nous n'avons pas de meilleurs arguments, nous plaiderons la religion.

— La religion ?

— Oui. Vous direz que votre foi vous empêche de tirer sur les gens.

L'autre souleva les sourcils pour signifier son incompréhension. Il déclara, surpris :

— Mais... ce sont des Allemands.

L'avocat poussa un soupir. Faire témoigner ces garçons serait risquer de les voir perdre leur cause. Le souvenir des cinq dollars versés par chacun le réconcilia avec la perspective d'une longue journée de travail : cela représentait souvent pour eux le salaire d'une semaine.

À neuf heures, les portes de la salle 402 s'ouvrirent et des dizaines de personnes s'y engouffrèrent. Derrière une large table, trois juges consultaient des liasses de papier. Lavergne afficha sa déception. Un lieutenant-colonel, Scott, présiderait les débats. En plus, un jeune officier, Huot, représenterait les forces armées. Les civils, incarnés par le médecin Demers, lui paraissaient dangereusement minoritaires dans ce prétoire.

Les premiers à être entrés trouvèrent à s'asseoir, mais la majorité des appelés demeura debout.

— Nous allons procéder tout de suite, annonça Scott d'une voix impatiente, déjà inquiet de voir autant de monde devant lui. Monsieur Odilon Fafard ?

Un homme quitta le fond de la salle et s'approcha de la large table, faisant nerveusement tourner sa casquette entre ses doigts.

— Vous avez vos papiers ?

Il tendit une enveloppe à demi déchirée.

— Mon client travaille sur les traversiers, commença Lavergne. C'est un service essentiel, son patron ne saurait se passer de lui.

— Bien sûr, bien sûr, maugréa le lieutenant-colonel.

— En vertu de l'article « C » de la liste des motifs d'exemption, insista l'avocat, monsieur Fafard ne devrait pas devoir se présenter à la Citadelle.

Le docteur Demers se pencha en direction du président du tribunal et prononça quelques mots. Le lieutenant Huot murmura dans son autre oreille. À la fin, le vieil homme déclara d'une voix déjà lassée :

— Exemption accordée.

Il se pencha sur un formulaire imprimé, chercha l'espace laissé en blanc, inscrivit le nom de l'appelé, puis lui tendit la feuille en disant :

— Monsieur, gardez toujours ce papier sur vous. Les forces de police pourront vous le demander à tout moment. Si vous ne l'avez pas, vous vous retrouverez au cachot.

Lavergne se retourna vers ses autres clients et leur adressa un air victorieux semblant vouloir dire: « Voilà le travail ». Un homme dégingandé s'approcha spontanément pour lui dire un mot à l'oreille afin de retenir ses services sur-le-champ. Cinq dollars supplémentaires lui tombaient du ciel.

Un étage plus haut, dans la salle 505, la même affluence obligeait les hommes à se tenir là aussi au coude à coude. L'avocat Trudel dirigeait ce second tribunal, assisté par le médecin Martin et le représentant de l'armée, le lieutenant Cabray.

Le chef des services de police de Québec se tenait devant la longue table, une liasse de papier dans les mains. Son uniforme paraissait plus chamarré que celui de n'importe quel officier militaire.

— Ce sont les convocations reçues par les policiers célibataires employés par la ville. Je voudrais les voir exemptés en bloc.

— Vous n'êtes pas sérieux? demanda le président du prétoire, les yeux écarquillés. Ils sont sans doute des dizaines.

— Leur travail est absolument essentiel, surtout en ces temps troublés.

Fernand Dupire tenait ses larges fesses sur une chaise étroite, intéressé par l'étrange procédure. La présence d'un médecin encouragerait les appelés munis d'un certificat de santé un peu complaisant à s'en servir. Surtout, cette prétention d'obtenir des exemptions en bloc ouvrait la porte à de nombreuses démarches identiques: des employeurs se presseraient le lendemain pour mettre en avant le caractère stratégique de leur production.

— Nous endurons souvent des affrontements entre civils et militaires, les débits d'alcool ne désemplissent pas. Et avec les élections annoncées depuis peu, nous nous exposons à voir les manifestations se multiplier. Nous ne pouvons pas dégarnir les services de police en ce moment.

— Ces agents pourraient se présenter ici chacun leur tour... grommela le lieutenant Cabray.

— Cela signifierait vider les postes de police de leur personnel pendant des heures... Il vaut mieux vous laisser ces papiers, je vous assure de leur authenticité.

— D'accord, convint Trudel en tendant la main.

Il ramassa la petite pile de feuillets et ajouta avant de congédier le policier d'un geste:

— Vous les ferez prendre demain.

Le vieil avocat se pencha ensuite sur la liste devant lui, puis annonça:

— Arthur Girard?

Fernand Dupire se leva, fit signe de la main à deux solides gaillards de faire de même et de s'avancer avec lui.

— Si vous le permettez, nous pourrions traiter ensemble les convocations de ces deux frères.

Trudel lui jeta un regard sévère, songea à protester, mais l'incident précédent l'amena à faire preuve de tolérance.

— Vous êtes certain que cela vaut mieux, monsieur...?

— Dupire. Maître Dupire.

L'autre souleva à nouveau les sourcils. Il cherchait en vain à se souvenir d'un membre du barreau portant ce patronyme.

— Je suis notaire.

— Ah bon! Que pouvez-vous dire pour ces jeunes hommes?

Fernand tendit les convocations en expliquant:

— Ils travaillent tous les deux dans des fermes pendant l'été et dans les forêts tout l'hiver. Vous savez que le Royaume-Uni dépend largement des aliments produits au Canada.

— Des femmes peuvent prendre la relève de ces hommes, remarqua le lieutenant Cabray.

— Vous n'êtes pas sérieux, ce ne sont pas des tâches pour des femmes. Regardez leur carrure: ces ouvriers sont taillés pour le travail agricole.

Le vieil avocat secoua la tête, conféra un moment avec ses voisins, puis convint :

— Exemptions accordées.

Les frères Girard se consultèrent du regard, incertains du sens de ces paroles. Le gros notaire récupéra les deux formulaires et leur indiqua la porte de la salle. Dans le corridor, l'aîné demanda :

— C'est tout ?

— Oui, c'est tout. Gardez ces documents sur vous, montrez-les si un policier ou un soldat vous le demande.

Ils fendirent la foule agglutinée afin de regagner la sortie de l'édifice. Malgré la célérité des juges, l'affluence ne semblait pas diminuer.

Dans la salle 402, les procédures se poursuivaient de façon aussi expéditive. Armand Lavergne se levait régulièrement pour se faire l'interprète de l'un ou l'autre des appelés. L'enjeu se révélait important, la plupart des avocats de la ville participaient à cette manne. À l'appel de Joseph Mercier, il déclara en se tenant à droite du jeune ouvrier de vingt-trois ans :

— Mon client travaille à la manufacture de chaussures Ritchie, à quelques rues d'ici. Cette entreprise remplit de nombreux contrats pour l'armée : fabrication de souliers, bien sûr, mais aussi de ceinturons, d'étuis pour les revolvers... Une production absolument stratégique.

Le lieutenant-colonel Scott, écœuré de cette parade incessante et des arguments toujours répétés, souffla :

— Exemption accordée.

Il ne se donnait plus la peine de faire ses recommandations. Parmi les villes les plus populeuses du pays, Québec se distinguerait par la mansuétude de ses tribunaux d'exception. Au soir du 10 novembre, sur les cinq mille deux cent quarante-cinq appelés de la cité de Champlain désireux d'obtenir une exemption, seulement cinq se verraient confrontés à un refus.

Le premier ministre du Canada avait annoncé la tenue d'élections fédérales le 17 décembre. Le lendemain 9 novembre, premier jour de la campagne, une commotion frappait la Basse-Ville de Québec.

— Vive Laurier! cria une voix.

Après avoir pris pied sur le quai de la gare, le politicien se retrouva entouré d'un flot de badauds.

— Monsieur, Monsieur, mon fils a reçu ses papiers.

— Le mien aussi, le mien aussi...

Les voix s'élevaient au-dessus du tumulte, haut perchées, proches de l'hystérie. La foule se pressait dans le grand édifice, des hommes surtout, mais aussi de nombreuses femmes. Certaines d'entre elles exerceraient leur droit de vote pour la première fois. Toutefois, leur excitation ne tenait pas à cela, mais à l'occasion de rencontrer de nouveau, peut-être pour la dernière fois, le grand homme. À leurs yeux, personne d'autre ne pourrait intercéder en leur faveur auprès des autorités militaires pour aider les appelés.

Le vieil homme se tenait bien droit, en compagnie de collègues faisant office de gardes du corps. Petit de taille, mais robuste comme un chêne, le premier ministre provincial, Lomer Gouin, faisait un rempart devant lui. Le député de Rivière-du-Loup, Ernest Lapointe, dépassait l'autre de plus d'une tête. S'il n'hésitait guère à jouer des épaules pour percer le mur formé par les partisans enthousiastes, devant les femmes, il demeurait impuissant, répétant des « Madame, je vous en prie, nous devons passer. »

Le sauveur s'incarna dans le roi du commerce de détail. Thomas Picard s'avança, une main posée sur son melon afin de ne pas le perdre dans cette agitation.

— Monsieur Laurier, cria-t-il afin de couvrir la cohue, mon fils nous attend au volant de la voiture.

— Nous ne pourrons jamais passer, répondit Gouin sur le même ton.

— J'y ai pensé. Venez de ce côté.

LES PORTES DE QUÉBEC

La multitude bloquait le passage vers les grandes portes de l'édifice. Le marchand rejoignit les politiciens pour les inciter à reculer. Une porte un peu dérobée donnait sur un quai d'où partaient les voitures de livraison. La grosse Buick se trouvait à proximité. Laurier prit le bras de son organisateur politique pour descendre l'escalier un peu raide. Il formula en touchant le sol :

— Vous faites des miracles ! Comment avez-vous deviné que nous sortirions par ici ?

— Quand j'ai vu tout ce monde, j'ai envoyé Édouard se stationner tout près. Si vous saviez la quantité de marchandises que je viens y chercher toutes les semaines…

Gouin et Lapointe suivaient derrière. Le trio d'élus s'installa dans la voiture. Thomas se pencha sur la fenêtre entrouverte, puis déclara :

— Je viendrai vous chercher au *Château Frontenac* en début de soirée, avec Édouard. D'ici ce moment, je dois retourner au magasin.

— Je comprends. Vous croyez que nous ferons salle comble, ce soir ?

— Non seulement la salle sera pleine, mais des gens se tiendront tout autour de l'édifice quand ils ne trouveront plus de place à l'intérieur. Les spectateurs répéteront chacune de vos paroles jusqu'à eux. Ce sera plus grandiose qu'en 1896, l'année de votre triomphe.

— Si j'avais vingt ans de moins, nous serions condamnés à la victoire.

Le vieil homme arborait un sourire chargé d'ironie.

～

La patinoire Martineau se trouvait dans la rue Dorchester, dans le quartier Saint-Roch. Le vieil édifice de brique et de planche ne payait pas de mine. À la façon dont Thomas le prévoyait un peu plus tôt dans la journée, des hommes et quelques femmes se pressaient les uns contre les autres dans la grande bâtisse. Des spectateurs se répandaient aussi sur les trottoirs, enthousiastes à l'égard de discours dont ils ne percevraient, au mieux, que des bribes par les portes laissées grandes ouvertes.

Le grand rectangle couvert de madriers ne portait pas encore de glace. La température dans cet espace mal aéré grimpa très vite. Sous le tableau indicateur, où on montrait habituellement sur des tableaux noirs le pointage inscrit à la craie lors des joutes de hockey, on avait dressé une estrade sommaire.

Lomer Gouin commença par évoquer les désordres récents survenus dans la ville et la situation explosive créée par les tribunaux d'exception, ouverts depuis la veille. Ernest Lapointe s'approcha à son tour, puis insista sur les nombreuses erreurs commises par les responsables du recrutement.

— Le recensement des personnes par le Service national a été bâclé. Des morts ont reçu l'ordre de se présenter devant les médecins militaires. Même des jeunes filles… Des hommes mariés, totalement exclus de la conscription, ont eu le même genre d'invitation.

Les plus jeunes des spectateurs avaient leurs papiers en poche. La rumeur publique évoquait la mansuétude des tribunaux. Cela ne suffisait pourtant pas à rassurer tout le monde. Les erreurs énumérées venaient augmenter leurs inquiétudes.

La longue litanie indignée se termina sur ces mots:

— Maintenant, notre chef, le premier ministre Wilfrid Laurier, va vous adresser la parole.

Six ans après la défaite, le titre convenait encore au personnage. Il quitta son siège, s'avança au bord de l'estrade en tenant son haut-de-forme sous son bras, filiforme dans sa redingote noire, ses cheveux blancs balayant la base de son cou.

— Vous avez entendu tous ces exemples de l'incompétence du gouvernement Borden. Administré de façon efficace, le recrutement volontaire suffirait amplement à combler nos besoins militaires. La conscription est incompatible avec les valeurs anglaises…

L'assistance laissa éclater les applaudissements. Le fait que le Royaume-Uni se soit résigné à adopter une mesure du même genre, en dépit d'une solide tradition de volontariat, ne troublait guère les bonnes gens de Québec.

— Je veux gagner cette guerre, nous voulons tous gagner cette guerre. Cependant, l'enrôlement volontaire demeure le meilleur moyen pour y parvenir. Le premier ministre Borden mesure-t-il combien sa loi vient perturber l'effort de guerre ? Les Alliés comptent sur nous pour obtenir de la nourriture. Des avions, des sous-marins, des croiseurs sortent de nos ateliers. Les cartouches, les obus viennent de nos usines par millions, toutes les semaines. Que se passera-t-il si l'on conscrit nos meilleurs ouvriers ?

Thomas, debout lui aussi sur l'estrade, éprouvait une étrange nostalgie. Le grand homme trouvait encore les mots, les formules pour émouvoir les siens. Des milliers de personnes buvaient ses paroles. Toutefois, la voix portait moins bien, la silhouette semblait s'incliner un peu vers l'avant, le geste perdait de son ampleur. Il se dégageait une impression troublante, celle du crépuscule d'un politicien d'exception, mais aussi d'une époque brillante.

— Il n'y a qu'une seule façon d'éviter les désordres sociaux, la rupture de nos liens harmonieux avec les autres populations qui habitent notre grand pays. Reportez les libéraux au pouvoir !

Les applaudissements reprirent avec une vigueur nouvelle au moment où le grand homme regagnait son siège. Le maire, Henri-Edgar Lavigueur, s'avança alors pour inviter toutes les personnes à conserver la paix, malgré les heures dramatiques qui s'abattaient sur la ville.

À quelques centaines de verges de la patinoire Martineau, sur la place du marché Jacques-Cartier, une foule tout aussi considérable, beaucoup plus jeune, se massait sous le ciel gris. Debout à l'arrière d'une charrette faisant office d'estrade, et flanqué des fidèles vice-présidents de la Ligue anticonscriptioniste, Oscar Drouin et Wilfrid Lacroix, Armand Lavergne déclamait en faisant de grands gestes :

— Vous le savez, en 1911, j'ai voté bleu et je vous ai incité à voter bleu. Je croyais servir ainsi les intérêts de la cause nationaliste.

Un grognement parcourut l'assemblée de jeunes gens. Cette fameuse stratégie n'avait eu d'autre résultat que de pousser Wilfrid Laurier dans l'opposition.

— Aujourd'hui, le gouvernement Borden conduit le pays au bord de la guerre civile. Retirez votre argent des banques avant de tout perdre. Si le gouvernement saisit les ressources industrielles du pays, s'il prend tous les jeunes célibataires, rien ne l'empêchera de s'emparer aussi de vos économies. Vous avez vu la publicité pour les emprunts de la Victoire dans tous les journaux ? N'en achetez pas, sortez tout, ne laissez rien dans ces banques contrôlées par les Anglais.

Depuis le mois de juillet précédent, le politicien répétait sans cesse le même avertissement, semant l'inquiétude dans les esprits des épargnants. Dans cette grande affluence d'hommes, quelques dizaines de femmes se tenaient un peu à l'écart.

— J'entends mal, commenta Thalie, nous devrions nous approcher encore un peu.

Elle portait une jupe et une veste d'un bleu sombre assorti à ses yeux, la masse de ses cheveux noirs abondants attachée sur la nuque. En conséquence, son petit chapeau de feutre s'inclinait sur ses yeux. Les garçons jetaient des regards intéressés sur elle… et sur sa compagne.

— Non, je ne veux pas, répondit Françoise. Je suis un peu effrayée.

— Mais tu as certainement l'habitude des réunions politiques, tu as accompagné ton père tant de fois.

— Ici, je me sens mal à l'aise. Ce ne sont pas des libéraux se moquant des conservateurs. Tu sens la tension ? Comme de l'électricité dans l'air...

La jeune fille avait raison. La majorité des hommes présents devait porter, soigneusement pliée dans une poche, leur convocation pour l'examen médical. Bien sûr, la générosité des tribunaux d'exception se trouvait déjà commentée dans les journaux. Cela alimentait même des soupçons : le gouvernement ne pouvait avoir adopté une loi de conscription pour voir tous les appelés profiter d'une exemption.

— Tout à l'heure, Marie ne semblait pas très heureuse de nous voir partir, commenta-t-elle encore.

— Elle s'inquiétait déjà quand j'assistais à des réunions de ce genre avec Mathieu. Pourtant, mon grand frère pouvait alors venir me sauver en cas de danger. Alors la perspective de nous voir ensemble, deux pauvres créatures, parmi tous ces hommes !

Elle parcourait l'assistance des yeux, un sourire amusé sur les lèvres. Son amie déclara encore :

— Je ne voudrais pas lui déplaire.

— Tu sais bien que tu ne lui déplairas jamais, quoi que tu fasses.

Un peu pour compenser l'absence de son fils, la commerçante comblait Françoise d'attentions. Elle la désignait du terme d'« employée » aux étages commerciaux, mais préférait celui d'« invitée » dans l'appartement. Elles se lisaient à haute voix les premières lettres du sous-lieutenant, la jeune fille omettant toutefois d'abord les premières et dernières lignes de chacune des missives. Cette pudeur ne durerait pas.

— J'ai voté avec les bleus en 1911 ! hurlait à nouveau Lavergne. Cette année, notre seule chance de salut consiste en l'élection des libéraux. Seul le retour de Wilfrid Laurier dans le fauteuil de premier ministre à Ottawa, seul le maintien de Lomer Gouin à son poste à Québec, nous sauveront du chaos.

Une présence se manifesta près des deux amies, un jeune homme un peu rougissant, son chapeau à la main.

— Vous voulez vous approcher un peu ?

Cet ouvrier paraissait disposé à entendre le discours du politicien en charmante compagnie. Françoise lui adressa un gentil sourire au moment de prononcer :

— Je vous remercie, monsieur, mais je préfère rester ici avec ma compagne.

— Je peux vous tenir compagnie à toutes les deux.

— Vous gâtez tout le charme de la première invitation, riposta la jolie châtaine. Mais ne vous privez pas pour nous, vous ratez de beaux discours.

Il demeura un moment interdit, salua d'un mouvement de tête, puis s'approcha de l'orateur en remettant son chapeau. Quand il fut assez loin pour ne rien entendre, Thalie commenta en riant :

— « Vous gâtez tout le charme de la première invitation » ! Où est passée la jeune couventine rougissante de l'été dernier ?

— …Je ne sais pas. Dans une vieille malle, avec mon uniforme scolaire, sans doute.

Deux mois de la vie de vendeuse, de même que la compagnie quotidienne de deux femmes résolues à faire leur chemin dans l'existence, la rendaient plus assurée. Puis, deux fois par semaine, son père venait souper à l'appartement et s'y s'attardait même quand Thalie et elle regagnaient leur chambre. Ce qui demeurait impensable peu de temps auparavant lui devenait étrangement familier.

— Si vous avez vos papiers, clamait Lavergne, demandez une exemption. Si on vous la refuse, allez en appel. Cette loi est inique.

Le politicien engrangeait cependant trop d'honoraires pour aller jusqu'au bout de sa pensée : « Si, à la fin, vous n'obtenez pas cette exemption, ne vous rapportez pas. Le cachot vaut mieux que des villages comme Passchendaele. » Des paroles semblables ruineraient sa réputation devant les juges des divers tribunaux. Il préférait laisser à ses compagnons la responsabilité des déclarations les plus enflammées.

Oscar Drouin prit la place de son compagnon sur la plate-forme de la charrette et commença :

— Les conservateurs veulent notre perte. Ils rêvent de voir notre nationalité disparaître dans les plaines de Flandre, sous les obus Allemands.

Même ceux qui traînaient leur exemption dans leur porte-monnaie sentaient la peur leur nouer les tripes. Le geste ample, le membre de la Jeunesse libérale continua :

— Deux journaux de notre ville continuent de faire la réclame pour ce projet assassin. Mieux vaudrait leur fermer la gueule, les empêcher de conduire les nôtres à leur perte.

En ce moment fort opportun, quelqu'un dans la foule cria :

— Fermons le *Chronicle* !

— Fermons l'*Événement* ! répondit un autre.

Les mots d'ordre furent repris par dix voix, puis cent, enfin par mille.

— Tous au *Chronicle* !

Un mouvement se dessina parmi l'assistance, une cohorte de jeunes hommes inquiets se montrait disposée à se trouver un ennemi peu menaçant à terrasser. Très vite, la circulation s'interrompit dans la rue de la Couronne, suscitant des jurons des cochers et des chauffeurs de voiture ou de camion.

— Rentrons, décida Françoise d'un ton résolu.

— De toute façon, c'est terminé. Sautons dans ce tramway.

La voiture était immobilisée par les manifestants. Le conducteur tapait du pied sur sa cloche avec le vain espoir de faire dégager la chaussée devant lui. En ce vendredi soir, toutes les banquettes se trouvaient occupées. Deux garçons bien élevés cédèrent volontiers leur place.

— C'est très gentil à vous, les remercia Thalie en se poussant près de la fenêtre.

— Oui, très gentil, répéta sa compagne.

— Cela nous fait plaisir, répondit celui des jeunes hommes resté debout près d'elles. Vous avez assisté à l'assemblée ?

— Oui.

Le rose montait au cou de Françoise, un peu intimidée par le regard plongeant sur elle. En quelques minutes, deux représentants du sexe opposé lui avait témoigné leur intérêt. La boutique de vêtements ALFRED lui offrait peu d'expériences de ce genre.

— C'était intéressant ?

— La même chose que d'habitude : la loi sur la conscription est mauvaise, les conservateurs sont des tyrans, les libéraux vont sauver la nation canadienne-française.

Son ton aurait fait sourciller le digne député de Rivière-du-Loup. Elle paraissait trop sceptique pour le rassurer tout à fait. Son interlocuteur posa le même constat.

— Vous ne paraissez pas d'accord.

— De toute façon, comme nous n'avons pas le droit de vote, intervint Thalie, notre opinion ne compte pas.

Le garçon esquissa un sourire, chercha une réponse convenable, puis préféra changer de sujet :

— J'ai reçu mes papiers à la fin du mois dernier. Je passerai demain devant le tribunal d'exception. En conséquence, j'ai une très mauvaise opinion de cette loi.

— Je comprends, répondit Françoise. Mais il paraît que les juges se montrent très compréhensifs.

Le tramway gravissait la côte d'Abraham à une vitesse très réduite, forcé de s'adapter au rythme des manifestants. Les jeunes filles descendirent devant le marché Montcalm, puis continuèrent à pied à une distance prudente de la foule en colère. Les cris « Au *Chronicle* ! » interrompaient régulièrement le *Ô Canada* ou *La Marseillaise*.

— Que feront-ils ? demanda Françoise.

— La même chose qu'il y a quelques mois : briser les vitres des locaux des deux journaux conservateurs de la ville. Peut-être pousseront-ils l'audace jusqu'à forcer la porte pour démolir les presses. Comme cela, les seules voix conscriptionnistes se tairont.

En pénétrant dans le commerce, elles se trouvèrent en face de Marie, descendue afin de surveiller les mouvements dans la rue. Lors de ce genre de manifestation, des excités pouvaient s'en prendre aux vitrines sur leur chemin.

— Vous voilà enfin, déclara-t-elle, une pointe d'impatience dans la voix. Je m'inquiétais.

— Pourquoi? questionna Thalie. Personne ne songe à s'en prendre aux jeunes filles. Pire, personne n'a même prêté attention à ma petite personne. De son côté, Françoise est comme du miel pour des mouches.

L'autre commença à rougir et s'engagea dans l'escalier en disant:

— Je suis heureuse de la comparaison, cela pourrait être pire! Je vais écrire à Mathieu. Marie, vous... tu as une lettre pour lui? J'irai à la poste avant de me coucher.

L'habitude s'imposait lentement. Elle s'arrêta pour attendre la réponse.

— Oui, sur le guéridon, près de mon fauteuil.

Elle continua vers l'appartement. La marchande s'approcha de la vitrine, se pencha pour voir les retardataires dépasser la basilique et se diriger vers la côte de la Montagne.

— Encore une fois, ils vont s'en prendre au *Chronicle*, murmura-t-elle.

— Et aussi à l'*Événement*.

— Tu es incorrigible. Même après le départ de Mathieu, non seulement tu continues à fréquenter ces réunions, mais tu y entraînes notre invitée.

— Tu as vu, je n'ai pas eu à lui tordre le bras. J'y vais pour tout te raconter ensuite. Maintenant, tu as le droit de vote...

En même temps qu'il avait annoncé la tenue des prochaines élections, le premier ministre Borden avait confirmé son intention d'accorder le droit de suffrage aux femmes membres des forces armées et à celles apparentées à un membre de celles-ci.

— Je me contenterai de lire les journaux.

— Ce n'est pas pareil... Tu iras, au moins?

Marie jeta un regard curieux sur sa fille. Elle précisa sa pensée:

— Je veux dire: tu iras voter?

— Évidemment, j'irai. Et toi aussi, en 1921.

Thalie posa la tête sur l'épaule de sa mère. Les strophes du *Ô Canada* leur parvenaient parfois, rompant le silence ambiant. Les manifestants laisseraient les devantures défoncées des journaux conservateurs pour tenir ensuite une veillée de garde aux pieds de la statue de Champlain, le père de la vieille cité, à proximité du *Château Frontenac*.

~

Contrairement à son habitude, Édouard fit l'effort de se rendre à la basse-messe. À son retour à la maison, il rejoignit le reste de la famille dans la salle à manger pour le déjeuner.

— Tu crois vraiment utile d'aller là-bas ? demanda Évelyne, un peu d'agacement dans la voix. Dans notre comté, le candidat libéral n'est nullement menacé.

— Il faut éviter l'élection d'un seul conservateur de langue française.

— Voilà un objectif admirable, commenta Thomas, mais le comté de Dorchester se trouve un peu loin.

— Seulement de l'autre côté du fleuve.

En 1911, quelques conservateurs aux visées nationalistes avaient été élus au Québec. Albert Sévigny figuraient parmi eux. Au fil des ans, de moins en moins sympathique à Henri Bourassa, de plus en plus proche du premier ministre Borden, il poursuivait sa carrière politique depuis quelques mois à titre de ministre du Revenu. Empêcher sa réélection devenait l'objectif avoué de tous les libéraux de la région.

— Lavergne doit s'ennuyer de toi, seul dans son comté, poursuivit le commerçant.

— J'ai dit que je supporterais les libéraux. Le temps n'est plus propice aux députés indépendants, nous devons serrer les rangs.

Tout en clamant appuyer l'équipe de Wilfrid Laurier lors de l'élection générale, Armand Lavergne tentait à nouveau de se faire envoyer à Ottawa en tant que député indépendant de Montmagny. Lui aussi faisait figure de symbole, liguant contre lui toutes les forces libérales disponibles. Ses élucubrations passées laissaient trop de mauvais souvenirs aux gens.

Édouard avala son repas à toute vitesse, pressé de retrouver des jeunes membres du Parti libéral. Il se leva bientôt, s'essuya la bouche en s'excusant :

— Je dois y aller. Un voisin me conduira au traversier. Papa, je te laisse la voiture, tu pourras promener ces dames tout l'après-midi.

— Une fois n'est pas coutume, n'est-ce pas ? grommela le commerçant. Il y a bien un mois que je n'ai pas touché le volant de ma Buick.

Évelyne quitta aussi sa place et l'accompagna dans le hall.

— Tu préfères une réunion d'ivrognes à ma compagnie ?

La remarque, formulée sur le ton du reproche, agaça le nouvel époux. La taille de la jeune femme affichait maintenant un peu sa grossesse. Heureusement, les nausées se manifestaient plus rarement au lever du jour. Il posa la main sur l'arrondi du ventre, puis répondit :

— Ces ivrognes, comme tu dis, sont des voisins, des relations de ton père comme du mien.

— Une campagne électorale dans Dorchester…

— Nous traquerons le seul candidat conservateur un peu prestigieux dans son trou. Les autres sont déjà battus.

Il posa ses lèvres sur la bouche offerte, coiffa son chapeau et sortit. Au moment de retrouver sa place à la table, Évelyne laissa échapper un soupir de lassitude.

— Ne t'en fais pas, déclara Élisabeth en lui adressant un regard complice. Dans cette maison, les hommes participent aux élections, mais cela dure peu de temps. Au moins, cette fois, ils sont du même bord.

— …Mon père aussi s'en mêle. Mais il se limite à visiter les salons de la Grande Allée.

— Certains d'entre nous doivent se dévouer un peu plus, commenta Thomas d'un ton railleur. Parcourir les campagnes pour offrir à boire aux cultivateurs, faire des discours à l'entrée des ateliers ou des manufactures, crier à l'instant propice lors des assemblées contradictoires, tout cela nous revient. Aucune élection ne se gagne dans les salons.

La maîtresse de maison lui adressa un regard un peu sévère et essaya de corriger le reproche implicite :

— Thomas aussi s'absentera aujourd'hui pour visiter ses collègues de la rue Saint-Joseph. Son après-midi ressemblera à celui de votre père.

Évelyne tendit la main pour prendre sa tasse de café, préférant taire son opinion. Les salons de la rue la plus élégante de Québec ne lui paraissaient pas souffrir la comparaison avec ceux de l'artère marchande de la Basse-Ville.

❧

Édouard retrouva un voisin habitant la rue Scott, heureux propriétaire d'une Chevrolet, pour faire le trajet jusqu'aux quais. Avec Oscar Drouin et Wilfrid Lacroix, il s'embarqua sur le traversier. À Lévis, la compagnie ferroviaire Québec Central fournissait un train spécial aux conspirateurs libéraux. Un colosse dont l'œil droit semblait vouloir divorcer du gauche se promenait d'un wagon à l'autre en hurlant :

— Le salaud, on va le pendre au premier arbre ! Il défend la conscription.

Ce crime lui semblait justifier une exécution sommaire. En prononçant ces mots, il faisait tourner la corde passée sur ses épaules. Elle se terminait par une boucle fermée par un nœud coulant digne du meilleur bourreau de l'Empire.

— Nous sommes en bonne compagnie, observa Édouard en prenant son siège, près de la fenêtre.

— L'un des honorables membres du parti au pouvoir au gouvernement provincial sait dans quelles tavernes de Québec recruter ses militants, précisa son voisin.

— Deux dollars et une bouteille de gin réussissent des miracles pour le travail d'élection. Nous reviendrons ce soir dans un concert de vomissements sonores.

Le train s'arrêta dans la paroisse de Saint-Anselme, déversa ses passagers dans le petit village du comté de Dorchester. Tout près de l'église, en face du magasin général, une estrade de poutre et de planche disparaissait presque totalement sous l'abondance des drapeaux du Royaume-Uni. Albert Sévigny se trouvait déjà à l'œuvre, au milieu d'une poignée de partisans, haranguant une petite foule de cultivateurs et de notables venus des paroisses environnantes.

— Nous devons faire notre devoir, nous porter à la défense de notre mère patrie. Nous le devons à notre dignité. Présentement, les accusations de lâcheté viennent de partout...

— Albert, tu devrais t'enrôler pour nous refaire une réputation ! hurla l'un des nouveaux arrivés.

— C'est vrai, reprit l'un des habitants. Au lieu de prendre nos garçons, vas-y toi-même.

D'autres entamèrent le *Ô Canada* de toutes leurs forces afin de couvrir la réponse du politicien. Quelques hommes quittèrent l'estrade et marchèrent vers les fauteurs de trouble d'un pas résolu pour se faire recevoir par des coups de poing précis. Les quelques cultivateurs assez imprudents pour réclamer le silence connurent le même sort. Très vite, la foule se dispersa et les *Union Jack* arrachés à l'estrade se retrouvèrent dans la boue de novembre.

Les manifestants, menaçants, s'approchèrent tout près de la construction sommaire. Le ministre du Revenu marcha jusqu'au fond de la scène et sauta sur le sol pour courir vers un petit hôtel avec son escadron de fidèles.

— On va le lyncher, le salaud ! hurla le matamore de la Basse-Ville en faisant tournoyer sa corde au-dessus de sa tête.

Les hommes entourèrent le petit bâtiment et cherchèrent à ouvrir la porte, heureusement verrouillée.

— Albert, viens nous voir, cria encore le fier-à-bras, j'ai une nouvelle cravate pour toi !

Le siège s'amorça tout de même dans une atmosphère bon enfant, au son du *Ô Canada* et de *La Marseillaise*. Chacun transportait une flasque dans sa poche, prenait une gorgée, puis tendait la bouteille à son voisin immédiat. De temps en temps, un conservateur déplaçait un peu un rideau afin de voir si la foule se dispersait. Chaque fois, les cris redoublaient, des menaces mêlées aux railleries. Aussi tard dans la saison, l'obscurité se répandit très tôt sur le village. Les derniers cultivateurs, agacés de se voir privés d'une belle assemblée, rentrèrent chez eux. Seuls de jeunes garçons erraient devant l'hôtel, désireux d'assister à une grande bagarre.

— Nous t'attendons toujours, Sévigny ! hurla quelqu'un.

— Viens essayer la jolie cravate.

En début de soirée, l'impatience gagna tout de même les travailleurs d'élection. Une première pierre perça une fenêtre du rez-de-chaussée de l'établissement, d'autres suivirent le même chemin.

— Cela devient un peu trop fort pour moi, commenta Édouard.

Depuis trois heures, le jeune homme battait la semelle sur le trottoir de bois, un peu à l'écart. Après le coucher du soleil, la température était très vite descendue.

— Ils se prennent vraiment au sérieux, répondit Drouin sur le même ton lassé. Nous pourrions aller nous asseoir dans le train, mais il ne rentrera pas à Québec avant que ces excités ne soient fatigués de ce jeu.

Après la pluie de cailloux et les cris menaçants, une détonation déchira la nuit. Les jeunes notables virent une flamme jaillir du canon d'un revolver.

— Cette fois, c'est vraiment exagéré, déclara Édouard en tournant les talons. Quelqu'un peut se faire tuer.

Le son de véhicules moteur se fit entendre à ce moment. Bientôt, quatre grosses berlines s'immobilisèrent au milieu de la chaussée, une vingtaine de jeunes hommes particulièrement robustes en descendirent, un bâton de baseball dans les mains.

— Nous allons ramener Sévigny à Québec, déclara l'un d'eux en français, mais avec un fort accent anglais. Si vous vous en mêlez, tant mieux.

Sur ces mots, il fendit l'air de son bâton, comme pour frapper une balle invisible.

— Comment ces types ont-ils été avertis de ce qui se passe ? demanda Wilfrid Lacroix à ses compagnons.

— Si personne n'a songé assez vite à couper les fils du téléphone de l'hôtel, répondit Édouard sans se retourner, quelqu'un a pu rejoindre des organisateurs politiques à Québec. Le temps de faire le trajet sur de mauvaises routes de campagne, les voilà à la rescousse.

Si le marchand et ses compagnons furent les premiers à regagner la sécurité des wagons du Québec Central, les troupes de choc du Parti libéral les rejoignirent bientôt. Le chef de la petite bande avait perdu sa corde de pendu et le côté droit de son visage était couvert de sang, résultat d'un rude coup sur la tête. Ses lèvres éclatées arboraient une moue étrange. Cela n'affectait pas le moins du monde son moral.

— Je pense qu'au second jour de sa campagne électorale, Sévigny s'est montré pour la toute dernière fois dans son comté.

Son rictus montrait une bouche privée depuis peu de ses dents de devant.

Le train quitta bientôt le village de Saint-Anselme. Édouard réalisa avoir passé les dernières heures à ressasser ses souvenirs d'une rue de Québec portant le même nom. Plus précisément, il se rappelait un petit appartement sis dans cette rue.

Chapitre 20

Les travailleuses sortaient des bureaux de la Quebec Light un peu après six heures. Édouard se tenait du côté nord de la rue Saint-Joseph, juste en face du grand édifice. Clémentine en émergea en compagnie de quelques compagnes de travail. Elle remarqua tout de suite la silhouette de son ancien amant, élégant dans son paletot de laine, un chapeau melon sur la tête.

— Qu'est-ce qu'il veut encore, celui-là? déclara l'une d'entre elles.

— Viens avec nous, ajouta une autre. Fais semblant de ne pas le voir.

Le jeune Picard, debout sur le trottoir opposé, la regardait fixement. À la fin, elle murmura :

— Continuez sans moi, je vais lui parler.

Elle traversa la rue et se trouva bientôt en face du jeune homme, les yeux levés. Ses boucles blondes dépassaient sous son chapeau. Ses yeux paraissaient gonflés de larmes et le visage un peu plus étroit, comme amaigri.

— Comment vas-tu? demanda-t-il à voix basse.

— Cela ne te regarde plus.

Elle marqua une pause, puis ajouta, sa résolution déjà vaincue :

— Pourquoi veux-tu le savoir?

— Je m'inquiète pour toi.

— Ton épouse va bien? Elle est plutôt jolie... dans son genre.

— Elle va bien, excepté des vomissements tous les matins au cours des derniers mois. Elle est enceinte.

Clémentine encaissa le choc et fit mine de tourner les talons.

— Et toi, comment te portes-tu? s'empressa-t-il de demander.

— …Je vais bien. Comme de plus en plus de gens s'abonnent à la distribution d'électricité, le travail ne manque pas… Au fond, pour les personnes comme moi, c'est la seule chose qui compte, n'est-ce pas? Si les gages arrivent toutes les semaines, je vais bien.

— …J'en suis heureux. Avec l'appartement, tout se passe bien aussi?

Ces quelques mots permettaient de lui rappeler qu'elle demeurait sa débitrice. Ses mouvements d'humeur pouvaient lui coûter cher.

— Oui… Merci de continuer de le payer.

— Ce n'est rien.

Ces mots traduisaient toute la distance entre eux.

— Je te souhaite le meilleur, continua-t-il. Je vais rentrer.

Au moment où il s'apprêtait à s'en aller, elle demanda encore:

— Pourquoi… Pourquoi m'as-tu attendue ce soir?

— Parce que je garde pour toi la même affection qu'auparavant.

Elle écarquilla les yeux, incertaine de l'attitude à adopter.

— Encore une fois, bonne chance, je suis heureux de t'avoir parlé.

Cette fois, Édouard lui tourna le dos et marcha en direction du magasin PICARD. Clémentine regarda la silhouette s'éloigner, puis elle hâta le pas en direction de la rue Saint-Anselme.

⋙

Le lundi 17 décembre, Marie descendit de l'appartement coiffée de son chapeau, son manteau de laine sur le dos. Elle finissait d'enfiler ses gants au moment de passer devant la caisse. Françoise acceptait vingt sous d'une cliente pour une paire de mouchoirs brodés. Le commerce de vêtements pour femmes lui révélait ses secrets l'un après l'autre. Pas une minute, elle ne regrettait d'avoir accepté l'offre étonnante, plusieurs mois plus tôt.

— Pourras-tu t'occuper de tout pour quelques minutes?

La jeune femme répondit par un sourire. Articuler un «oui, bien sûr» lui paraissait présomptueux.

— J'ai un peu le trac, admit la commerçante. C'est la première fois.

— Les journaux ont été assez explicites, samedi dernier.

— Oh! Ce n'est pas le fait de mettre mon «X» sur un bout de papier. Plutôt, toute cette situation me trouble. Pour les femmes, ce jour est important.

Sur un dernier salut, Marie quitta la boutique. Un bureau de scrutin se trouvait dans le hall de l'hôtel de ville, de l'autre côté de la rue. Elle se tint bientôt au milieu d'un groupe d'hommes, des voisins pour la plupart, qui la saluèrent d'une inclinaison de la tête. Certains exprimaient dans leur regard une certaine réprobation. Pour plusieurs, permettre aux femmes de voter demeurait une nouveauté à la fois étrange et menaçante. Surtout, elle tenait le privilège de se trouver là à l'un de ses proches qui était dans l'armée. Les personnes dans sa situation, pariait le premier ministre Borden, se prononceraient toutes en faveur de son gouvernement. Afin de procurer des renforts à leurs êtres chers, estimait-il, elles favoriseraient la conscription.

Non seulement la marchande voterait-elle, mais sans doute, aux yeux de tous ces hommes, ce serait pour le mauvais candidat.

Elle atteignit l'entrée d'une petite salle et prononça de sa voix la plus ferme:

— Marie Picard. Si vous préférez, madame veuve Alfred Picard.

— Oui, madame, je vous reconnais, répondit le vieil homme assis à la porte, en consultant sa liste de noms.

— Mon fils Mathieu se trouve présentement en Angleterre, avec le 22ᵉ bataillon.

— Je sais cela aussi. Son départ a été abondamment discuté chez vos voisins.

L'homme chercha sa règle de bois, l'utilisa pour tracer une ligne bien droite sur son nom à l'aide d'un crayon rouge. Il lui remit un morceau de papier, puis désigna un coin de la salle.

— Derrière ce rideau, là-bas, vous trouverez un crayon. Vous replierez ce bulletin et le glisserez vous-même dans la boîte.

La nouvelle électrice se retira et traça un « X » bien net dans la case au bout du nom du candidat libéral. Le responsable du bureau de scrutin la regarda glisser le morceau de papier dans le trou rond sur le sommet de la boîte, puis lui déclara :

— Voilà une bonne chose de faite, madame Picard. Nous nous reverrons sans doute dans quatre ans.

Elle quitta les lieux réconfortée. Certains hommes trouvaient tout naturel de la voir exercer son droit de vote.

～

Les Canadiens français se plaisaient souvent à voir dans la politique partisane un jeu enlevé, disputé environ tous les quatre ans, pour lequel se passionner pendant quelques mois. Ensuite, libéraux et conservateurs tentaient d'oublier les excès de langage survenus dans la chaleur de la lutte.

Le scrutin de 1917 échappait à cette tradition. Cette fois, des milliers de vies reposaient dans la balance. Les francophones demeuraient lourdement sous-représentés dans le corps expéditionnaire de l'armée : la conscription devait rétablir l'équilibre, mieux répartir le prix du sang. L'enjeu prenait une dimension dramatique.

Une fois leur journée au magasin terminée, Thomas et Édouard s'arrêtèrent à l'Auditorium de Québec. Déjà, des centaines de jeunes gens se regroupaient de l'autre côté de la rue Saint-Jean, sur la place du marché Montcalm. Au fil des heures, leur nombre ne ferait qu'augmenter.

— Tu penses qu'il y aura du désordre ce soir? demanda le jeune homme à son père.

— Tu es celui de nous deux qui fréquente la Ligue anticonscriptionniste, tu devrais pouvoir me donner ce genre d'information.

— Honnêtement, je ne sais pas. Nous ne fomentons pas les épisodes de violence.

— Je veux bien te croire, grommela le père, sarcastique. Si, au terme d'une réunion où des orateurs enflamment les esprits, un idiot hurle «Au *Chronicle*!», cela tient certainement du hasard…

Après une pause, il ajouta encore:

— Tu ne te souviens pas? Je sais aussi jouer au jeu de la politique. Alors ne me raconte pas de sornettes.

Le garçon secoua la tête, amusé par la situation. Si des jeunes libéraux fréquentaient la Ligue, les organisateurs du parti devaient connaître tous les détails de l'association et toutes ses stratégies.

— Honnêtement, je ne suis au courant de rien. Tu te souviens aussi, je me suis marié l'été dernier. Depuis, j'ai négligé mes anciens amis.

— Si quelqu'un commence à lancer des cailloux ce soir, ce ne sera pas à l'invitation des libéraux. Mais les esprits ont été tellement échauffés depuis 1914 par tes amis agitateurs que la moindre étincelle peut allumer un brasier.

À force de se faire dire par des notables comme Lavergne de défier les lois, certains de ces jeunes travailleurs risquaient de vouloir passer de la théorie à la pratique.

Thomas plaça la main sur l'épaule de son fils et le poussa vers la grande salle de spectacle. De nombreuses personnes occupaient déjà les lieux, des candidats du parti d'opposition et des organisateurs. Le commerçant serra les mains tendues, écouta les comptes rendus sur le déroulement du scrutin. Le dépouillement des boîtes débutait tout juste dans les

Maritimes, les premiers résultats commenceraient bientôt à entrer au compte-gouttes. Vers huit heures, une partie des lumières s'éteignit afin de laisser l'écran tendu à l'arrière de la scène dans une relative pénombre. L'endroit servait maintenant surtout à la projection de films. Une lanterne magique permettrait de montrer les résultats, au fur et à mesure de leur arrivée.

Les premiers chiffres se révélèrent encourageants. Les provinces de l'Atlantique donnaient une avance plutôt légère à Borden.

— Je croyais que les Anglais voteraient en bloc pour la conscription, commenta Édouard.

— En majorité, pas en bloc. Laurier espère obtenir plus du tiers du suffrage chez eux.

Dans les Maritimes, ce serait plus de quarante-cinq pour cent des voix exprimées. La présence des Acadiens dans cette région lui donnait un certain avantage.

À neuf heures, les résultats pour la province de Québec devinrent assez nombreux pour faire l'objet d'une projection. Des cris de joie remplirent la salle : tous les comtés à majorité francophone donnaient une forte proportion des voix au parti de l'opposition. Albert Sévigny se trouvait battu dans Dorchester. Au début de la nuit, soixante-deux des soixante-cinq sièges de la province étaient passés aux libéraux.

— Nous avons des chances, s'excita Édouard.

— Non, aucune. De l'Ontario jusqu'au Pacifique, Laurier aura moins du tiers des votes.

La prédiction se vérifia bien vite : le territoire voisin donna finalement trente-deux pour cent des suffrages aux candidats de Laurier. Les choses tournèrent plus mal encore par la suite. Dès dix heures, la victoire du gouvernement unioniste paraissait assurée. Au matin, les Canadien apprendraient l'ampleur de celle-ci : presque cinquante-sept pour cent des voix, et cent cinquante-trois des deux cent trente-cinq circonscriptions.

Au moment de quitter l'Auditorium, Thomas ne se priva pas de conclure avec ironie :

— Nous voilà avec une bonne et une mauvaise nouvelle.

— Je me demande quelle est la bonne.

— Armand Lavergne a été battu dans Montmagny.

Édouard ricana, avant de remarquer :

— Tu es rancunier.

— Moi ? Si j'étais rancunier, je lui mettrais une pierre au cou et je le jetterais dans le bassin Louise. Puis, tu sais, la mauvaise nouvelle n'est pas celle que tu penses.

— ...La défaite de Laurier ?

Thomas s'arrêta dans le hall de l'Auditorium. Des policiers militaires se tenaient à tous les trois pas, ceux de la ville battaient la semelle sur le trottoir, devant l'édifice.

— Comme les registres des recruteurs se trouvent dans les bureaux administratifs, à l'étage de cet immeuble, je suppose qu'ils craignent les manifestants.

— Tu me le diras, à la fin ?

— Quoi ?

— La mauvaise nouvelle ?

Une fois dehors, le marchand s'arrêta devant la porte du YMCA, posa les yeux sur les jeunes gens sur la place du marché Montcalm. Ils devaient bien être un millier maintenant, malgré le froid. Les résultats mis à jour avaient été affichés à la porte de la salle de spectacle pendant toute la soirée. La colère grondait parmi eux.

— Tu n'as pas compris ? À présent, le pays se trouve brisé en deux : le Québec libéral, le reste du pays unioniste ; le Québec contre la conscription, le reste du pays en sa faveur.

— Peut-être que la fédération a simplement fait son temps.

Devant le grand édifice de pierre grise du marché, quelqu'un entonna le *Ô Canada* alors que d'autres brandissaient le drapeau Carillon-Sacré-Cœur. Ces personnes paraissaient lui donner raison.

Les voix tonitruantes remplissaient la rue de la Fabrique. Les mots

Sous l'œil de Dieu,
Près du fleuve géant,
Le Canadien grandit en espérant...

devinrent parfaitement audibles alors que la colonne désordonnée passait devant la boutique. La suite de l'hymne fut rapidement indistincte.

— Donc, conclut Thalie, Borden a gagné ses élections.

L'ironie dans sa voix sonnait faux. Sa mère, Françoise et elle surveillaient la rue, debout dans l'obscurité, assez loin des vitrines pour ne pas attirer l'attention.

— Voilà encore le *Chronicle* et l'*Événement* condamnés à enrichir les vitriers, commenta Françoise.

— À leur place, je mettrais des contreplaqués dans mes vitrines... ragea Marie. Je songerai aussi à le faire si les choses ne se calment pas.

Après avoir lancé des pierres dans les fenêtres de l'Auditorium, les manifestants s'étaient répandus dans les rues, les policiers à leur trousse. Partout dans la ville, du verre encombrerait les trottoirs au lever du soleil.

— Cela semble terminé, mais je n'ose pas remonter, fit la marchande après de longues minutes de calme.

— Nous pouvons toujours prendre les chaises dans la salle de repos, proposa Thalie, et nous asseoir. D'un autre côté, comme ces hommes ne sont pas silencieux, nous pourrons descendre à nouveau s'ils reviennent.

Aucune d'elles ne pourrait s'opposer à des protestataires en colère. Elles croyaient tout de même que leur seule présence les calmerait, si certains arrivaient à s'introduire dans le commerce. Elles regagnèrent l'appartement après une nouvelle heure de vigie.

Les jours suivant l'élection fédérale, l'agitation ne cessa pas dans les rues de la ville. Après leur journée de travail, les ouvriers se massaient spontanément sur les places des marchés Saint-Roch, Jacques-Cartier, Montcalm et Champlain. Il se trouvait toujours un orateur, un étudiant ou un jeune professionnel, plus rarement un chef syndical, désireux de construire sa carrière sur l'indignation populaire. Le tout se terminait par de grandes parades bruyantes, au son du *Ô Canada* ou de *La Marseillaise*. Craignant d'être débordée, peu confiante dans le service d'ordre municipal, la police «montée» fédérale réclamerait bientôt le renforcement de la garnison de la ville.

L'atmosphère électrique agissait aussi sur l'esprit des politiciens. Le 21 décembre, dernier jour de la session parlementaire, le député du comté de Lotbinière, Joseph-Napoléon Francœur, se leva pour déposer une motion à l'attention de ses collègues, dans l'espoir de la voir soumise au vote. Après les mots de circonstance sur l'agitation récente, inspirée de l'horreur d'une mesure aussi extrême que la conscription, une feuille de papier sous les yeux, il en présenta le texte :

— Que cette Chambre est d'avis que la province de Québec serait disposée à accepter le rupture du pacte confédératif de 1867 si, dans les autres provinces, on croit qu'elle est un obstacle à l'union, au progrès et au développement du Canada.

Quelqu'un devait donner son appui à la proposition afin de la discuter à la reprise des travaux, en janvier, et de la mettre aux voix. Hector Laferté se dévoua.

Lors du repas du soir, la rumeur de la «séparation» de la province circulait déjà dans les cuisines et les salles à manger de la ville. Dans la rue Scott, Édouard ne pouvait cacher sa joie. Ses dix ans de militantisme nationaliste connaissaient là leur paroxysme.

— Les Anglais doivent trembler. Le mépris a fait son temps.

— Pourquoi trembleraient-ils ? questionna Thomas d'une voix chargée de sarcasme.

— ...Nous allons quitter cette fédération qui ne nous a rien apporté de bon au cours des derniers cinquante ans.

L'été précédent, le demi-siècle de l'union des provinces canadiennes avait suscité des réjouissances modestes. La guerre, et les tensions entre les groupes nationaux, n'avaient guère favorisé les célébrations grandioses.

— Si j'ai bien compris le sens de cette proposition, elle signifie à nos compatriotes d'une autre origine notre disposition à nous séparer d'eux s'ils trouvent notre présence dans le Canada dérangeante. Cela ne ressemble guère à une déclaration révolutionnaire.

— ...Au moins, la question de notre appartenance au Canada est posée.

— Cela me fait penser à des élèves dans une cour d'école. Comme si nous disions à nos voisins : les règles ne nous plaisent plus, alors nous ne jouons plus avec vous.

L'une en face de l'autre, Élisabeth et Évelyne échangeaient des regards lassés. La jeune femme trahissait maintenant son état. La large boucle de soie de la ceinture de sa robe, sur son ventre, soulignait la rondeur croissante de celui-ci. La maîtresse de maison déclara :

— Je suis si heureuse ! Vos parents ont accepté de venir souper avec nous le 25 décembre, de même que ceux de Fernand. Nous serons tous réunis pour Noël.

— Cela vous fera beaucoup de travail. Bien sûr, je vous aiderai, mais je ne suis pas une très bonne cuisinière, j'en ai peur.

— Bien honnêtement, je ne suis pas très bonne non plus. La cuisinière aura droit à des étrennes un peu plus généreuses cette année pour la remercier de ses bons efforts.

— Maman est modeste, s'amusa Édouard. Elle passera deux jours à malaxer la pâte à tarte. Nous nous régalerons.

Élisabeth le remercia d'un sourire, à la fois pour le compliment et pour son effort louable de renoncer aux discussions politiques. La planification des festivités à venir occupa la conversation presque jusqu'à la fin du repas. Thomas désigna le dessert et la tasse de thé en s'excusant :

— Je suis désolé, mais je dois m'absenter ce soir.

— Un rendez-vous d'affaires ? demanda son fils.

— En quelque sorte. Des gens à voir, afin de cultiver de vieilles relations amicales.

Le marchand préférait demeurer discret sur ses activités de la soirée pour ne pas s'encombrer d'un militant nationaliste. Celui-ci s'excitait trop facilement de la situation. Mieux valait ne pas le voir pavoiser à ses côtés. Son Homburg enfoncé sur la tête, son paletot de laine soigneusement boutonné jusque sous son menton, il marcha d'un pas vif en direction de l'hôtel de ville. Il gravit l'escalier donnant accès à l'entrée principale au pas de course et s'empressa de gagner la salle du conseil.

～

La rumeur d'une action d'éclat amenait une petite foule sur les lieux. Les banquettes des spectateurs débordaient déjà d'occupants. Des hommes, plusieurs très jeunes, se tenaient debout tout autour de la grande salle. Thomas s'appuya au mur, les bras croisés sur la poitrine. L'échevin Eugène Dussault, le président de la Ligue anticonscriptionniste, se leva bientôt. L'excitation atteignait son comble.

— Chers collègues, commença le politicien, je compte déposer prochainement une pétition à l'Assemblée législative demandant la formation d'une nouvelle confédération réunissant le Québec et les provinces de la côte Atlantique.

La suggestion s'avérait intéressante : ces provinces avaient voté à plus de quarante-cinq pour cent en faveur des libéraux quatre jours plus tôt. Elles se montraient plutôt réfractaires à la conscription. L'échevin proposait de rompre le Canada en deux pour donner naissance à de nouvelles entités. Celle de l'est poursuivrait une politique isolationniste, celle de l'ouest s'engagerait dans la guerre.

— Dans ces circonstances dramatiques, je propose l'adoption d'une motion du conseil municipal appuyant notre démarche. Je vais vous faire la lecture de celle-ci :

Le conseil municipal de Québec soumet au Conseil législatif et à la législature la requête suivante :

Qu'en maintes occasions, contrairement aux principes fondamentaux de l'Acte de l'Amérique du Nord de 1867 proclamant l'égalité des races dans la Confédération canadienne, les droits de la race canadienne-française, partie contractante au pacte fédératif de 1867, ont été violés impunément et injustement, et qu'une tendance devenant de plus en plus évidente se développe de jour en jour avec l'intention d'écraser la minorité canadienne-française, principalement concentrée dans la province de Québec.

Pour cette raison, le soussigné conseil municipal de Québec, au nom du peuple dont il croit à présent exprimer les sentiments, prie humblement votre Conseil et votre législature d'étudier cette position faite à la minorité canadienne-française et de considérer attentivement si la vraie solution du problème, toutes autres faisant défaut, ne serait pas de former une nouvelle confédération entre la province de Québec et les Provinces maritimes.

Et votre humble pétitionnaire ne cessera de prier.

Signé : Le conseil municipal de Québec

Thomas laissa échapper un soupir dépité : alors que la situation devenait explosive, la Ligue soufflait le chaud. Dans la salle du conseil, une partie de l'assistance fit entendre un tonnerre d'applaudissements, des « Hourra ! » fusèrent ici et là. L'échevin Fiset se leva à son tour pour affirmer :

— Au moment où, tous les soirs, des manifestants parcourent les rues en vociférant, au moment où des pierres pleuvent dans les fenêtres des édifices publics, cette motion révèle une totale irresponsabilité politique.

Une rumeur empreinte de colère s'éleva dans l'assistance. Le maire Lavigueur s'extirpa de son fauteuil de fonction, frappa de son maillet la table devant lui afin de ramener le calme, puis prononça :

— Notre ami Fiset a raison. Ce genre de proposition, au coin du feu, procurerait un sujet de conversation plaisant. Dans les circonstances actuelles, cette initiative risque de nous plonger dans une situation plus dramatique encore. Monsieur Dussault, je vous demande de retirer cette motion. Il n'en résultera rien de bon.

Encore une fois, une majorité des hommes présents exprima sa colère par des gestes, des murmures d'impatience. Le président de la Ligue anticonscriptionniste se leva à nouveau pour déclarer :

— Nos voisins de langue anglaise nous ont imposé la dictature de leur majorité. Nous ne voulions pas nous engager dans cette guerre, ils veulent s'y jeter corps et âme. Nous ne voulions pas de la conscription, nous l'avons exprimé clairement en appuyant massivement Wilfred Laurier. Ils ont voté unioniste, une autre façon de dire conscriptionniste. De la rivière des Outaouais jusqu'à l'océan Pacifique, les Anglais ont accordé soixante-dix pour cent de leur suffrage à Borden. Nous n'avons plus rien en commun avec ces gens, mieux vaut une séparation amicale.

Dans une province où les curés soulignaient sans désemparer l'indissolubilité du mariage, pareille expression ne ferait pas long feu. L'échevin Fiset intervint.

— Qu'il persiste alors, déclara-t-il en tournant ostensiblement le dos à son collègue, il portera la responsabilité de cette affaire comme celle des autres dont il est l'auteur.

Les manifestations des derniers jours, conclut Thomas, ne tenaient pas qu'à la colère spontanée des jeunes gens menacés par le recrutement obligatoire. Cela d'autant plus que l'immense majorité d'entre eux portait, soigneusement pliée au fond de leur poche, les formulaires d'exemption. Des personnes inspiraient leur action.

~

Le lendemain, 22 décembre, le magasin PICARD recevait des hordes de clients désireux de compléter leurs achats de Noël. Dans les circonstances, les vendeuses rentreraient tard à la maison, car des travailleurs nombreux passeraient après la fermeture des ateliers et des manufactures.

Un peu après sept heures, Édouard vint frapper à la porte du propriétaire pour demander :

— Me permets-tu de partir tout de suite ? J'aimerais voir quelqu'un.

— Les clients se bousculent dans tous les rayons. Celui des vêtements féminins ne fait certainement pas exception.

— Deux ou trois vendeuses savent se servir de la caisse, ma présence n'est pas nécessaire. Je voudrais vraiment aller à ce rendez-vous.

Thomas quitta son fauteuil derrière le bureau et s'approcha de son fils en disant :

— Tu devrais prendre tes distances avec la Ligue anticonscriptionniste. Toute cette agitation se terminera mal.

— Je ne peux pas me dérober... Enfin, pas brutalement, car ce sont des amis.

— Je comprends. Tout de même, avec cette frénésie, éloigne-toi de ces fauteurs de trouble... Bon, sauve-toi avant que je change d'idée.

Édouard préférait laisser son père croire à la tenue d'une réunion de la Ligue tellement son projet le laissait un peu honteux. Quelques minutes plus tard, engoncé dans son paletot, son melon bien bas sur le front, il marchait rapidement rue Saint-Joseph. Il bifurqua dans Saint-Anselme et frappa bientôt à la porte du petit appartement.

— Tu... Qu'est-ce que tu fais ici ?

Clémentine offrait un visage étonné... et toujours séduisant. Édouard apprécia la couronne des cheveux blonds et bouclés, toujours portés courts, les yeux bleus, les lèvres comme des cerises. Il lui fallut un instant avant de retrouver sa contenance. En sortant une petite boîte de la poche de son manteau, il murmura :

— Je ne voudrais pas voir passer Noël sans t'offrir un petit présent.

Elle accepta l'écrin, trouva une montre-bracelet à l'intérieur. Le jeune homme ne faisait pas preuve d'une bien grande originalité. Un an plus tôt, il avait donné la même chose à Évelyne. Évidemment, sa compagne de la Grande Allée avait eu droit à un produit de meilleure qualité. Une maîtresse de la Basse-Ville ne valait pas le même investissement qu'une fiancée de la Haute-Ville.

— Tu n'aurais pas dû... Mais c'est extrêmement gentil à toi.

Sans réfléchir, elle se précipita dans ses bras, vive, mince et désirable, comme elle l'avait été au cours des trois dernières années. Édouard ne put s'empêcher, au moment d'y poser les mains, de comparer mentalement la taille fine à celle de son épouse. Les flancs tièdes, souples, le ramenaient plusieurs mois en arrière.

Elle se recula juste un peu, puis prononça à voix basse :

— Tu vas enlever ton paletot et rester un peu.

— Oui, mais je ne pourrai pas m'attarder.

Elle acquiesça de la tête. La petite case de sa vie où elle se trouvait confinée lorsqu'il était célibataire se réduisait maintenant plus encore.

⌇

La prédiction d'Édouard se réalisa : pendant deux jours au moins, de la farine dans les cheveux, Élisabeth avait préparé des gâteaux et des tartes. Le jour de Noël, en plus des enfants de la maison, les deux couples de beaux-parents se joignirent aux Picard. Cela donnait dix personnes, les enfants d'Eugénie étant demeurés sous la surveillance de Jeanne.

Thomas occupait un bout de la table, sa femme, l'autre. Après quelques mots sur la rigueur de la température, l'homme rompit toutes ses promesses à son épouse en demandant :

— Maître Paquet, ou maîtres Dupire, car je me trouve ce soir devant trois spécialistes du droit, je sais déjà combien il est difficile de défaire un mariage dans notre province. Défaire une fédération se révélera encore plus difficile, je suppose... si l'on en vient là.

Les deux notaires et l'avocat se consultèrent du regard. Le dernier risqua :

— Rien n'est prévu dans la loi de 1867 au sujet du retrait d'une province. Je présume qu'il faudra l'unanimité de toutes celles-ci.

— Ce qui serait tout à fait impossible à obtenir, intervint le vieux Dupire.

— Pourtant, déclara Édouard, les Anglais seraient si bien sans nous. Nous sommes la cinquième roue du carrosse, ou la neuvième, dans ce cas précis. Les huit autres provinces auraient les coudées franches après notre retrait. De notre côté, nous pourrions vivre à notre guise, selon nos valeurs, nos traditions.

Élisabeth tendit la main afin de toucher le bras de son fils, puis s'enquit :

— Avez-vous, Évelyne et toi, pensé à des prénoms pour l'enfant à venir ?

Du regard, elle englobait sa bru dans sa question.

— Comme ce sera l'aîné du fils de la maison, nous nous en tiendrons à la tradition. Thomas, dans le cas d'un garçon, Irène, comme sa grand-mère maternelle, si c'est une fille.

— Au prochain, compléta la parturiente, ce sera le prénom de mon père, ou le vôtre.

Thomas oublia pendant un moment l'éventuelle rupture de la fédération pour jeter un regard sur sa fille Eugénie, craignant de l'entendre prononcer : « Pour vraiment obéir aux usages, si le deuxième enfant est une fille, elle devrait s'appeler Alice. » Oserait-elle évoquer la morte en ce souper de Noël ? De façon fort raisonnable, celle-ci rappela plutôt :

— De notre côté, nous avons choisi des prénoms plus modernes.

— Mon mari s'appelle Hægédius, précisa madame Dupire. Infliger cela au petit Antoine aurait paru cruel.

— Et pour conjurer le mauvais sort, continua la jeune femme, Béatrice nous a semblé un prénom tout indiqué pour la dernière née.

C'était là la première allusion, très indirecte, à sa mère depuis des années. Édouard fit valoir :

— Mais vous avez institué une nouvelle tradition. Le premier enfant a un nom commençant par un « A », le second par un « B ». Le prochain s'appellera Conrad... ou Corinne ?

Un peu plus, et il aurait prononcé Clémentine. Ses yeux se posèrent un moment sur sa femme, puis il continua pour se donner une contenance :

— Avez-vous l'intention de couvrir tout l'alphabet, avec Zénoïde pour la dernière ?

— Je ne crois pas, vraiment, répondit Fernand.

Depuis deux semaines, le gros notaire participait de nouveau aux félicités conjugales. Sans jamais avoir consenti à ce marché, il devinait que le prochain accouchement signifierait son exil dans une autre chambre.

❧

Paul avait découvert une nouvelle dimension du caractère de Marie. Deux semaines plus tôt, il avait évoqué l'idée d'amener Françoise à Rivière-du-Loup pendant les quatre semaines de relâche de l'Assemblée législative, avant d'ajouter : « Bien sûr, ta fille et toi, vous viendrez passer Noël et le jour de l'An avec nous. »

Prononcée doucement, la réponse ne tolérait pourtant pas la moindre contestation : « Impossible, en cette période de l'année, j'ai besoin de tout mon personnel. » Sagement, il n'avait pas insisté. Sa réplique : « Je m'excuse, je n'y ai pas pensé », lui valut un baiser reconnaissant.

En conséquence, l'homme passa l'essentiel du congé seul avec sa sœur aînée, dans la grande maison de la petite ville du

Bas-Saint-Laurent. Même Amélie avait déserté son père pour profiter de ses quelques jours de liberté rue de la Fabrique. Pendant la journée, elle s'occupait des rubans et des dentelles après un bref apprentissage auprès de Thalie, très fière de son titre de «vendeuse auxiliaire». Le soir et la nuit, elle se lovait près de sa sœur, pour compenser les longs mois de séparation.

L'homme était revenu dans la capitale la veille, en train, heureux de partager la fête de Noël avec toutes ses femmes… et même Thalie. Après le repas, ils demeurèrent dans la salle à manger, faute d'un nombre suffisant de places au salon. Les sujets anodins épuisés, l'absent occupa toutes les pensées. Françoise précisa :

— Comme il m'écrit tous les jours, ou presque, il met toujours plusieurs missives dans chaque enveloppe. Je fais la même chose de mon côté. C'est toujours un peu curieux : la réponse à chacune de mes questions, ou la mienne aux siennes, vient toujours vingt jours plus tard.

— Il… Il se trouve toujours en Angleterre ? demanda son père, hésitant.

— Oui. Je vais chercher sa dernière lettre. Il l'a écrite le 14 décembre dernier.

Elle quitta son siège un moment, revint avec une feuille de papier, puis commença à lire, en sautant les premières lignes :

Nous sommes toujours campés dans la plaine de Salisbury, tout près de la ville du même nom. En cette saison, la pluie tombe presque tous les jours, sans désemparer. Nous pataugeons dans la boue depuis notre arrivée. Les camions et les voitures s'enfoncent parfois jusqu'aux essieux. Ce n'est rien à côté des tanks. Ceux-ci se déplacent en meutes ; après leur passage, le sol semble avoir été labouré par des géants.

La ville de Salisbury, je te le disais, se trouve tout près. Nous profitons de toutes les permissions pour aller boire une pinte de bière dans les pubs. Le plus souvent possible, je fausse compagnie à mes hommes pour aller visiter la cathédrale. Elle est magnifique avec ses nombreuses statues et son clocher pointé vers le ciel comme une aiguille. Si je ne portais pas un uniforme kaki, je m'imaginerais plongé dans l'un de ces romans anglais que j'aime tant. Surtout, je ne rêve que d'une chose: revenir ici avec toi. Évidemment, nous éviterons l'automne et l'hiver, à cause de la pluie.

Tu expliqueras à maman que si je suis amoureux de cette cathédrale, je ne me suis pas converti au protestantisme pour autant. Le chapelain nous fait endurer des messes interminables, souvent en plein air, autrement dit sous l'averse. La cérémonie la plus étrange s'est déroulée à quelques pas des alignements de pierre de Stonehenge. Cela aussi, ma très chère, je voudrais que nous le voyions ensemble...

— Ensuite, argua la jeune femme en repliant la lettre pour la tenir contre sa poitrine, cela devient plus... personnel.

Suffisamment intime, en tout cas, pour préférer ne pas en divulguer le contenu à son père. Toutefois, Marie pouvait maintenant connaître tous les détails de cette correspondance. Celle-ci intervint:

— Dans quelques semaines, il traversera la Manche pour aller se battre. Pendant ce temps, ici, nous discutons de l'éclatement du Canada.

— Et même d'une nouvelle fédération avec nos seuls voisins des Maritimes, renchérit Thalie.

— Vous savez, au moins en ce qui concerne la motion déposée à l'Assemblée législative, tout cela tient de la fumisterie. Et à l'hôtel de ville, seul Eugène Dussault se prend au sérieux.

Amélie s'était intéressée à la lettre du beau Mathieu. La politique la laissait indifférente. Elle dissimula mal un bâillement derrière sa main, appuya la tête sur l'épaule de sa sœur et ferma les yeux.

— Comment cela, une fumisterie? questionna Marie.

— Avec l'excitation dans la ville, il fallait faire quelque chose pour calmer les esprits. Au lieu de parader dans les rues, les jeunes militants discutent maintenant d'une nouvelle fédération en buvant de la bière en famille.

— Alors qu'ils en profitent, commenta Françoise en portant son verre de sherry à ses lèvres. La prohibition sera bientôt mise en vigueur.

Paul la regardait, à la fois amusé et inquiet devant ses transformations. Bien sûr, la vie au monastère des ursulines cultivait la modestie, l'humilité, l'effacement. Elle ne pouvait y apprendre à s'affirmer. Tout aussi féminin, l'univers de l'appartement de la rue de la Fabrique demeurait propice aux petites, et peut-être aux grandes audaces.

— Au moment de la reprise des travaux de l'Assemblée, que se passera-t-il ? demanda Thalie.

— Nous rejetterons la motion, ou mieux, nous ajournerons la discussion pour la laisser mourir en feuilleton.

— Et à l'hôtel de ville ? s'enquit-elle encore.

— Personne n'a donné son appui à la proposition de Dussault. Elle ne sera même pas examinée.

La situation lui paraissait un peu déconcertante. Ces trois jolies femmes, dont sa fille, trouvaient tout naturel d'aborder les questions politiques. Mieux valait en prendre l'habitude, l'après-guerre promettait des mœurs nouvelles. Marie lui avait fait part de son émotion, au moment de déposer son vote dans la boîte de scrutin. Elle énonça à nouveau son point de vue :

— Je comprends que la tension aura le temps de s'apaiser un peu d'ici le 17 janvier. Mais cette proposition doit tout de même soulever les passions d'un bout à l'autre du pays.

— Je peux aller chercher mes journaux ? demanda l'homme en faisant mine de se lever.

— Comme dans toutes les maisons de la ville, la Nativité cède le pas à la politique, cette année. Abreuve-nous de ton savoir.

Son sourire neutralisait la pointe d'ironie. Il se dirigea vers le salon afin de retrouver son porte-document. De retour dans la salle à manger, il en sortit quelques journaux de langue anglaise en précisant :

— On trouve là-dedans des phrases réellement insultantes envers nous. Le plus souvent dans de petites feuilles orangistes, ou alors sous la forme de lettres du public. Dans les journaux respectables, le ton se révèle plus modéré. Voilà un exemple tiré du *Globe* de Toronto :

Dans l'effort qui s'impose pour effectuer un rapprochement entre les Canadiens de toute nationalité, nous, d'origine anglaise, devons faire notre part. Nous devons être patients et prudents. Nous devons notre sympathie et notre appui à nos concitoyens d'origine française... Ils ont droit à nos égards et à notre respect... Puisse une ère nouvelle faire régner parmi les Canadiens la compréhension et la bonne entente. Cela est possible, si les deux races tendent à l'accomplir.

— Ailleurs, continua le député, on parle aussi de tendre la main aux Canadiens français.

— Ainsi, ricana Thalie, la petite saute d'humeur de Francœur incite nos bons voisins à faire preuve d'un peu de retenue. Juste pour cela, votre collègue mérite notre reconnaissance.

L'ironie de la mère déteignait sur la fille. Toutefois, chez elle aussi, la douceur du ton et le rire aux commissures des yeux adoucissait les mots. Françoise ne demeura pas en reste.

— Nous aiment-ils assez, du côté de Toronto ou d'Ottawa, pour renoncer à la conscription ?

— Non, sans doute pas, répondit son père. Mais avec toutes les exemptions accordées, la loi se trouve bien édentée. À Québec, sur mille appelés présents devant les tribunaux d'exception, neuf cent quatre-vingt-dix-neuf ont reçu ce qu'ils demandaient.

— Tout de même, une mesure de ce genre, dans un pays où des millions de personnes se réclament d'une origine française, allemande ou autrichienne devient tout à fait déraisonnable, déclara Marie. Dans des conditions normales, la loyauté au gouvernement est une chose. En temps de guerre, demander aux gens de donner leur vie en est une autre.

— Cela d'autant plus que nous avons des exemples de souplesse, renchérit Thalie. Le Royaume-Uni renoncera sans doute bientôt à appliquer l'enrôlement obligatoire en Irlande, et à deux reprises, les Australiens ont repoussé une mesure de ce genre lors de référendums.

Françoise revint à la charge en ajoutant:

— Ce pays compte pourtant une population d'origine britannique sans doute très loyale à la mère patrie.

Cette question devait meubler bien des conversations entre elles, chacune trouvant sans hésiter ses arguments. Le visiteur leva les deux mains, paumes ouvertes, comme un homme menacé d'une arme.

— Vous savez, plaida-t-il, mon nom n'est pas Borden, mon parti politique, au fédéral comme dans la province, s'oppose à la conscription.

Marie se pencha sur lui pour l'embrasser sur la joue, puis admit en riant:

— Et parmi toutes tes belles qualités, tu acceptes de discuter de ces questions avec trois femmes, sans nous prendre pour des idiotes.

Du regard, l'hôtesse consulta les autres, puis continua:

— Alors dorénavant, nous prendrons un peu mieux soin de toi. Qui a un sujet de conversation bien anodin à proposer, pour terminer cette soirée?

Amélie se réveilla tout juste à temps pour saisir l'occasion au vol:

— Je ne veux pas retourner au pensionnat. Je préfère continuer à travailler pour madame Marie.

Tout de suite, Paul trouva les discussions politiques bien légères en comparaison.

L'Assemblée législative reprit ses travaux le 17 janvier. De mémoire d'homme ou de femme, excepté lors des festivités entourant la visite de George, prince de Galles, en 1908, jamais autant de monde ne s'était pressé dans l'Hôtel du gouvernement. Thomas Picard se présenta tôt sur les lieux, muni d'un laissez-passer obtenu d'un ami ministre et discuta un long moment avant de pouvoir profiter de la place lui revenant dans les galeries. Sans doute l'employé récalcitrant lorgnait-il sur un pourboire généreux s'il cédait le fauteuil à quelqu'un d'autre.

Le marchand se retrouva à côté de lady Gouin. L'épouse du premier ministre daigna échanger quelques mots avec lui alors que des questions de routine occupaient les députés. Quand on en arriva à la fameuse motion, Francœur se leva, gouailleur, tout heureux de l'attention portée sur lui.

— Monsieur le président, la motion que cette Chambre est appelée à étudier mérite, je crois, une attention spéciale. Depuis que j'en ai donné avis, la presse et un grand nombre de personnes l'ont discutée. Inutile de dire qu'elle a été diversement appréciée. Elle a provoqué des expressions d'opinion tantôt favorables, tantôt défavorables, mais toutes, généralement, intéressantes à analyser. Ces opinions révèlent à différents degrés une mentalité inquiète, soucieuse de l'avenir, où, en même temps que s'affirme la fidélité à des idées, des principes, des passions et même des préjugés, perce et domine le sentiment très net qu'il y a quelque chose de changé dans notre vie nationale, qu'une situation grave existe, qu'un nouveau problème est posé dont l'étude en vue d'une solution définitive s'impose.

Thomas se cala dans son fauteuil avec une expression d'amusement. Ce genre d'entrée en matière doucereuse ne présageait rien de bon. Dans les minutes suivantes, le député de Lotbinière s'acharna à ridiculiser les personnes ayant critiqué son initiative. Un professeur de droit de l'Université Laval, Ferdinand Roy, mérita la plus vigoureuse bastonnade : en plus de désapprouver la motion, l'homme avait le tort d'être conservateur.

Puis, il passa longuement en revue la presse de langue anglaise, s'attardant aux trois dernières années, glanant ici et là des textes outranciers.

— Dès 1914, le *Puttingham*, sous la signature d'Orange Sentinel, conseille ni plus ni moins la guerre civile : « Il nous faut l'écraser [la population française] ou elle nous écrasera. Il faut nous préparer à la lutte imminente avec ces traîtres français : et le plus tôt nous commencerons la bataille, le mieux ce sera pour notre dominion. La Grande-Bretagne doit régner au Canada comme elle règne sur les mers. »

Sans être très nombreux, des textes de ce genre paraissaient avec une navrante régularité. Tout de suite, les journaux nationalistes les reprenaient afin d'ériger les Canadiens français en éternelles victimes. Parfois, des analyses plus subtiles esquissaient un portrait de l'opinion dominant la province. Francœur en vint à dire :

— L'honorable Newton-W. Rowell, ministre dans le cabinet unioniste et président du Conseil exécutif du pays, disait à North Bay, le 6 décembre 1917, lors d'une grande assemblée : « L'attitude actuelle de la province de Québec peut être causée par plusieurs facteurs. Sans aucun doute, l'agitation persistante menée par monsieur Bourassa et ses associés nationalistes contre la Grande-Bretagne et la France et la participation du Canada à la guerre ont très fortement influencé ses sentiments et son attitude. Et apparemment, la majorité des curés dans l'ensemble de la province partagent cette position. Il y a un mouvement nationaliste, clérical et réactionnaire à l'œuvre dans la province de Québec qui, aujourd'hui, prévaut sur la situation politique dans cette province, et utilise ce moment de grand péril national pour dominer la situation politique dans l'ensemble du Canada. »

Le marchand regardait le visage des députés libéraux, largement majoritaires à l'Assemblée. La plupart conviendraient sans doute, après trois cognacs et la promesse que jamais leurs paroles ne seraient répétées, de l'exactitude de ce constat. Toutefois, exprimées à haute voix, de pareilles idées mobiliseraient contre eux la multitude de soutanes dominant la province. Leur carrière prendrait fin le jour même. Plus encore que la conscription, ce poids sur les consciences inquiétait Thomas.

Quand, après son interminable palabre, le député du comté de Lotbinière, un peu essoufflé, reprit son siège, ce fut au tour du chef du Parti conservateur provincial, Arthur Sauvé, député de Deux-Montagnes, de donner la réplique. Son discours, interminable lui aussi, que le président de la Chambre voulut à quelques reprises interrompre en l'accusant d'être « hors d'ordre », égratigna certains individus. Les libéraux, lors de la campagne électorale récente, n'avaient-ils pas aussi lancé des déclarations incendiaires? Le premier ministre lui-même...

Thomas regarda lady Gouin à ses côtés. Elle avait une trop longue expérience politique pour tressaillir lorsque son époux encaissait une attaque de ce genre. Au moment où le chef de l'opposition retrouva son fauteuil, le jeune député du comté de Terrebonne, Athanase David, grand et mince, se leva à son tour. Il se permit d'aspirer de longues goulées d'air avant de s'engager dans un marathon verbal.

Inlassablement, l'homme s'attacha à pourfendre les impérialismes, tous les impérialismes, allemands, britanniques ou américains, pour les dangers auxquels ils exposaient la liberté des peuples. Puis, en trois phrases, il résuma la véritable nature de la divergence entre les Canadiens, selon leur origine, sur la conduite de la guerre.

— Pour les Canadiens anglais, la patrie, ce n'est pas le Canada, le *Home* est au-delà des mers, dans quelque montagne d'Écosse ou quelque ville d'Angleterre qu'ils aspirent à revoir et où ils ont conservé des affinités puissantes. Nous, où que nous vivions, sur les bords de la Gaspésie ou dans les Laurentides, que nous demeurions sur les bords du Saint-Laurent ou dans quelque humble village éloigné des villes, notre patrie à nous, c'est le pays où, depuis trois cents ans, ont vécu nos ancêtres, c'est le pays où sont nés nos petits-enfants. Notre seule ambition, notre seul espoir, notre idéal suprême, c'est d'assurer la grandeur de ce pays.

Assis sur le bout de son siège, Thomas pensa que ce politicien se hisserait peut-être à la hauteur de Laurier, un jour. Il en acquit la certitude quand l'orateur proposa de regarder au-delà des difficultés présentes.

— Quand la paix reviendra, l'impérialisme et le militarisme seront écartés comme des éléments capables de nuire à cette œuvre de reconstruction matérielle et morale. C'est pourquoi je vous répète avec Wickham Steed : « Il faut dorénavant regarder vers l'avenir et non pas, avec le regret au cœur, vers le passé. Il faut regarder vers l'aube pour entrevoir le moment où le soleil va paraître et ne pas penser aux soleils qui sont déjà couchés. »

Le front haut, le menton un peu trop fort pour en faire un bel homme, le député regarda autour de lui, désireux de capter l'attention de tous, puis enchaîna :

— Je regarde vers l'aube avec tout mon amour de la patrie canadienne, je regarde cette aube avec tout mon enthousiasme, parce que je crois que le jour n'est pas si lointain que nous le croyons où le soleil, dont les rayons sont nécessaires pour réchauffer l'âme canadienne, se lèvera enfin sur notre pauvre pays déchiré, divisé, meurtri. Il ne nous est pas permis de désespérer du soleil de demain. Ce sera celui de la liberté dans le monde, celui qui fera respecter les droits et les obligations réciproques des peuples, celui qui réchauffera l'enthousiasme des individus, celui qui fera oublier par sa splendeur nouvelle les rayons des derniers jours d'angoisse nationale et, réconfortant les âmes, reliera la chaîne des traditions en unissant les cœurs et les volontés dans un effort commun. C'est alors que montera jusqu'au plus haut des voûtes éternelles, et de toutes les maisons canadiennes, un *Te Deum* d'allégresse entonné par toute une nation prenant conscience enfin de sa force et qui, toutes grandes ouvrant ses ailes, pourra, sans craindre qu'il ne l'éblouisse, regarder l'avenir; la nation canadienne sera élevée, l'âme canadienne la fera vivre et l'idéal canadien la guidera.

Un tonnerre d'applaudissements résonna dans la chambre d'assemblée. Sur le parquet, dans les gradins, et même dans les corridors voisins, tous apprécièrent cette évocation d'une ère future où les journaux ne parleraient plus des hécatombes de jeunes vies survenues dans des endroits jusque-là inconnus comme Ypres, Vimy ou Passchendaele.

Le discours s'allongea encore jusqu'à l'interruption des débats pour une pause, afin de donner à tout ce monde le temps de souper, et à l'orateur, celui de reprendre son souffle. Il aurait de nouveau la parole en soirée, pour continuer sur la nécessité de demeurer serein en attendant que l'univers retrouve enfin son bon sens.

Thomas n'eut cependant pas la patience de revenir à l'Hôtel du gouvernement pour entendre la finale. Il préféra rentrer chez lui pour le repas du soir. Au moment où il retrouvait sa place dans la salle à manger, Édouard commenta :

— J'espère que les débats en valaient la peine. T'absenter ainsi du magasin, un jeudi…

— Je subis sans doute ta mauvaise influence. Car depuis dix ans, combien de fois t'es-tu esquivé pour aller entendre Bourassa, ou pire, Lavergne ?

Le reproche amena un sourire contraint sur les lèvres du jeune homme. Élisabeth intervint, soucieuse d'éviter toute parole déplaisante :

— Mais tu ne réponds pas. Cela en valait-il la peine ?

— Je nous souhaite que le jeune David devienne un jour premier ministre. Je serais heureux de travailler pour lui.

Cela ne se produirait pas, des politiciens souvent plus ternes, mais rompus aux stratégies partisanes, s'imposeraient à leurs compatriotes.

— Et la motion Francœur ? demanda son fils.

— Selon ce qu'on m'a dit, le débat sera ajourné ce soir, la motion sera bientôt retirée, et plus personne n'en parlera dans deux jours.

— Cela signifie que la rue reprendra ses droits si les représentants du peuple reviennent à leur petite routine.

Cette prédiction-là avait de meilleures chances de se réaliser.

Chapitre 21

Malgré les remarques gouailleuses de son employé, Édouard trouvait toujours un certain plaisir à partager les repas du midi avec Ovide Melançon, le contremaître du service de livraison du magasin PICARD. Cela demeurait une excellente façon pour lui de se tenir au courant de la vie du commerce.

À la troisième bière, le gros homme devenait terriblement bavard. Sans trop s'en rendre compte, ou peut-être au contraire pour se faire bien voir de celui qui serait un jour le grand patron, il dénonçait ses collègues avec entrain. Les hommes cachant une petite bouteille d'alcool dans un recoin, les vendeuses allongeant indûment les conversations dans les toilettes, se trouvaient trahis sans vergogne. Dans ces cas, à moins d'une exagération intolérable, le fils du propriétaire oubliait bien vite les confidences. Toutefois, dans le cas de vol de marchandise, le renvoi s'ensuivait sur-le-champ.

Quand le serveur arriva avec de nouveaux verres de Black Horse, le jeune homme remarqua :

— Tu dois te sentir un peu moins fier, maintenant ! Dans quelques jours, la loi Scott s'appliquera dans la ville avec toute sa rigueur. Tu devras faire ton deuil de ces petits plaisirs.

Il prit la pinte pour en avaler une gorgée en lui adressant un clin d'œil narquois.

— Vous aussi, plus de whisky-soda...

— Ne sois pas stupide. Je vais prendre la Buick et rouler jusqu'à une ville civilisée pour faire des provisions. Ce sera plus difficile pour les travailleurs du faubourg Saint-Roch. Dire que ces idiots ont voté à l'unanimité avec les curés !

Le contremaître avala un peu de bière, songeur. Édouard poussa encore son avantage :

— Bien sûr, il paraît que le Coca-Cola favorise la digestion. Ils pourront installer des fontaines dans toutes les tavernes. Au fond, peut-être est-ce une bonne chose pour le commerce. Selon les politiciens conservateurs, tu deviendras ainsi plus productif, moins souvent en retard ou absent.

Melançon essuya avec sa manche la mousse dans sa moustache, cherchant une réponse. À la fin, l'attaque lui parut représenter la meilleure défense :

— Au sujet de l'absentéisme, on raconte au magasin que vous avez recommencé vos visites à la Basse-Ville. Oh ! Habituellement en dehors des heures d'ouverture du magasin, je veux bien l'admettre.

Même si Édouard se limitait maintenant à des séjours assez brefs à l'appartement de la rue Saint-Anselme, évitant soigneusement de se montrer dans un restaurant ou au cinéma avec sa maîtresse, il ne pouvait espérer que sa présence dans Saint-Sauveur passe totalement inaperçue. Au moment où la province comptait à peine quelques dizaines de milliers de véhicules automobiles, la Buick noire attirait l'attention. Tout au plus prenait-il la précaution de la garer à quelques coins de rue de sa destination.

Le jeune homme cherchait toujours un argument susceptible de convaincre son interlocuteur de ne plus aborder ce sujet quand trois individus vêtus de noir, le visage sombre, entrèrent dans la taverne.

— Voilà encore ces salauds, grommela son compagnon.

Édouard suivit son regard devenu mauvais. Il fixait les nouveaux venus. Ceux-ci, debout près de la porte, parcouraient les lieux des yeux. Ils allèrent vers une première table. Celui qui se donnait des allures de chef demanda d'une voix rauque :

— *Papers!*

— Cela fait trois fois, cette semaine, protesta un homme dans la vingtaine.

— *Papers, fucking Frenchie!*

L'intrus paraissait menaçant, ses compagnons regardaient autour d'eux, un masque d'arrogance sur le visage, comme pour défier quiconque de dire un mot, d'esquisser un geste de protestation. Alors que leur victime cherchait dans sa poche, le marchand demanda à voix basse :

— Qui sont ces casse-pieds ?

— C'est vrai, ils ne doivent pas embêter les bourgeois de la Haute-Ville, donc vous ne connaissez pas les « spotteurs ».

Les autorités militaires, réalisant que les corps de police municipaux montraient peu de zèle à débusquer les déserteurs, recrutaient dorénavant des agents spéciaux chargés d'identifier, de « spotter » les personnes se soustrayant à leur devoir.

— S'ils trouvent un gars sans ses papiers d'exemption, que se passe-t-il ?

— Il se retrouve dans une cellule du poste le plus proche, jusqu'à ce que l'armée vienne le cueillir.

Le type interpellé de façon si insultante sortit une feuille de papier pour la tendre au butor. Celui-ci la parcourut en vitesse, puis tendit la main aux deux autres occupants de la table.

— Ce sont toujours des Anglais ?

— Le plus souvent. Les Canadiens français refusent de faire un travail de ce genre. Quand ils acceptent, ils préfèrent parler anglais, de toute façon. Comme pour éviter de se faire reconnaître.

La précaution devait être nécessaire, autrement leur famille et eux seraient soumis à un insupportable ostracisme. Le trio passa à une autre table. La colère et l'exaspération sur le visage, les clients sortaient les uns après les autres leur formulaire d'exemption, ou encore, dans le cas des hommes mariés, montraient leur alliance avec ostentation. Melançon s'exécuta en leur adressant un sourire mauvais.

— *Do you have something to say ?* grogna l'un des agents spéciaux.

— Oui, ce matin j'ai enculé ta femme. Cet après-midi, ce sera le tour de ta mère et de ta fille.

Le contremaître murmurait ces mots en affichant un faciès neutre. L'autre lui jeta un regard intrigué, outré d'être l'objet d'une moquerie grossière. Ou il trahissait sa connaissance de la langue de son interlocuteur, ou il feignait ne rien comprendre. À l'autre bout de la grande salle, deux garçons se levèrent précipitamment, faisant tomber leur siège sur le sol derrière eux, pour s'élancer vers la porte.

— *Get them!*

Les agents se jetèrent à la poursuite des fuyards. Un client eut l'excellente idée de lancer une chaise dans les jambes du dernier d'entre eux, provoquant une chute digne des meilleures cascades des films de Charles Chaplin ou de ceux des Keystone Cops. Spontanément, une salve d'applaudissements et des éclats de rire illustrèrent les sentiments des témoins de la scène. Convaincus d'avoir le dessous si une bagarre éclatait, ils quittèrent les lieux en multipliant les jurons.

— Cela arrive souvent? demanda Édouard en avalant la moitié de son verre.

— Tous les jours. Vous vivez vraiment dans un autre pays si vous ne savez pas cela.

— Mais cela ne donne rien! À peu près tout le monde a reçu son exemption, les rares personnes à qui on l'a refusée ont fait appel de la décision.

Le marchand le savait d'autant mieux qu'Armand Lavergne plaidait gratuitement la cause de ses clients dans cette triste situation.

— Selon la rumeur, expliqua Melançon, ces gars sont payés d'après le nombre de déserteurs arrêtés. Aussi, parfois, ils poussent bien loin leur loyalisme en s'en prenant aux exemptés. Puis, plusieurs jeunes ne sont pas en règle. Certains ne se sont pas enregistrés au début de l'hiver 1917, fidèles aux recommandations des nationalistes. Ceux-là n'ont pas reçu de convocation, à la fin du mois d'octobre dernier.

— S'ils se font prendre, ce sera l'armée pour le service outre-mer, sans même le droit de demander une exemption.

— Exactement. Il y en a d'autres qui ne se sont pas présentés devant les tribunaux d'exception, car ils craignaient un refus.

— Comme on l'accordait à presque tous, aujourd'hui, ceux-là se mordent certainement les doigts.

Après coup, cela paraissait une erreur grossière. Toutefois, au début du mois de novembre 1917, personne ne s'attendait à ce que les juges se montrent aussi complaisants.

— Le pire, continuait le contremaître, ce sont tous les gars qui laissent ce foutu papier à la maison. Ils se retrouvent au poste de police, parfois dans une cellule de la Citadelle, avant qu'un membre de la famille ne se pointe avec leur damné formulaire.

— Les hommes mariés montrent leur alliance, tout simplement?

— Cela dépend de l'humeur de ces trous-du-cul. Après tout, n'importe qui peut en acheter une. Les gens bien vêtus, comme vous, ou vieux, comme moi, n'ont aucune difficulté à les convaincre. Toutefois, je ferais mieux de traîner mon certificat de mariage dans ma poche. Ils paraissent devenir plus zélés. Ce soir, j'irai en demander un au curé Buteau.

Le repas se continua sans joie. Les dîneurs revinrent à leur labeur un peu plus tôt que d'habitude. Le plaisir d'allonger le temps à la taverne se trouvait gâché.

❦

Napoléon Tremblay portait peut-être le prénom d'un génie de l'art militaire, mais la guerre ne lui disait rien. L'invitation à s'enregistrer pour le Service national, en janvier de l'année précédente, l'avait laissé bien méfiant, au point où ses parents préférèrent le retrancher de la liste de leurs huit enfants jusqu'au retour de la paix. Toutefois, tous les dimanches, les paroissiens de Saint-Pierre le voyaient à l'église. Sa présence ne faisait de mystère pour personne.

Sans doute à cause d'un concitoyen bavard, les spotteurs apprirent son existence. Arrivés à bord de deux voitures par les très mauvais chemins du début mars, ils se dirigèrent tout de suite vers le presbytère. Deux d'entre eux portaient des habits civils, les quatre autres des uniformes de la police militaire.

— Nous voulons voir le curé, déclara l'un des premiers à la servante venue ouvrir la porte.

— Pourquoi? s'enquit la vieille dame.

— Ce ne sont pas vos affaires.

Pour affirmer une chose aussi sotte, cet homme devait venir de la ville. Rien, dans la vie d'une paroisse rurale canadienne-française, ne sortait du domaine de compétence de madame Curé.

— Il ne se trouve pas ici.

— Maintenant, prononça le deuxième homme en civil, vous cessez de faire l'idiote. Nous allons voir le curé tout de suite ou vous viendrez à Québec avec nous.

La perspective de rouler pendant des heures avec des militaires eut raison de sa résistance. D'une voix moins assurée, elle leur dit:

— Suivez-moi.

Un sursaut de fierté l'amena à ajouter:

— Mais ces hommes armés resteront dehors. C'est la maison du bon Dieu, ici.

L'affirmation fit rire les deux agents spéciaux. En effet, les pasteurs de la campagne régnaient sans partage sur leur troupeau, comme une incarnation du Tout-Puissant. Ils se trouvèrent bientôt dans le bureau du prêtre, assis devant un pupitre d'une autre époque.

— Nous savons que Napoléon Tremblay s'est dérobé à l'enregistrement national. Montrez-nous votre registre des baptêmes. Ensuite, vous nous direz où habite sa famille.

— Les registres appartiennent à l'Église... affirma le curé Laflèche, certain que personne n'oserait contester cette assertion.

— Ne nous obligez pas à les chercher nous-mêmes, sinon votre évêque devra récupérer ses précieux livres à Ottawa. Puis, vous devez obéissance au grand homme, n'est-ce pas ? Il a lui-même recommandé aux gens de s'enregistrer.

Pendant ce temps, dans la cuisine, madame Curé cherchait dans l'une de ses armoires une vieille nappe d'un rouge criard pour la mettre dans l'évier de tôle et actionner le bras de la pompe pour l'imbiber d'eau. Elle l'essora ensuite de son mieux de ses bras encore puissants. Un moment plus tard, elle sortait, adressait un sourire timide aux soldats demeurés en faction sur la longue galerie couverte, pour se rendre à la corde à linge. Bientôt, l'un des jeunes hommes en uniforme s'approcha en disant :

— *May I help you ?*

Ce garçon devait oublier les usages domestiques, ou sa propre mère en faisait fi. Le jeudi n'était pas jour de lessive. Puis, en quelle occasion un prêtre catholique couvrait-il sa table d'une nappe écarlate ? Néanmoins, il la plaça sur la corde et la fixa avec des épingles. La vieille dame le remercia d'une inclinaison de la tête avant de rentrer dans le presbytère.

Les agents spéciaux parcouraient maintenant le registre des baptêmes, l'un énumérant les noms, l'autre les prenant en note. Plusieurs garçons nés de vingt à trente ans plus tôt ne semblaient pas figurer à leur liste. Le taux de mortalité infantile demeurait élevé dans les campagnes du Québec, mais pas à ce point. Éventuellement, ils vérifieraient en parcourant le cimetière. Les personnes dont le nom ne se trouvait pas sur les pierres tombales feraient l'objet d'une recherche plus attentive.

Après une heure, ils remirent le registre à son propriétaire en demandant :

— Maintenant, dites-nous où habite ce Tremblay. Et rappelez-vous, le mensonge est un vilain péché.

Le prêtre se troubla et finit par donner des explications qui, si elles ne s'avéraient pas inexactes, demeuraient au mieux confuses.

~

Avec les arbres dénudés et le sol couvert de neige, une grande pièce de tissu écarlate ne pouvait passer inaperçue. Comme le presbytère se trouvait sur une petite butte, les paroissiens l'apercevaient sans mal. Les agents spéciaux et les policiers militaires découvrirent finalement la ferme Tremblay, au fond d'un rang. Une mère de famille nerveuse, tremblante même, entourée de très jeunes enfants, répondit à la porte.

— Votre fils Napoléon se trouve-t-il ici ?

— …Je n'ai aucun fils de ce nom.

— *Look everywhere, the barn, the pigsty, even the backhouse*, ordonna le responsable de la petite expédition.

En se retournant de nouveau vers la mère éplorée, il continua :

— Nous allons fouiller la maison. Enlevez-vous de notre chemin.

Sentant la tension, les plus jeunes pleurnichaient déjà. La mère ne tarderait pas à les imiter. Les deux hommes en civil parcoururent rapidement les pièces du rez-de-chaussée, la chambre à coucher des parents et la grande salle faisant office de cuisine, de salle à manger et de séjour. À l'étage, sous le toit en pente, l'espace se trouvait séparé en deux par une mauvaise cloison de planches. D'un côté couchaient les filles, de l'autre les garçons, sur des paillasses posées sur des cadres de bois.

Ils s'apprêtaient à sortir quand l'un d'eux s'attarda à une catalogne posée dans un coin. Il la poussa du pied afin de découvrir un rectangle dans le plancher. Un anneau lui permit de soulever sans mal une trappe. Cette cave creusée dans la terre, constatèrent-ils bien vite, ne recelait rien d'autre qu'une provision de patates, d'oignons et de carottes, l'essentiel des provisions alimentaires de la famille jusqu'à l'été suivant.

Au moment où les deux hommes sortaient, la mère prononça, une pointe d'exaspération dans la voix :

— Je vous l'ai dit, je n'ai aucun garçon nommé Napoléon.

— Nous finirons bien par lui mettre la main dessus.

Dehors, ils retrouvèrent les militaires. Ils n'avaient découvert personne, mais le caporal leur montra du doigt des traces fraîches dans la neige, une ligne un peu sinueuse allant vers la lisière de la forêt, tout au plus à deux arpents.

— Le cochon, murmura l'un des spotteurs. Nous faire courir dans les bois !

Ils suivirent pourtant les traces dans la neige lourde, mouillée, pénétrèrent sous le couvert. Les arbres dénudés permettaient d'y voir assez bien. Ils s'enfonçaient maintenant jusqu'aux genoux, leurs pantalons se chargeaient d'eau. Elle s'insinuait également dans les bottes de cuir. Les jurons soulignaient une progression difficile. Bientôt, devant eux, une ombre se profila entre deux arbres.

— Le voilà ! hurla un homme en pointant son index.

Une poursuite s'engagea immédiatement. L'un des *spotteurs* cria :

— Napoléon, ne nous mets pas en colère, cela ne te vaudra rien de bon ! Déjà, j'ai les pieds trempés.

Sans doute parce qu'il ne comptait pas les voir s'engager dans la forêt, le fuyard n'avait pas pris la peine de se munir de raquettes. L'avantage de bien connaître les lieux se révélait inutile, à cause des traces dans la neige. Une heure plus tard, ses poursuivants toujours sur les talons, le déserteur se trouva sur la rive d'une petite rivière au cours gonflé par la fonte des neiges.

— Tu vois bien que c'est inutile. N'aggrave pas ton cas.

Pour souligner les paroles de son chef, l'un des militaires déchargea son fusil Ross vers le ciel. Napoléon se retourna, la peur marquant ses traits. Il s'engagea sur la rivière d'un pas hésitant.

— Ne fais pas l'imbécile, tu risques de te noyer. Si tu nous accompagnes, tu feras un peu de prison, puis tu passeras en Angleterre.

L'eau effleurait la glace. Le déserteur prit bien garde de ne pas perdre pied : l'impact d'une chute lui ferait crever la surface. Il glisserait sous la pellicule glacée pour ne plus reparaître. Soudainement, un craquement lugubre se fit entendre. Il sauta vers l'autre rive, s'enfonça dans le liquide bouillonnant jusqu'aux genoux et pataugea jusqu'à la terre ferme. Personne n'oserait plus traverser après lui.

Ses poursuivants se consultèrent du regard. L'un des militaires fit le geste d'épauler son arme, mais le caporal abaissa le canon en disant :

— On l'attrapera bien plus tard.

Le trajet jusqu'à l'orée du bois se révéla bien long. L'absence de tout repère les força à suivre exactement leurs traces, et la chasse s'était déroulée en zigzags. L'obscurité s'appesantissait sur Saint-Pierre au moment où ils passèrent de nouveau devant la maison des Tremblay. La mère se tenait debout sur le perron, son manteau sur les épaules. Le bruit du coup de feu l'avait remplie d'horreur ; en les voyant revenir bredouille, elle ne put réprimer un demi-sourire.

Un instant, le chef de la petite expédition songea à aller lui parler. Il fit même quelques pas en sa direction. Puis, il secoua la tête et retrouva ses compagnons.

— Autant rentrer. En passant, nous dirons un petit bonjour à monsieur le curé, histoire de nuire un peu à sa digestion.

Quand les voitures entrèrent dans l'allée longeant le côté du presbytère, les phares jetèrent une lumière jaunâtre sur la nappe rouge. Cela lui donna un moment une teinte sanglante. L'agent spécial la remarqua pour la première fois.

— La vieille sorcière, souffla-t-il.

En ce Jeudi saint, Édouard quitta le magasin PICARD assez tôt, avec un tout autre projet que faire ses dévotions. Le vent venu du fleuve s'avérait glacial, l'atmosphère chargée d'humidité. Au moment de traverser la rue Dorchester, il s'aperçut bien de la présence de trois hommes adaptant leur pas au sien. Il continua sans trop leur prêter attention.

— *Sir*, entendit-il bientôt.

Le jeune homme s'arrêta, les contempla sans comprendre.

— *Papers!*

— Je suis marié, prononça-t-il en enlevant son gant de la main gauche afin de montrer son alliance.

— *Papers.*

Visiblement, les longues explications ne servaient à rien. Édouard répéta, cette fois en anglais, même s'il soupçonnait ses interlocuteurs de très bien le comprendre :

— Je suis marié. Vous me connaissez certainement... le magasin PICARD.

— *Come with us.*

— Voyons, soyez sérieux.

Alors qu'un agent spécial se tenait devant lui, les deux autres firent mine de lui saisir les bras. Mieux valait éviter la discussion, ces malotrus transportaient vraisemblablement une matraque plombée dans leur poche. Sans un autre mot, il leur emboîta le pas.

Ils empruntèrent la rue Dorchester vers le nord, puis tournèrent à droite dans Saint-François. Le poste de police numéro trois se trouvait tout près : une bâtisse de brique semblable aux demeures avoisinantes. Près de l'entrée, un agent se tenait derrière un bureau. Édouard déclara en entrant :

— Monsieur, vous me reconnaissez sans doute... Picard, le fils Picard.

— *Put him in cell*, dit le chef de trio de spotteurs.

— Vous ne pouvez faire cela ! Je suis un homme marié, pas un déserteur.

LES PORTES DE QUÉBEC

— Suivez-moi, prononça l'agent en quittant son siège.

Le prisonnier demeura un moment interdit. Le policier fit lentement valoir :

— Ne vous énervez pas. Si vous dites vrai, cela sera tiré au clair bien avant de vous expédier en Angleterre. En attendant, faites ce que je dis.

Un moment plus tard, le bourgeois de la Haute-Ville se retrouva dans un cachot large de quatre pieds et profond d'environ huit. Les murs de brique avaient été blanchis à la chaux. Une couchette occupait la moitié de l'espace minuscule, un seau d'aisance, posé dans un coin, empestait l'air.

Édouard fouilla dans sa poche afin de trouver son portefeuille et sortit deux dollars pour les tendre à l'agent.

— Téléphonez à mon père pour lui dire de venir au plus vite avec mon certificat de mariage.

Il indiqua le numéro. En un instant, la porte se referma brutalement. Une petite fenêtre ornée de barreaux de fer laissait entrer un peu de la lumière jaunâtre des ampoules placées dans le corridor. Un long moment, il examina les lieux. À la fin, il se résolut à s'asseoir sur la couchette, tout en se passant la réflexion qu'au retour à la maison, mieux vaudrait mettre tous ses vêtements au lavage. La vermine devait pulluler dans la couverture sous ses fesses.

∼

Clémentine tournait en rond dans le petit salon depuis un long moment, sursautant au moindre bruit dans l'escalier. Un peu après sept heures, elle revêtit son manteau, décidée à retrouver son amant. Celui-ci avait téléphoné pour annoncer sa venue. Dix minutes suffisaient à couvrir la distance. Un pareil retard demeurait inexplicable.

Elle commença par se rendre au magasin PICARD, monta au troisième afin de voir si le jeune homme se tenait derrière la caisse du rayon de vêtements féminins. Une vendeuse recevait les clientes, mais Édouard demeurait invisible. Elle n'osa pas se rendre du côté des locaux administratifs afin de pousser plus loin sa recherche.

Sur le chemin du retour vers son appartement, elle vit trois hommes à la mine plutôt patibulaire à la porte du Cercle Frontenac, encadrant un quatrième personnage un peu malingre. Il expliquait :

— Vous m'avez embêté si souvent déjà, vous me connaissez ! Je m'appelle Joseph Mercier, un ouvrier de la chaussure. Vous avez vu mes papiers d'exemption au moins dix fois ces dernières semaines.

Un homme le tenait par le bras tandis qu'un autre sortait des menottes de sa poche. Plutôt que de risquer un mauvais coup, le travailleur se laissa attacher à un poteau de téléphone. Les spotteurs entrèrent ensuite dans les locaux du Cercle. D'instinct, Clémentine leur emboîta le pas. Ils passèrent dans la salle de quilles, achalandée à cette heure, et crièrent en entrant à la douzaine d'hommes sur place :

— *Papers ! Be quick.*

— Pas encore une fois, se plaignit quelqu'un.

— Cela prend des enfants de chienne ! prononça un autre.

Certains, lassés de ce harcèlement, cherchaient dans leur poche. D'autres se dirigèrent vers la porte, désireux de fuir, pour se voir fermer le chemin. Les spotteurs tenaient maintenant leur matraque à la main et affichaient un air menaçant. À la fin, de crainte de recevoir un coup, trois autres personnes tendirent les poignets et se retrouvèrent liés les uns aux autres par des menottes. Tout autour, leurs camarades répétaient leurs invectives, les yeux chargés de hargne.

Quand ils revinrent à l'extérieur, ils récupérèrent Mercier pour le joindre aux autres, et conduisirent les prisonniers jusqu'au poste numéro trois. Des gens en colère les suivirent. Déjà, quelques dizaines de personnes se tenaient au milieu de la rue. Au moment où les nouvelles victimes entrèrent dans le poste, Clémentine choisit de demeurer sur le trottoir, du côté opposé de la rue Saint-François. Si les pisteurs de déserteurs se livraient à la chasse en cette soirée maussade, peut-être Édouard figurait-il déjà à leur tableau.

Quelques minutes plus tard, l'héritier de la Haute-Ville entendit une clé tourner dans la serrure de la porte de son cachot. Quand elle s'ouvrit sur un uniforme, il demanda, empressé :

— Vous avez pu parler à mon père ?

— Il ne se trouvait pas à la maison.

— Essayez encore…

Un jeune homme entra dans cellule, poussé fermement dans le dos, puis la porte de fer se referma dans un claquement sinistre. Il demeura un instant immobile, le temps que le premier occupant des lieux reprenne sa place au bout de la couchette. Édouard grommela finalement :

— Asseyez-vous, ne vous gênez pas. Nous profitons de l'hospitalité de la ville.

— Je m'appelle Joseph Mercier, prononça l'autre en tendant la main.

— Édouard Picard.

Le nouveau venu posa enfin les fesses sur la vieille couverture, puis commenta dans un soupir :

— Ils m'ont ramassé comme un criminel. Ils savent bien que je possède une exemption, je la leur ai montrée de si nombreuses fois.

— Et moi, mon alliance est bien visible.

Comme pour en convaincre son compagnon d'infortune, de nouveau, il la fit voir.

~

À neuf heures, Thomas Picard traversait une foule composée de plusieurs centaines d'hommes massés dans la rue Saint-François. Clémentine le vit passer à dix pieds devant elle. Un moment, elle eut envie de se précipiter vers lui pour demander des nouvelles de son amant. Elle se retint, peu désireuse d'encourir la colère de celui-ci en se manifestant de la sorte. À tout le moins, maintenant, elle ne pouvait plus douter de l'endroit où Édouard se trouvait.

Dans l'entrée du poste de police, le commerçant découvrit une douzaine d'agents visiblement nerveux. Un petit homme malingre se tenait devant le bureau, une feuille de papier à la main.

— Vous devez le laisser sortir. Ses papiers sont en règle.

— Vous avez vu tout ce monde dehors. Plus personne ne peut sortir d'ici.

— Je suis bien entré, intervint Thomas en cherchant à son tour un document dans la poche intérieure de sa veste.

Le policier laissa échapper un soupir excédé, puis déclara :

— Vous êtes entré, mais nous ne vous laisserons pas sortir. Nous devons assurer la sécurité des habitants de cette ville.

— Commencez par ne plus enfermer des hommes mariés…

— Ou des garçons possédant une exemption, se mêla le père Mercier.

— Mettez une laisse à vos chiens, compléta le marchand en jetant un coup d'œil vers l'escalier conduisant à l'étage.

Les trois matamores se tenaient dans les dernières marches, la mine moins assurée depuis qu'une foule menaçante les attendait dans la rue. Ils venaient de constater que l'arrière de la bâtisse se trouvait tout aussi bien surveillée. Il leur était impossible de s'esquiver en douce.

Le planton allait répliquer quand une première pierre fit éclater une fenêtre du rez-de-chaussée. D'autres suivirent, parsemant le plancher de verre brisé. Les agents se placèrent le long des murs pour éviter les prochains projectiles. Une voix sonore vint de la rue :

— Libérez les prisonniers !

À ce moment, le chef du poste de police se tenait dans son bureau, pendu au téléphone. Les cailloux atteignirent bientôt les fenêtres de tous les étages, à l'avant comme à l'arrière de l'édifice.

— Les spotteurs, donnez-nous les spotteurs ! insista un autre.

Le trio d'agents spéciaux échangea des regards inquiets, puis disparut à l'étage. Thomas déclara encore :

— Vous ne pouvez pas laisser ces garçons dans les cellules. L'un de ces excités, dehors, risque de mettre le feu à la bâtisse.

L'allusion à une dégradation de la situation fit pâlir son vis-à-vis, mais il ne paraissait toutefois pas enclin à lui confier les clés. À la fin, le marchand demanda :

— Pouvons-nous aller les voir ?

L'autre lui fit un signe, indiquant une porte au fond de la pièce sans quitter une seconde des yeux la fenêtre défoncée. Les agents tenaient maintenant leur revolver de service à la main, visiblement alarmés.

Thomas passa du côté des cellules et constata qu'une dizaine de jeunes gens se trouvaient enfermés deux par deux. Quand il présenta son visage dans l'ouverture percée dans la porte du troisième cachot, Édouard quitta la couchette.

— Papa, tu y as mis le temps ! Qu'est-ce qui se passe ?

— Des centaines de personnes sont massées à la porte. Elles lancent des pierres, réclament votre libération. Ce sont des amis à toi ?

L'humour n'eut aucun effet sur le garçon. Inquiet, il demanda :

— Tu as amené mon certificat de mariage ? Pourquoi ne nous laissent-ils pas sortir ?

— Pour vous protéger, paraît-il. Tous ces gens dehors pourraient vous faire du mal.

— Joseph, Joseph, déclara Mercier en bousculant un peu son compagnon d'infortune. Vas-tu bien ?

Thomas se laissa pousser de côté. Les cris, dans la rue, devenaient assourdissants, les impacts des cailloux contre le mur de brique ressemblaient à ceux de la grêle. Il regagna le hall d'entrée du poste. Des coups sourds résonnaient maintenant contre la porte, comme si les manifestants frappaient dessus à coups de masse.

Les imprécations s'arrêtèrent, de même que les chocs contre l'entrée. Quelqu'un passa prudemment la tête devant la fenêtre et expliqua bientôt :

— Des voitures... Des renforts de la police, je crois.

Le directeur du poste descendit l'escalier. Devant les regards interrogateurs de ses hommes, il dit :

— Le maire de Québec doit venir ici... afin de calmer tous ces gens.

Henri-Edgard Lavigueur prenait bel et bien place à bord de l'une des automobiles. Au total, une dizaine de policiers lui servaient d'escorte. Sous les lumières des réverbères, il s'avança parmi les manifestants et se posta devant la porte de l'édifice. Les cris s'étant tus, le chef de police trouva le courage d'aller se placer à ses côtés.

— Messieurs, commença le politicien, rentrez chez vous, ne rendez pas la situation encore plus difficile.

Le magistrat, grand et fort, offrait un visage carré, barré d'une moustache touffue. Il en imposait.

— Libérez les prisonniers, tous les prisonniers ! cria une voix.

— ...Ce sont des criminels.

— Ce sont des appelés ! hurla un autre. Les criminels sont au gouvernement.

Le directeur du poste se pencha à l'oreille du magistrat. Celui-ci demeura un moment interdit, puis reprit :

— Rentrez chez vous. Ne vous rendez pas coupable de quoi que ce soit.

Une pierre parcourut une trajectoire courbe, frappa le mur de brique avec un bruit mat pour retomber à proximité de Lavigueur.

Thomas était aussi sorti pour se tenir à gauche du politicien, l'un de ses collègues en réalité, puisqu'il tenait un commerce d'instruments de musique rue Saint-Jean. Il murmura :

— Les spotteurs ont arrêté n'importe qui, au hasard, dont mon fils marié depuis des mois. Son épouse accouchera dans quelques semaines, tout au plus. Les autres ont des exemptions.

Le maire interrogea le chef de police du regard. Celui-ci acquiesça de la tête.

— Faites sortir ces gens.

— Vous n'y pensez pas… Nous serons couverts de ridicule.

Des yeux, le politicien fit comprendre au fonctionnaire d'obtempérer, sans ajouter un mot.

— Vos amis seront relâchés immédiatement, prononça-t-il ensuite de sa voix forte. Rentrez chez vous au plus vite. Vos familles vous attendent, elles doivent s'inquiéter.

— Nous voulons les spotteurs.

— Rentrez chez vous.

Le dialogue de sourds se continua un moment entre Lavigueur d'un côté et les manifestants de l'autre. À l'intérieur du poste, les portes des cinq cellules furent bientôt ouvertes. Les prisonniers se dirigèrent vers la sortie sans demander leur reste, Joseph Mercier avec le bras de son père passé sur ses épaules. Édouard retrouva Thomas, échangea un regard avec lui.

— Vous voyez, continua le maire, j'ai respecté ma promesse, vos amis sont libres. Respectez la vôtre, rentrez à la maison.

— Nous voulons les spotteurs! insista quelqu'un.

— On ne bougera pas d'ici, intervint un autre.

Les roches volèrent à nouveau en direction des fenêtres de l'édifice. Aucune vitre n'avait résisté à cette grêle. Au second étage, les agents spéciaux se concertaient. Des fenêtres donnaient sur le côté du bâtiment. Ils contemplaient un toit plat et un mur aveugle vingt-cinq pieds plus loin.

— C'est le collège des frères des Écoles chrétiennes, expliqua l'un d'eux. Nous pouvons aller nous cacher là. Personne ne viendra nous y chercher.

Loin des oreilles indiscrètes, ils revenaient au français. Aucun Irlandais ne passait sa vie à Québec sans apprendre la langue de la majorité de ses habitants.

— Allons-y, ajouta un autre. Ils ne forceront pas la porte d'une institution religieuse.

Celui-là se glissait déjà par la fenêtre ouverte. Son compagnon lui emboîta le pas. Accroupis sur le toit, ils attendirent le troisième larron. L'un d'eux finit par chuchoter:

— Tu viens?

— Non. Allez-y sans moi, je reste ici. Ces idiots ne me feront pas fuir.

Comment avouer à ces hommes sa peur des hauteurs?

— Allez-y, continua-t-il. Si vous restez là, vous attirerez l'attention.

Ils traversèrent le toit, s'entraidèrent pour grimper sur celui de l'école. Sans trop de difficulté, ils pourraient se laisser glisser sur un balcon et pénétrer dans le grand édifice. Le temps qu'un religieux les découvre, la foule se serait dispersée.

❦

Dans la rue, le maire poursuivait sa conversation têtue avec la foule turbulente. Ses invitations réitérées à rentrer à la maison ne récoltaient qu'une seule réponse, toujours la même: «Donnez-nous les spotteurs!» Les pierres s'abattaient toujours sur les murs, les policiers gardaient leur arme à la main. Tôt ou tard, ces gens risquaient de se lancer à l'assaut, plusieurs seraient tués.

Thomas demeurait près de Lavigueur pour lui offrir un certain support, maintenant flanqué de son fils. À titre de notable connu et, espérait-il, respecté de toutes les personnes présentes, il souhaitait les ramener au calme par sa seule présence. La tension croissante l'inquiétait toutefois, au point où il demanda au magistrat:

— Faites évacuer l'endroit.

— Nous ne pouvons céder à la pression populaire, grommela l'autre. Les pouvoirs publics perdraient toute crédibilité.

— L'autre choix, c'est de défendre les lieux. Dans une heure, ils vont entrer de force, vous aurez des cadavres sur les bras.

La foule se pressait contre eux. Le petit dialogue semblait agacer les gens des premiers rangs. Quelqu'un cria encore:

— Donnez-nous les spotteurs!

Le maire échangea quelques mots avec le chef du poste de police. Celui-ci acquiesça très vite, trop vite pour qu'on lui fasse confiance, désormais.

— Nous allons évacuer l'endroit, prononça le maire au moment où le capitaine retournait dans l'immeuble. Je compte sur vous pour respecter ces locaux municipaux après notre départ.

— Les spotteurs?

— Il n'y a aucun agent spécial ici, je vous l'ai déjà dit.

Ces brutes, espérait Lavigueur, devaient avoir trouvé un moyen de fuir, ou, du moins, de se faire discrètes. Quelques minutes plus tard, leur commandant en tête, les armes soigneusement rangées dans les étuis, les policiers quittaient les lieux sous les quolibets des badauds. Les jours suivants, ils auraient un peu de mal à faire respecter l'ordre. À peine eurent-ils disparu dans l'obscurité du soir qu'une dizaine de manifestants armés de solides gourdins envahissaient le poste. Ils revinrent un peu dépités.

— Il ne reste personne, clama l'un d'eux aux protestataires.

Les gens commencèrent alors à se disperser.

— Je n'ai plus rien à faire ici, déclara Thomas. Autant rentrer à la maison.

— …Merci d'être resté, je me sentais un peu moins seul. Vous avez pensé à la politique? Avec votre sang-froid…

Un cri leur parvint en direction de la rue de la Couronne:

— Je le reconnais, c'est un spotteur!

Les derniers badauds se précipitèrent vers l'endroit. Lavigueur présenta un visage surpris, au point où Thomas crut nécessaire d'expliquer:

— Ils étaient trois dans le poste. Je suppose qu'ils ont mis un uniforme de police afin de sortir discrètement.

— Un seul se trouvait encore parmi les policiers, précisa Édouard. Avec une veste trop petite, des pantalons trop courts trop serré, il passait difficilement inaperçu.

— Les autres ont donc trouvé le moyen de sortir d'une autre façon.

Thomas leva les yeux vers le ciel obscur. Juste avant de s'en aller, il conclut:

— Pour la politique, comme je le disais déjà il y a dix ans, j'y penserai quand je ne serai plus capable de gagner ma vie. Que ferez-vous maintenant? Les gens ne se calmeront pas facilement.

— Tout à l'heure, le chef de police devait téléphoner au général Philippe Landry, le commandant du district militaire, afin de lui demander de l'aide.

— Croyez-vous que des soldats patrouillant les rues vont ramener le calme?

Le ton du commerçant trahissait son scepticisme.

À l'autre bout de la rue Saint-François, le spotteur serait passé incognito avec un peu plus de chance. Toutefois, les policiers tenaient à garder leur distance avec lui, de peur d'attraper un coup. Le premier cri fut suivi de plusieurs autres. L'homme détala à toutes jambes et sauta à bord d'un tramway à peu près vide, près de la rue de la Couronne. Des jeunes gens excités, lancés à ses trousses, entourèrent la voiture alors que le conducteur tapait du pied pour faire sonner sa cloche. Au lieu de se disperser, ils commencèrent à secouer celle-ci sur ses ressorts, puis la soulevèrent au point de la renverser.

Quand le véhicule se coucha sur le côté dans un grand craquement, toutes les vitres volèrent en éclats. Les manifestants, étonnés des conséquences de leur propre action, s'écartèrent un peu. Cela laissa le temps à leur proie, cruellement coupée par des éclats de verre, de se glisser par une fenêtre brisée pour se sauver en prenant ses jambes à son cou.

~

Le lendemain, 29 mars, le Vendredi saint, les églises se remplirent de femmes convaincues de l'efficacité de la prière pour ramener le calme dans les paroisses ouvrières de la Basse-Ville. Les hommes affichaient un plus grand scepticisme à cet égard. Au moment de la fermeture des ateliers et des manufactures, les plus jeunes paraissaient peu enclins à rentrer à la maison pour le souper.

— Patron, murmura Melançon, venu errer du côté du rayon des vêtements pour femmes, des centaines de personnes se regroupent sur la place du marché Jacques-Cartier.

— Après les événements d'hier...

— Vous ne voulez pas m'accompagner? Les syndicats seront représentés, tout comme les sociétés catholiques.

— C'est vrai, tu es un militant de la soutane...

Édouard jeta un regard du côté de l'ouverture percée dans le mur mitoyen. Son père se trouvait encore dans son bureau. Toutefois, Pâques n'était pas Noël. Depuis quelques jours, la population préférait la rue aux grands magasins, l'affluence demeurait donc modeste. Il fit signe à l'une des vendeuses pour lui signifier de prendre le relais derrière la caisse.

Un instant plus tard, les deux hommes marchaient dans la rue Saint-Joseph. Au coin de la Couronne, une foule considérable s'entassait déjà sur la place du marché. Le large espace dégagé permettait aux cultivateurs de stationner leur charrette pendant la journée. Le soir, les pieds dans le crottin, les badauds pouvaient s'y masser par milliers.

À l'arrière d'une charrette, debout sur une caisse de bois, un homme haranguait la foule :

— Les spotteurs ne respectent plus les exemptions, ni même le mariage. Sans nous, les personnes arrêtées hier se trouveraient à la Citadelle aujourd'hui et sur un navire à destination de l'Angleterre demain.

Édouard ressentit une nouvelle frayeur en entendant ces mots, tout en sachant avoir risqué bien peu : de nombreuses interventions lui auraient permis de retrouver sa famille avant une pareille conclusion.

— Encore ce matin, les journaux conservateurs défendaient la conscription.

— Ils parlaient de nous comme de la racaille, intervint un spectateur.

Il n'en fallait pas plus pour convaincre les manifestants de se mettre en marche en entonnant le *Ô Canada*. Le commerçant et son contremaître emboîtèrent le pas aux gens, s'engagèrent dans la côte d'Abraham. À l'hymne des Canadiens français succéda *La Marseillaise*, une initiative plutôt incongrue puisque la manifestation cherchait à empêcher de se porter au secours de la France.

Une nouvelle fois, les pierres s'abattirent sur les édifices du *Chronicle* et de l'*Événement*, rebondissant sur les contreplaqués fermant les fenêtres. Privés du plaisir d'entendre le bruit du verre brisé, les trois mille hommes retraitèrent en direction du marché Montcalm. Ils renforcèrent un rassemblement déjà immense comptant plus de dix mille personnes. Les chants patriotiques fusaient sans cesse, des drapeaux Carillon-Sacré-Cœur battaient au vent, à peine visibles à la lueur des réverbères.

Des policiers se massaient devant l'Auditorium de Québec. L'endroit attirait sans cesse les jeunes gens puisque tous les registres se trouvaient dans les locaux administratifs, à l'étage. Les premières pierres défoncèrent les fenêtres. Les agents serrèrent alors les rangs. Pas plus de cinquante, ils ne pouvaient rien tenter, même armés, à moins de se résoudre à ouvrir le feu. Mais cela ne donnerait rien devant une pareille multitude.

Passé huit heures, les chants, les cris et les cailloux n'arrivaient plus à satisfaire les plus impatients. Des hommes s'emparèrent des bancs publics placés près de la rue. Composés de socles de fonte et de solides madriers, ils feraient office de béliers. Les policiers se regroupèrent devant la grande porte de la salle de spectacle.

— Enlevez-vous du chemin ! cria quelqu'un. Nous ne vous voulons aucun mal.

— Rentrez à la maison, répondit un officier d'un ton mal assuré.

— Ne tentez rien, expliqua l'un des meneurs. Nous n'avons rien contre la police de la ville… pour le moment.

L'agent hésita, contempla la multitude, puis fit signe à ses hommes de se mettre un peu à l'écart. Un instant plus tard, un premier banc s'écrasa contre les portes. Elles résistèrent au premier impact. Les manifestants reculèrent de dix pas, puis s'élancèrent à nouveau. Le scénario se répéta une dizaine de fois avant que l'huis ne cède, à grand fracas. De nombreuses personnes s'engouffrèrent dans l'ouverture.

— Si des soldats se trouvent encore dans cet immeuble, fit valoir Édouard à son compagnon, des gens se feront massacrer.

— Avec le vacarme ambiant, ils sont sans doute partis depuis une heure. L'endroit doit compter de nombreuses portes dérobées.

Melançon avait raison. La foule belliqueuse grimpa les larges escaliers au pas de course sans rencontrer personne. Dans les bureaux, des classeurs métalliques contenaient les milliers de dossiers des jeunes gens inscrits au Service National. Les hommes ouvrirent les tiroirs et en jetèrent le contenu sur le sol. Les meubles paraissaient nuire au mouvement. Les chaises passèrent au travers des fenêtres sans vitres, les pupitres furent poussés le long des murs. À la fin, les dizaines de milliers de feuillets formaient un amoncellement. Quelqu'un chercha un briquet dans le fond de sa poche et se pencha pour allumer les formulaires. Un autre sacrifia une flasque d'alcool pour en répandre le contenu sur le feu.

Très vite, les flammes montèrent à hauteur d'homme. Les contestataires y jetèrent de gros registres, les tiroirs des bureaux, les portemanteaux. La fumée s'échappa des fenêtres et se répandit surtout dans le grand amphithéâtre, provoquant des quintes de toux. Les hommes refusaient pourtant de fuir, désireux de voir les flammes rendre tous ces dossiers inutilisables.

~

Au moment où les incendiaires retrouvèrent enfin les trottoirs, deux camions de pompiers tournaient l'angle le plus proche de la rue Saint-Jean, toutes sirènes hurlantes. Les boyaux furent déroulés sur le trottoir, reliés aux bornes-fontaines. Les jets puissants furent dirigés vers les fenêtres défoncées de l'étage d'où sortaient de longues flammes. Cela ne dura pas plus d'une minute. Des protestataires bousculèrent les sapeurs pour leur enlever les lourdes haches. En quelques coups, les boyaux furent tranchés.

— Maintenant, l'édifice au complet risque d'y passer, conclut Édouard.

Des années plus tôt, son père figurait parmi la liste des libéraux propriétaires de l'endroit. Heureusement, le commerçant avait préféré placer ses avoirs dans des placements plus sûrs. Les flammes montaient maintenant vers le ciel, jetant des lueurs lugubres sur la place du marché. Réduits à l'impuissance, les pompiers se tenaient près des camions pour contempler le spectacle.

— Patron, vous entendez...

Melançon leva un doigt vers le ciel. Un bruit de pas parvenait de l'avenue Dufferin, mais aussi de la rue d'Auteuil, sur leur droite. Deux colonnes kaki se rejoignirent devant la salle de spectacle en feu. Les soldats, au nombre de quelques centaines, tenaient leur carabine devant leur poitrine, la baïonnette au canon. Les longues lames d'acier captaient le reflet des flammes. Les protestataires, peut-être au nombre de quinze mille, formaient deux masses compactes, l'une sur les trottoirs au nord de la rue Saint-Jean et dans les autres artères environnantes, l'autre sur la place du marché. Les cris cessèrent, une rumeur inquiète parcourut la place.

Le son des moteurs creva la nuit. Une demi-douzaine de voitures s'arrêtèrent à proximité. Une nouvelle fois, le maire Lavigueur accourait afin de ramener la paix. Le général Landry lui marchait sur les talons, insistant :

— Ils sont des milliers prêts à incendier la ville !

Le commandant du district de Québec désignait l'Auditorium du doigt. La lueur devait être visible dans toute la cité, maintenant. Les curieux viendraient bientôt par centaines grossir le nombre des protestataires, au risque de rendre la situation plus explosive encore.

— Lisez l'acte d'émeute tout de suite, insista l'officier. Nous devons les disperser avant que cela ne tourne au drame.

— Et ensuite, vous allez canarder ces gens ? Pas question.

Après la lecture de l'acte d'émeute, les pouvoirs publics pourraient utiliser la force afin de faire fuir les manifestants. En cas de résistance, la troupe tirerait sur eux.

Le maire chercha un endroit d'où parler à la foule, ne trouva rien de mieux que le toit de l'un des camions de pompiers.

— Messieurs ! cria-t-il en faisant des gestes amples. Dispersez-vous, n'aggravez pas la situation. Sinon, la force devra être employée contre vous.

Un bruit sourd de paroles confuses parcourut la foule. Les mots du magistrat se mêlaient au spectacle des lames des baïonnettes afin de refroidir les esprits. Les soldats demeuraient impassibles, répartis sur quatre rangs.

— Si vous ne rentrez pas chez vous, l'acte d'émeute…

Lavigueur ne termina pas sa phrase. Édouard se tourna vers son compagnon pour déclarer :

— Je rentre chez moi. Je n'ai aucune envie de me retrouver au milieu d'un champ de bataille. Tu as une femme et un garçon, tu devrais en faire autant.

Sans se retourner, le commerçant fendit la foule des hommes devenus silencieux, regagna l'avenue Dufferin afin de rejoindre la Grande Allée. D'abord par groupe de deux ou trois, ensuite par dizaines, enfin par centaines, les manifestants abandonnèrent les environs de l'Auditorium. Les pompiers purent enfin effectuer leur travail et limiter les dégâts.

～

— Je voudrais aller à l'école, plaida Thalie, debout au milieu du salon. De façon tout à fait étourdie, j'ai laissé mes livres dans mon pupitre.

— Mais le High School est fermé, à cette heure, répliqua Marie.

— Le gardien laisse entrer les grandes... Nous sommes toutes un peu fébriles, les examens de McGill auront lieu dans un peu moins d'un mois.

La commerçante regarda sa grande fille, si semblable à sa propre image, dix-huit ans plus tôt, avec, en plus, la détermination fantasque d'Alfred. Elle désirait lui interdire de sortir, tout en souhaitant laisser libre cours à ce courage un peu fou.

— Hier, certains ont incendié l'Auditorium, sans doute les mêmes qui sont passés sous nos fenêtres en hurlant.

— Mais ils n'ont aucun motif de s'en prendre au *High School* ou aux élèves de celui-ci. Nous savons très bien pourquoi ils vont au *Chronicle*, à l'*Événement*, ou même à l'Auditorium.

— Marie, si cela peut te rassurer, je vais aller avec elle.

Françoise quitta son fauteuil pour se tenir à côté de son amie. S'inquiéter pour deux jeunes filles ne valait guère mieux que s'inquiéter pour une seule, songea la femme. Pourtant, elle conseilla :

— Vous allez être prudentes.

— Promis, maman.

Thalie se pencha pour lui embrasser la joue. Françoise et elle se dirigèrent toutes deux vers la sortie. Gertrude avait entendu la conversation depuis la cuisine, dont la porte était restée ouverte. Après le départ des filles, elle vint s'asseoir dans le salon pour demander :

— Pourquoi ne pas les enfermer dans leur chambre et jeter la clé?

— Au même âge, quelqu'un aurait-il pu faire cela à Alfred?

— ...Jamais. Il était comme un renard, prêt à se ronger une patte pour se libérer d'un piège.

— Dans ce cas...

Marie leva les mains en signe d'impuissance, un sourire contraint sur les lèvres. Gertrude acquiesça de la tête et retourna vers la cuisine en concluant:

— Je vais faire du thé.

Cela lui semblait être la réponse parfaite à toutes les difficultés.

～

Le ciel demeurait couvert, l'air surchargé d'humidité. Le vent venu de l'ouest annonçait du mauvais temps. En cette veille de Pâques, tout laissait présager une lourde giboulée du printemps. Les deux jeunes filles empruntèrent la rue Saint-Louis et passèrent la grande porte pour se retrouver devant un vaste attroupement. Des hommes s'entassaient sur les immenses pelouses du Manège militaire. Le rassemblement débordait dans l'avenue Dufferin et même sur les terrains de l'Hôtel du gouvernement.

— Nous ne pourrons jamais traverser cette foule, fit Françoise. À moins d'aller prendre une rue un peu plus basse...

— Alors restons de ce côté-ci de la manifestation, répondit Thalie en riant.

— ...Tes livres?

— Un mensonge pieux. Crois-tu possible que j'oublie mes livres de classe?

La foule entonna le *Ô Canada*. Le général Landry se tenait debout sur le toit d'un camion afin de mieux apprécier les événements. Plusieurs dizaines de cavaliers s'alignaient devant la longue bâtisse de pierre. Devant eux, des centaines de fantassins tenaient leur fusil, la baïonnette au canon.

— Selon les journaux, ces hommes sont dirigés par des vétérans revenus du front, expliqua Thalie.

— Cela signifie qu'ils n'hésiteront pas à tirer, répondit Françoise.

Un murmure parcourut la foule. Elles reconnurent les mots « Brousseau » et « armes ». Lentement, un récit, celui d'une armurerie dévalisée, de manifestants munis de revolvers, devint intelligible. La même rumeur atteignit les soldats rangés devant le Manège. Le général Landry se pencha afin de dire au maire Lavigueur, l'indéfectible magistrat :

— Vous avez entendu ? Je n'attendrai pas que mes hommes se fassent tuer.

À ce moment, une pluie de pierres commença à s'abattre sur les militaires. Un homme s'écroula, atteint au visage. Tout de suite, deux de ses camarades le transportèrent vers l'arrière.

— Vous n'allez pas tirer sur eux ?

— Les cavaliers vont les faire reculer. Croyez-moi, je n'ai aucune raison de multiplier les victimes. Lisez cet acte au plus vite.

Devant une nouvelle pluie de projectiles, Lavigueur sortit une feuille de sa poche et commença à lire :

— *Sa Majesté le roi enjoint et commande à tous ceux qui sont ici réunis de se disperser immédiatement et de retourner paisiblement à leur demeure ou à leurs occupations légitimes, sous peine d'être coupables d'une infraction pour laquelle, sur déclaration de culpabilité, ils peuvent être condamnés à l'emprisonnement à perpétuité. Dieu sauve le roi !*

Même si à peu près personne ne pouvait entendre les paroles prononcées, la plupart comprirent ce dont il s'agissait. À ce moment, un capitaine ordonna aux cavaliers de s'avancer, botte contre botte. La poitrine des chevaux formait un mur impressionnant. Les cris ne les faisaient pas s'arrêter, pas même les pierres. Plusieurs manifestants tournèrent les talons. Ceux qui préférèrent faire face se trouvèrent jetés au sol par les montures. Ils n'eurent d'autre choix que de se recroqueviller afin de s'exposer le moins possible aux heurts des sabots. Des fantassins, marchant derrière, les mirent aux arrêts pour s'être trouvés sur les lieux d'une émeute.

Les protestataires reculèrent tout le long de l'avenue Dufferin pour s'égailler ensuite dans les rues et les escaliers permettant de revenir à la Basse-Ville.

— Rentrons-nous maintenant à la maison ou nous rendons-nous au High School afin de prendre un livre ? questionna Françoise.

Le grand espace devant elle se trouvait libre de manifestants. Des soldats patrouillaient les lieux, le fusil en bandoulière.

— Maman se doute bien que je voulais juste voir cela.

— Tout de même, il serait plus gentil de préserver les apparences.

Elles trouvèrent finalement un gardien disposé à les laisser entrer dans l'école, déserte à cette heure, au prix d'un récit détaillé des événements dont elles avaient été témoins.

Chapitre 22

Ovide Melançon, membre du Cercle Léon XIII et apôtre du syndicalisme catholique, ne pouvait manquer la grand-messe, surtout en cette fête de Pâques. Il s'y présenta avec sa femme et son fils et gagna son banc dans une allée latérale, au fond de l'église Saint-Roch. Dans une demi-somnolence, il écouta la célébration, bercé par les incantations en latin.

Au moment du prône, le curé Buteau gravit l'escalier d'un pas lent, la mine grave et commença en cherchant une feuille de papier devant lui :

— Mes très chers frères, mes très chères sœurs, Sa Grandeur, Mgr Louis-Nazaire Bégin, demande à tous ses curés de lire la lettre suivante, adressée à ses fidèles du diocèse de Québec. Nous devons recevoir avec un pieux respect les paroles de notre pasteur.

Il poursuivit de sa meilleure voix :

Notre ville a été, au cours de la Semaine sainte, le théâtre de bien déplorables scènes de désordre et de violence contre les personnes et contre les propriétés. Du simple point de vue de la raison, et quels que soient les griefs dont on souffre, il est sûr que de tels procédés font surtout tort à ceux qui les emploient. Mais la conscience chrétienne les réprouve et l'Église catholique les interdit. [...] Vous voudrez bien, monsieur le curé, en lisant cet avis, demain, à votre prône, recommander à vos paroissiens le calme et la modération, et les supplier de se tenir en garde contre des entraînements irréfléchis qui sont stériles pour le bien, qui font à notre bonne ville de Québec une réputation qu'elle ne mérite pas, et qui peuvent accroître les maux, pourtant assez pénibles, dont nous avons déjà à souffrir.

Le temps de terminer sa lecture et de replier la missive, le curé Buteau afficha une mine recueillie, puis il enchaîna :

— Bien sûr, l'attitude arrogante des agents spéciaux, ceux que l'on appelle les spotteurs, leur mépris du droit des personnes, exprimé par des arrestations arbitraires, ont encouragé les mouvements de colère de la population. Toutefois, de nombreux individus, y compris des femmes et des enfants, ont été blessés dans ces désordres. Si les autorités avaient réagi avec la force permise par la loi, certains auraient été tués.

Le prêtre mentionna ensuite les nouvelles paroissiales et les activités des diverses associations pieuses. Melançon reconnut dans ces paroles une crainte légitime pour la sécurité des gens, mais aucune condamnation de la lutte contre la conscription.

~

Au moment où les fidèles de la paroisse Saint-Roch sortaient de l'église, deux trains spéciaux entraient, à quelques minutes d'intervalle, dans la gare de Lévis. Le premier arrivait de la Nouvelle-Écosse, le second de l'Ontario. Ils déversèrent deux mille hommes de troupe, envoyés par les autorités militaires afin de pacifier la ville de Québec. Un major-général devait en assurer le commandement. Au pas, les soldats marchèrent vers les quais dans un ordre parfait afin de monter à bord des traversiers.

~

En après-midi, Édouard jugea bon de se rendre au *Château Frontenac* afin d'entendre les dernières rumeurs. Un certain nombre d'officiers supérieurs y établissaient leurs quartiers. Assis au bar, une théière et des tasses devant lui, le jeune homme racontait sa mésaventure :

— Sans écouter le moindre mot de mes explications, ils m'ont passé les menottes. Je me suis retrouvé dans un cachot, jusqu'à ce que la populace vienne me sortir de là.

— Ou plutôt, grâce à l'intervention providentielle du maire Lavigueur, selon les récits dans les journaux, le contredit Armand Lavergne.

Le politicien offrait des yeux congestionnés, un nez rouge, un air fiévreux. Cependant, la mauvaise grippe ne réduisait en rien son côté goguenard.

— C'est vrai, consentit le commerçant, le bonhomme semble infatigable au moment de calmer les foules. Je l'ai revu le lendemain, lors de l'incendie de l'Auditorium.

— Quinze mille personnes! Assez pour déclencher une révolution.

— Je ne pense pas. Certains se révélaient assez déterminés pour forcer les portes et brûler les registres. Les autres étaient de simples curieux, rapides à se disperser devant les baïonnettes.

À sa façon de s'exprimer, personne n'aurait deviné l'empressement avec lequel il était rentré à la maison.

— Et hier soir?

— Je ne suis pas allé au Manège militaire. Nous recevions les parents de ma femme à la maison.

Le militantisme le cédait aux habitudes bourgeoises. Lavergne répéta les informations glanées au moment du déjeuner, dans la salle à manger, précisant:

— Maintenant, la proclamation de l'acte d'émeute autorise à disperser par la force tous les rassemblements illégaux.

L'expression désignait les réunions de trois personnes ou plus. Cela faisait planer une menace sur toutes les manifestations futures. Le politicien allait élaborer sur la situation quand une commotion se produisit à l'entrée de la pièce. Il se retourna pour voir un homme grand et raide, la cinquantaine avancée, une moustache grise sous le nez, vêtu d'un uniforme kaki, son képi sous le bras, une cravache à la main.

— Voilà donc le foudre de guerre en nos murs.

— Pardon ? fit Édouard en regardant dans la même direction que son ami.

— Le major-général François-Louis Lessard. Il doit commander les deux mille hommes venus des provinces anglaises pour ramener la paix ici. Ce gars a une grande expérience des situations explosives. Il y a quarante ans tout juste, encore un adolescent, il a fait tirer sur les travailleurs pour réprimer une grève dans la ville. Il a commandé un détachement en Saskatchewan en 1885, lors de la rébellion de Riel, et il a participé à la guerre des Boers en 1899.

— Ils ont fait venir des soldats des autres provinces ?

— Ceux de la Citadelle, ou du Manège militaire, sont surtout des Canadiens français. Ils hésiteraient sans doute au moment de tirer sur les leurs.

Édouard avala le reste de sa tasse de thé, alignant mentalement tous les jurons de son répertoire. La loi de prohibition, maintenant appliquée à la ville, finirait pas le rendre fou.

—~—

Depuis les fêtes de fin d'année, Édouard trouvait de nouveaux prétextes pour s'absenter de la maison une ou deux fois par semaine. Des motifs politiques aussi brumeux qu'impératifs l'attiraient hors du foyer domestique avec une régularité suspecte. Évelyne, affligée d'un ventre démesurément arrondi, levait la tête pour recevoir une bise, puis le suivait des yeux jusqu'à ce qu'il sorte du salon, une vague inquiétude dans le regard. Au début, Élisabeth assurait : « Il fréquente les nationalistes depuis dix ans. Avec toute cette agitation sur la conscription… » Plus récemment, elle préférait garder le silence, elle-même préoccupée par ces absences répétées.

Édouard revint un peu après dix heures. Il passa la tête dans l'embrasure de la porte. Sa mère déclara :

— Elle vient tout juste de monter. Si tu la rejoins tout de suite, elle sera encore éveillée.

— Plus tard. Papa, dans la Basse-Ville, les esprits paraissaient bien échauffés. Des hommes erraient dans les rues, tout à l'heure.

— Tu étais dans la Basse-Ville? intervint Élisabeth.

Thomas leva la main pour faire taire son épouse, le visage préoccupé, puis remarqua:

— On voit des jeunes hommes se promener dans les rues tous les soirs.

— Ceux-là me paraissaient déterminés à tenter des mauvais coups.

Une sonnerie retentit. Thomas regarda sa femme et se leva en disant:

— Je prends l'appel dans mon bureau.

Édouard le suivit, se tint dans l'embrasure de la porte.

— Ils ont touché au magasin? entendit-il bientôt.

La réplique, à l'autre bout du fil, ne satisfit qu'à demi le marchand.

— Réunis une dizaine d'hommes, et viens avec eux au commerce. Nous arrivons.

L'homme raccrocha l'écouteur du téléphone, revint vers le salon, expliqua à la fois à l'intention d'Élisabeth et de son fils:

— Melançon vient de me dire que des voyous défoncent les vitrines des commerces de la rue Saint-Joseph. Je lui ai demandé de venir avec des hommes. Nous allons monter la garde dans le magasin, défendre les lieux si nécessaire.

La femme quitta son siège pour venir vers lui, posa sa main sur son avant-bras en disant:

— Cela peut être dangereux.

— Ne t'inquiète pas outre mesure. Une simple présence découragera ces agités. Édouard, va démarrer la voiture, je te rejoins.

L'homme passa à nouveau dans la pièce adjacente, chercha dans le tiroir du haut de son bureau, glissa un revolver et une boîte de cartouches dans les poches de sa veste.

— Comment veux-tu que je ne m'inquiète pas ? Tu songes à te munir d'une arme. Téléphone plutôt à la police.

— J'insiste pourtant : ne te fais pas de mauvais sang. J'ai vu moi-même les occupants du poste de police numéro trois fuir les lieux devant les manifestants. Je protégerai mes biens moi-même.

— Si les policiers se sont enfuis, tu ne peux pas faire face à ces gens avec quelques employés.

— Je verrai bien. J'ai travaillé dans ce commerce depuis l'âge de dix ans, je ne resterai pas les bras croisés à regarder ces voyous ruiner tous mes efforts.

L'homme se pencha pour embrasser sa femme sur la bouche, un bras passé autour de sa taille. Un instant plus tard, il enfila son manteau tout en se dirigeant vers la Buick.

～

Melançon se tenait sur le trottoir de la rue Saint-Joseph avec cinq hommes. Thomas sauta de la voiture, puis demanda :

— Tu n'as pas pu en trouver plus ?

— Quatre gars se tiennent devant l'entrée de la rue Des Fossés.

— Parfait.

Le commerçant se pencha pour dire à son fils, toujours derrière le volant :

— Va te stationner à l'arrière et rejoins les employés qui attendent là. Amène-les au rayon des sports afin de les équiper.

— Tu veux dire… des armes ?

— Donne un calibre 12 au plus fiable, ou alors garde-le pour toi. Des bâtons de baseball suffiront pour les autres.

Un grand magasin de détail recelait assez de richesses pour permettre à cinquante hommes de soutenir un long siège. Thomas ajouta encore :

— Enlève la marchandise des vitrines, pour ne pas attirer la convoitise, et poste tes hommes pour qu'on puisse les voir de la rue. Cela devrait décourager les plus audacieux.

~

Les quelques voyous désireux de se servir dans les magasins de la Basse-Ville ne représentaient qu'une infime minorité des personnes se trouvant toujours dehors à onze heures du soir. Un bruit composé de mille voix au moins venait de la place du marché Jacques-Cartier, situé à cent verges tout au plus. Les hymnes de la France et du Canada français étaient sans cesse repris. À la fin, Édouard n'y tint plus :

— Je vais aller voir ce qui se passe.

— Nous ne serons pas de trop pour défendre les lieux, protesta son père.

— Ils paraissent être des milliers. Mieux vaut connaître leurs intentions. Je viendrai vous avertir si un mouvement se dessine dans cette direction.

Le marchand acquiesça finalement. Édouard marcha rapidement vers le marché pour trouver au coin des rues Saint-Joseph et de la Couronne un rassemblement de plusieurs milliers de jeune gens. Armand Lavergne se tenait debout sur la plate-forme arrière d'un petit camion Ford. L'air fiévreux, le geste hésitant, il s'adressait à la multitude d'une voix cassée :

— Rentrez chez vous. Des milliers de soldats se trouvent dans la ville…

— Ils se comportent comme dans un pays conquis ! cria quelqu'un.

— Pires que des Boches, intervint un autre.

Le politicien reprit son souffle, puis continua :

— Ottawa a envoyé un enquêteur, Harold Machin, afin de tirer au clair le comportement des spotteurs. Il m'assure que les soldats ne patrouilleront pas les rues. Même le maire Lavigueur leur demande de ne pas quitter les casernes.

Cependant, ils se tiendront tout près, et au moindre incident…
Ne leur donnons pas le prétexte d'intervenir.

Les manifestants demeuraient perplexes. Lavergne ne les avait pas habitués à des discours semblables. Les uns trouvaient le revirement suspect, les autres jugeaient la menace de représailles bien réelle désormais, si elle rendait cet agitateur si timide.

Quelques minutes plus tard, l'orateur abandonna son estrade improvisée. Lentement, les spectateurs quittèrent les lieux, la mine basse, comme déçus de ne pas être invités à gravir à nouveau la côte d'Abraham en chantant des hymnes patriotiques. Édouard s'approcha et commença par demander :

— Cette grippe ne passe pas ?

— Je devrais être dans mon lit, un verre de gin chaud sur le chevet.

— Est-ce vrai, ton histoire d'enquêteur ?

Son interlocuteur se troubla un moment avant de convenir :

— Ce Machin se trouve bien à Québec pour enquêter. Je lui ai parlé cet après-midi.

— Les troupes ne se promèneront pas dans les rues ? Il vaudrait peut-être mieux qu'elles le fassent. Des manifestants défoncent les commerces.

— Ce sont quelques voyous qui se mêlent à nous. La présence de soldats excite la colère des plus inquiets. Cela pourrait entraîner des gestes regrettables.

Après avoir alimenté les passions lors des dernières années, le politicien paraissait maintenant dépassé par les événements. Édouard songea aux condamnations répétées de son père : les agitateurs s'en tireraient impunément, protégés par des amis, des parents ou leur seule position sociale. Les gens modestes entraînés dans leur sillage régleraient la facture, à la fin.

— Je rentre au magasin. Va te coucher, tu ressembles à un déterré.

— Au magasin ?

— Nous sommes une dizaine à monter la garde afin de sauver nos vitrines de tes amis.

D'un pas vif, il s'engagea dans la rue Saint-Joseph.

～

Le rayon du matériel de sport offrait de nombreuses ressources. Un fusil de calibre 12 près de lui, une couverture le couvrant pour le protéger du froid, Édouard dormit quelques heures. Ses compagnons ronflaient autour de lui. Le soleil se levait à peine quand son père donna de petits coups de pied sur ses souliers pour le réveiller. Il se redressa dans un sursaut et mit un instant avant de reprendre ses esprits.

— Les rues sont paisibles, commença le marchand.

— Les manifestants...

— ...ne se sont pas présentés, les pillards non plus.

Autour d'eux, les employés sortaient de leur sommeil. Thomas annonça à la ronde :

— J'ai demandé aux gens des cuisines d'ouvrir un peu plus tôt. Vous pourrez manger un repas chaud au restaurant du sixième avant de rentrer à la maison. Vous viendrez reprendre votre poste en fin d'après-midi...

— Les livraisons ? demanda Melançon.

— Nous ne livrerons rien aujourd'hui. Les rues risquent d'être incertaines. Demande à tes hommes de venir ce soir. Nous allons camper sur les lieux, le temps que tout le monde se calme un peu.

Les employés firent comme on le leur disait. Édouard replia soigneusement sa couverture et prit son fusil en disant :

— Autant mettre cet outil dans ton bureau. Mais les choses devraient s'améliorer, dorénavant. Selon Lavergne, Ottawa a envoyé un enquêteur dans la ville. L'armée demeurera à la caserne, s'abstenant de patrouiller les rues.

— Fais-tu encore confiance à ce que cet homme raconte ?

Devant l'air interdit de son fils, le commerçant lui fit signe de le suivre. Ils sortirent sur le trottoir de la rue Saint-Joseph. Sur le mur de l'établissement, entre la porte et l'une des vitrines, on avait collé une affiche. Édouard lut à mi-voix :

AVIS PUBLIC

Les autorités militaires désirent porter à la connaissance du public que les attroupements illégaux sont absolument défendus et que ceux qui y participent, même par leur seule présence, sont coupables d'un acte criminel et passible d'emprisonnement.

Un ATTROUPEMENT ILLÉGAL est la réunion de trois personnes ou plus qui, dans l'intention d'atteindre un but commun, se réunissent ou se conduisent, une fois réunies, de manière à faire craindre aux personnes qui se trouvent dans le voisinage de cet attroupement pour des motifs plausibles que les personnes ainsi réunies vont troubler la paix publique tumultueusement ou provoquer inutilement et sans motif raisonnable, par le fait même de cet attroupement, d'autres personnes à troubler la paix publique.

Dans les circonstances que Québec traverse, il est du devoir de tous les citoyens de ne pas laisser leur domicile, spécialement le soir, et de ne pas se mêler aux agitateurs qui ont introduit le désordre dans la ville. Cet avis est donné dans le but de prévenir tout accident à ceux qui ne prennent aucune part aux émeutes.

Si un attroupement illégal a lieu et que quelqu'une de ces personnes ainsi attroupées est tuée ou blessée lors de son arrestation ou d'une tentative faite pour l'arrêter ou la faire se disperser par suite de sa résistance, tous ceux qui ont donné l'ordre de l'arrêter ou de la faire se disperser et tous ceux qui exécutent cet ordre sont à l'abri de toute poursuite ou procédure de toute sorte à ce sujet.

L'avertissement se continuait encore sur plusieurs paragraphes.

— Quant à l'armée dans les rues, continua Thomas, regarde.

Il montra du doigt un petit peloton d'une douzaine d'hommes marchant au pas, la carabine à l'épaule. Sur les trottoirs, des hommes se rendaient à l'atelier, à la manufacture ou dans un commerce environnant afin de travailler. Certains donnaient libre cours à leur colère :

— Sales Boches ! cria quelqu'un. Retournez chez vous !

— On n'est plus en 1760 ! hurla un autre.

Ces militaires venaient de l'Ontario. Si le sens de ces invectives leur échappait, le ton demeurait limpide. Les enfants et les adolescents, en route pour l'école ou vers un premier emploi, se montraient plus explicites encore. Ils grimaçaient, multipliaient les gestes obscènes, lançaient des cris perçants. Finalement, les plus audacieux jetèrent des pierres en direction de la patrouille. Un soldat fit mine de prendre son arme. Le sous-officier arrêta son geste.

— Pourtant, Lavergne m'avait dit... commença Édouard.

— Tu deviens ridicule, à la fin. T'imagines-tu qu'il donne des ordres à l'armée ?

L'homme rentra dans son commerce, désireux de téléphoner à Élisabeth afin de lui relater les derniers événements.

Malgré sa fièvre, Armand Lavergne s'arracha à son lit au milieu de la matinée, puis se posta dans le hall du *Château Frontenac* afin de surveiller les allées et venues des officiers. Préoccupé, il ne remarqua pas la présence d'un homme en civil absorbé dans la contemplation d'un étalage de cigares. À midi, le major-général Lessard entra, entouré de son état-major, pour se diriger vers la salle à manger. Le politicien s'approcha. Tout de suite, un capitaine au visage rébarbatif se plaça sur son chemin.

— Monsieur Lessard, s'il vous plaît, prononça-t-il en haussant le ton.

L'officier se retourna, agacé, puis déclara :

— Ah ! Le maître des barricades... Que me voulez-vous ?

— Vous parler un moment.

— Je suis pressé.

— Je vous en prie.

Le major-général secoua la tête, puis convint :

— Cinq minutes alors, pas une de plus.

L'officier gagna sa table. Ses hommes s'installèrent autour de lui. Lavergne demeura debout un moment. Lessard finit par grogner :

— Approchez une chaise et dites ce qui vous amène.

Le politicien obtempéra.

— Vous faites patrouiller les rues depuis ce matin.

— Et vous gardez le lit, à ce qu'on m'a dit, victime d'un vilain rhume.

La réponse le laissa un moment interdit, puis il admit :

— Un ami m'a téléphoné. Un peloton se promenait rue Saint-Joseph au moment du lever du soleil.

Un silence embarrassé succéda à ces mots. À la fin, le militaire demanda :

— Ce sera tout ?

— Hier soir, j'ai parlé avec Harold Machin. Il a convenu de ne pas montrer d'hommes en uniforme afin de permettre aux esprits de se calmer.

— Ce petit monsieur peut dire n'importe quoi. Cependant, le général Landry est le commandant du district militaire numéro cinq, celui de Québec.

— Hier soir, pour renvoyer les manifestants chez eux, j'ai promis que les soldats ne patrouilleraient pas.

L'officier éclata de rire, de même que les membres de son état-major comprenant le français.

— Vous êtes bien imprudent de faire des promesses de ce genre au nom du général Landry.

— Je voulais éviter le désordre. Si toutes les provocations sont écartées, les gens se calmeront.

— N'avez-vous pas proclamé en public, à plusieurs reprises : « Que périsse l'Angleterre » ? N'avez-vous pas défié le gouvernement de vous poursuivre pour haute trahison ? N'avez-vous pas déclaré être indifférent à ce que l'Allemagne occupe le Canada? La phrase avait un si bel effet: «Mordu par un chien ou par une chienne...» Ce sont vos mots, n'est-ce pas? Et maintenant, vous me dites souhaiter éviter le désordre?

Le militaire soulevait les sourcils pour imiter l'étonnement. Lavergne resta silencieux. Ses envolées oratoires paraissaient un peu risibles devant ce quarteron d'uniformes kakis.

— Si vous ne patrouillez pas les rues, les choses rentreront dans l'ordre.

— Mais si vous n'aviez pas monté les esprits, nous n'en serions pas là, n'est-ce pas? Vous me rappelez Riel.

— Pardon?

— Le bonhomme lançait ses hommes à l'attaque, mais on ne le voyait pas près de la ligne de feu. Exactement comme vous faites aujourd'hui. Après de grands discours enflammés, vous rentrez dans votre suite douillette au *Château*. Bien sûr, si des cadavres jonchent le sol, comme à Batoche, vous aurez bien des amis en haut lieu pour vous protéger. En cela, vous différez du pauvre chef métis.

Armand Lavergne voulut protester, chercha ses mots. Il formula enfin, d'un ton accusateur:

— Si cela se termine mal, ce sera de votre faute.

— Non, si cela se termine mal, ce sera la faute des agitateurs qui, une fois les beaux discours terminés, rentrent dans leur confortable intérieur.

Le politicien se leva sans prononcer un mot de plus, puis se dirigea vers la sortie de la salle à manger, les yeux rieurs des militaires fixés sur son dos. Au moment de revenir dans le hall, il aperçut enfin un homme à l'allure familière, croisé trop souvent depuis la veille pour que cela tienne au hasard. Rageur, il revint vers la table du major-général, interrompit la conversation en disant:

— Le gars qui me suit...

Du pouce, Lavergne montrait derrière lui.

— Votre bon ange?

— Vous me faites surveiller?

— Vous, et tous les officiers de la Ligue anticonscriptionniste, et même quelques autres personnes. Si cela se termine
mal, j'espère bien avoir assez de preuves pour rendre possible
des accusations d'incitation à la révolte.

Le politicien tourna de nouveau les talons pour quitter les
lieux, définitivement cette fois.

~

Toute la journée, les militaires imposèrent leur présence
près du Manège militaire, dans la Grande Allée, devant
l'Hôtel du gouvernement, les ruines de l'Auditorium, et
surtout, dans toutes les rues de la Basse-Ville. En soirée, afin
d'éviter un nouveau rassemblement, plus d'un millier de
soldats se massèrent sur la place du marché Jacques-Cartier.
À chacun des quatre coins de celle-ci, une mitrailleuse
permettait de tenir la foule en respect. Le major-général
Lessard tenait son quartier général dans une énorme
automobile et donnait des ordres à la troupe.

De façon systématique, les patrouilles se trouvaient
harcelées par des adolescents et victimes de jets de cailloux.
Vers huit heures, toutes les rues avoisinant le marché se
remplirent de manifestants. Les chants patriotiques perçaient
l'air. Une neige mouillée, lourde et épaisse, tombait en
abondance en ce 1er avril. Un brouillard épais interdisait de
voir à plus de quelques pas.

Lessard s'activait, résolu à empêcher les protestataires de
se rassembler en un seul point.

— Vous allez nettoyer cette rue, indiqua-t-il au commandant des Toronto Dragoons, un escadron de cavaliers anxieux
de voir un peu d'action.

Les chevaux chargèrent la foule massée dans la rue Saint-
Joseph, faisant reculer les centaines de travailleurs. Ils
s'égaillèrent dans les artères voisines. La rue étroite se révéla
impropre aux manœuvres de cavalerie. Surtout, une science
innée permit aux manifestants d'utiliser une parade efficace.

Des jeunes gens tendirent un câble en travers de la chaussée. Les premières montures s'abattirent sur leur poitrail, les membres antérieurs brisés, et les cavaliers culbutèrent sur le pavé. Les chevaux suivant heurtèrent les premiers alors qu'une pluie de briques, lancées depuis les toits, assommait les hommes.

Les militaires venus de Toronto durent abandonner les bêtes à leur sort, les hommes toujours valides soutinrent les blessés pendant la retraite. Leur retour sur la place du marché sema la consternation chez leurs collègues. Le commandant rendit compte de sa mésaventure à son chef et signala la présence de nombreuses personnes dans l'édifice du Cercle Frontenac.

— Nous allons y voir.

Cette fois, des centaines de fantassins s'avancèrent vers l'ouest, en direction du boulevard Langelier. La carabine à la main, cinquante d'entre eux pénétrèrent dans l'édifice. Les occupants se sauvèrent par les portes et les fenêtres arrière. Les soldats purent continuer ensuite leur progression sans craindre d'être pris à revers. Devant eux, des hommes se promenaient avec de longues perches afin de briser les ampoules des réverbères. L'obscurité se répandit lentement dans les rues des quartiers Saint-Roch, Saint-Sauveur et Jacques-Cartier.

Au moment où les militaires débouchaient dans le boulevard Langelier, des détonations résonnèrent. Les officiers reconnurent les coups de revolver et se souvinrent de l'armurerie Brousseau, dévalisée deux jours plus tôt. Malgré l'absence de lampadaires, une clarté blafarde reflétée sur la neige permettait de distinguer des ombres par centaines.

Le commandant chercha un lieutenant, puis lui murmura à l'oreille:

— Dites à Lessard qu'un attroupement est en train de se former ici. Des hommes semblent armés.

Quelques minutes plus tard, le major-général ordonnait au major Mitchell de placer des mitrailleuses aux coins des rues Saint-Vallier, Saint-Joseph et Bagot. Les militaires marcheraient ensuite dans le boulevard Langelier afin de dégager l'endroit.

～

Pour une seconde nuit, Thomas Picard entendait protéger son commerce. En fin d'après-midi, les employés du service de livraison avaient cloué des feuilles de contreplaqué dans les vitrines du rez-de-chaussée. Ensuite, une douzaine d'entre eux se partagèrent entre les accès des rues Saint-Joseph et Des Fossés. Ils aperçurent des manifestants faisant éclater des réverbères et entendirent les clameurs de la charge de cavalerie. Quelques coups de feu suivirent.

Édouard entrouvrit la porte afin de demander aux passants des informations sur les derniers événements. Quelqu'un lui expliqua :

— Les hommes se regroupent dans Langelier. Si les Anglais osent venir, nous les recevrons !

Au cours de la journée, il avait vu la concentration de militaires sur la place du marché ainsi que les équipements réunis. La situation tournerait nécessairement au plus mal. Il entraîna Melançon dans un coin discret, puis demanda à voix basse :

— Tu peux me rendre un service ?

— …J'ai bien une bouteille cachée quelque part.

Le jeune homme lui adressa un sourire ironique, puis continua :

— Non, ce n'est pas cela. Je respecte la prohibition… en public. Peux-tu garder un secret ?

L'autre le contempla, puis répondit :

— Oui, bien sûr.

— Ce soir, le désordre… Les manifestants se réunissent dans Langelier, près de l'École technique… et de la rue Saint-Anselme.

Melançon afficha une grimace narquoise et attendit la suite.

— Peux-tu aller voir Clémentine?

— La rumeur est donc vraie.

— Afin de la rassurer…

Le contremaître demeura un moment silencieux, puis consentit:

— Ma femme est chez sa sœur, dans Saint-Sauveur. Il y a une trentaine d'heures que je ne l'ai pas vue. Je passerai d'abord de ce côté, puis je m'arrêterai en revenant.

Un peu plus tard, il se glissait dehors en attachant le dernier bouton de son paletot sous son menton. La neige tombait toujours, lourde et mouillée, sur la Basse-Ville.

〜

Le major Mitchell s'égosillait en anglais dans un porte-voix, demandant aux manifestants de rentrer chez eux. Les pierres tombaient dru sur les soldats, les insultes aussi. De temps en temps, depuis les toits, venaient les détonations des revolvers. Tirant au jugé, les émeutiers faisaient parfois des blessés légers.

Lessard dirigeait ses hommes dans la rue Saint-Joseph. Son arrivée au coin de Langelier provoqua un mouvement de foule suffisant pour inquiéter le major Mitchell. La mitrailleuse toussa dans un bruit sourd, un peu couvert par l'averse de neige. Melançon revenait de l'appartement de sa belle-sœur, à l'ouest du boulevard. Au moment de le traverser pour rejoindre Saint-Anselme, il ressentit un coup violent, comme le sabot d'un cheval heurtant son bas-ventre.

Projeté sur le dos, étendu dans la neige fondante, des centaines de personnes courant autour de lui en hurlant de terreur, il releva la tête pour regarder son abdomen. Les balles avaient déchiré la chair, ses intestins sortaient du vêtement en boucles rouges. Un moment plus tard, la nuque reposant sur les pavés, il cessa de distinguer les gros flocons tombant du ciel noir.

Comme trois autres personnes, il ne se relèverait pas.

Le bruit des mitrailleuses s'entendit jusque dans le magasin PICARD. Par la fenêtre dans la porte, Thomas vit des gens courir en tous sens. Certains blessés semblaient avoir un peu de mal à se déplacer. Quelqu'un, le visage ensanglanté, frappa contre la vitre, la cassa de son poing fermé.

— Ils tirent sur les gens! cria l'inconnu. Laissez-moi entrer!

Le commerçant le repoussa, puis chercha des planches pour boucher cette nouvelle ouverture.

~~

Le lendemain, 2 avril 1918, Édouard accepta d'accompagner la veuve Melançon à la morgue afin de reconnaître le corps de l'employé.

— Nous allons nous occuper du coût des funérailles, prononça-t-il d'une voix blanche en sortant du petit édifice municipal.

— Ce ne sera pas nécessaire. Il contribuait à l'Union Saint-Joseph.

Elle paraissait calme, comme hébétée. La conscience de sa nouvelle situation lui viendrait lentement.

— Je paierai tout de même.

— Hier, en me quittant, il m'a dit devoir encore faire une course pour vous.

— Je ne vois pas... Ah! Oui, je lui avais demandé s'il pouvait dénicher une bouteille d'alcool. Nous étions tous là, résolus à monter la garde toute la nuit.

Les rues se révélaient paisibles. Des patrouilles de soldats marchaient au milieu de la chaussée. Sur les trottoirs, les passants vaquaient à leurs affaires en feignant de ne pas les voir. Entre eux, ils se murmuraient: «Les salauds! Ils ont donné l'ordre *Shoot to kill*!»

Cette fois, les Canadiens français avaient payé le prix du sang dans leurs propres rues. Plus personne ne songeait à jouer aux émeutiers. Les règles paraissaient trop sévères.

~

Les repas dominicaux se poursuivaient chez les Picard, une semaine sur deux avec la présence d'Eugénie, de son époux et de leurs deux enfants. Elle se trouvait à nouveau enceinte et n'hésitait pas à mentionner : « Trois, cela me paraît un chiffre parfait ! » Fernand, dans ces occasions, baissait les yeux et serrait les mâchoires.

— Personne ne sera poursuivi, commenta Édouard.

— Chez les soldats ? demanda Thomas. Cela va de soi, tu as vu la proclamation comme moi. On leur demandait de prévenir tout nouveau rassemblement. Non seulement les manifestants s'avéraient-ils nombreux, mais certains tiraient des coups de feu. Nous les avons entendus.

— Même Henri Bourassa a approuvé les mesures de maintien de l'ordre dans les pages du *Devoir*, intervint le gros notaire.

— Cela n'empêchera pas le gouvernement d'adopter un arrêté ministériel sur la censure, ricana le maître de la maison, une mesure faite exprès pour museler ce mauvais journal. Tout commentaire négatif sur les Alliés, sur les buts ou la façon de mener la guerre lui vaudra une poursuite.

Un instant, son fils eut envie de protester, de clamer : « On fait la guerre pour défendre la démocratie, et on la viole chez nous ! » Il préféra se taire. La veille, Évelyne avait donné naissance à un gros garçon. Mieux valait endosser la tenue d'un père de famille respectable.

— Ces quatre morts, tous ces blessés, en pure perte, glissa Élisabeth, attristée.

Les journaux évoquaient le nombre de soixante-dix blessés parmi les civils, le plus souvent victimes de chutes dans leur fuite, ou alors atteints par des ricochets.

— Ce seront les martyrs des nationalistes, compléta Thomas. Il y a bien un résultat : le nouveau climat a encouragé les spotteurs. Ils ont procédé à deux cents arrestations en douze jours.

— Cette histoire de balles explosives...

Édouard arrivait mal à taire les arguments de ses amis. Le coroner chargé de l'enquête, le docteur Jolicœur, avait évoqué dans son rapport l'usage dans les rues de Québec de munitions interdites par les lois de la guerre. Le tribunal avait choisi d'ignorer ce « détail » au moment de juger la conduite des soldats mis en cause. Un regard en direction de son père l'amena à changer de sujet :

— La marchandise d'été me semble moins belle que d'habitude.

— Maintenant que les États-Unis sont engagés à fond dans la guerre, les ateliers de confection ont sans doute du mal à recruter un personnel expérimenté.

— Au moins, on peut espérer une fin rapide à ce conflit, intervint Élisabeth.

Personne n'eut la cruauté de la détromper.

～

— Au moins, vous dormirez un peu mieux, commenta Jeanne. La situation menaçait de vous rendre malade.

Elle buvait son sherry à petites gorgées, toujours un peu mal à l'aise de profiter de ce luxe, surtout en période de prohibition. Elle se tenait une nouvelle fois assise du bout des fesses sur le canapé du salon.

— Si vous tenez à trouver un côté positif au fait que je me fasse chasser de ma chambre...

Fernand réprimait mal sa frustration. Sans doute rallié aux arguments d'Eugénie, cette fois, le docteur Hamelin avait utilisé les mots magiques : « Pour le bien de ma patiente ». Il n'y avait plus rien à dire après cela. La veille, il avait migré dans la pièce du fond, totalement à l'arrière de la maison.

La domestique préféra abandonner ce sujet un peu inconvenant pour revenir à ses propres inquiétudes :

— Cette modification à la loi… Il ne reste rien à faire ?

— L'annulation en bloc de toutes les exemptions ?

Le gouvernement unioniste avait modifié la loi du service militaire le 16 avril. La chose ne surprenait personne : l'enrôlement obligatoire ne signifiait plus rien, si l'immense majorité des appelés se dérobait grâce à des tribunaux complaisants. Tous les appelés célibataires âgés de vingt à vingt-trois ans devaient se présenter bientôt au médecin militaire, à l'exception des membres du clergé.

— Oui. Je croyais mes deux frères sortis d'affaire. Les voilà à nouveau conscrits. Vous ne pourriez pas les aider encore ?

— Non. L'arrêté ministériel est très clair. À moins d'avoir une santé fragile…

— Vous les avez vus ?

En effet, les deux frères Girard paraissaient très robustes. Aucun médecin n'arriverait à une autre conclusion.

— Je suis désolé, sincèrement. Ils devront se présenter, ou alors les spotteurs risquent de les arrêter.

Fernand tendit la main pour la poser sur l'avant-bras de la jeune femme. Elle sursauta légèrement, mais ne se déroba pas au contact.

— Maman a parlé de fuite dans les bois.

— S'ils se font prendre, cela aggravera leur situation. Cela pourrait vouloir dire cinq ans de prison.

— S'ils ne veulent pas se faire capturer, personne ne les trouvera.

— Tôt ou tard, ils devront en sortir.

L'homme regretta d'inquiéter la domestique. De nouveau, il toucha son bras, puis voulut se faire rassurant :

— Mais cette guerre ne durera pas toujours… Après, tout rentrera dans l'ordre.

Elle le fixa tout en vidant son verre. Quand, dix minutes plus tard, Fernand monta à l'étage, il trouva Eugénie dans l'embrasure de la porte de sa chambre.

— Vos conversations durent bien longtemps, grogna-t-elle.

— Ses frères ont été convoqués à nouveau. Elle s'inquiète.

— Élise Caron prétendait que tu étais un homme bon. Tu entends le lui prouver ?

Le notaire la contempla un moment, puis confessa :

— Elle avait raison. C'est une qualité qui n'est pas appréciée de toutes, malheureusement.

Il continua vers la chambre du fond. Coucher seul ne lui épargnait même pas ce genre de surveillance.

～

Le mois de mai ramena le vert aux arbres, des journées plus chaudes et l'espoir d'une vie meilleure. Au moment où le magasin ouvrait ses portes, Thalie mettait ses gants, prête à sortir. Marie la contempla, admirative. L'adolescente disparaissait, une jolie femme prenait sa place.

— Je me confesse, une partie de moi aimerait que tu échoues. Une toute petite partie voudrait te garder ici pour toujours. Mais le reste de ma personne souhaite ta réussite et la réalisation de tes rêves.

— Je t'aime en entier, autant le petit bout mère poule que le reste.

Pendant un long moment, elles s'enlacèrent. Puis, l'étudiante s'écarta.

— Je dois prendre le train.

— Oui, bien sûr. Sauve-toi.

Françoise se tenait près de la porte. Elle embrassa son amie.

— Bonne chance. Montre à tous ces Anglais…

L'émotion déroba les derniers mots.

— Merci. Et toi, essaie de ne pas trop t'en faire. Je suis sûre que Mathieu va bien, je sens qu'il m'accompagnera aujourd'hui. Je suppose que depuis la ligne de front, les lettres sont acheminées irrégulièrement. Ce long silence ne veut rien dire.

La jolie châtaine acquiesça de la tête en essuyant une larme furtive du bout de ses doigts.

Thalie emprunta la rue de la Fabrique et continua tout droit vers l'un des nombreux escaliers conduisant à la Basse-Ville. Elle arriva à la gare à temps pour monter dans le train, juste derrière une jolie blonde. Cette dernière transportait une valise assez lourde, tellement qu'au moment de la mettre sur le rangement au-dessus des banquettes, elle n'y arriva pas.

— Attendez, je vais vous aider.

À deux, elles casèrent le bagage à sa place.

— Vous voyagez bien équipée, commenta la petite femme aux cheveux noirs.

— Et vous, très léger.

Thalie n'avait qu'un petit porte-document de cuir à la main.

— Vous voulez de la compagnie ?

— Oui, bien sûr.

Après s'être assises côte à côte, la plus jeune des deux tendit la main en disant :

— Thalie Picard.

— ...Vous êtes apparentée aux Picard du magasin ?

— Non... Enfin, oui, mais de très loin.

La réponse rassura l'autre, qui accepta la main tendue.

— Clémentine LeBlanc.

Après un silence, elle poursuivit :

— Vous allez à Montréal afin de trouver du travail ?

— Non. Je vais passer les examens d'entrée à l'Université McGill.

— Oh ! Vous êtes savante.

Une ironie un peu jalouse marqua sa voix. Elle ajouta, afin de ne pas en rester là :

— Vous êtes inquiète du résultat ?

— Pas vraiment. J'ai travaillé comme une folle. Si ce n'est pas suffisant pour eux, tant pis. Je ne peux pas faire mieux.

Thalie mentait un peu. La directrice du Quebec High School l'avait assurée de son succès. L'accès des filles aux études universitaires demeurant trop récent, elle prenait à cœur la réussite de chacune des candidates et ne les laissait s'aventurer à l'examen que fin prêtes.

— Je comprends que de votre côté, vous allez chercher du travail.

— Oui. J'ai écrit à toutes les entreprises de services publics de Montréal. Mon superviseur a eu la gentillesse de me recommander. Me voilà en route pour occuper un emploi à la Montreal Light, après cinq ans à la Quebec Light.

— Vous avez été… mise à pied?

La pénurie de main-d'œuvre rendait cette éventualité peu probable. Clémentine encercla son poignet droit avec sa main gauche, là où une montre-bracelet se trouvait encore la veille. Le dernier cadeau de Noël reçu d'Édouard, vendu à une collègue, lui avait procuré de quoi payer son billet de train.

— Non, je me sauve parce que je ne veux plus voir un homme. À une distance de quelques milles, je ne pouvais m'empêcher de le croiser. À cent cinquante, j'espère résister à la tentation.

Après une pause, elle continua:

— Si cela ne suffit pas, je m'engagerai dans l'armée. Ils prennent des femmes, pas seulement dans les soins infirmiers, comme je le croyais, mais aussi pour le travail de bureau.

Thalie lui adressa un sourire. Pendant tout le trajet, elles réussirent à trouver des sujets de conversation susceptibles de tromper la petite angoisse les tenaillant toutes les deux. Au terme de cette journée, la vie de chacune aurait irrémédiablement changé.

PROTÉGEONS
NOS FORÊTS

Achevé d'imprimer en octobre 2008
sur les presses de Transcontinental-Gagné
Louiseville (Québec).